COLLECTION
FOLIO HISTOIRE

Olivier Pétré-Grenouilleau

Les traites négrières

ESSAI D'HISTOIRE GLOBALE

Gallimard

Olivier Pétré-Grenouilleau est professeur à l'Université de Bretagne-Sud (Lorient).

INTRODUCTION

Ce n'est qu'à partir de la seconde moitié des années 1960 que des scientifiques, surtout anglo-saxons, ont contribué à donner une impulsion décisive à l'étude de la traite des Noirs. Depuis, les recherches se sont multipliées, en Europe, en Amérique et en Afrique, au sein des trois continents impliqués dans le trafic négrier. Plusieurs milliers de titres — ouvrages et articles confondus — existent maintenant sur la question[1]. Mais, alors que l'« honnête homme » et les non-spécialistes estiment souvent tout connaître sur le sujet, des mythes et des légendes persistent, pendant que d'épaisses brumes continuent d'obscurcir des aspects essentiels. « Même aujourd'hui, malgré un quart de siècle de recherches internationales sophistiquées, écrit Herbert S. Klein, le fossé entre l'entendement commun et la connaissance érudite demeure aussi profond qu'au moment où la traite était remise en question dans les cercles cultivés d'Europe, au XVIIIe siècle. » Avant d'ajouter : « Il n'y a pas eu ici seulement échec du dialogue entre les universitaires et le public cultivé, il y a eu également une surprenante ignorance au sein même du monde académique, dans son ensemble, à propos de la nature de

la traite[2]. » L'histoire de l'esclavage et des traites négrières reste encore à l'écart des grandes questions
abordées dans les cursus universitaires, y compris
aux États-Unis. L'essentiel des travaux sur le sujet
est publié en anglais. Même dans cette langue, cependant, les ouvrages d'ensemble sont rares. Le
plus souvent thématiques, ils s'intéressent à la traite
par l'Atlantique, à l'esclavage en Afrique, aux traites
que l'on qualifiera ici d'orientales, ou bien encore à
l'histoire du mouvement abolitionniste. À ma connaissance, aucun ouvrage moderne n'aborde l'ensemble des questions relatives aux différentes traites négrières, à leurs origines, leur évolution, leur
abolition et leurs rôles dans l'histoire mondiale.
Nombre d'historiens ont pourtant appelé à essayer
d'en restituer un tableau d'ensemble, ce que David
Brion Davis a nommé le « Big Picture[3] ».

Les raisons de ce paradoxe — une histoire en
plein essor mais peu connue et mal reconnue —
sont nombreuses. Elles tiennent au discrédit qui
pesa longtemps sur une histoire coloniale à laquelle
elle est parfois quelque peu artificiellement rat-
tachée[4], à l'existence d'un tabou négrier qu'il ne
faut cependant pas exagérer (car certains déten-
teurs d'archives privées n'hésitent pas, en Europe, à
en faciliter l'accès aux historiens), aux difficultés in-
hérentes à l'écriture d'une histoire dépassant tous
les clivages habituels, qu'ils soient temporels (sa durée s'étale sur plus d'un millénaire), spatiaux (trois
continents sont concernés), thématiques (économie, politique, culture… sont tour à tour imbriquées). Globale, monstrueuse par ses dimensions
comme par son objet, l'histoire de la traite se trouve
écartelée en de nombreux sous-ensembles dont il
est difficile de maîtriser la totalité. À ces raisons,

dont la liste n'est pas limitative, ajoutons le fait que l'histoire négrière n'a pas été suffisamment connectée à d'autres grands axes de la recherche historique auxquels elle est pourtant indéniablement liée, comme l'histoire du commerce maritime, du capitalisme, ou bien encore l'étude des sociétés, des économies et des civilisations qu'elle contribua à mettre en relation. Au sein même des études négrières, l'histoire comparative reste trop rarement pratiquée. Marginalisée du fait d'une substance peut-être trop riche et de divers tabous, l'histoire des traites négrières l'est donc également parce qu'elle n'a pas su sortir du ghetto dans lequel, parfois, elle s'est elle-même en partie enfermée.

Ajoutons que, né avec le combat abolitionniste, le discours sur la traite est devenu un enjeu avant même d'avoir été pleinement érigé en objet historique. Initiées par le père Dieudonné Rinchon et par Gaston Martin en France, ainsi que par Elizabeth Donnan aux États-Unis[5], les premières tentatives modernes d'approche scientifique de la question datent de l'entre-deux-guerres. Philip Curtin à l'échelle de la traite transatlantique dans son ensemble, Jean Mettas et Serge Daget à celle de la traite française jouèrent ensuite un rôle considérable, montrant qu'une approche statistique fiable des événements pouvait succéder à l'ère des dénombrements impressionnistes et souvent fantaisistes. Le débat était lancé. Et depuis il ne s'est guère interrompu. De nombreuses circonstances ont favorisé son développement : l'émergence de nouveaux États qui, nés de la décolonisation, se mirent à la recherche de leur passé, l'utilisation rationnelle de sources et méthodes originales, autour, notamment, de l'histoire orale africaine, l'apparition de nouvelles curiosités et l'essor de sciences humaines engagées dans un dialogue avec l'histoire (anthropologie, ethnologie...). Mais certains facteurs ont aussi contribué à obscurcir le débat, qu'ils soient hérités d'un lointain passé ou bien de querelles idéologiques, comme la question noire aux États-Unis, le douloureux processus de décolonisation à la française, ou bien encore, parmi d'autres, l'intégration des pays arabes anciennement négriers au sein des pays du « Sud ». Des querelles elles-mêmes souvent plus ou moins héritées de vieux affrontements relatifs au racisme, au colonialisme et au tiers-mondisme.

Tout cela explique pourquoi l'opinion commune tarde à évoluer, malgré les nombreux efforts déployés par les historiens afin d'assurer la diffusion des acquis de la recherche moderne. Il y a là de quoi décourager beaucoup de bonnes volontés. Et sans doute faut-il y voir la source de certaines réorientations de la part d'historiens préférant, au bout de quelques années, s'intéresser à d'autres sujets de recherche. À l'heure de l'histoire mémoire, une déportation organisée d'êtres humains, la plus importante de tous les temps, continue ainsi d'être largement oubliée. Non pas parce qu'elle serait peu étudiée, mais parce qu'elle est déformée par les ravages du « on dit » et du « je crois », par les rancœurs et les tabous idéologiques accumulés, sans cesse reproduits par une sous-littérature n'ayant d'historique que les apparences[6]. Dépouillée ainsi d'une bonne partie de sa substance, l'histoire de la traite des Noirs a permis l'enracinement de mémoires souvent antagonistes. Simple commerce honteux pour les uns, crime contre l'humanité ou génocide pour les autres, ou encore tare qu'il convient de faire disparaître de son passé, la traite et son histoire sont à l'origine de multiples pôles de cristallisation du souvenir. Mais que sont des souvenirs ou des mémoires sans une histoire préalablement et solidement définie dans ses contours ? Rien d'autre qu'un amas d'idées confuses susceptibles de donner lieu à tous les amalgames, à toutes les compromissions, à toutes les erreurs ; un fatras de données livrées à la tyrannie des croyances.

D'où la nécessité de dépasser le stade de la monographie, de l'analyse statistique ou thématique (même si, en ces domaines, il reste et restera toujours beaucoup à faire), de délaisser un peu ce qui nous est maintenant le moins mal connu (l'histoire de la traite, notamment atlantique, et de ses modalités pratiques), pour nous intéresser à ses implications, en amont et en aval, bref à la place et au rôle de la traite dans l'histoire ; le tout en essayant de comprendre sans juger. D'où, pour toutes ces raisons, l'obligation d'emprunter à cette *global* ou *world history* depuis longtemps lancée mais toujours si diversement — et, finalement, si insuffisamment — définie dans ses objectifs, ses modalités et ses méthodes.

Comme toute bonne histoire, l'histoire globale est forcément comparative. Cela semble aller de soi dans le cadre du trafic négrier, étant donné la variété des régions et des acteurs concernés. La chose, pourtant, est loin d'être fréquente. Du fait même de l'étendue des questions abordées, l'histoire des traites négrières figure en effet comme un bon exemple des conséquences du processus d'industrialisation de la recherche scientifique décrit par Arnold Toynbee[7]. Dans ces conditions, l'auteur d'un travail très sérieux sur la traite dans l'Empire ottoman pourra conclure qu'avec un taux de profit d'environ

20 % les négriers ne pouvaient guère y faire fortune, alors que, par ailleurs, les spécialistes de la
traite par l'Atlantique savent que la traite anglaise,
apparemment la plus profitable de toutes, n'a, en
moyenne annuelle, jamais rapporté guère plus de
10 %. Un taux de profit d'ailleurs jugé par certains
comme ayant été suffisamment important pour faciliter la fameuse « accumulation primitive » du capital, longtemps estimée comme un préalable nécessaire au démarrage de la révolution industrielle.
Tout cela pour dire que les spécialistes de la traite
orientale lisent généralement peu ce qui est produit
par les spécialistes de la traite occidentale, ou bien
par ceux s'intéressant aux traites internes destinées
à alimenter en esclaves les sociétés de l'Afrique
noire précoloniale — et inversement. Il en va de la
traite comme de l'esclavage et de l'abolitionnisme,
sans même mentionner tous les domaines qui,
autonomes par rapport à l'histoire de la traite, en-
tretiennent néanmoins d'importants rapports avec
elle, comme l'histoire démographique, celles des
idées, de l'expansion européenne, de la navigation,
des formes de travail, ou bien encore des processus
de développement économique et d'industrialisation. Malgré l'existence de travaux synthétiques parfois remarquables sur l'esclavage en général, l'histoire comparative des traites négrières est donc
encore dans son enfance.

D'ailleurs, comparer nécessite ici un effort supplémentaire. Celui consistant à essayer d'aller au-
delà des clichés qui, plus que dans beaucoup
d'autres domaines de la recherche historique, continuent à rendre plus délicats les passages d'un secteur de spécialité à un autre. Des clichés dont l'histoire serait à écrire, qui sont nés essentiellement à

l'époque du combat entre abolitionnistes et pro-esclavagistes, à partir du XVIIIe siècle, et qui, depuis, ont été sans cesse renforcés et reformulés, sous l'action de forces aussi diverses que nombreuses. Il en va ainsi des légendes dorées et noires relatives à l'esclavage en pays d'Islam, ainsi que des débats relatifs à l'esclavage « domestique » en Afrique noire. Le tout renvoyant à des formes de servitude que l'on continue souvent de définir par opposition à des *images* de l'esclavage dans le Nouveau Monde largement héritées du XIXe siècle, ajoutant ainsi l'anachronisme à l'européocentrisme.

Histoire comparative débarrassée des clichés qui l'entourent, l'histoire globale des traites négrières est une histoire tentant d'approcher des pratiques et des logiques. Des logiques *à partir* des pratiques devrait-on plutôt dire. La multiplicité des faits et la diversité des facteurs (économiques, politiques, culturels, géopolitiques, etc.) qu'il est nécessaire d'appréhender à plusieurs échelles, de l'individuel au collectif, doivent en effet rendre ici l'historien plus que jamais sensible à la réalité des choix qui s'offraient aux acteurs du jeu historique. L'analyste qui reconstitue les événements *a posteriori* a trop souvent tendance à considérer que le déroulement qu'il a lui-même contribué à construire correspond à quelque chose de logique et d'inéluctable. On sait évidemment qu'il n'en est rien. Mais cela n'empêche pas l'histoire reconstruite de faire souvent fi de l'histoire vécue ; travers qu'il est, en matière d'histoire négrière, encore plus important qu'ailleurs d'éviter. On l'aura compris, l'histoire globale des traites négrières que je voudrais tenter de mettre en œuvre est surtout celle des configurations, dé-confi-

gurations et reconfigurations successives de pratiques et de logiques, à travers le temps et l'espace.

Au cours du premier chapitre, intitulé « L'engrenage négrier », nous essaierons de voir comment
des comportements, et finalement des logiques différentes, propres à l'Afrique noire, au monde musulman et à l'Occident, ont pu se connecter et favoriser ainsi la naissance des traites négrières. Les
deux chapitres suivants (première partie du livre)
seront consacrés à leur essor et à leur évolution, depuis le haut Moyen Âge jusqu'à nos jours. Il s'agira
de comprendre comment et pourquoi les logiques à
l'œuvre derrière l'« infâme trafic » ont pu si longtemps continuer à s'emboîter, malgré leurs différences, la diversité des pratiques et la multitude des
changements survenus au cours de l'histoire plus
que millénaire des traites négrières. Ensuite, il sera
temps de s'intéresser au processus abolitionniste
(deuxième partie), qui, seul, put mettre un terme à
cette longue histoire. Les deux derniers chapitres
(troisième partie) auront pour objectif d'étudier le
rôle de la traite dans l'histoire de l'Occident, de
l'Afrique noire et du monde musulman.

Partout, chaque fois que cela sera possible, nous
tenterons de voir en quoi l'histoire des traites négrières peut s'inscrire dans de plus amples perspectives, que la traite ait été à l'origine d'évolutions
plus générales ou bien qu'elle se soit contentée de
les accompagner, de les refléter ou de les révéler.
Une telle approche ne sera pas toujours aisée car le
sujet est controversé, la production considérable et
dispersée. Dépasser le stade du constat obligera
donc parfois à procéder par hypothèses, à mettre
l'accent sur des domaines de la recherche peu ex-
plorés, à tenter la synthèse la plus juste, la plus lo-

gique ou tout simplement la plus crédible de travaux plus ou moins contradictoires. Ainsi, en essayant de nous détacher des *a priori* qui l'étouffent, nous espérons contribuer à mieux faire connaître un phénomène historique qui est loin d'être mineur. Car tendre à la clarté, à l'objectivité, et travailler à replacer leur histoire dans un contexte plus large, c'est, d'une certaine manière, un moyen de rendre hommage aux millions de victimes des traites négrières.

1

L'engrenage négrier

La traite des Noirs n'est pas la seule grande migration forcée d'êtres humains de l'histoire. Outre la diaspora juive, il y eut dans l'Antiquité de nombreuses cités qui furent rasées après que leur population fut passée par les armes ou bien déportée. Après 1685, les protestants français furent contraints d'abjurer leur religion et de se convertir au catholicisme, ou bien de s'exiler. Au XIXᵉ siècle, on notera la politique des « réserves » appliquée à l'encontre des Indiens des États-Unis. Du siècle dernier on pourra retenir, entre autres, le massacre et l'exil des Arméniens, la déportation des Juifs, Tziganes et autres minorités mises à l'index dans l'Europe nazie, la « dékoulakisation » et l'« Archipel du goulag » en Union soviétique, ou bien encore les massacres et l'exil qui frappèrent une partie de la population rwandaise. Tous ces phénomènes ont pour point commun d'avoir été de grandes tragédies.

Chacun, cependant, renvoie à une histoire particulière. Les « systèmes d'action humaine sont à l'image des mariages heureux et malheureux chez Tolstoï, écrit Seymour Drescher, tous semblables d'une certaine manière en dépit de leur singularité[1] ».

Inutile, donc, d'essayer de les placer sur une hypothétique échelle de Richter de l'injustice et de la souffrance. On peut toutefois tenter de les comparer sans hiérarchiser, c'est-à-dire sans chercher à en minimiser certains pour en stigmatiser d'autres. Assez vite, on peut alors leur trouver un même dénominateur commun. Ceux que l'on déporte sont en effet, dans tous les cas, considérés comme des étrangers *(outsiders)*, c'est-à-dire comme totalement différents au regard des valeurs dominantes et/ou officielles au sein des sociétés jouant un rôle majeur dans leur déportation. Le caractère irréductible de cette différence permet d'ailleurs de distinguer l'Autre « relatif », qui peut partager certains attributs culturels (comme la langue ou la religion) avec les membres de la société dans laquelle il est marginalisé, et l'Autre « absolu » qui ne sera jamais admis comme membre à part entière au sein d'une société donnée.

Mais est-on mieux avancé grâce à ces remarques ? Pas vraiment. Tout d'abord, car les frontières entre Autre « relatif » et Autre « absolu » peuvent être sujettes à fluctuations, du fait même de la diversité des critères jouant un rôle dans leur caractérisation. Pour les Grecs anciens, l'Autre est avant tout le « barbare », c'est-à-dire celui ne parlant pas le grec. En d'autres lieux et à d'autres époques, les critères discriminants peuvent être de nature politique, ethnique, religieuse ou encore raciale. Souvent, ils combinent en fait plusieurs éléments. Enfin, et surtout, ces distinctions ne sont jamais données par avance. Elles sont élaborées, construites à partir de matériaux divers. Certains renvoient à des données culturelles profondes, d'autres ne

sont que des alibis permettant de légitimer une situation effective ou des intérêts particuliers.

Reprenons l'exemple des Grecs anciens. Définir le
barbare comme celui ne parlant pas le grec peut
s'expliquer en premier lieu par le fait que le citoyen
de la cité-État grecque, notamment à Athènes, se
définit par la participation aux débats de l'Assemblée. Le grec est alors considéré comme l'instrument et le reflet du *logos* (ou raison). On comprend
donc que, poussé à l'extrême, ce type d'argument
ait conduit Aristote à expliquer que tout homme ne
maniant pas le grec, tout « barbare », pouvait être
un esclave « naturel ». Mais on peut également faire
intervenir d'autres facteurs explicatifs afin d'expliquer l'asservissement des « barbares ». Ainsi le choc
provoqué par les guerres médiques, au cours desquelles les Athéniens ont cru un temps disparaître,
face aux soldats innombrables des armées perses,
avant de réussir à les vaincre et de nourrir alors un
grand sentiment de supériorité à leur égard. On
peut aussi noter, comme l'a fait Moses Finley[2], que
les progrès de la démocratie à Athènes (c'est-à-dire
l'extension du statut privilégié de citoyen aux adultes mâles de la cité) avaient forcément un prix.
Pour subvenir aux besoins des citoyens se réunis-
sant à l'Ecclesia, il fallait bien que d'autres travaillent, d'où le renforcement d'un système esclavagiste puisant dans le vivier des populations
« barbares ». Selon que l'on s'arrête à la première, à
la deuxième ou à la troisième explication, on aura
une vue tout à fait différente des causes de cet esclavage. Dans le premier cas, on pourra le considérer comme la résultante d'une certaine culture politique puisant aux sources du « génie » grec. Dans le
deuxième, on en fera la conséquence d'un « événe-

ment » historique particulier, d'une certaine conjoncture. Dans le troisième, le renforcement de l'esclavage apparaîtra comme l'une des suites logiques
des réformes sociales et politiques accomplies au
sein de la cité, depuis Solon.

Aucune de ces explications n'est à elle seule suffisante. Plutôt que de les opposer les unes aux autres,
c'est en essayant de les combiner que l'on peut espérer mieux comprendre la logique permettant
d'expliquer comment l'Athènes classique a pu tout à
la fois « inventer » la démocratie et trouver des justifications à l'asservissement des non-Grecs. C'est
en cela que ce détour un peu « exotique » par rapport à notre sujet me semble utile. Il nous montre
que rien n'est simple, tout en soulignant les devoirs
et les limites du travail de l'historien : essayer de reconstituer et de comprendre la logique des « systèmes d'action humaine » du passé, sans vouloir les
juger.

De manière assez surprenante, la question des
origines de la traite a, jusqu'à ces dernières années,
suscité peu d'interrogations. On étudie ses modalités, son évolution, son impact, mais beaucoup
moins ses débuts. Ceux-ci, pourtant, ne vont pas de
soi. Les anciens poncifs (du type : la traite est la
conséquence d'un racisme à l'encontre des Noirs)
étant aujourd'hui complètement dépassés, il serait
utile de les remplacer par des hypothèses plus
scientifiques. On en dispose d'un certain nombre, à
propos du choix de la main-d'œuvre noire pour la
mise en valeur des Amériques. Mais la question des
origines plus lointaines de la traite, en Afrique
noire, reste obscure. Certains estiment qu'elle y fut
introduite depuis l'extérieur, du fait de pressions
croissantes exercées par des sociétés étrangères. On

pense alors immédiatement à l'Occident, et l'on a
tort. La traite atlantique, la plus « célèbre » et la
moins mal connue des traites d'exportation, ne se
développe vraiment qu'à partir du XVIIᵉ siècle, près
de mille ans après l'essor des traites orientales qui,
plus précoces et plus durables, alimentèrent le
monde musulman, jouant du point de vue quantitatif un rôle plus important que le sien. D'autres in-
terprètent la traite comme le résultat d'évolutions
internes, propres à l'Afrique subsaharienne. Certains, enfin, se rapprochant sans doute plus de la
vérité, préfèrent chercher les origines de la traite
dans une conjonction des deux phénomènes, selon
des proportions et des modalités qui sont (et reste-
ront sans doute) en grande partie obscures. Comment ces diverses influences ont-elles pu se combiner pour permettre la naissance et l'essor de la
traite ? Quelles logiques ont pu conduire à l'engrenage négrier ?

L'« INVENTION » DE LA TRAITE

Qu'est-ce que la traite ?

La réponse à ces questions dépend évidemment
de la manière de définir la traite, et notamment des
liens que l'on établit entre traite et esclavage. *A
priori*, les deux phénomènes sont intrinsèquement
liés, et, effectivement, ils se sont souvent mutuellement renforcés. En l'absence de système esclavagiste, la traite n'a pas de raison d'être. Inversement,
il est clair que si l'Afrique noire n'avait pas connu

certaines formes d'esclavage, les traites d'exportation s'y seraient sans doute difficilement développées. Cependant, des sociétés esclavagistes peuvent parfois exister et survivre sans être approvisionnées de l'extérieur par l'intermédiaire de circuits de traite. Tel est le cas de la population servile du sud des États-Unis, au XIXᵉ siècle, qui s'est accrue par le seul effet d'un solde naturel positif. On peut donc trouver trace d'esclaves dans telle ou telle société sans que cette présence soit liée à un circuit de traite.

Comment, dès lors, définir la traite des Noirs ? À vrai dire, je n'ai guère trouvé d'ouvrage où elle soit véritablement définie. Sans doute cela tient-il au fait que l'on comprend facilement de quoi il s'agit. Les choses apparemment les plus simples ou les plus évidentes n'échappent pourtant pas à la nécessité d'une définition, dès lors que l'on souhaite les étudier d'un point de vue scientifique.

Il en va de même de la manière de nommer un objet. L'usage désormais classique de l'expression anglaise *slave trade* ne satisfait pas tout le monde. L'historien français Serge Daget notait qu'elle sous-entend que les captifs acquis en Afrique étaient déjà esclaves (ce qui pourrait conduire les négriers à considérer les traites négrières d'exportation comme un « moindre mal ») alors que, dans bien des cas, il s'agissait d'individus originellement libres, plus ou moins fraîchement capturés. À cette objection (qui explique pourquoi Daget préférait souvent le terme de « captif » à celui d'« esclave ») on peut, il est vrai, aisément rétorquer que l'individu vendu contre sa volonté est forcément privé de la plus élémentaire des libertés, et ce quels que soient son statut juridique officiel et sa destination géographique finale (Afrique noire, Amérique, monde musulman...). Une autre objection, majeure, peut cependant être formulée à l'encontre de l'expression usuelle. Le « commerce des esclaves » a en effet, historiquement parlant, concerné de très nombreuses populations, depuis l'Antiquité jusqu'à l'époque contemporaine. Il ne peut donc aucunement être réductible aux seules opérations dont une partie des habitants de l'Afrique noire ont été les victimes. Devrait-on alors remplacer la formule *slave trade* par celle de *Black slave trade*, et nous rapprocher ainsi de l'expression « traite[3] des Noirs » usitée dans les pays de langue française ? L'idée ne serait certainement pas mauvaise, mais elle pourrait fournir le prétexte à des dérapages racistes, de tous bords. Notons qu'une autre formule existe, en français : celle de « traite négrière ». Elle présente l'avantage de mettre l'accent à la fois sur le « nègre » (terme qui, jusqu'au XVIIIe siècle, n'était généralement affublé d'aucune connotation péjorative) et sur les différents « négriers » à l'origine du processus esclavagiste ; lequel commence dès la capture des futurs « esclaves » (et donc dès le moment où ils sont privés de liberté) en Afrique. Parler de *slave trade* ou de *Black slave trade* conduit à ne se focaliser que sur les résultats du processus négrier. Avec l'expression de « traite négrière », les « produits » (les esclaves) et les « producteurs » (les négriers) sont replacés dans la situation d'interaction dialectique qui a été historiquement la leur. Ni les uns ni les autres ne sont oubliés. Le problème est que le sens attaché au terme « nègre » s'est fortement dévalorisé depuis l'époque moderne, et qu'il n'est plus possible, dans un grand nombre de langues, de l'utiliser aujourd'hui de manière neutre.

Il est difficile, on le voit, de trouver la bonne expression capable de caractériser l'objet de notre
propos.

Néanmoins, on peut essayer de le définir. Je
pense qu'il faut pour cela associer et combiner au
moins cinq éléments, outre le fait — sur lequel il
nous faudra revenir — que les captifs soient de couleur noire. Certains de ces éléments, notamment les
trois premiers, peuvent se retrouver à d'autres époques et en d'autres lieux, et donc concerner des pratiques esclavagistes non liées à la traite. D'autres
(les deux derniers) sont plus spécifiques à cette dernière. Mais tous lui sont nécessaires. En premier
lieu, la traite suppose l'existence de réseaux d'approvisionnement en captifs relativement organisés
et stables, capables d'en drainer un nombre significatif : cela nécessite un relatif maillage de l'espace
(lieux de capture ou de « production », disent souvent anthropologues et historiens, routes par lesquelles ils transitent, lieux de vente...), une logistique et tout un arsenal idéologique permettant
d'assurer la « légitimité » de l'ensemble, aux yeux
des capteurs comme à ceux des différents vendeurs
et acheteurs de captifs. Même si l'ensemble du trafic se fragmente en une multitude d'opérations,
concernant à chaque fois un petit nombre d'individus, au total, toutes participent d'une même logique et d'une même organisation.

Tout cela renvoie, en second lieu, à un phénomène particulier. De manière générale, comme le
remarque Orlando Patterson, nombre de systèmes
esclavagistes comptèrent avant tout sur la capacité
des populations serviles à se maintenir ou bien à
croître par excédent naturel[4]. L'existence de la
traite des Noirs ne peut s'expliquer, au contraire,

que par incapacité des populations d'esclaves à se maintenir de manière naturelle[5].

L'ensemble du système repose sur un troisième caractère : la dissociation très nette entre lieu de production et lieu d'utilisation des captifs. Ceux-ci sont envoyés d'Afrique noire dans les Amériques, en Afrique du Nord, dans le Moyen-Orient, en Inde, en Chine ou dans d'autres sociétés d'Afrique noire, la distance s'exprimant ici tout autant en termes de frontières ethniques qu'en kilomètres parcourus.

Le quatrième élément découle du précédent. La société utilisant l'esclave peut parfois le « produire » directement : c'est le cas des premiers esclaves razziés par les Portugais sur les côtes d'Afrique occidentale, au XVe siècle, des entités politiques d'Afrique noire opérant des razzias chez leurs voisins plus ou moins éloignés, ou bien des raids parfois organisés à partir des régions de l'Afrique du Nord. Cependant, l'échange tributaire ou marchand joue très tôt un rôle essentiel dans la traite. Dans le premier cas, une entité politique se décharge des opérations de capture sur ses voisins, en se contentant de leur demander de lui fournir régulièrement un contingent de captifs. Dans le second, les captifs sont acquis non pas contre une protection ou du fait d'un lien de subordination, mais contre une certaine quantité de marchandises, définies après tractation entre des commerçants appartenant à des sociétés différentes. Le premier cas de figure a pu concerner (sans être exclusif) les traites propres à l'Afrique noire et celles l'ayant mise en relation avec les sociétés situées immédiatement sur ses marges nordiques et orientales. On le retrouve à diverses époques. Les phases tributaires et marchandes furent parfois entrecoupées par des phases de production directe des captifs. Mais à chaque fois qu'un certain équilibre des puissances s'est établi, les premières ont tendu à l'emporter. « De fait, après les premiers siècles de l'islam, écrit James O. Hunwick, la méthode la plus commune pour obtenir des esclaves devint l'achat au travers des longs tentacules du réseau commercial musulman [...]. En Afrique, les esclaves étaient généralement achetés à des dirigeants subsahariens qui étaient au moins nominalement musulmans. Ils les obtenaient à leur tour en effectuant des raids chez les peuples voisins non musulmans (et parfois musulmans)[6]. » Quant aux captifs déportés par les traites atlantiques, seuls environ 2 % furent directement razziés par les négriers occidentaux, surtout au début, entre le XVe et le XVIIe siècle, lorsque le trafic n'était pas encore véritablement organisé. 98 % de ces captifs ont ainsi été achetés à des courtiers africains.

Le cinquième et dernier élément permettant de caractériser la traite dérive des précédents. Un trafic aussi important et aussi organisé, fonctionnant essentiellement sur le mode de l'échange (tributaire ou marchand), ne peut se faire sans l'assentiment d'entités politiques ayant un certain nombre d'intérêts convergents. Le problème est que ces entités politiques renvoient à des sociétés variées, appartenant elles-mêmes à trois grandes aires de civilisation différentes : l'aire africaine, l'aire européenne et américaine, l'aire musulmane. Comprendre les raisons de l'engrenage négrier nécessite donc de mettre au jour les mécanismes et les logiques qui furent à l'origine de cette singulière rencontre entre des mondes si différents.

L'Antiquité : des esclaves noirs
sans la traite

Pour l'heure, une chose est claire : si l'on s'accorde sur notre définition de la traite, on peut considérer que celle-ci n'existe pas encore dans l'Antiquité, malgré la présence attestée d'esclaves noirs au sein d'un certain nombre de sociétés de cette époque.

On sait que l'Égypte pharaonique, sans doute la grande « initiatrice » en ce domaine, utilisa des captifs noirs, au moins dès le IIIe millénaire, et sans doute de manière plus importante à partir du Nouvel Empire, entre 1552 et 1070 av. J.-C. Ils venaient du pays de Koush, c'est-à-dire, pour les Égyptiens d'alors, des régions du haut Nil situées au-delà d'Assouan, notamment de Nubie, dans l'actuel Soudan. En plus faibles proportions, ils provenaient également du Darfour, une région montagneuse de l'ouest du Soudan, et de Somalie. Les captifs noirs appartenaient au pharaon, aux grands et aux temples. Ils pouvaient faire l'objet de contrats de vente, d'achat, de location ou de prêt, et devenir les éléments d'un commerce entre propriétaires privés. On en trouvait dans l'armée, mais ils étaient aussi affectés à l'extraction et au transport des monolithes ou bien servaient comme domestiques, ce qui expliquerait l'importance des mentions concernant les femmes esclaves dans les documents retrouvés.

Probablement peu nombreux, car le travail servile n'était pas un trait essentiel de l'économie égyptienne, ils étaient dispersés à plusieurs échelons de la société. Limité, ce type d'esclavage paraît en outre avoir été rythmé par les phases d'expansion et de recul de la puissance égyptienne à partir du Nil, ce grand axe de pénétration vers le sud, facilitant échanges commerciaux et opérations militaires. Le rôle de ces dernières est essentiel, car c'est surtout à l'époque des grandes conquêtes du Nouvel Empire que l'on assista à un accroissement du nombre d'esclaves en Égypte. Ajoutons que le statut des captifs était ambigu. Il fut parfois appliqué à des étrangers qui avaient été d'abord accueillis avant d'être réduits en esclavage, comme les Hébreux. Inversement, profitant de troubles en Égypte, à partir de 1100 av. J.-C., la Nubie (qui avait été conquise et intégrée à l'Empire jusqu'à la quatrième cataracte) s'émancipa de la tutelle de son imposant voisin du nord. Sous l'impulsion de Piankhi, elle mit même la main sur lui, fondant ainsi la XXVe dynastie koushite (713-664), également dite « éthiopienne ». La couleur ne semble donc pas avoir été un obstacle à l'assimilation, sans doute du fait de la diversité des populations égyptiennes.

Le monde grec égéen a connu la présence de Noirs, si l'on en juge par quelques témoignages, comme cette fresque du palais de Cnossos, en Crète, où l'on voit des gardes noirs ; ou bien encore par le fait qu'Euribatès, le héraut d'Ulysse, était africain. Cependant, au vi^e siècle av. J.-C., à l'époque à laquelle aurait vécu le demi-légendaire fabuliste Ésope le Phrygien, les esclaves noirs étaient encore des objets de curiosité pour les Grecs. La onzième fable d'Ésope, dite « L'Éthiopien », n'affirme-t-elle pas qu'un homme ayant acheté un Noir crut que sa couleur provenait d'une négligence de son ancien maître et qu'il essaya toutes sortes de lavages et de soins afin de pallier cet apparent défaut de propreté. Finley a montré que dans l'Athènes du ve siècle avant notre ère, l'esclave, considéré comme un sous-homme par les plus illustres philosophes, était un rouage essentiel au fonctionnement d'une démocratie réservée à un nombre restreint de citoyens. Parmi les nombreux captifs utilisés comme domestiques ou artisans à la ville, et parmi ceux qui étaient exténués par la dure exploitation des gisements de plomb argentifère du massif du Laurion, figuraient des « Égyptiens », et sans doute quelques Noirs. Deux siècles plus tard, Théophraste indique qu'il est de bon ton de disposer d'un esclave noir. Au total, présents dans le monde grec archaïque et classique, ils n'y ont jamais été nombreux.

Les restes de squelettes négroïdes retrouvés dans les nécropoles puniques témoignent du fait que leur présence était plus fréquente à Carthage, laquelle se les procurait par l'intermédiaire des Garamantes. Ceux-ci étaient probablement des Berbères. Ils habitaient en plein Sahara, dans le Fezzan, la région située autour de Garama, aujourd'hui Jarmah, au sud de la Libye. Selon Hérodote, les Garamantes faisaient littéralement la chasse aux « troglodytes éthiopiens » (les ancêtres des Toubou occupant le massif du Tibesti ?) à l'aide de chars tirés par quatre chevaux. Lors de la deuxième guerre punique (218-201 av. J.-C.), Hannibal se servit de cornacs noirs afin de guider ses éléphants jusque dans les plaines d'Italie. Ce serait d'ailleurs à cette occasion que les Romains auraient pris contact avec les hommes de couleur noire, longtemps désignés sous le terme générique d'« Éthiopiens » (c'est-à-dire « faces brûlées »), fabriqué par les Grecs.

Les derniers siècles de la République, et surtout l'Empire, avec ses conquêtes, virent Rome réduire en esclavage des populations entières, tout autour du Bassin méditerranéen. Transport et vente des es-

claves étaient alors avant tout le résultat de conquêtes militaires et de pillages. À l'apogée de l'Empire,
l'Italie aurait abrité deux à trois millions d'esclaves,
soit 35 à 40 % de sa population totale. À la différence des cités de la Grèce antique, où la majorité
des esclaves travaillaient comme domestiques ou
artisans à la ville, la majeure partie de la population
servile de la péninsule italienne était utilisée dans
l'agriculture. La plupart des esclaves venaient d'Europe, d'Asie Mineure et de Syrie. La création de la
province d'Ifriqiya (Maghreb), l'occupation de la Libye et de l'Égypte fournirent des points d'appui à
partir desquels furent lancées des expéditions puni-
tives vers les régions du lac Tchad, du Tibesti, du
Fezzan et du royaume de Koush (ou Méroé), en Nubie. De ce fait, des captifs noirs sont arrivés à
Rome. Certains y furent utilisés dans les jeux du
cirque. Mais il fallut attendre l'introduction du dro-
madaire, à partir du IIᵉ siècle de notre ère, pour que
s'ouvrent quelques relations commerciales entre
l'Ifriqiya romaine et l'Afrique noire occidentale. Assez mal connues, elles semblent s'être limitées à un
échange d'or, de plumes d'autruche, d'escarboucles
et de captifs contre des poteries et des objets en mé-
tal. Selon Jehan Desanges, les principaux signes de
la pénétration romaine dans le Sahara dateraient
de l'époque flavienne. Au moment de la plus grande
expansion de l'Afrique romaine, en 199-235, sous
les Sévères (originaires de Lepcis et, « en principe,
intéressés au trafic caravanier aboutissant à cette
ville »), cette expansion vers le Sud aurait été « peu
importante ». « Pour le monde méditerranéen antique, ajoute-t-il, l'Éthiopien occidental reste un être
presque mythique. » L'homme noir demeure « essentiellement lié au Nil »[7]. À l'est, au IVᵉ siècle, l'an-

cien royaume de Koush fut détruit par son voisin, l'empire d'Axoum, ancêtre de l'Abyssinie. Comme son prédécesseur, celui-ci s'employa à « produire » des captifs, à la fois pour ses besoins propres et pour leur exportation, notamment vers l'Égypte et la Perse. Une continuité dans l'approvisionnement en captifs noirs fut ainsi assurée, entre le déclin de Rome et la montée en puissance de l'islam.

Tout cela témoigne à la fois de la durée et de la fragilité d'un trafic que l'on n'ose pas encore qualifier de traite. La précocité et l'importance de l'Afrique orientale comme centre d'exportation des captifs noirs, puis l'extension du phénomène à une grande partie de la bande sahélo-soudanienne, de la mer Rouge à l'Atlantique, sont évidentes. Mais les sources dont on dispose ne permettent pas de conclure à l'existence de réseaux commerciaux dans lesquels les captifs noirs constitueraient l'élément principal, ni d'intérêts convergents, en matière de traite, entre entités politiques différentes. Les effectifs concernés semblent être demeurés assez faibles, les flux instables, le lien entre arrivée d'esclaves noirs et guerres pour l'équilibre des puissances fréquent, sinon prédominant, et donc l'échange quasi absent. L'opération lancée par le préfet d'Égypte Caius Petronius, en 24-22 av. J.-C., est révélatrice de la persistance de ce type de relations. Ripostant à une incursion nubienne, il poussa au sud jusqu'à Napata, la capitale. Faisant des prisonniers, il en envoya un millier à Auguste en signe de victoire et en cadeau, comme les généraux romains en avaient l'habitude après toute campagne victorieuse contre un quelconque ennemi.

Le rôle de l'expansion musulmane

C'est sur ce substrat que fut réellement « inventée » la traite. Point n'est question ici de « responsabilité » (ce qui serait absurde, car anachronique), mais de mécanismes. Un faisceau de facteurs, parmi lesquels certains remontent à l'Antiquité, on l'a vu, se sont subitement configurés d'une manière spécifique, à un certain moment et sous certaines conditions, donnant ainsi naissance à la traite des Noirs telle que nous l'avons définie. Historiquement, l'expansion musulmane coïncida avec le moment où se produisit ce déclic. C'est un fait. La traite aurait-elle pu se développer ensuite sans ce déclic, nul ne le saura jamais, et la question n'a pas d'intérêt. Le monde musulman, d'ailleurs, fut loin de ne recruter que des esclaves noirs. Tout au long de son histoire, il puisa également très largement dans les pays slaves, le Caucase et l'Asie centrale. Du côté de l'Afrique noire, notons que quelques esclaves abyssins étaient présents en Arabie, notamment à La Mecque, à l'époque préislamique. Mais c'est à partir du VIIe siècle de notre ère que le djihad et la constitution d'un empire musulman toujours plus vaste conduisirent à une augmentation considérable de la demande en main-d'œuvre servile[8].

Et cela pour deux raisons. La première est que l'esclavage y était une institution commune et solidement enracinée. La seconde est qu'il était devenu impossible de se procurer des esclaves au sein même de l'empire. En effet, en pays d'Islam seuls sont esclaves les enfants d'esclaves et les personnes capturées à la guerre. Des personnes libres ne peuvent être asservies, pas plus que les enfants abandonnés, selon une politique courante dans les civilisations antiques. Durant la phase de conquête et d'expansion de l'empire, on pouvait se procurer des esclaves parmi les populations d'infidèles. Mais, une fois incorporées à l'empire, elles passaient sous le coup de la loi islamique, et ne pouvaient plus constituer de réserves potentielles d'esclaves. Assez rapidement, les besoins en captifs de l'empire durent être satisfaits par l'intermédiaire de réseaux d'importation fonctionnant à partir de régions situées au-delà de ses frontières. Comme l'indique justement Bernard Lewis, « dans le monde antique, où la plupart des esclaves, autres que prisonniers de guerre, étaient de provenance locale, leur commerce était une affaire simple et essentiellement locale, souvent combinée avec le commerce d'autres articles. Dans le monde islamique, où l'on transportait les esclaves sur de grandes distances, loin de leur lieu d'origine, leur commerce était plus complexe et plus spécialisé, comportant un réseau de routes commerciales et de marchés qui s'étendaient sur tout l'Islam et bien au-delà de ses frontières[9] ». Ce réseau d'approvisionnement en captifs fonctionnait soit sur le principe de l'achat, soit sur celui du tribut. Un trafic d'esclaves noirs s'organisa ainsi sur une vaste échelle.

Ce furent les razzias initiales, et surtout les tributs imposés aux populations subjuguées, qui déclenchèrent le processus. Contre un traité conclu en 652, la Nubie christianisée acheta la paix. Ce *bakt* (ou *baqt*) stipulait la fourniture annuelle de trois cent soixante captifs ; un contingent qui fut ensuite alourdi par les prélèvements qu'il fallut effectuer pour les hauts personnages intéressés par l'application du traité : quarante captifs pour le gouverneur de l'Égypte ou encore vingt pour l'émir d'Assouan. Les oasis du

Ouaddan, dans le désert de Syrte, et celles du Fezzan furent soumises au même traitement. Peut-être héritiers de conventions antérieures[10], ces accords étaient initialement limités dans leur teneur. Ils se transformèrent en fonction de l'évolution des rapports de force entre l'empire musulman et les régions situées plus au sud. Selon François Renault, conçus au départ plus ou moins sur un pied d'égalité, au moment de la conquête, ils auraient traduit un net caractère de sujétion dès le milieu du VIIIᵉ siècle, époque à laquelle il « apparut inadmissible qu'un traité puisse se conclure d'égal à égal avec des non-musulmans[11] ». Parallèlement, les besoins en captifs de l'empire musulman se renforçant, au fur et à mesure de son expansion, ces accords furent à l'origine d'opérations de traite les débordant très largement ; des opérations répercutées toujours plus au sud, assez loin dans l'intérieur du continent, là où les populations tributaires prirent l'habitude de se fournir elles-mêmes en captifs.

Parmi les indices indiquant l'importance de la mutation introduite par l'essor des traites alimentant le monde musulman figure l'évolution de l'image du Noir. Tout en nuançant le tableau un peu embelli établi par Frank M. Snowden[12], J. Desanges concluait en 1975 (et il n'a guère été contredit depuis) que l'Antiquité méditerranéenne avait su, « dans l'ensemble, dominer la tendance chez le Blanc à assimiler le Noir au résidu excrémentiel, à la mort et au monde infernal[13] ». Les traites en direction du monde musulman et le racisme à l'encontre des Noirs se développèrent simultanément. Ce dernier puisa à plusieurs sources qui n'ont rien à voir avec la religion, le Coran n'exprimant aucun préjugé de race ou de couleur.

La première cause renvoie au fait, comme l'écrit B. Lewis, que « la venue de l'islam créa une situation entièrement nouvelle entre races. Toutes les anciennes civilisations du Proche-Orient et de l'Asie avaient été locales ou, au mieux, régionales [...]. L'islam créa pour la première fois une civilisation vraiment universelle, qui s'étendait de l'Europe du Sud à l'Afrique centrale, de l'océan Atlantique à l'Inde et à la Chine ». Comme tous les peuples, les Arabes se sont placés au centre du monde qu'ils connaissaient, définissant les autres en fonction de critères déterminés par la plus ou moins grande proximité les unissant à eux. Comme en d'autres lieux et en d'autres époques, cela conduisit à l'élaboration d'une série de représentations stéréotypées des autres. Il en résulta un « rétrécissement », une « spécialisation » et « la fixation des termes concernant la couleur attribuée aux humains : au cours du temps, presque tous disparurent ne laissant subsister que *noir, rouge et blanc* ». Ces mots, ajoute B. Lewis, « avaient un caractère absolu et s'appliquaient à des ethnies, alors qu'ils étaient auparavant relatifs et qualifiaient des individus ». Parallèlement, « une connotation d'infériorité » fut attachée « aux peaux sombres et, plus précisément, noires »[14].

Entre le stéréotype, même particulièrement négatif, et le racisme, il y a cependant un pas important. Il me semble que ce qui conduisit à le franchir fut l'essor de la traite des Noirs, le fait que les habitants de l'empire prirent l'habitude de voir des Noirs asservis, et donc la progressive assimilation entre l'homme noir et la figure de l'esclave[15]. Cette assimilation et la nécessité de nier la dignité des hommes que l'on entreprenait de traiter en esclaves constituèrent la seconde cause — et sans doute la plus importante — de l'apparition d'un préjugé racial à l'encontre du Noir.

Les signes en sont multiples. Un passage des Hadiths, c'est-à-dire des traditions recueillies sur le prophète Mahomet après sa mort, dit des Zanj (Noirs habitant près des côtes orientales de l'Afrique, et parfois Africains en général) : « quand ils ont faim, ils volent ; quand ils sont rassasiés, ils forniquent ». Apocryphe, ce passage correspond à un proverbe arabe « bien connu dans les temps anciens et modernes ». De son côté, mort en 956, Mas'ūdī cite le médecin et physiologiste Galien (v. 131-201) pour qui la gaieté est « le trait dominant de l'homme noir, en raison d'un cerveau déficient, d'où provient également une intelligence faible »[16]. À Sidjilmasa, dès le VIIIe siècle, un jugement péjoratif avait cours sur les Noirs. Pour l'écrivain persan du XIIIe siècle Naşīr al-Dīn Tusi, les Zanj diffèrent seulement des animaux en ce que « leurs deux mains sont levées au-dessus du sol ». Il ajoute que « beaucoup ont remarqué qu'un singe apprend plus facilement qu'un Zanj, et qu'il est plus intelligent ». Un siècle plus tard, même le grand Ibn Khaldūn n'hésitait pas à écrire que « les nations nègres sont en règle générale dociles à l'esclavage, parce qu'ils [les nègres] ont peu [de ce qui est essentiellement] humain et possèdent des attributs tout à fait voisins à ceux d'animaux stupides »[17]. Le concert est tel qu'à partir du Xe siècle paraît dans l'empire une série de livres dans lesquels on essaie parfois de défendre les Noirs contre ces injures[18]. Au fur et à mesure de l'avancée de l'influence musulmane en Afrique noire, les « récits extravagants » se firent moins nombreux, écrit B. Lewis. Mais « l'idée que

les musulmans africains étaient en quelque sorte
différents des autres musulmans et que l'Afrique
était une source légitime d'esclaves subsista, largement répandue malgré les réfutations »[19]. Analysant
la littérature arabe médiévale, Lewis note que le
Noir peut y jouer un bon ou un mauvais rôle. Cependant, « s'il est méchant, ses crimes sont, à l'ordinaire, la luxure, la cupidité et l'ingratitude » tandis
que, « s'il est bon, il est le prototype de la piété
naïve et de la loyauté qui reçoit sa récompense ultime de Dieu », laquelle peut consister pour lui « à
devenir blanc »[20]. Plusieurs siècles plus tard, lors de
l'essor de la traite atlantique, les Européens ne réagirent guère autrement. Tout cela pour dire que,
même si l'on pense que le « virus » du racisme
préexiste (il est, selon certains, tapi dans toutes les
sociétés, en tout temps), il a besoin de conditions
favorables pour prendre véritablement forme et se
développer. L'essor des traites orientales, puis celui
des traites par l'Atlantique, créa ces conditions. Le
racisme à l'encontre des Noirs fut ainsi l'une des
conséquences de la traite, non l'un de ses motifs.

La dévalorisation du Noir servit donc, objectivement, à légitimer son statut d'esclave. Mais il fallait
en outre justifier le moyen par lequel il pouvait devenir esclave, c'est-à-dire la guerre pourvoyeuse en
captifs. Pour cela, on fit appel à plusieurs sources.
Certains philosophes arabes s'en référèrent à Aristote. Ainsi, au Xe siècle, al-Fārābī indique, dans sa
liste des guerres justes, celles dont l'objectif est
d'asservir ceux pour qui « le statut le meilleur et le
plus avantageux au monde est de servir et d'être
esclave[21] ». Mais on fit également appel à des justifications de nature religieuse, et notamment à la fameuse malédiction de Cham. Selon la Genèse (IX,

20-27), Noé travaillait une vigne. Un jour, il en but le vin et s'enivra. L'un de ses fils, Cham, se serait alors moqué de lui, à la différence de ses autres frères, Sem et Japhet. Lorsque Noé fut au courant, il maudit Canaan, le plus jeune des fils de Cham, déclarant qu'il « sera pour ses frères l'esclave des esclaves ». En Europe, au Moyen Âge, nombreux furent les commentateurs de cette histoire à y voir l'origine de l'esclavage. Mais, jusqu'au XIᵉ siècle, elle semble avoir conservé un caractère très abstrait et ne jamais avoir été vraiment associée à une quelconque couleur ou race[22]. Ce sont les musulmans qui, les premiers, s'en sont servis afin de légitimer l'esclavage des Noirs. Il suffisait pour cela d'indiquer qu'ils descendaient directement de Cham[23]. L'asservissement des peuples païens fut aussi présenté comme un bienfait pour eux, comme l'occasion d'être initiés à la vraie religion, et donc de sauver leur âme. Quoique le Coran et les traditions du Prophète ne fournissent aucun support à cette question, et que les juristes soient muets, il devint communément accepté que, du fait qu'elles étaient non musulmanes, et donc sujettes au djihad, les populations noires étaient également toutes potentiellement susceptibles de fournir des esclaves[24].

En fonction des intérêts du moment, on prit même parfois des libertés avec la définition du musulman afin de justifier des raids esclavagistes, ce qui conduisit les juristes à argumenter. Parmi les décrets légaux *(fatwa)* rassemblés par le Marocain Ahmad al-Wancharīsī, au XVᵉ siècle, se trouve un document relatif à la question suivante : est-il ou non légal d'acheter et de vendre un esclave noir professant la religion musulmane ? À cela il répondit que seul un incroyant peut être réduit en esclavage, mais que, même s'il y a un doute sur la date à laquelle un homme devenu esclave s'est converti à l'islam, on ne peut remettre en question sa vente ou sa possession. Il ajouta également que la conversion à l'islam ne conduit pas forcément à la libération, car l'esclavage est une « humiliation » due à l'incroyance « présente ou passée ». C'est donc seulement au maître qu'il incombe de décider s'il souhaite ou non émanciper son esclave. On voit ainsi à quelle casuistique il faut sacrifier pour concilier les préceptes de l'islam et les intérêts esclavagistes. Les protestations les plus vives contre l'asservissement de populations noires libres et islamisées furent le fait de juristes noirs. La réponse d'Ahmed Bābā (1556-1627), de Tombouctou, est la plus célèbre. Ayant été lui-même pris par les Marocains, après la bataille de Tondibi, avant d'être libéré, il rappela les préceptes islamiques selon lesquels musulmans et non-musulmans vivant sous la loi et la protection musulmanes ne pouvaient être asservis, à la différence des idolâtres capturés au cours d'une guerre sainte. Il indiqua aussi que les populations situées au sud de Tombouctou étaient païennes et entraient dans ce dernier cas de figure. Mais, ajoutait-il en substance (rejetant ainsi l'idée de la malédiction de Cham), c'est l'incroyance et non la négritude qui peut justifier l'esclavage. De plus, si la légalité de telle ou telle action de réduction en esclavage est mise en doute, c'est au marchand de prouver qu'il est dans son droit, la parole de l'esclave pouvant être acceptée. Cette prise de position resta sans réel effet pratique.

Tout cela montre que la dimension religieuse fut avant tout un alibi et non un motif permettant d'expliquer la traite. C'est pourquoi je ne suivrai pas l'abolitionniste T. F. Buxton, qui, en 1839, dans *The African Slave Trade and its Remedy*, parlait de traites « musulmanes » et « chrétiennes ». Les expressions « traites orientales » (ou « arabo-turques ») et « traites occidentales » me paraissent plus justes. Il y a, note B. Lewis, au moins trois sens différents pour le mot « islam ». Il renvoie d'abord à « la religion enseignée par le prophète Mahomet et incarnée dans la révélation aux musulmans qu'est le Coran », ensuite « à cette même religion telle qu'elle a évolué, transformée par la tradition et par le travail des grands juristes et théologiens musulmans ». Dans « le troisième sens du mot, l'islam est le pendant, non du christianisme, mais plutôt de la chrétienté ». Il « représente non ce que les musulmans croyaient ou ce qu'ils étaient censés croire, mais ce qu'ils faisaient réellement, en d'autres termes, la civilisation islamique telle que nous la connaissons par l'histoire »[25]... C'est l'islam entendu dans cette dernière acception qui joua un rôle majeur dans le processus d'invention de la traite des Noirs. Ce qui n'implique aucun jugement de valeur sur la religion islamique en tant que telle. Il en va de même des traites occidentales, seule expression vraiment juste, me semble-t-il, pour qualifier les traites menées par des Occidentaux, européens ou américains[26]. Qu'elles aient été entreprises par des populations faisant partie de la chrétienté et en partie légitimées par des alibis religieux est un fait. Mais elles ne furent pas entreprises pour des motifs religieux.

LES DÉBUTS DE LA TRAITE OCCIDENTALE

Nous l'avons vu, traite des Noirs ne rime pas seulement avec traite occidentale. « La traite négrière, comme l'a écrit Fernand Braudel, n'a pas été une invention diabolique de l'Europe[27]. » Les premiers esclaves noirs importés en Europe le furent à partir du commerce transsaharien, et Charles Verlinden comme Paul Lovejoy ont insisté sur la « Muslim connection ». Pour ce dernier, la traite atlantique, dans sa première phase, avant l'essor des relations entre l'Europe et le royaume du Congo, ne fut qu'une extension du vieux trafic transsaharien[28]. Plus courte, parfois plus intensive — mais pas toujours —, la traite occidentale est cependant, et de loin, beaucoup mieux connue que les autres traites négrières. Focalisant les recherches et les discussions, elle est à l'origine de la plupart des images que l'on se fait du trafic négrier en général. Il y a plusieurs raisons à cela, outre les tabous pesant encore parfois sur les autres traites négrières. Le fait, tout d'abord, qu'ayant mis directement l'Afrique en contact avec d'autres continents, par voie maritime, elle soit plus « visible ». En second lieu, la colonisation l'ayant suivie (un demi-siècle après ses derniers feux), la traite atlantique a pu être en partie interprétée à la lumière de l'histoire de l'influence européenne en Afrique ; une histoire plus vaste, devenue à partir des années 1960 l'objet de nombreuses controverses historiques, de débats idéologiques et d'enjeux politiques. Enfin, que le mouvement abolitionniste étant né en Occident, sa cible principale fut d'abord et principalement la traite atlantique.

La naissance de ce trafic comme son essor, à

partir du dernier tiers du XVIIe siècle, s'expliquent d'abord par les mutations d'un monde soudainement devenu plus gigantesque, grâce aux grandes découvertes et à l'ouverture de l'Europe sur les océans.

L'ouverture européenne sur le grand large

Dans le lent processus ayant conduit à la formation des États-nations en Europe, le Portugal fait figure de pionnier. C'est la conséquence d'une *reconquista* achevée très tôt (1249), à laquelle toutes les strates de la population ont participé, et de la nécessité de s'émanciper de l'influence castillane. Aussi le pays est-il prêt, dès le XVe siècle, à entrer sur la scène internationale.

Jusque-là, si l'on excepte la (re)découverte des Canaries au XIVe siècle, l'Afrique, domaine réservé des voyageurs musulmans, était restée étrangère à l'Europe. Curiosité scientifique, passage de la *reconquista* médiévale à la croisade évangélisatrice, quête des épices, besoin de main-d'œuvre et, surtout, au départ, recherche de cet or africain qui alimentait l'Europe d'avant les grandes découvertes poussaient à l'expansion vers le sud. Coordonnée par Henri le Navigateur (1394-1460), cette expansion peut se diviser en plusieurs étapes. Contemporaine de la colonisation de Madère (1418-1425), la première débute avec la prise de Ceuta, en 1415, et plus encore en 1434, lorsque les Portugais passent le cap Bojador, au sud des Canaries. On l'appelait alors le « cap de la peur ». Pour les Arabes du Moyen Âge, il s'agissait de la « mer verte de l'obscurité ». Le renversement des vents et des courants entraîne en effet, à partir de là, vers le sud, sans espoir de retour avant l'usage conjoint de la caravelle, du gouvernail d'étambot et de la navigation à la bouline. En 1434, on sait désormais que l'on peut aller vers le sud, et en revenir[29]. La seconde étape, entre 1434 et 1446, conduit à la reconnaissance des côtes situées entre le Sénégal et le Sierra Leone. Suit un temps d'arrêt, pendant lequel Henri hésite, tandis que les capitaines portugais s'attachent plus à remplir les cales de leurs navires qu'à découvrir de nouveaux territoires. Puis les recherches reprennent et s'accélèrent, entre 1460 et 1480. Un accord, en 1469, témoigne d'un nouvel état d'esprit qui rassemble entrepreneurs privés et État autour de préoccupations économiques : F. Gomez obtient le monopole du trafic de « Guinée » contre 500 ducats, la vente à la Couronne de l'ivoire recueilli, et la promesse de découvrir annuellement cent nouvelles lieues de côtes. Les Portugais sont au cap de Bonne-Espérance en 1487, à Aden en 1524, tandis que Madagascar est découverte en 1500. Les premiers captifs noirs furent razziés dès 1441, sur le Rio de Ouro ; le pape rendant leur commerce licite en 1455. Cependant, les Africains embarqués servaient alors surtout à prouver que le capitaine avait bien visité les lieux qu'il décrivait, et à faire quelque profit.

En réalité, dans un premier temps, les relations entre le Portugal et l'Afrique furent largement déterminées par le commerce avec l'Asie. Afin de payer ses importations, le Portugal avait besoin d'or (pour l'Empire ottoman), d'argent (pour l'Extrême-Orient) et de cuivre (pour l'Inde). Ce sont ces produits que le Portugal rechercha d'abord en Afrique. Un autre objectif important fut l'ouverture d'une liaison vers l'Inde. Selon Victorino Magalhaes-Godinho[30], c'est la découverte d'une sorte de poivre, la malaguette, dans la région du Sierra Leone (appelée ainsi « côte des Graines »), vers 1460, qui aurait poussé les Portugais à atteindre l'océan Indien. C'est pour ces raisons que furent installés des forts sur les côtes d'Afrique, principalement là où les Portugais pensaient pouvoir trafiquer. Cela explique que le littoral compris entre le Sénégal et le Cameroun fut plus attractif (fondation d'Elmina en 1482, de Fernando Póo en 1483 ou d'Accra en 1515). Pour se procurer de l'or, les Portugais se firent les intermédiaires d'un commerce d'esclaves interafricain, achetant des captifs dans le royaume du Bénin pour les vendre, contre de l'or, à Elmina. Les régions situées plus au sud, au contact de la forêt équatoriale, ne furent parsemées que de quelques points de relâche irréguliers, suffisants pour les besoins de la navigation. À l'est, où la confrontation s'effectuait avec les Arabes, il fallut s'implanter à nouveau plus durablement, comme à Zanzibar, en 1503. Partout où cela était profitable, les Portugais tentaient des incursions dans l'intérieur. Ce fut le cas à partir de São Tomé en direction du Sénégal, de la Côte-de-l'Or et du Bénin, mais surtout vers le Congo, l'Angola, le Mozambique et les gisements aurifères du Monomotapa (dont l'importance avait été exagérée par les chroniqueurs portugais) qui attiraient les convoitises.

Parallèlement, l'image de l'Afrique se modifia considérablement. « On disait que ces pays étaient couverts de sables et sans aucune population », écrit au XVe siècle G. E. de Zurara, dans sa *Chronique de Guinée*. « Il est exact, ajoute-t-il, qu'on ne se trompait pas entièrement. » Mais les sables « ne sont pas aussi abondants qu'on le prétendait. Quant à la population…, tous les jours vous avez sous les yeux les habitants de ces contrées »[31]. Pour Valentim Fernandes, auteur d'une compilation écrite un siècle plus tard, au sud du fleuve Sénégal commence la terre des Noirs, « verdoyante et pleine de bois[32] ». Rien de bien différent chez Filippo Pigafetta et Duarte Lopez, qui, en 1589, achèvent de rédiger leur *Description du Congo*. On peut y lire que les Anciens se « trompaient complètement » lorsqu'ils imaginaient des « zones torrides » à l'atmosphère irrespirable, car « le séjour y est excellent » et « le climat plus tempéré qu'on pourrait le croire »[33]. Il s'en faut évidemment de beaucoup que l'Afrique entre totalement dans le monde du réel. Mais les terreurs qui avaient jusque-là freiné l'envie d'y accoster (chaleur épouvantable, monstres marins, impossibilité de s'en retourner...) s'estompaient.

Au total, il fallut près de quatre-vingts ans d'une progression méthodique, lente, quasi végétale, pour que, les motivations évoluant, les côtes d'Afrique soient reconnues. Les moyens techniques étaient pour cela élaborés progressivement, au rythme des besoins, parfois en avance sur eux, mais le plus souvent en retard. On apprit néanmoins beaucoup. La cartographie évolua[34]. La *volta* de Guinée (c'est-à-dire le retour d'Afrique par le large, pour retrouver les flux d'ouest à la hauteur des Açores), le grand huit atlantique mis au point par Vasco de Gama, ainsi que les progrès de la navigation astronomique éclairent la rapidité de la prodigieuse découverte du Nouveau Monde par Christophe Colomb. Trois quarts de siècle d'expérimentations antérieures, grâce à la reconnaissance des côtes africaines, lui permirent, en trois mois, d'aborder la pointe manquante de ce qui allait devenir le « triangle » négrier. À la fin du XVe siècle, les côtes d'Afrique étaient reconnues et l'Amérique était découverte. Les fondements géographiques de la traite atlantique étaient en place.

Une traite avant la traite ? Le commerce
des esclaves en Méditerranée
à l'époque médiévale

Une idée assez souvent avancée, et tacitement reproduite dans nombre de travaux de qualité, revient à dire que l'Europe avait depuis longtemps renoncé aux pratiques esclavagistes au moment où la traite par l'Atlantique prit véritablement son envol, à partir du dernier tiers du XVIIe siècle. Par conséquent, le choix d'utiliser une main-d'œuvre servile pour la mise en valeur des Amériques aurait correspondu, pour elle, à une très nette rupture culturelle. À l'appui de cette idée figure un fait incontestable : le remplacement, dans l'Europe médiévale, de l'esclavage antique par une forme de servitude plus supportable, le servage.

Je ne m'appesantirai pas ici sur le débat existant à ce premier niveau d'analyse, à propos des similitudes et des différences que l'on pourrait recenser entre esclavage et servage. Me recentrant sur l'esclavage proprement dit, j'aimerais, en revanche, rappeler que la substitution de l'esclavage antique par le servage s'est opérée lentement. À la campagne, les groupes de serfs vivant dans un état de totale dépendance économique et juridique ont disparu parfois très tôt, dès les années 1000 en Normandie. Mais ce système résista ailleurs « beaucoup plus longtemps, parfois jusqu'aux années

1400, et même au-delà », note Jacques Heers[35]. Dans certaines régions d'Italie, on observe une confusion sémantique entre la manière de nommer les serfs de la glèbe et les esclaves de la maison. Des ruraux poussés à émigrer vers la ville, à cause de difficultés économiques, se placent parfois pour un temps comme « serfs domestiques », en fait esclaves domestiques, et cela jusqu'aux abords du XIVe siècle. Une autre persistance de l'Antiquité dans la mentalité italienne médiévale est l'idée du triomphe sur l'ennemi, c'est-à-dire de ces processions pendant lesquelles les vaincus sont promenés enchaînés.

Surtout, aux réminiscences du passé antique il faut ajouter l'existence de véritables réseaux d'importation de captifs alimentant l'Europe méditerranéenne. Ils furent réactivés à la suite du déclin démographique dû à l'introduction de la peste noire, après 1348. Les victimes de cet esclavage furent essentiellement des païens — musulmans et juifs —, ainsi que des chrétiens orthodoxes. Dès le Xe siècle, les rois saxons Henri Ier l'Oiseleur et Otton Ier avaient déjà capturé des Slaves en grand nombre. C'est alors, écrit J. Heers, que « le mot *sclavus* fut employé dans le sens de captif privé de liberté ». À cette époque, les chrétiens d'Orient sont généralement considérés comme des schismatiques en Occident, et même comme des ennemis. Le vieil antagonisme entre Latins et Grecs redevient sensible. D'une part, à cause des conflits militaires opposant Orient et Occident, et, d'autre part, des besoins en captifs, dans les villes d'Europe du Sud et dans les plantations — notamment de sucre — de l'Orient méditerranéen.

Nous référant à la définition de la traite énoncée

précédemment, on peut ainsi parler d'une « traite des Bulgares », ces hérétiques manichéens appelés également « Bogomiles[36] » ou « Bougres ». Selon Heers, « condamnés et pourchassés par l'Église d'Orient elle-même, capturés, vendus aux Italiens, les Bulgares apparaissent nombreux sur les marchés d'Occident », y formant « une part non négligeable de la population servile, surtout dans les années 1200 et 1300 »[37]. L'esclavage des Grecs, hommes et femmes, fut aussi pratiqué très largement. Aux importations réglées s'ajoutent les captures occasionnelles des chasseurs et marchands d'esclaves catalans, génois et vénitiens, soit lors d'opérations militaires, soit du fait de la piraterie. Mais même les régions soumises continuèrent à être ponctionnées, sous le prétexte que tout schismatique pouvait faire un bon esclave. Parfois, Italiens, Catalans et Castillans achetaient même des captifs aux Turcs, leurs ennemis. Un mouvement d'opinion, favorisé par l'Église au moment où l'union entre Églises d'Occident et d'Orient était à l'ordre du jour (non ratifiée, et violemment rejetée par certains, elle fut proclamée en 1442), conduisit très progressivement à remettre en cause l'esclavage des schismatiques en général et des Grecs en particulier. Partout, cependant, la libération des chrétiens d'Orient resta liée au paiement des dettes contractées (selon leurs propriétaires) par les esclaves. Pendant trois siècles, Espagnols et Italiens furent ainsi impliqués dans un trafic d'esclaves sur une grande échelle. Les captifs étaient généralement achetés sur des marchés réguliers avant d'être transportés par voie maritime, comme pour la traite des Noirs. D'ailleurs, selon David Brion Davis, on pouvait toujours trouver vers 1600 des esclaves grecs et slaves… à Cuba.

Un autre fait troublant mérite d'être relevé. Vers le milieu du xve siècle, lorsque ce trafic oriental s'essouffle, la traite des Noirs, à l'ouest, n'est pas encore développée. Mais on voit des Génois se réorienter dans cette direction en tentant d'infiltrer les filières ibériques de Lisbonne et de Séville. Certains se font contrebandiers ; d'autres négocient. Tel est le cas, dès 1460, d'Antonio di Noli, un capitaine de « la rivière de Gênes ». Désirant s'occuper de la culture de la canne à sucre dans les îles du Cap-Vert, il obtient du roi du Portugal l'autorisation d'importer des esclaves noirs. Entre 1489 et 1497, un Florentin, Cesare de Barchi, vend à Valence plus de deux mille Noirs. Ils viennent d'une région de « Guinée » où, en 1458, a été fondée la factorerie de San Iago. Les Barchi y ont une concession. Une autre famille de Florence, celle des Marchionni, est intéressante à suivre. Après la fermeture des marchés orientaux, consécutivement à la prise de Constantinople par les Turcs, en 1453, le jeune Bartolomeo Marchionni décide de quitter Florence pour s'établir à Lisbonne. Il investit dans des plantations de sucre à Madère et obtient, lui aussi, l'autorisation de pratiquer la traite des Noirs. N'oublions pas non plus que des esclaves noirs étaient achetés aux musulmans dans le secteur des monts de la Barca, en Afrique du Nord, là où aboutissaient des caravanes transsahariennes. Au xve siècle, ce trafic était contrôlé par des Catalans installés à Syracuse, qui exportaient en retour des grains. Enfin, entre la mer Noire et l'Égypte, des navires génois rassemblaient parfois plus d'une centaine d'esclaves. Comme le note fort justement D. B. Davis, « alors que les historiens américains connaissent bien le rôle joué par des Italiens comme Colomb, Cabot, Alvise Cadamosto et Amerigo Vespucci dans la révolutionnaire expansion mondiale de l'Europe, une bien moindre attention a été accordée aux marchands et banquiers italiens qui fournirent le capital et la technologie, ainsi qu'aux marins qui permirent aux Portugais d'établir un empire commercial africain et asiatique, de coloniser le Brésil et de jeter les premières fondations du système esclavagiste atlantique[38] ». Ce rôle des Italiens (mais aussi, plus généralement, des puissances méditerranéennes) mériterait sans aucun doute d'être mieux étudié[39].

La traite par l'Atlantique ne connut, il est vrai, son essor qu'environ deux siècles plus tard, grâce aux Ibériques et aux pays de l'Europe du Nord-Ouest et non plus aux Italiens. Il est également clair que des différences peuvent être notées entre la traite atlantique et le commerce des esclaves dans la Méditerranée médiévale. Jacques Heers en énumère trois. Mais il ne me semble pas qu'elles soient déterminantes.

La première résiderait dans l'absence d'une réelle concentration du trafic, celui-ci s'effectuant, en Méditerranée, hors de tout monopole et de négociants spécialisés. C'est oublier que, dès les débuts du XVIIIe siècle, la traite des Noirs par l'Atlantique échappe très largement aux compagnies à charte pour tomber dans le domaine privé, tandis que les négriers les plus importants sont alors le plus souvent des négociants armateurs généralistes investissant simultanément dans nombre de trafics.

La seconde différence s'articule en fait autour de la première. L'argument consiste à dire que le trafic des esclaves dans la Méditerranée médiévale fut souvent mêlé à d'autres commerces, et qu'il ne s'effectua pas sur des navires spécialement affectés à cette tâche. À Venise, le Sénat lui-même s'attacha à limiter le nombre de captifs par bâtiment. À Gênes, les cent dix-huit esclaves embarqués à bord du *Pinu*, en 1449, appartenaient à plus de soixante personnes. En Crète, plaque tournante du trafic des esclaves aux XIVe et XVe siècles, selon Charles Verlinden, il n'y avait pas de véritables marchands d'esclaves, comme c'était le cas à Délos, dans l'Antiquité. Éliminons d'emblée la référence à l'absence d'énormes marchés d'esclaves à l'antique. Il n'en exista pas plus en Afrique et aux Amériques que dans la chrétienté médiévale. Ce type de marché ne correspond ni à ce que l'on sait des transactions opérées en Afrique au moment de la traite (la plupart des esclaves étaient achetés par petits lots), ni aux opérations de vente des esclaves aux Amériques. Reste la question de la non-spécialisation des navires, sur laquelle je reviendrai plus loin.

Troisième différence possible : une évolution vers un marché de caractère privé se serait dessinée, en ce sens que, dans les villes d'Italie et de Provence, les ventes d'esclaves n'avaient pas toujours un caractère public (cependant, à Gênes, au XVe siècle, il n'était pas rare que des esclaves soient acquis aux enchères). Parfois elles se faisaient dans la rue. Mais les transactions les plus nombreuses s'effectuaient dans les maisons, notamment dans les villes de l'intérieur, l'opération prenant alors l'aspect d'une « affaire de famille ». Cette idée d'une tendance à la privatisation me semble particulièrement intéressante, et mériterait sans aucun doute d'être longuement discutée. La conclusion à laquelle l'auteur aboutit ensuite est plus gênante. L'Italie, écrit Heers, ne fut « pas seulement un pays de trafiquants prompts à toutes les rapines, mais aussi une terre d'accueil ». Car l'esclavage domestique, qui était « très souvent temporaire », créait « une familiarité constante avec les maîtres, des liens sociaux privilégiés, et même des liens affectifs ». Ce type d'esclavage aurait ainsi constitué un « procédé de christianisation et d'assimilation capable d'amener, de retenir puis de fondre dans [les] villes méditerranéennes d'Occident des groupes humains fort divers », bien que « presque tous de race blanche »[40]. Je pense que l'on tombe ici dans une vision quelque peu édulcorée des rapports maître/esclave (comme cela est d'ailleurs souvent le cas lorsque l'on s'intéresse à l'esclavage dit « domestique »). Des remarques similaires étaient en effet portées jusqu'à ces dernières années à propos de l'esclavage dans la péninsule Ibérique à l'époque moderne. Pourtant, il s'avère que la situation de l'esclave était loin d'y être enviable, comme l'ont montré de nombreux travaux, parmi lesquels ceux de Bernard Vincent et d'Alessandro Stella[41]. Quoi qu'il en soit, je ne vois pas en quoi le type d'accueil réservé aux esclaves, à leur arrivée, devrait influer sur la manière d'appréhender les modalités de leur déportation. Or, ici, dans une comparaison avec la traite, uniquement ces modalités nous intéressent.

Au final, les seules différences majeures entre le commerce des esclaves en Méditerranée et la traite par l'Atlantique sont ces arrivées fractionnées de captifs et cette absence de spécialisation des navires et des réseaux commerciaux. À mon sens, ces phénomènes se fondent principalement sur l'ampleur encore limitée du marché des esclaves. Jacques Heers lui-même parle des fluctuations de ce marché ; des fluctuations qui expliqueraient pourquoi, à Gênes et dans d'autres villes italiennes, les captifs importés répondaient souvent à des commandes précises. De cette façon, écrit-il, « l'esclave a déjà un maître avant de quitter l'Orient ou l'Afrique : tout le contraire d'un commerce anonyme et systématique[42] ». Je ne suis pas sûr que le commerce des esclaves en Méditerranée ait été moins « anonyme » que la traite. Mais s'il apparaît avoir été moins « systématique », il me semble que c'est sans doute, en dernier ressort, du fait de la nature de la demande en main-d'œuvre : un esclavage surtout urbain, caractérisé par une demande fluctuante qui ne fut jamais assez longtemps en forte croissance. Dans le cas de la traite des Noirs, la demande en captifs fut au contraire forte et croissante pendant une période relativement longue ; ce qui nécessita une autre organisation. Parallèlement, l'Afrique n'avait pas de « produit » autre que l'esclave pouvant intéresser durablement les Européens. Enfin, la distance la séparant des Amériques, où les esclaves étaient employés, nécessitait, pour des raisons de pure efficacité économique, l'envoi de navires spécialement affectés à la traite. Au total, mis à part certains caractères (résultant, comme on vient de le voir, de la manière dont les marchés d'esclaves se sont structurés), nombre de points communs rapprochent donc la traite et le commerce des Bulgares, des Grecs et d'autres populations de l'Est méditerranéen. La traite y est apparentée, on le verra, jusque dans ses alibis religieux.

Un premier choix : le système de la plantation

La permanence d'un trafic d'esclaves d'une ampleur significative dans les pays de l'Europe du Sud à la fin du Moyen Âge, et le fait que pratiquement seule la nature du marché permette de différencier ce commerce d'avec la traite des Noirs suffisent à montrer que rien ne s'opposait au principe d'une mise en valeur des Amériques par le moyen de l'esclavage. C'est d'ailleurs ce système qui fut d'abord utilisé par les Espagnols, au détriment des populations indiennes qui n'avaient pas été décimées par le choc microbien. La traite par l'Atlantique ne prit néanmoins son essor qu'au moment où le système de la plantation se développait. La plupart des esclaves noirs déportés aux Amériques travaillèrent ensuite dans une plantation, qu'elle fût sucrière ou non. On ne peut donc comprendre les origines de la traite atlantique sans s'intéresser à celles de la plantation. À ce propos, deux idées fausses circulent encore parfois.

LA PLANTATION : UNE LONGUE HISTOIRE

Depuis longtemps rectifiée par les historiens, la première de ces idées erronées n'apparaît plus, heureusement, que dans les ouvrages de mauvaise vulgarisation. Elle consiste à voir dans les îles de la Caraïbe du XVIIIe siècle la forme unique et quasi accomplie de l'économie de plantation. En fait, c'est peu à peu, dès le XIIe siècle, que s'assemblent les pièces d'un puzzle dont l'architecture n'a ensuite subi que de légères modifications. La rencontre entre l'Europe et l'Islam, à l'époque des croisades, conduisit à un premier déclic. L'Europe importait alors du sucre de canne à partir du Levant, et elle s'ingéniait sur place à en accroître la production. Forts de leur habileté maritime et commerciale, les Vénitiens adoptèrent les techniques de production musulmanes. Après 1123, ils développèrent l'économie de plantation près de Tyr, tandis que les chevaliers Teutoniques et les Templiers tentaient de semblables entreprises près de Tripoli. Installés en Italie du Sud et en Sicile, les Normands prirent le même chemin, notamment près de Palerme. Mais, moins avancée sur le plan technologique, l'industrie sucrière sicilienne déclina aux XIIIᵉ et XIVᵉ siècles.

Dans toutes ces plantations, les méthodes de travail différaient de celles alors en vigueur sur les tenures d'Europe occidentale. Les usages musulmans, le désir de rentabiliser au maximum les investissements, ainsi que le droit du vainqueur, exercé sous d'autres cieux, permettaient en effet de passer outre aux préjugés et aux règles coutumières. Installées sur place, des familles bourgeoises se mêlèrent à l'aristocratie, contribuant à former un milieu cosmopolite, mi-féodal mi-capitaliste, capable de drainer des capitaux à partir des banques de Venise et de Gênes qui figuraient parmi les plus importantes d'Europe. Les esclaves ne fournissaient pas encore l'essentiel de la main-d'œuvre. Mais on faisait déjà appel à eux, sans distinction de couleur ou de religion. Prisonniers de guerre, Slaves puis Tatars, Mongols, Ukrainiens ou Russes se côtoyaient. Même s'il y a des esclaves noirs à Gênes dès le début du XIIIᵉ siècle, les marchés d'esclaves de la région ne virent vraiment apparaître les Africains qu'au milieu du XIVᵉ siècle. En Roussillon, en Languedoc et en Provence, ils ne sont guère documentés avant la fin du siècle. Il fallut attendre une centaine d'années pour qu'ils commencent à jouer un rôle important. C'est à cette époque, à la fin du XVe siècle, que, selon Charles Verlinden, les esclaves noirs devinrent prédominants à Naples et en Sicile[43]. Le monde de la plantation ne rima donc pas forcément, dès l'origine, avec esclavage et avec traite des Noirs[44].

Pour des raisons géopolitiques, le monde colonial vit ensuite son centre de gravité se déplacer vers l'ouest. Non seulement du fait de l'arrivée des Portugais en Afrique subsaharienne et des grandes découvertes, mais également à cause de la prise de Constantinople par les Turcs, en 1453. Sa chute fermait en effet à l'Europe les pourtours de la mer Noire, où elle s'approvisionnait jusque-là en captifs. Après s'être implanté dans les îles de l'Atlantique, à Madère et dans les Canaries, le système de la plantation se déplaça alors en Afrique. Sur place, la présence d'une importante et disponible source de main-d'œuvre agit comme un puissant stimulant économique. Des plantations furent établies dans le golfe de Guinée. Les conditions naturelles y étaient favorables à la production du sucre, et São Tomé devint le premier centre d'une économie de plantation atlantique fonctionnant grâce au travail d'esclaves. Le roi Jean Ier de Portugal y envoya également des bagnards et des enfants juifs enlevés à leurs parents. En 1544, 2 250 tonnes de sucre y étaient produites, soit autant qu'à Madère, qui à cette époque dominait le marché sucrier de l'Europe du Nord. Mais le maximum était atteint. Pourquoi ? Parce que São Tomé était lointaine, que sa défense paraissait trop coûteuse aux Portugais, et que les esclaves en fuite pouvaient trouver facilement refuge dans les montagnes ? Après tout, une révolte d'esclaves ne se solda-t-elle pas, en 1574, par l'incendie de la ville principale, et une autre, en 1595, par une évasion en masse d'esclaves dans les collines ? Mais des raisons géopolitiques et l'évolution des réseaux commerciaux jouèrent un rôle tout aussi déterminant.

Après plusieurs échecs, c'est avec le concours de Portugais et de machines venus des Canaries que l'on réussit à implanter la canne à sucre à Hispaniola, en 1517. Dès 1535, des Portugais y installaient des moulins à sucre, avec l'aide de capitalistes génois. Une trentaine fonctionnaient en 1550. Vers 1560-1570, au sommet de leur activité, douze à vingt mille esclaves noirs travaillent dans l'île. La plupart avaient été amenés là par des négriers portugais. L'exploitation des mines d'argent sur le continent, avec l'ouverture de celles du Potosí, en 1545, se traduisit par une réorganisation des réseaux du commerce espagnol en Amérique. Enfin, au cours du dernier quart du XVIe siècle, le Brésil devint un marché attractif pour les négriers. D'une part, parce que ses vastes espaces étaient propices à l'économie de plantation et que les expéditions de traite étaient plus rapides que celles à destination des Caraïbes ou de l'Amérique du Nord. D'autre part, et surtout, parce que le pouvoir portugais décida de stimuler par des mesures fiscales l'établissement de moulins à sucre (1554). Comme d'habitude, ce nouveau saut géographique permit à la plantation de profiter des avantages techniques du moment. Au Brésil, les moulins furent plus grands, la production plus rationnelle. Comme l'indique Luis Felipe de Alencastro, « étant donné les courants commerciaux qui

prévalaient, le sucre, et le coton cultivés en Angola
devaient d'abord aller au Brésil, avant d'être, ensuite seulement, envoyés vers le Portugal. Surchar-
gés du prix du fret, ces productions angolaises ne
pouvaient être compétitives avec les produits tropicaux brésiliens. À ce stade les cartes du jeu dans
l'Atlantique Sud étaient déjà sur la table : l'Angola
n'exporterait pas de sucre, et les moulins à sucre de
São Tomé ne pourraient que peu à peu cesser leur
activité. La colonisation portugaise dans l'Atlantique Sud devait être complémentaire, non concur-
rente : le Brésil produirait du sucre, du tabac, du
coton et du café, et l'Afrique fournirait des
esclaves[45] ». On connaît la suite : les tribulations du
Brésil portugais, la tentative de mainmise des Provinces-Unies, et l'affirmation de deux nouvelles
puissances coloniales, la France et l'Angleterre.
Toutes ces transformations, jointes à un retournement de la conjoncture économique internationale,
conduisirent à la révolution sucrière antillaise de la
seconde moitié du XVIIe siècle.

La production de sucre de canne nécessite un travail important (un ouvrier par acre cultivée, en
moyenne), pour une plante qui ne peut être à la
base d'une alimentation équilibrée, et dont l'extension, dès lors, ne peut s'expliquer que par deux éléments : un bénéfice substantiel, obtenu par un
commerce à longue distance. En outre, le poids et
l'encombrement de la canne récoltée étant bien supérieurs à ceux d'autres plantes, comme le blé ou le
maïs, il est impératif, pour des questions de coût
évidentes, d'opérer une première transformation de
la récolte avant transport : extraction du jus, élimination de l'excès d'eau, et donc production de mo-
lasses ou de sucre cristallisé. C'est pourquoi l'usine

fit dès l'origine partie du monde de la plantation. Déjà à l'œuvre dans la Méditerranée orientale, le cosmopolitisme et l'internationalisation du monde de la plantation ne disparaissent pas ensuite. Madère se développa grâce au capital portugais et surtout génois, à des techniciens siciliens et aux relations entretenues avec Anvers. Dans les Canaries, les entreprises furent génoises et le capital allemand, comme dans les plantations du sud de l'Espagne. Le capital flamand joua un rôle important au Brésil, tandis que Juifs et Hollandais participèrent au démarrage de la production sucrière dans les Antilles. L'Europe qui entendait dominer ces nouveaux espaces de production n'était plus celle du Sud, comme au temps des croisades et des grandes découvertes, mais celle du Nord-Ouest, et l'échelle des opérations changea. D'où la radicalisation de certains traits antérieurs : la production augmenta, les cultures de plantation se diversifièrent, la main-d'œuvre servile devint quasi unique, le déséquilibre entre le nombre des hommes et des femmes au travail s'affirma. D'autres traits ne changèrent pas vraiment, se diversifiant seulement.

Car l'extension et la dissémination géographique du monde de la plantation ne firent pas voler en éclats ses cadres fondateurs. Le système s'adapta, prit de nombreux visages, mais demeura fidèle à quelques grands principes. Pour Philip Curtin[46], six facteurs (non exclusifs mais essentiels) le définissent : une production très largement assurée par un travail forcé, de nature souvent esclavagiste ; une population ouvrière incapable d'assurer son propre renouvellement, devant sans cesse faire appel à de nouveaux venus pour maintenir ses effectifs (et donc *a fortiori* pour les augmenter) ; une entreprise agricole organisée sur une échelle capitaliste (superficie des plantations, nombre des travailleurs, surveillance constante du travail...) ; la permanence de certains caractères féodaux (le planteur dispose d'une forme de juridiction plus ou moins légale) ; des sociétés hautement spécialisées, et donc largement dépendantes de l'extérieur, pour l'exportation de leur production comme pour leur approvisionnement en vivres et en produits manufacturés ; un contrôle politique localisé dans un autre continent où dominent des sociétés organisées de manière différente. Le monde de la plantation n'est donc pas une nouveauté lorsqu'il est transplanté aux Amériques.

POURQUOI DES PLANTATIONS AUX AMÉRIQUES ?

La seconde idée erronée concernant le système de la plantation aux Amériques n'a pas encore attiré suffisamment l'attention des historiens. Il existe en effet une sorte de consensus tacite tendant à valider l'hypothèse selon laquelle ce système, dont l'adoption était dès lors inévitable, était le seul capable d'assurer la mise en valeur des Amériques. Or, en histoire, rien n'est jamais vraiment déterminé à l'avance. Et, dans les faits, le système de la plantation fut loin d'être partout étendu. Il régna dans les Caraïbes, dans le sud des États-Unis et dans de larges parties du Brésil, mais fut, par exemple, introduit de manière tardive et limitée en Amérique espagnole. De plus, au départ, après que les Espagnols eurent découvert les Caraïbes, deux modèles de colonisation s'opposaient. L'État castillan était favorable au modèle des premières îles à sucre de l'Atlantique — les Canaries et Madère —, tandis que la reine Isabelle aurait préféré l'établissement de communautés agricoles au sein desquelles colons et Indiens convertis auraient pu vivre en relative harmonie.

Le travers, en réalité, n'est pas neuf dans le domaine des sciences historiques. Celles-ci visant principalement à expliquer et à restituer la logique ayant conduit à tel ou tel phénomène, une fois la logique apparemment démontée il est tentant de considérer que rien d'autre n'était possible. Les choses changent du tout au tout si l'on se met à considérer, au contraire, la multiplicité des voies qui s'offraient à nos prédécesseurs. Le problème, dès lors, ne consiste plus à rendre leurs attitudes *a posteriori* rationnelles, mais à se demander pourquoi telle option l'a finalement emporté sur telle autre. Si l'on prend du recul, on s'aperçoit, en effet, que pratiquement jamais, dans l'histoire, on ne vit des conquérants investir des sommes énormes dans la mise en valeur de territoires lointains, comme les Européens le firent aux Amériques. Le plus généralement, les vainqueurs se sont satisfaits du butin qu'ils razziaient, des circuits commerciaux préexistants qu'ils pouvaient détourner, ou des tributs qu'ils pouvaient imposer aux populations soumises. La solution adoptée aux Amériques semble d'autant plus surprenante que les efforts considérables qui furent consentis servirent, finalement, à produire en grande quantité des choses non essentielles, comme du sucre, du café ou du cacao, au prix de la vie de nombreux esclaves (d'où l'utile expression de James Walvin à propos des denrées coloniales — *consuming passions*[47]), tandis que nombre d'Européens continuèrent pendant longtemps à souffrir de disettes périodiques. On pourra, certes, indiquer que la culture de ces produits était parfaitement adaptée aux sols et aux climats des Caraïbes et d'une partie des Amériques. Mais de là à faire du système de la plantation une spécialisation parfois exclusive, il y a un pas.

Plusieurs motifs conduisirent à le franchir. Le premier renvoie à l'existence de circuits sucriers plus anciens, reliant l'Afrique du Nord et les îles de l'Atlantique à l'Europe du Nord, et au fait que des marchands purent avoir l'idée de diversifier et de mieux contrôler leurs sources d'approvisionnement. Il faut ajouter qu'après le « beau XVIe siècle » l'économie européenne fut traversée par une série de dépressions économiques et qu'un certain nombre de négociants purent trouver dans le commerce colonial naissant un moyen de se reconvertir, à un moment où les circuits maritimes plus classiques étaient malmenés. Ce fut, en France, l'une des raisons majeures de l'essor du grand commerce colonial. D'autant que les protections étatiques, au temps des compagnies à charte, créaient pour les négociants autant de « niches » à investir[48]. Mais, justement, nous y voilà. Sans la protection initialement accordée, et ensuite jamais refusée, de l'État, ces commerces auraient eu bien du mal à se développer.

La raison principale du développement des circuits coloniaux est donc, me semble-t-il, à chercher du côté des facteurs politiques ; des facteurs que les études anglo-saxonnes abordant la question du système atlantique oublient volontiers, pour se consacrer à l'analyse des seules variables culturelles et économiques. Il est vrai que, en Amérique espagnole, les *conquistadores* « s'approprièrent les richesses et les transportèrent en métropole jusqu'au moment où il ne resta plus grand-chose à saisir ». En conséquence, « ils se rendirent assez vite compte qu'ils devaient dépasser le stade de l'extorsion afin de satisfaire leur soif de richesses : ils devaient *produire* de la richesse »[49]. Mais cette « production de richesse » fut très vite captée et organisée par le pouvoir politique et, comme on le sait, utilisée afin de servir les intérêts géopolitiques de la Couronne plutôt que ceux de l'économie espagnole. Partout ailleurs, en Europe, c'est en fonction d'une appréhension politique de l'économie — et notamment des doctrines mercantilistes — que les différents États ont tenté d'impulser le commerce colonial, influant ainsi largement sur la définition des modes de mise en valeur des Amériques. Les nations de l'Europe du Nord-Ouest se sont rapidement rendu compte que l'or et l'argent leur avaient échappé et que, dans les territoires qu'elles pouvaient enlever aux Ibériques, aucune richesse naturelle n'était susceptible d'être immédiatement captée. Cela ne les a pas empêchées de se livrer une lutte à outrance. Lorsque François Ier se demanda quelle clause du testament d'Adam pouvait l'exclure du partage du monde entre les Ibériques, sous arbitrage papal (traité de Tordesillas, 7 juin 1494), il n'envisageait aucun projet concret de colonisation économique. Il était seulement irrité par le fait de rester en dehors d'un mouvement auquel d'autres puissances participaient. Lorsque les Anglais allèrent lutter contre les Espagnols, ils entendaient à la fois faire de bonnes affaires et s'opposer à la fidèle alliée du pape, dans le contexte d'une Europe politique agitée par les querelles religieuses. L'argument fonctionnait également pour les Hollandais, lesquels, en outre, ont trouvé dans la lutte contre l'Espagne un moyen de contrer leur ancienne puissance tutélaire. Profitant de la remise en cause de l'autorité pontificale par la Réforme, ainsi que du déclin des puissances ibériques, de plus en plus incapables de s'opposer à la concurrence étrangère sur les côtes d'Afrique et d'Amérique, la plupart des nations d'Europe du Nord-Ouest entrèrent plus ou moins officiellement dans la danse. Au temps de l'« ordre » ibérique succéda une gigantesque foire d'empoigne dont le résultat fut double : à court terme l'établissement et la mise en valeur de colonies dont la plupart furent fixées dès la fin du XVIIe siècle ; à moyen et à long terme, l'incessante renaissance de conflits mercantilistes. L'on sait aujourd'hui que la rivalité entre les puissances fut l'un des motifs du *scramble*, ou « course au clocher », ayant poussé l'Europe à se partager l'Afrique, à la fin du XIXe siècle. Il y aurait sans doute beaucoup à apprendre quant aux origines du système colonial atlantique si l'on regardait également du côté de ce conflit entre grandes puissances. La décision de mettre les Amériques en valeur par le biais du système de la plantation fut en effet, en partie, le reflet de considérations politiques.

Ce qui en facilita l'exécution est que ces considérations allaient aussi dans le sens des intérêts de certains milieux. Des milieux de négociants et des milieux politiques, comme on l'a indiqué plus haut, mais aussi des milieux coloniaux, c'est-à-dire des populations installées dans les colonies et celles, plus cosmopolites encore, oscillant entre les diverses régions du monde colonial. À propos de ces dernières, il faut corriger tout de suite les mythes concernant le rôle que les Juifs auraient joué dans la traite négrière. Seymour Drescher a établi à ce sujet une brillante synthèse. Il y note que deux mille enfants juifs furent déportés par les Portugais à São Tomé, après 1492, et que leurs descendants constituèrent les premiers commerçants de l'île. Le rôle des convertis *(new Christians)* au sein du groupe des *lançados*, ces métis servant d'intermédiaire pour les opérations de traite sur les côtes d'Afrique, n'est pas non plus à négliger. « Considérés avec méfiance par les élites politiques et religieuses chrétiennes, les convertis trouvèrent une niche précaire dans le système atlantique. » Aussi « étaient-ils bien disposés, lorsque le premier réseau commercial planétaire se forma, au début du XVIe siècle, pour constituer sa première diaspora commerçante ». Cependant, « son impact global fut modeste, en Europe, en Afrique et dans l'Atlantique, même au plus haut de l'influence juive » (1640-1700). Drescher note, pour conclure, que « leur présence dans la traite fut simplement trop éphémère, trop localisée et trop limitée pour conduire à une différence appréciable »[50].

Cela n'empêche pas que, de manière plus générale, le rôle des communautés mêlées fut loin d'être négligeable. Des études de plus en plus nombreuses soulignent l'importance des interconnections au sein du monde atlantique, et le rôle en la matière de ceux qu'Ira Berlin appelle les « Atlantic Creoles ». Ce furent des réfugiés hollandais qui, après la reconquête du Brésil par les Portugais, apprirent aux Anglais de la Barbade comment produire du sucre, puis des émigrés anglais de la Barbade qui participèrent à la fondation de la Caroline du Sud. « Il ne peut y avoir aucun doute, écrit David Turley, quant au fait que l'organisation de la traite dépendait d'une série de complexes interactions entre les

Européens, les Africains (musulmans et non musulmans), les Arabes, les Asiatiques et les créoles issus de mélanges ethniques et raciaux variés. À partir des débuts de l'époque moderne, la plupart de ceux qui étaient engagés dans le commerce esclavagiste, et qui étaient pourtant dénommés par une seule marque ethnique, étaient culturellement créoles (par naissance ou non), en ce sens que, pour travailler, ils devinrent experts dans une négociation transculturelle[51]. »

Créoles, les sociétés coloniales le furent tout autant, sinon plus. Elles permettent de soulever un problème important et insuffisamment étudié, celui du rôle des excroissances coloniales européennes dans la traite atlantique. Le terme de « colonie » nous fait aujourd'hui penser à des territoires entièrement soumis à leurs métropoles respectives. Or, s'il ne faut pas mésestimer le poids du système de l'exclusif qui avait pour conséquence de maintenir les sociétés coloniales, par rapport à leurs métropoles respectives, dans un rôle de fournisseurs de matières premières et d'acheteurs de produits manufacturés, il ne faut pas non plus, pour cela, sous-estimer leur complexité[52] et la marge de manœuvre dont disposaient, concrètement, nombre de colons sur place. Le pouvoir officiel se situait dans la lointaine Europe. Les gouverneurs et autres représentants de l'État étaient parfois corrompus par les mœurs locales. Les planteurs appliquaient comme ils voulaient les règlements concernant les Noirs ; ils se révoltèrent parfois, aux débuts, contre l'autorité de l'État et le système de l'exclusif, mais lui trouvèrent rapidement des accommodements de fait, grâce au commerce interlope, lorsqu'ils n'investissaient pas en partie certains milieux décisionnels dans les capitales européennes à travers leurs lobbies. Comme le rappelle Turley, ce furent aussi des créoles d'origine espagnole (Buenaventura de Salinas y Cordova et Leon Pinelo) qui, afin de légitimer la traite, cherchèrent au XVIIe siècle à se servir d'une vieille histoire, jusque-là assez peu utilisée dans le monde occidental, celle de la malédiction de Cham[53]. Les colons jouèrent, enfin, un rôle non négligeable dans la mise en place du système de la plantation, à tel point que « l'idée selon laquelle certaines cultures, et notamment le sucre, pouvaient seulement se développer dans le cadre de la grande propriété, a depuis longtemps été définie comme un pur produit de l'idéologie planteur[54] ». Enfin, ce sont eux qui choisirent d'utiliser des esclaves noirs sur leurs plantations.

Le second choix : celui de la main-d'œuvre africaine

Tout comme on a aujourd'hui du mal à imaginer que l'Amérique aurait pu être mise en valeur sans le système de la plantation, il est difficile de penser que l'on aurait pu se passer de la main-d'œuvre servile d'origine africaine. Or, là aussi, comme l'écrit Russel R. Menard, « l'africanisation de l'esclavage et son enracinement aux Amériques n'étaient nullement inévitables[55] ». Ni le recours au travail servile ni celui à la main-d'œuvre africaine n'étaient déterminés à l'avance. Selon une tradition ancienne (remontant à Herman Merivale et à Edward Gibbon Wakefield, au début des années 1840), solidement enracinée par le célèbre *Slavery as an Industrial System* de H. J. Nieboer, et revisitée ensuite par Evsey Domar[56], le recours au travail servile serait la règle dans les régions à *low man-land ratio*, c'est-à-dire là où, les techniques étant relativement rudimentaires, peu d'hommes se trouvent face à de vastes territoires à mettre en valeur. C'est la théorie dite des « richesses naturelles ouvertes[57] ». En fait, rien n'est évidemment systématique et des pays à « richesses naturelles ouvertes » comme l'Australie et le Canada n'ont pas eu durablement recours au travail servile[58]. D'autres facteurs doivent donc entrer en ligne de compte. Ils peuvent être économiques, mais aussi renvoyer à des perceptions et à des calculs ne reposant pas exclusivement sur des arguments rationnels : pourquoi considère-t-on que telle population est apte ou non à fournir des esclaves, ou encore qu'il est ou non utile d'investir un capital finalement non négligeable afin de constituer des équipes d'esclaves ? Autant d'éléments qu'il faut essayer de combiner, chacun n'ayant, seul, qu'une faible portée explicative. L'africanisation de larges parties du Nouveau Monde fut, comme l'a justement indiqué D. B. Davis, non pas la conséquence d'un plan concerté ou d'une quelconque destinée raciale, mais le résultat d'une succession de choix, plus ou moins pragmatiques[59]. On notera cependant que, au-delà de leur diversité, les solutions parmi lesquelles les contemporains décidèrent de choisir avaient toutes un point commun. Faisant appel à la main-d'œuvre amérindienne, aux engagés blancs et aux Africains, ils semblent n'avoir pensé qu'à des formes de travail plus ou moins forcé.

LA MAIN-D'ŒUVRE AMÉRINDIENNE

Chronologiquement parlant, la mise en valeur agricole des Amériques fut d'abord réalisée par les Amérindiens puis par des « engagés » blancs. Le rôle des premiers est souvent minimisé (bien que des Indiens aient été envoyés à Cuba dès 1515, et d'autres peu de temps après au Panama et au Pérou). D'une part, à cause de l'énorme recul de population qui fut la conséquence de la conquête et du choc microbien[60] ; d'autre part, en raison de la réprobation qui s'éleva au sein des milieux cléricaux, à la suite de la fameuse controverse de Valladolid à propos de l'âme des Indiens. Aussi, après plusieurs autres textes, une bulle papale de 1639 menaçait-elle d'excommunication toute personne s'adonnant au trafic des Indiens. Mais ce qui permit à cette réaction de certains milieux d'Église d'être en partie efficace est qu'elle rejoignait les intérêts du pouvoir politique. La phase de conquête et de mise en coupe réglée de l'Amérique espagnole passée, l'État avait en effet tout intérêt à essayer d'intégrer les populations locales, afin d'affermir son influence en Amérique, et de moins prêter le flanc aux menaces que ses rivaux européens pouvaient faire peser sur les possessions espagnoles d'Amérique. D'autres motifs, plus économiques, expliquent également pourquoi les Indiens ne furent pas réduits massivement en esclavage, là où ils étaient restés relativement nombreux. Dans la Caroline du Sud de 1708, il y avait selon le gouverneur environ 1 400 esclaves amérindiens, pour une population totale de 12 580 personnes. Si ce type d'esclavage ne se développa pas plus, c'est, selon Peter Kolchin, parce que les colons se plaignaient de l'orgueil et du refus de travailler des Indiens, pour lesquels les tâches agricoles devaient être réservées aux femmes. Surtout, ces derniers connaissaient bien le pays et pouvaient plus facilement être tentés de s'échapper. Aussi les Anglais préférèrent-ils souvent déporter les Indiens capturés au combat plutôt que les utiliser sur place[61].

Étudiant le cas du Brésil, Luis Felipe de Alencastro indique qu'au cours du deuxième quart du XVIIe siècle le commerce continental d'esclaves amérindiens atteignit sans doute un volume proche de celui de la traite des Noirs par l'Atlantique. C'est la preuve, note-t-il, que « les possibilités potentielles du marché d'esclaves américains sont encore importantes à cette époque. Preuve aussi que la diffusion de l'esclavage africain [...] n'est pas la conséquence directe de l'insuffisance réelle ou supposée du peuplement aborigène ». Pour lui, ce sont des raisons qui tiennent à l'organisation des marchés qui auraient favorisé la traite des Noirs. En l'absence d'une circulation monétaire régulière, les planteurs achetaient en grande partie les captifs grâce au produit de leurs récoltes. Or, sans prises sur le commerce atlantique des denrées tropicales, les trafiquants d'Indiens ne pouvaient guère écouler la production des plantations. Pour ce faire, ils devaient passer par l'intermédiaire de marchands métropolitains... qui étaient aussi des vendeurs d'esclaves africains. L'économie aurifère avait également fait émerger à l'intérieur de la colonie un marché où les vendeurs d'or étaient « dominants ». Ce marché ouvrit de nouvelles possibilités pour l'élevage et l'agriculture. Leur essor favorisa la sédentarisation des *bandeirantes* et la désagrégation des réseaux de traite d'Indiens qui s'étaient formés au centre-sud du pays. C'est donc du fait des connexions établies entre les réseaux atlantiques et certaines élites locales, dans un territoire aux économies régionales très différenciées, que la traite négrière en direction du Brésil se serait développée[62]. La taille du marché africain permettait aussi un approvisionnement en captifs noirs plus régulier et flexible que celui des Indiens. L'envergure des opérations rendait plus efficace l'instauration d'un vaste système de crédit permettant aux planteurs de se fournir en esclaves. Ajoutons que l'introduction d'Africains favorisa l'apparition d'épidémies chez les Indiens, ce qui incita encore les planteurs à acquérir des esclaves noirs, plus résistants aux maladies. Enfin, « à partir du début du XVIIIe siècle, les autorités coloniales maintinrent la prédominance du commerce des esclaves africains afin de prévenir la compétition entre les différentes zones productives brésiliennes ». En effet, faire venir la main-d'œuvre de l'extérieur permettait de réduire les différences qui pouvaient exister entre les diverses régions du Brésil quant à leur possibilité de recourir au marché local du travail[63].

LES TRAVAILLEURS BLANCS SOUS CONTRAT

Quant aux engagés blancs, aux travailleurs sous contrat, il s'agissait de pauvres gens partis de métropole dans l'espoir de se construire un avenir meilleur dans les colonies. Incapables de payer leur voyage, ils acceptaient de se donner à un colon pour une durée comprise entre trois ans (dans les colonies françaises) et cinq à sept ans (dans les colonies anglaises). Le tout pour le prix de la traversée de l'Atlantique et pour un modeste pécule (en argent et/ou en nature) versé au terme du contrat par le colon les ayant embauchés. Ils pouvaient espérer s'installer ensuite à leur compte, s'ils avaient survécu. Selon Peter Kolchin, au milieu du XVIIe siècle, près de la moitié des engagés mouraient avant leur libération. Quelques survivants s'établissaient effectivement à leur compte, mais la plupart, célibataires étant donné le faible nombre de femmes, restaient employés et logés par d'autres. David Galenson, qui a dépouillé plus de vingt mille contrats d'engagés conservés à Londres, estime qu'ils correspondent à environ 6 % des travailleurs sous contrat des années 1654-1775, ce qui donne une idée de l'ampleur de ce phénomène[64]. Il ajoute que l'efficacité de ce type de travail était beaucoup plus grande qu'on ne l'imagine habituellement[65]. Ils jouèrent un rôle « vital dans le défrichement des étendues sauvages, dans l'établissement des plantations, ainsi que dans le transfert de compétences techniques et manufacturières entre l'Ancien et le Nouveau Monde ». Tant et si bien « que l'on peut dire que l'économie de ces colonies fut originellement fondée sur la servitude blanche »[66]. Pour les colons des colonies d'Amérique continentale, l'opération était d'autant plus profitable que, généralement, un lot de vingt hectares par émigrant était offert au planteur[67].

En France, le plus ancien départ d'un engagé connu concerne le port du Havre. Il date de 1624. Mais le mouvement ne se développa vraiment qu'au cours des décennies suivantes. En 1638, la « Compagnie des Isles » demandait l'autorisation d'amener quarante captifs de la région du Cap-Vert. Il y eut donc un temps pendant lequel de nombreux engagés blancs et un certain nombre de travailleurs

noirs (esclaves ou non) ont été utilisés simultanément. Gabriel Debien a montré comment le recrutement des engagés s'est bloqué dans les Antilles
françaises[68]. Les deux derniers pics concernant les
arrivées d'engagés se situent ici en 1683-1686 et en
1699-1701, au moment où débute vraiment la traite
négrière française. Nous sommes à l'époque de la
« révolution sucrière », c'est-à-dire à la fin de la
phase de mise en valeur fondée sur le tabac et les
cultures diversifiées. En 1683, les îles françaises
produisent 9 347 tonnes de sucre, et les colonies anglaises 18 897 tonnes. En 1700, la Jamaïque devient
le premier producteur mondial de sucre. Le mouvement gagne ensuite l'ouest de Saint-Domingue, qui
produit à elle seule 7 000 tonnes de sucre en 1714.
La coïncidence entre « révolution sucrière » et essor
de la traite n'est pas fortuite. L'essor du sucre et celui de la grande plantation nécessitaient des contingents de plus en plus massifs de travailleurs, et à un
meilleur coût. Mais pourquoi cet accroissement de
la demande en main-d'œuvre ne fut-il pas résolu
par une augmentation du nombre d'émigrants
européens ?

On peut tout d'abord, pour répondre à cette question, indiquer que l'élasticité de l'offre en main-
d'œuvre européenne était assez faible. Non tant à
cause du voyage (car son prix était supporté par les
planteurs, et des négociants armateurs surent parfaitement organiser avec profit le transport, et parfois le recrutement, des travailleurs sous contrat)
qu'en raison des doctrines mercantilistes alors en
vigueur. Dans la plupart des pays de l'Europe de
l'Ouest on considérait que l'abondance d'hommes
était un avantage, et l'on peut parier que les souverains en place n'auraient guère accepté une émigra-

tion massive de leurs sujets. Ajoutons que les engagés se recrutaient souvent dans les villes et les
petits bourgs de métropole, alors que la plupart des
Européens habitaient les campagnes et étaient relativement peu mobiles sur de longues distances. Il
est vrai, comme l'a suggéré David Eltis[69], que l'on
aurait pu contraindre certaines populations à émigrer. D'un point de vue strictement économique, en
effet, il aurait peut-être été plus rentable d'exporter
aux Amériques des Européens réduits en esclavage
ou en servitude plutôt que d'organiser un commerce d'êtres humains avec les régions de l'Afrique
noire. Mais le coût nécessité par l'asservissement de
populations européennes aurait été grevé de charges additionnelles. Des populations appartenant à
la même aire géographique et culturelle que leurs
geôliers et connaissant leurs techniques de combat
auraient été plus difficiles à tenir en respect (tant
au moment de la traversée de l'Atlantique qu'une
fois arrivées aux Amériques) que des Africains provenant d'ethnies aussi différentes. À une époque où
les puissances européennes se livraient de durs
combats dans le monde colonial, il aurait également été facile à telle ou telle nation de razzier les
esclaves de telle autre, ou bien de susciter leur rébellion en leur promettant la liberté. Comme le
note Drescher, « la traite par l'Atlantique dépendit
en fait de l'incapacité des Européens à projeter leur
domination en Afrique, le tout combiné à leur capacité de préserver la rupture des liens » entre les
Africains déportés « et leurs communautés d'origine »[70]. D'ailleurs, bien des pays d'Europe occidentale, comme le Portugal ou les Provinces-Unies,
disposaient d'une population relativement réduite.
D'où des stratégies tendant à utiliser au mieux la

main-d'œuvre nationale. Pour le recrutement de leurs équipages, les Hollandais firent largement appel à des marins originaires des pays limitrophes. Les Espagnols, de leur côté, préférèrent utiliser leurs ressortissants afin de constituer leurs armées, nécessaires à la fois à la défense de leurs possessions américaines, à la lutte contre les musulmans en Méditerranée et aux nombreux conflits dans lesquels la maison des Habsbourg était entraînée en Europe[71].

Il faut aussi rappeler que les progrès des musulmans en Méditerranée orientale avaient fermé aux Européens les pourtours de la mer Noire où ils se procuraient des esclaves, tandis que des limites morales avaient été peu à peu érigées à l'encontre de la « traite » des chrétiens orthodoxes d'Orient. Certes, de vastes territoires situés en Europe centrale et orientale se trouvaient hors de l'aire d'influence musulmane. Mais l'époque moderne vit dans ces régions l'essor assez spectaculaire de nouvelles formes de servage, sous l'impulsion d'une aristocratie foncière désireuse de mettre en valeur ses terres, afin, notamment, de répondre à l'augmentation de la demande européenne en grains[72]. Il est donc clair que, fortement sollicitées sur place, les populations de ces régions n'auraient été autorisées à émigrer qu'en échange d'importantes contreparties financières, sans compter qu'elles avaient été sévèrement touchées par les désastres de la guerre de Trente Ans (1618-1648). Reste l'Europe occidentale, mais, comme Eltis l'a indiqué par ailleurs, l'idée selon laquelle ses habitants jouissaient d'une réelle liberté s'était peu à peu renforcée, au moins depuis les XIIe et XIIIe siècles. Or, pour de multiples raisons, l'État tendait à se porter garant de ces nouvelles libertés.

Des facteurs culturels, mais aussi politiques, géopolitiques et institutionnels s'opposaient ainsi à l'asservissement des Européens, alors que le contingent potentiel des travailleurs sous contrat était structurellement limité.

Leur nombre, en outre, dépendait de conditions particulières : d'une part, de la nature du marché du travail et des conditions de vie en Europe, et, de l'autre, de la possibilité ou de l'espoir d'une meilleure réussite aux Amériques. Au tournant des années 1650, le taux de natalité baissa en Angleterre. Il en résulta un peu plus tard un recul de l'offre sur le marché du travail, donc une augmentation des salaires. La Restauration, en 1660, fut suivie d'une période de stabilité politique et de progrès économique. Tout cela se traduisit par un recul des facteurs pouvant pousser les émigrants potentiels à partir. Simultanément, les progrès de l'économie de plantation aux Amériques requéraient une main-d'œuvre plus stable et, surtout, essentiellement cantonnée au travail de la terre. Or les engagés partaient avec l'idée de réussir au Nouveau Monde, et non dans la perspective de demeurer à jamais des travailleurs agricoles. Aussi ne furent-ils plus aussi motivés pour émigrer. Menard le dit bien, « les planteurs de tabac se trouvèrent face à une pénurie de main-d'œuvre [...]. Les planteurs du Chesapeake n'abandonnèrent pas la servitude sous contrat, c'est elle qui les abandonna[73] ». Dès que la traite prit son envol, les engagés blancs furent encore plus tirés vers le bas par l'afflux de la main-d'œuvre africaine. Et comme ils répugnaient sans aucun doute à être mis en concurrence avec des esclaves, les candidats à l'émigration diminuèrent d'autant. Dans ces conditions, il aurait fallu, pour seulement maintenir les flux d'émigrants européens à leurs niveaux antérieurs, soit augmenter très sensiblement leur « salaire », soit réduire nettement le nombre des années de travail prévues par contrat. En d'autres termes, il aurait fallu payer beaucoup plus cher une main-d'œuvre dont le degré d'élasticité était, de toute manière, assez limité.

Or, au moment même où se creusait le décalage entre demande en main-d'œuvre coloniale et offre européenne, l'importation d'esclaves noirs devenait plus aisée. Jusqu'au tournant de la guerre anglo-hollandaise de 1664-1667, les circuits d'approvisionnement en captifs africains étaient en effet largement dominés par les Portugais et les Hollandais. D'où certaines difficultés pour s'approvisionner en captifs et un coût assez élevé. Le dernier tiers du XVIIᵉ siècle vit de nombreuses nations européennes participer à la traite, chacune tentant de mettre sur pied des compagnies bénéficiant de quasi-monopoles afin de pouvoir alimenter en captifs leurs colonies respectives. Cela se concrétisa en Angleterre par la création de la Royal African Company, en 1672. Après le temps de la lutte à outrance entre les nations européennes intéressées par l'aventure coloniale, vint celui d'un certain équilibre des puissances, toujours contesté, parfois très violemment, mais jamais véritablement remis en cause. Les circuits négriers purent donc être plus solidement établis. Enfin, au cours des deux premières décennies du XVIIIᵉ siècle, les monopoles disparurent en grande partie. La traite devint une entreprise privée, ce qui permit d'en assurer encore mieux l'essor.

LES AFRICAINS, ENFIN

Jusqu'ici, nous avons vu pourquoi ni la population amérindienne ni la population européenne n'ont pu fournir de réponses efficaces aux nouveaux besoins en main-d'œuvre suscités par la révolution sucrière et l'essor de l'économie de plantation. Nous avons vu également que, pour des motifs « techniques », on pouvait transporter avantageusement des esclaves africains vers les Amériques. Reste à expliquer pourquoi il fut plus facile d'utiliser cette main-d'œuvre que les autres. L'une des raisons était que, « imprévus mis à part », les Africains détenaient « le plus faible taux de mortalité de toutes les populations du Nouveau Monde[74] ». L'avantage était considérable, mais il donna lieu à des exagérations. Que les Africains résistent mieux que les Européens aux maladies tropicales est un fait. Dire que seul l'Africain est apte à travailler sous les tropiques, comme le prétend une certaine littérature, est une tout autre chose, un argument utilisé par les esclavagistes, *a posteriori*, afin de tenter de justifier l'injustifiable. D'ailleurs, le choix des Africains s'explique également par les habitudes déjà contractées, pendant deux siècles, dans les plantations des îles de l'Atlantique et du golfe de Guinée, où des esclaves noirs travaillaient. Selon de Alencastro ; qui se fonde sur un texte royal, l'État portugais aurait ainsi, dès 1562, considéré que l'utilisation d'esclaves noirs était beaucoup plus efficace, pour la mise en valeur de l'île de Madère, que le recours au travail libre de ses habitants[75]. Au moins cent mille esclaves noirs furent transportés en Espagne et au Portugal au cours du demi-siècle qui précéda le premier voyage de Christophe Colomb.

Selon Eltis, avant 1580, les Africains n'auraient représenté qu'environ 24 % des émigrants passés par
l'Atlantique. Mais si l'on prend en compte les Africains déportés dans les îles de l'Atlantique (Madère
et les Canaries), comme le fait Drescher, le rapport
dépasse les 50 %. Et si l'on se focalise sur la migration comparée des Portugais et des Africains, on
s'aperçoit que ces derniers forment les trois quarts du
total. Le Portugal fut donc « le premier pays à avoir
franchi le seuil consistant à transporter plus d'Africains que d'Européens sur des navires atlantiques[76] ».
Sans oublier l'obsession espagnole de la « pureté du
sang », en réaction à l'assimilation des *conversos*
d'origine maure.

Ainsi, les Ibériques ont donc pu commencer à
nourrir des sentiments négatifs à l'encontre des
Africains bien avant l'essor véritable de la traite atlantique, à la fin du XVIIe siècle. Il n'en va sans
doute pas tout à fait de même des peuples des pays
de l'Europe du Nord-Ouest, même si des marchands et des marins anglais furent très vite fami-
liers des esclaves noirs à Madère. Les travaux de
Winthrop D. Jordan ont cependant montré que les
Anglais ont nourri relativement tôt un certain nombre de stéréotypes à l'encontre des Africains, du fait
de leur couleur associée à l'immoralité et à la sa-
leté, de leur méconnaissance de la religion chrétienne et du caractère jugé sommaire de leur
civilisation[77]. De plus, à l'instar de ce qui s'était
passé à Athènes, l'affirmation progressive des principes de liberté individuelle a pu favoriser ici l'idée
que les peuples à l'écart de leur communauté pouvaient être susceptibles de fournir des esclaves.
L'efficacité des institutions économiques, des réseaux de crédit et de distribution des Anglais et des

Hollandais fit le reste, rendant profitable l'essor de la traite sur une grande échelle[78].

Tout cela pour dire que les images négatives associées aux paysans et aux populations subordonnées, aux morisques et aux nouveaux chrétiens, pendant les XVe et XVIe siècles, ont pu ensuite être facilement projetées sur les esclaves africains. Mais rien n'était encore complètement déterminé. Comme on l'a vu, la fameuse « malédiction de Cham » fut utilisée dans le monde musulman bien avant que l'Europe ne s'en saisisse pour justifier la traite des Noirs. Les représentations de l'Afrique et des Africains en Europe étaient encore ambivalentes et flexibles. La papauté pouvait continuer à espérer rallier à elle le fabuleux royaume éthiopien du Prêtre Jean. On pouvait voir dans les évocations de la Nativité des Rois des mages noirs non agenouillés. Des traits négroïdes étaient évidents dans les tableaux et statues nord-européennes de saint Maurice, le martyr thébain qui, vers le milieu du XIIIe siècle, devint un saint germanique présidant à la conquête et à la christianisation des païens slaves et magyars. On sait également que les premiers Noirs débarqués à Jamestown, en 1619, ont œuvré comme des travailleurs sous contrat, au même titre que les Blancs venus des îles Britanniques[79]. En Virginie, dans le comté de Northampton, Anglais et Africains entretinrent des relations de nature quasi égalitaire. Ici, entre 1664 et 1777, « au moins 13 des 101 Noirs devinrent propriétaires libres, généralement *via* des achats de terre », et, en 1668, « 28 % des Noirs du comté étaient libres »[80]. Dans cette région, comme ailleurs dans le monde colonial, le statut servile des Noirs se précisa peu à peu, jusqu'à la mise en place d'un arsenal de lois et de « codes » dont l'histoire comparative mériterait d'être faite afin de mieux percevoir quelle fut la part respective jouée, dans l'affaire, par les milieux métropolitains et coloniaux. En Virginie, le premier code visant à réglementer et donc à institutionnaliser l'esclavage des Noirs date de 1680. La France légiféra en 1685, avec le fameux Code noir. La Caroline du Sud fit de même cinq ans plus tard. Ce sont donc l'essor de la traite et la cristallisation des sociétés coloniales sous l'effet de la révolution sucrière qui, finalement, poussèrent véritablement au racisme à l'encontre des Noirs, en l'institutionnalisant.

D'où le rôle, encore une fois très important, des colons eux-mêmes. Ils optèrent pour l'esclavage du fait d'un calcul qui peut paraître assez sommaire à nos yeux car il ne prenait pas en compte la productivité des captifs sur le long terme, non plus que les frais de leur entretien. Ce calcul obéissait néanmoins à une certaine forme de rationalité. Les colons considéraient que la durée d'amortissement d'un captif était courte (à la Barbade, en 1645, son prix d'achat pouvait être remboursé par le produit de son travail en un an et demi), qu'il représentait un capital toujours disponible, pouvait être à l'origine de profits non monétaires, et ajoutait au prestige de son propriétaire. Les travailleurs noirs étaient asservis à vie, à la différence des engagés. Les femmes transmettaient la condition servile à leurs enfants. L'exemple de la Virginie nous montre aussi qu'au début, parmi les Blancs, les hommes étaient nettement plus nombreux que les femmes. Mais la très forte mortalité parmi les engagés et la plus grande longévité féminine expliquent que, peu à peu, le nombre de femmes augmenta, ainsi que celui des engagés qui, ayant survécu, étaient devenus trop vieux pour être efficaces. Les colons n'hésitaient pas à mettre au travail les esclaves noires, alors qu'ils ne pouvaient contraindre de la même manière les femmes blanches. En d'autres termes, et selon E. S. Morgan, le recours à l'esclavage des Noirs permettait de restaurer et de maintenir un fort taux de population très productive[81]. Enfin, les chances de succès en cas d'évasion étaient moindres pour les Noirs que pour les Indiens et pour les Blancs. Cela n'est pas négligeable. Le recours à l'esclavage des Africains a en effet pu trouver certaines de ses origines dans un souci de meilleur contrôle de la main-d'œuvre, et pas seulement de meilleure productivité du travail. L'esclavage est parfois autant affaire de pouvoir que d'économie[82], les deux aspects n'étant nullement antagonistes.

D'utiles justifications

Comme dans le monde musulman, la traite négrière une fois mise en place, l'Occident a su facilement trouver des arguments permettant de la justifier. On indiqua que seuls les Africains pouvaient travailler sous les tropiques, que les denrées coloniales étaient nécessaires au commerce extérieur des pays d'Europe et qu'elles jouaient un rôle vital pour ces mêmes pays. Surtout, on fit appel à des alibis religieux. Des alibis et non de véritables motifs, car ce n'est pas pour les convertir que l'on transporta des esclaves noirs vers les Amériques[83]. À Rome, l'Église primitive était généreuse, accueillant tous les hommes, esclaves y compris. Et les personnes éclairées avant la lettre, à l'époque moderne, savaient en leur for intérieur que s'il existait une loi divine d'amour seuls des artifices pouvaient permettre de trouver des justificatifs religieux à l'asservissement de l'homme par l'homme. C'est ce que déclarait Jean Bodin, en 1576, dans ses *Six livres de la République*. Juifs, mahométans et chrétiens, y écrivait-il en substance, n'observent que partiellement la loi divine en matière d'esclavage, car, selon cette loi, il est interdit de transformer quiconque en esclave sans son entier et volontaire consentement.

Malgré cela, plusieurs motifs facilitèrent l'utilisation d'alibis religieux. En premier lieu, les textes sacrés fournissent des arguments susceptibles tout à la fois de contribuer à la défense et à la contestation de l'institution esclavagiste. Comme le note le père Alphonse Quenum, « dans l'Ancien comme dans le Nouveau Testament, l'esclavage est une réalité sociale prégnante. Il est parfois régulé pour en limiter les excès, notamment dans l'Ancien Testament, ou largement admis voire respecté, comme dans le Nouveau Testament ». Mais « nulle part il n'est systématiquement combattu comme un mal ». Avant le XVe siècle, ajoute l'auteur, « l'enseignement des Pères de l'Église et des conciles s'est exprimé autour de deux axes majeurs ». Le premier est « une répétition constante des devoirs des maîtres et de ceux des esclaves ». Le second renvoie à une « constante affirmation : les esclaves chrétiens et les maîtres sont également les enfants d'un même Père »[84]. Par là, une porte était ouverte afin de réhabiliter l'esclave. Ajoutons que l'autorité de ces mêmes Pères de l'Église pouvait facilement être invoquée si l'on souhaitait trouver des justifications à l'esclavage. Pour saint Augustin (*La Cité de Dieu*, livre XIX, chapitre XV) l'esclavage est en effet perçu comme la sanction divine d'une faute, collective ou individuelle.

En second lieu, l'attitude officielle de l'Église établie fut assez souvent déterminée par ses préoccupations temporelles et par la manière dont évoluait la société globale. Ce qui explique en partie que, « si l'Église n'a jamais vraiment été indifférente au sort des esclaves, surtout des esclaves chrétiens, note A. Quenum, elle semble toujours avoir eu du mal à se définir » de manière doctrinale « contre l'esclavage »[85]. Dans l'Antiquité, il fallut attendre le moment où elle fut associée avec le pouvoir, sous Constantin Ier (306-337), ainsi que le concile de Nicée (325), pour qu'elle encourage l'abolition progressive d'un esclavage, qui, longtemps jugé indispensable au fonctionnement de l'économie, n'avait jusque-là jamais été véritablement condamné par elle. L'Église légitima ensuite le servage médiéval par la théorie des trois ordres, selon laquelle le tiers état, majoritairement formé de paysans, devait assurer la subsistance du clergé et de la noblesse chargés de prier et de veiller sur lui[86]. D. B. Davis va plus loin. Pour lui, l'un des grands messages de la Bible judéo-chrétienne est que tous les hommes ont besoin d'un certain contrôle, d'être en quelque sorte subordonnés à un « gouvernement » extérieur à eux-mêmes, ce qui, étant donné la conception augustinienne du péché originel, a pu favoriser l'assimilation de l'esclavage à un moindre mal[87].

Lorsque la traite atlantique apparut, au XVe siècle, ce fut pour être déclarée licite par le pape, dès 1455[88]. On sait qu'elle fut ensuite parfois justifiée par les commentaires malheureux du dominicain Bartolomé de Las Casas (1474-1566), qui souhaitait adoucir le sort des populations amérindiennes tombées sous le joug ibérique, sans imaginer l'ampleur et la nature que la traite par l'Atlantique allait prendre par la suite[89]. Le XVIᵉ siècle la vit connaître un premier essor. Il est possible, pour cette époque, de parler d'immobilisme de la part de la papauté, à un moment où l'humanisme s'appuyait sur la résurrection des textes des Anciens, et notamment d'Aristote, pour lequel l'esclave n'était qu'un « instrument animé ». À quelques rares exceptions près, écrit Quenum, les théologiens se contentèrent « de reconduire les vieilles références tributaires de l'ancienne civilisation gréco-romaine et de l'enseignement des deux Testaments. De ces sources, ils déduisaient que l'esclavage n'était pas moralement mauvais d'une façon essentielle. Ils ne l'approuvaient pas totalement, mais ils avaient du mal à le condamner nettement[90] ».

Il est vrai qu'en 1537, dans sa bulle *Sublimis Deus* sur l'esclavage, pour la première fois depuis la découverte du Nouveau Monde, Paul III n'opère pas de distinction entre les droits fondamentaux des chrétiens et ceux des populations non chrétiennes, connues ou qui pourraient l'être à l'avenir. Mais ce texte concerne essentiellement les Indiens. Les populations noires, depuis longtemps découvertes, ne sont pas expressément mentionnées. Il suscita, de plus, « des oppositions violentes », divisant les religieux en « partisans et adversaires du statu quo »[91]. Se pose alors en effet la question de la défense des intérêts de la papauté devant le danger que représente pour elle la Réforme. D'où la bienveillance dont bénéficièrent les puissances négrières catholiques, et la réticence manifestée à l'égard des autres[92].

Ainsi l'absence d'un message clair à propos de

l'esclavage dans les textes sacrés, le vieux fonds de traditions gréco-romaines, le souvenir de l'esclavage antique et médiéval en Méditerranée, les intérêts temporels de la papauté expliquent aisément que l'Église ne soit pas revenue sur le principe de la légalisation de la traite décidée en 1455[93].

Cela ne veut pas dire qu'il n'y eut pas d'efforts de réflexion au sein de l'Église, mais ils furent généralement conçus comme la recherche d'une attitude morale face à un problème de société qui, en soi, n'était pas perçu comme condamnable. Cette recherche d'un positionnement moral destiné à s'assurer une bonne conscience prit le plus souvent la forme d'une casuistique, laquelle se déploya d'autant plus facilement que les textes sacrés n'étaient pas clairs. Intéressant notamment les dominicains et les jésuites[94], dans le cadre de textes savants et de débats entre pairs, elle concerna principalement deux questions, celle de l'évangélisation et celle du mode d'acquisition des esclaves.

Très tôt, dès juin 1560, Fray Alonso de Montufar, archevêque de Mexico, dominicain, indiquait au roi d'Espagne qu'il serait plus logique d'aller prêcher les saints Évangiles en Afrique plutôt que de justifier la traite par le souci de la conversion des Noirs. Il fallut néanmoins attendre la création de la congrégation *De propaganda fide*, en 1622, pour que la papauté prenne la question au sérieux. Département de la Curie, la Congrégation fut fondée par Grégoire XV pour deux raisons : permettre la propagation de la foi à travers le monde à une époque où elle était menacée en Europe par les progrès de la Réforme, et pallier le contrôle exercé par les cours d'Espagne et du Portugal qui pouvait parfois entraver l'action missionnaire. Des rapports provenant du monde colonial se dessine l'image d'une congrégation déplorant que des missionnaires pratiquent l'esclavage et parfois la traite et, surtout, ayant le souci de baptiser les esclaves et d'empêcher qu'ils ne tombent entre les mains des hérétiques. Comme le souligne Quenum, la Congrégation ne trancha pas toujours de façon vraiment claire. Parfois, elle proposa même de « *tolérer prudemment* » les abus, et cela jusqu'en 1820[95].

Des critiques s'élevèrent également contre les modalités de la traite. En 1527, le dominicain Thomas de Mercado dénonçait les violences et les ruses commises pour se procurer des esclaves, à une époque où le Portugal n'utilisait pas encore l'*asiento* permettant de profiter de la traite sans l'exercer directement. Il indiqua que, pratiquée comme elle l'était, la traite était un péché mortel[96]. Ce n'était pas ici son principe qui était remis en cause mais l'injustice qui prévalait dans sa mise en *œuvre*. La servitude avait été légitimée par les Pères de l'Église, notamment par saint Thomas d'Aquin[97], et la tradition voulait que l'on puisse utiliser des esclaves et pratiquer leur commerce s'ils avaient été acquis de manière juste. Or, à la fin du XVIᵉ siècle, le célèbre théologien jésuite Molina considéra que les guerres entre barbares païens devaient être présumées injustes. Les captifs en provenant étaient donc mal acquis. L'acheteur devait les libérer, et ne les conserver que « dans la mesure du doute[98] ». Pour les mêmes raisons, un autre jésuite, le Portugais Rebello, condamna en 1608 l'activité des *pombeiros* et des *tango-maos*, marchands afro-portugais spécialisés dans l'acquisition des esclaves en Guinée et en Angola[99]. En 1671, dans son *Histoire des Antilles*, le missionnaire dominicain français Jean-Baptiste Dutertre défendit aussi les esclaves, au nom de la fraternité chrétienne, et qualifia la traite de « honteux commerce ». Deux ans plus tard, dans son *Christian Directory*, un quaker, Richard Baxter, considérait la traite comme l'un des « actes les plus criminels du monde ». Cependant, à mesure que la traite prit de l'importance, les condamnations se firent plus nuancées, et les réponses officielles plus subtiles.

En France, la plus haute autorité morale et scientifique du royaume, la Sorbonne, fut saisie de la question de la légitimité de la traite. En 1698, le président du Tribunal des cas de conscience lui-même, Germain Fromageau, rendit sa décision. « Il suit de tout ceci, notait-il en conclusion, qu'on ne peut en sûreté de conscience acheter ni vendre des nègres, parce qu'il y a de l'injustice dans ce commerce. Si néanmoins tout bien examiné les nègres qu'on achète sont esclaves à juste titre et que, du côté des acheteurs il n'y ait ni injustice ni tromperie, pour lors, selon les principes établis, on peut les acheter et les vendre aux conditions qu'on a marquées : on pourrait même, sans aucun examen, les acheter si c'était pour les convertir et leur rendre la liberté[100]. » En résumé, la traite n'est pas bien morale, nous dit Fromageau, mais si les esclaves sont justement acquis il n'y a pas lieu de s'alarmer, encore moins s'ils le sont dans l'intention de les convertir. Par un bel effort de casuistique la réflexion théologique revenait ainsi à son point de départ : guerre juste et conversion peuvent tout justifier. En 1764, dans sa *Dissertation sur la traite et le commerce des nègres*, le théologien Jean Bellon de Saint-Quentin ne s'exprimait pas autrement.

À ce niveau de l'analyse on est frappé par certaines similitudes. La traite transsaharienne naquit au moment de l'expansion musulmane. Les débuts de la traite par l'Atlantique coïncidèrent avec l'ouverture de l'Europe sur le grand large. Dans les deux cas, l'expansion conduisit à une augmentation des besoins en main-d'œuvre. Dans les deux cas, le recours aux esclaves noirs fut en dernier ressort justifié par des alibis de nature religieuse. Nul doute, donc, que la confrontation entre chrétiens et musulmans à l'époque médiévale contribua à poser les fondations d'un *ethnic slavery*, d'abord méditerranéen, puis atlantique.

L'AFRIQUE NOIRE, ACTEUR À PART ENTIÈRE DE LA TRAITE

Ce chapitre sur l'engrenage négrier ne serait pas complet si l'on oubliait le rôle joué par l'Afrique noire elle-même dans la genèse et dans l'essor des traites d'exportation, c'est-à-dire des traites ayant conduit des Africains à être déportés au-delà des limites de l'Afrique noire, notamment en direction des Amériques, des îles de l'océan Indien, de l'Afrique du Nord et du Moyen-Orient. Sans l'existence d'une offre en captifs assez importante et « élastique », ces traites n'auraient en effet pas pu se développer[101]. Plusieurs questions se posent, dont deux me semblent à tous égards importantes. Quel rôle l'Afrique noire a-t-elle joué dans l'organisation du trafic ? Pourquoi répondit-elle si favorablement aux demandes extérieures ?

L'Afrique noire impose ses règles

Sans entrer dans le détail de ce que l'on appelle le « mode de production des captifs », qui sera développé ultérieurement, on peut indiquer qu'il dépendit très largement des Africains. Les captifs proposés sur le marché provenaient de razzias et de prises de guerre, et, accessoirement, du détournement des règles du droit coutumier (certains types d'infractions ayant été, avec le temps, sanctionnés par la réduction en esclavage et la déportation), selon des modalités variables suivant les régions et les époques. En effet, on ne négociait généralement que des personnes enlevées à leur foyer ou à leur famille. Selon John Donnely Fage, plus des trois quarts des captifs vendus aux Européens proviendraient de raids et de guerres. Daniel Pratt Mannix, quant à lui, estime que seuls 2 % des captifs de la traite atlantique furent kidnappés par les négriers venus de la mer, ce qui fut surtout le cas au début, lorsque la traite n'était pas encore bien organisée[102]. Du côté de la traite transsaharienne, des captifs furent parfois razziés au cours d'incursions guerrières conduites par des nomades venus du nord, mais cela fut assez rare. Celles-ci ne prirent en fait vraiment de l'importance qu'au XIXe siècle, en Afrique orientale. L'essentiel des captifs « produits » en Afrique noire le furent ainsi par les pouvoirs en place. Ce sont ensuite ces mêmes pouvoirs, ainsi que des élites marchandes locales, qui ont réglementé et organisé les opérations de vente des captifs. En ce qui concerne la traite occidentale, ni les Européens ni les Américains ne réussirent à établir durablement un véritable monopole en matière de traite négrière. La concurrence qui les opposait a profité aux pouvoirs africains qui pouvaient concentrer l'offre en captifs. Globalement, ceux-ci sont donc restés les maîtres des jeux de l'échange, tout le temps que la traite négrière dura. Et c'est de leur plein gré, on le verra, qu'ils sont le plus souvent entrés dans les circuits négriers.

Il serait erroné et maladroit de traduire cela en termes de « collaboration », un mot chargé de fortes connotations morales conduisant, en réalité, vers de faux débats. Les Africains ayant participé et contribué à l'essor de la traite ne l'ont pas fait pour complaire aux négriers du dehors ou parce qu'ils auraient été contraints à agir ainsi. Ils ne l'ont pas fait, non plus, comme le sous-entendaient certains racistes blancs au XIXe siècle, parce que, insuffisamment « civilisés », ils pouvaient s'émerveiller devant des marchandises de peu de valeur apportées du dehors. La première explication rationnelle permettant de rendre compte du rôle de l'Afrique noire dans la traite réside dans l'absence d'un sentiment d'appartenance à une même communauté « africaine », au sein d'un monde où les barrières ethniques étaient puissantes. Comme le remarque Eltis, « initialement, les termes Afrique et Africains avaient du sens seulement pour les Européens. Les conceptions relatives à l'existence de groupes séparés dotés d'identités n'étaient pas moins prononcées en Afrique qu'en Europe, mais en Afrique elles fonctionnaient en l'absence d'un quelconque sens d'appartenance à un continent africain considéré dans son ensemble ». Pendant l'essentiel de la période moderne, ajoute-t-il, « il y avait des limites à ce type d'identités communes que même l'expérience traumatique du confinement à bord des navires négriers ne pouvait entamer ». Il est notamment révélateur de constater « qu'aucune des 383 révoltes répertoriées dans une banque de données ne s'est déclarée parmi les gardiens [noirs] », alors que, « sans exception, ils étaient partie prenante du même esclavage qui attendait les captifs placés sous leur contrôle ». Les identités africaines « n'ont pas revêtu d'étendue subcontinentale avant le XXe siècle »[103].

Une deuxième raison est que l'esclavage, qu'il fût « marchand » ou « domestique »[104], était une institution solidement enracinée en Afrique noire. Le captif y subissait d'ailleurs un processus assez comparable, qu'il fût destiné à devenir esclave en Afrique noire ou bien à être vendu pour être déporté au-dehors. Par la capture, écrit Claude Meillassoux, il était arraché à sa société d'origine et désocialisé. Par le mode d'insertion dans la société d'accueil et les liens qu'il entretenait avec ses maîtres, il était ensuite dé-civilisé et dépersonnalisé, voire dé-sexualisé, lorsque des tâches ne correspondant pas habituellement à celles tenues par les représentants de son sexe lui étaient confiées[105]. Ce qui montre que les structures mentales permettant le fonctionnement de l'esclavage ont souvent emprunté au même schéma, à travers l'espace et le temps. L'esclave est avant tout l'autre ou celui qui est transformé en un autre, en un étranger ou un « outsider », dont la mort sociale, pour paraphraser Patterson[106], apparaît comme un préalable nécessaire à l'asservissement et à son maintien. Réduire en esclavage les membres d'une autre ethnie africaine n'était donc pas plus difficile, pour les habitants de l'Afrique noire, qu'il ne l'était, pour les Grecs anciens, d'asservir des non-Grecs. Une troisième raison permettant d'expliquer la facilité avec laquelle l'Afrique noire répondit aux demandes extérieures en captifs est tout simplement que la traite était rentable pour nombre d'élites locales, puisqu'elles pouvaient asseoir ainsi leur influence, économique, politique et symbolique, et même démographique. La traite ne doit pas être réduite à une seule question de morale (un commerce d'hommes) ou de duperie commerciale (des biens qui, quels qu'ils soient, ne vaudront jamais la vie d'un seul homme). C'est un carrefour, un lieu d'affrontement et de rencontre entre des logiques différentes. Ce qu'il importe de comprendre c'est donc comment certaines logiques africaines ont pu rencontrer et s'accommoder de logiques extérieures, en d'autres termes, comment l'Afrique noire est concrètement et volontairement entrée dans l'engrenage négrier. Pour ce faire, il est nécessaire de s'intéresser au mode d'organisation des sociétés d'Afrique noire lorsque les traites d'exportation prirent de l'importance.

La place de la traite dans l'organisation fonctionnelle des sociétés d'Afrique noire

Intrigués par la non-émergence en Afrique noire d'un capitalisme et de « bourgeois conquérants » transformant radicalement la société, comme cela s'est produit en Occident, historiens et sociologues ont depuis longtemps tenté d'en mettre au jour les raisons. Entachée par le péché originel d'européocentrisme, cette démarche avait au moins l'intérêt de reconnaître que l'Afrique noire disposait d'une histoire — à la différence de Hegel qui, en 1830, écrivait qu'elle n'était pas une partie historique du monde, n'avait ni développements à montrer ni mouvements historiques en elle. Cette démarche a également permis d'accroître considérablement nos connaissances à propos du mode de fonctionnement des sociétés d'Afrique noire.

Les raisons de la forte propension des sociétés africaines à résister au changement furent d'abord cherchées dans la manière dont fonctionnaient les échanges. À la suite de Bohannan et de Dalton[107], on mit ainsi l'accent sur la relative étanchéité séparant trois sphères : celle de la réciprocité (dons et échanges socialement obligatoires), celle de la redistribution (laquelle suppose un prélèvement préalable, par le biais de tributs, corvées, ou autres taxes, tel un État qui, fonctionnant sur le mode ostentatoire, redistribue en partie ces biens aux membres de la communauté (notamment au cours de fêtes), et enfin celle de l'économie de marché, dont l'existence, ancienne, est attestée par la présence d'étalons monétaires variés. Considérant que les échanges ne font en fait que refléter la manière dont est organisée une société, certains chercheurs ont ensuite voulu retrouver les ressorts cachés à l'origine même de la circulation des biens. Pour Meillassoux, ces ressorts se situent dans les rapports sociaux, et plus précisément dans la nature d'un « système lignager » séparant de manière quasi imperméable la sphère de l'autoconsommation villageoise de celle du grand commerce réservé aux élites lignagères.

Plus que le profit, l'objectif assigné à ce commerce serait l'obtention de biens de prestige servant à assurer le pouvoir des élites lignagères. En effet, leur autorité ne découlerait pas de l'usage de la force ou du contrôle des moyens de production (terre, outils...), mais plutôt d'une influence puisant

à diverses sources : l'importance accordée au savoir
(lequel est souvent considéré comme le fait des
« anciens », le contrôle des femmes pubères, le monopole de toute une série de techniques (rites d'ini-
tiation, pratiques magiques, médecine...), l'exhibi-
tion de biens de prestige périodiquement détruits
ou redistribués, et qui, même capitalisés, sont plus
appréhendés à la manière d'un signe de richesse et
de pouvoir qu'à celle d'un « surplus » (au sens
marxiste du terme) pouvant être réinvesti. Dans un
tel système, l'essor de l'économie de marché ne peut
que saper les fondements de l'influence exercée par
les élites lignagères. Celles-ci s'attachent donc à en
limiter, sinon les progrès, du moins la diffusion au
sein de la société.

Un premier moyen, pour ce faire, consiste à contrôler et à restreindre la participation de ses sujets
au commerce à longue distance, lequel ne fait alors
que traverser les pays sous contrôle, sans vraiment
les pénétrer. Ainsi, isolé du reste du royaume du
Dahomey, le site de traite de Ouidah était en outre
dirigé par une administration commerciale propre.
En second lieu, redistribués, thésaurisés ou bien
détruits par les élites en place, les biens de prestige
ne pouvaient s'accumuler dans les mains d'élites
concurrentes. Au Dahomey, des fêtes appelées
« grandes coutumes » permettaient la destruction et
la redistribution d'une partie de ces biens. À l'origine, elles étaient célébrées à la mort d'un roi. Avec
l'essor de la traite, et donc l'arrivée plus massive de
biens de prestige, on remarque qu'elles s'intensi-
fient, d'une part sous l'effet d'un plus grand faste et
donc de plus grandes dépenses, d'autre part à la suite
de l'adjonction de cérémonies annuelles d'anniver-
saire en l'honneur des ancêtres, et ainsi d'une plus

grande fréquence de ces fêtes. Une évolution du même type se produisit également au Congo[108]. Ces phénomènes n'interdisaient pas toute évolution (par migration d'une partie du groupe et/ou formation d'autres lignages, ou bien encore par l'émergence de rapports de type patrons/clients du fait de la hiérarchisation des lignages). Mais cette évolution était canalisée et réduite, le groupe migrant pour s'installer ailleurs reproduisant souvent en partie, mais à son profit, des structures de pouvoir comparables à celles qu'il avait quittées.

Considérant que le mode de production « lignager » fut dominant au sein des sociétés paysannes traditionnelles, mais non exclusif, Catherine Coquery-Vidrovitch a ensuite construit sa propre définition du « mode de production africain ». Rompant avec les théories de l'« immobilisme » africain, elle intègre l'idée de déséquilibres et de conflits internes, sans pour autant remettre en cause « l'extraordinaire capacité de résistance aux innovations » de la part de sociétés africaines « relativement équilibrées »[109]. Concrètement, l'essentiel reposerait sur la nature « égalitaire » du système foncier (c'est-à-dire sur l'appropriation du sol par le groupe et la redistribution plus ou moins périodique de terres ne pouvant pas ainsi être concentrées dans les mains de quelques-uns), au sein d'économies patriarcales agraires à faibles surplus. Il en résulte que les prestations exigées par le groupe dominant seraient réduites, ayant surtout valeur sociale et symbolique. Servant principalement à faire reconnaître où se trouve le pouvoir (car accepter sans pouvoir rendre conduit à admettre une situation de subordination, le don servant alors à l'affermissement et à l'extension du pouvoir politique[110]), ces prestations seraient le plus souvent redistribuées à la collectivité. Plus tournées vers l'exploitation de leurs voisins que vers celle de leurs sujets, écrit l'auteur, les élites subsisteraient par leur mainmise exclusive sur le commerce à longue distance. De la nature de ces élites dépendrait donc la forme du pouvoir, selon qu'elles coïncident avec les chefs lignagers de l'autosubsistance villageoise ou bien avec des groupes privilégiés ayant émergé au sein de sociétés plus différenciées. Le système, ajoute C. Coquery-Vidrovitch, n'interdirait pas totalement l'accumulation des richesses, mais leur usage serait paralysé par l'organisation socio-économique en place.

Les travaux postérieurs d'Emmanuel Terray[111], sur la guerre et sur le royaume abron, complètent les schémas d'analyse précédents. Ils permettent en effet de mieux comprendre l'originalité de ces relations de solidarité conflictuelle qui, à travers le temps et l'espace, unirent les élites guerrières et marchandes d'Afrique noire. Démontrant que la guerre est ici un instrument de la répartition des biens, au même titre que le commerce à longue distance, E. Terray arrive à la conclusion que guerre et commerce s'inscrivaient tous deux au sein d'un même « mode de production », dit « tributaire ». Les intérêts des guerriers et des marchands pouvaient différer, mais le développement de leur puissance fut finalement parallèle, chacun ayant besoin de l'autre : les marchands de la protection des guerriers, les guerriers des biens transitant par le commerce. Dans ce système, les conflits internes se polarisaient autour de l'affrontement entre des élites « conservatrices » tentant de limiter l'ampleur du grand commerce et de la guerre, et des élites « novatrices » utilisant de façon systématique et cumulée ces deux moyens afin d'imposer les transformations souhaitées par elles.

On notera que ces différents modèles explicatifs se chevauchent et se complètent plus qu'ils ne s'opposent. Leurs dénominations diffèrent, du fait de la variété des interprétations élaborées à partir d'une matrice commune, souvent d'origine marxiste. Mais, puisés dans les réalités de l'Afrique précoloniale, leurs éléments constitutifs sont les mêmes ; preuve qu'un certain nombre de caractères communs ont coexisté au sein de sociétés complexes, fondées sur des structures ethniques, lignagères et étatiques, selon des agencements variés et évolutifs.

Excellant à intégrer de nouvelles données sans se transformer radicalement, ces sociétés avaient tendance à freiner la diffusion des formes de l'économie de marché hors des sphères réservées aux élites, détournant ainsi le commerce à longue distance de ses potentialités « révolutionnaires ». Peu tournées vers l'exploitation de leurs propres sujets, les élites ont ainsi trouvé un système de domination économe en moyens coercitifs à usages internes, à la différence des grands États de l'Europe moderne (et notamment de la France), qui se sont lancés dans un effort d'encadrement administratif, policier, militaire et clérical véritablement énorme et coûteux. Pour se maintenir, les élites d'Afrique noire utilisaient conjointement deux activités, sans doute beaucoup moins nettement différenciées que dans l'Europe de la même époque : la guerre et le commerce au loin. Les voisins étaient donc des proies toutes désignées, notamment lorsqu'ils apparaissaient plus faibles, du fait d'une moindre complexité de leurs structures sociales, politiques et militaires.

La traite se situant à l'intersection des phénomènes guerriers (pour « produire » les captifs) et marchands (pour en organiser le commerce), on voit qu'elle est au cœur même de l'organisation fonctionnelle des sociétés de l'Afrique noire précoloniale. Elle ne peut, par là même, être analysée de manière isolée, comme un phénomène surgi uniquement et subitement de l'extérieur. Se pose néanmoins une question : celle de la genèse de ce mode d'organisation fonctionnelle des sociétés d'Afrique noire. Était-il en place avant l'essor des traites d'exportation, ou bien s'est-il développé à leur suite ?

La traite dans la genèse des modes d'organisation fonctionnels des sociétés d'Afrique noire

Prenons le cas des régions d'Afrique occidentale les plus impliquées dans la traite, c'est-à-dire, sur la côte, celles du golfe de Guinée (entre les actuels Sénégal et Cameroun) et, vers l'intérieur, de la côte atlantique à l'ouest du lac Tchad. Il permet en effet de proposer quelques éléments de réponse. Les premiers sont internes, propres aux peuples de ces régions. C'est là, dans ce monde tropical, et notamment dans les espaces ouverts de la savane, qu'est née la civilisation dite « des greniers », et que, très tôt, des pouvoirs et des sociétés complexes se sont développés autour de surplus agricoles pouvant être accumulés. C'est également ici qu'est apparu l'esclavage marchand, sans doute inconnu des sociétés paléo-négritiques. L'isolement relatif causé par l'apparition du désert du Sahara, à partir du IIIe millénaire av. J.-C., des conditions écologiques particu-

lières (la charrue accélère l'érosion des sols en zone
de savane, tandis que la mouche tsé-tsé interdit
l'usage des animaux de trait dans la zone forestière), le régime foncier marqué par l'absence d'appropriation privée du sol, une certaine abondance
de terres par rapport au faible nombre des hommes
et la grande mobilité de ces derniers étaient autant
d'obstacles à l'intensification de la production vivrière. Les surplus agricoles suffisaient donc à
peine à entretenir les couches dirigeantes. Pour
maintenir et renforcer leur hégémonie, celles-ci
prélevaient des droits sur les circuits du commerce
à longue distance (or, sel, ivoire, noix de kola, textiles...). Elles avaient aussi recours à la guerre, pro-
ductrice de richesses et de captifs dont le coût d'acquisition et d'entretien était plus faible que celui de
travailleurs libres, par ailleurs difficiles à fixer sur
place.

Ce que l'on sait des États qui se sont développés
au nord de la région (le Ghana, VIIe-XIe siècle ; le
Mali, XIIIe-XVIIe ; puis le Songhaï, XVe-XVIIe) indique
que les principales caractéristiques du « mode de
production » tributaire défini plus haut étaient déjà
en place. Plus personne n'estime heureusement
aujourd'hui que les civilisations de la région ont été
« le fait de nomades de race blanche organisant des
Noirs primitifs, comme le suggérait à l'ère coloniale
une pensée d'un racisme plus ou moins conscient »,
écrivait Yves Person. Il faut sans doute voir dans le
développement de ces civilisations (et donc dans celui de la traite), ajoutait-il, « une *réponse* du monde
noir au défi du monde berbère, qui a pris une nouvelle forme au VIIIe siècle, quand les musulmans, à
peine maîtres de l'Afrique du Nord, ont organisé le
commerce transsaharien »[112]. Des découvertes ar-

chéologiques plus récentes permettent de nuancer encore ce jugement. Selon C. Coquery-Vidrovitch, les origines du Ghana doivent en effet être recherchées dans une civilisation qui avait réussi à maîtriser de manière autonome l'agriculture et la construction de maisons en pierre, et cela pratiquement mille ans avant notre ère. D'où la « rapidité avec laquelle la civilisation marchande et urbaine arabe s'est implantée dans la région[113] ». D'autre part, l'ancienneté des traditions relatives à l'esclavage en Afrique noire pré-islamique « démontre combien il serait trompeur de suggérer une distinction absolue entre l'esclavage islamique et l'esclavage traditionnel africain[114] ».

Deux éléments auraient donc été finalement à l'origine de la naissance plus ou moins simultanée de la traite négrière et du mode d'organisation des sociétés d'Afrique noire tel qu'il a été décrit plus haut : des facteurs internes sans doute importants, et la synergie née de la rencontre entre le commerce transsaharien et des structures étatiques nouvelles, se surimposant aux cadres lignagers plus anciens. Les progrès de l'islamisation ont ensuite joué un rôle dans la diffusion du mode de production africain et de la traite qui lui est liée. Meillassoux note en effet que « les marabouts musulmans, dont on sait l'étroite association au commerce, avaient intérêt à inciter les souverains à fournir le marché à esclaves[115] ». De plus, réelle ou seulement apparente, l'islamisation des élites leur permettait de légitimer la réduction en servitude des populations limitrophes, déclarées païennes. De l'Atlantique à la mer Rouge, et du haut Moyen Âge à la fin du XIXᵉ siècle, la plupart des entités politiques plus ou moins islamisées d'Afrique noire jouèrent un rôle essentiel dans le fonctionnement et la diffusion de la traite.

Une chose semble en effet avérée, dans cette dialectique du dedans et du dehors où l'importance respective des deux dimensions ne pourra certainement jamais être mesurée avec exactitude : la manière dont l'esclavage marchand s'est diffusé à partir des empires dits « soudanais » (Ghana, Mali, Songhaï), et en particulier du Mali. Il y a en effet coïncidence entre la progression de cette forme d'esclavage et celle des réseaux commerciaux du Mali. Au sud, sur la côte, la basse Guinée fut touchée dès le XIVᵉ siècle par l'expansion des Mande, notamment des marchands soninké et dioula. Elle devint ainsi assez vite demandeuse en captifs. Ce qui explique qu'à leur arrivée, au début du XVᵉ siècle, les Portugais commencèrent par y transporter des esclaves venant d'autres régions afin d'obtenir de l'or des populations locales. À cette époque, dans la bordure occidentale de la région, à la limite du Sénégal, l'esclavage marchand s'était également déjà développé. Il en va différemment de la haute Guinée, c'est-à-dire de l'espace compris entre la Gambie et le Liberia modernes. Cette région avait été moins influencée par le commerce avec les empires sahéliens. Les premiers Européens n'ont mentionné ici aucune trace d'« esclaves », alors qu'ils y étaient nombreux aux XVIIIᵉ et XIXᵉ siècles. Il semble donc, comme l'a indiqué Walter Rodney[116], que des influences extérieures, en l'occurrence européennes, furent ici importantes dans la diffusion de l'esclavage marchand[117]. Mais il s'agit d'une exception confirmant une règle plus générale : en Afrique occidentale, l'essor de la traite s'insère dans un vaste processus interne de transformations politiques, dans un « continuum de développement économique et social », écrivait Fage en 1969[118].

La fréquence des guerres en Afrique occidentale aux XVᵉ-XVIIᵉ siècles s'explique par le fait que des phénomènes anciens, accélérés et catalysés par les influences venues des empires sahélo-soudanais, ont d'abord conduit à la formation d'États d'un type nouveau, à la fois militaires et commerçants. E. Terray écrit que la naissance de l'un d'eux « entraîne immédiatement, par une sorte de réaction en chaîne, l'apparition d'autres États qui s'opposent au premier et font obstacle à son expansion ». Ce premier âge conflictuel coïncida avec ce qu'il appelle le temps des « guerres d'établissement ». La forte disparité entre les structures sociales et politiques existantes (villages, sociétés lignagères, États...) fut à l'origine d'un déséquilibre profitant aux entités fortement structurées sur le plan militaire, souvent venues du nord. Pour elles, les États faibles ou les sociétés lignagères étaient des proies toutes désignées.

À ce fait essentiel, qui rend largement compte de l'instabilité de la région à cette époque, s'ajoutent d'autres facteurs. Des facteurs contribuant à donner à la guerre un caractère sporadique et saisonnier, à l'image de ce qui se passait en Europe médiévale : une fois que les récoltes étaient rentrées, la main-d'œuvre inemployée était facilement incorporable dans les armées, le temps de la saison sèche. Que faire ensuite des prisonniers capturés lors de guerres souvent peu coûteuses en vies humaines ? Les éliminer ? C'était rarement le cas. Les rendre à l'adversaire pour qu'il reconstitue ainsi ses forces ? Cela n'aurait pas été pas très logique. Le plus souvent on les mettait au travail. Mais, malgré son essor, et l'énorme changement dont il témoigne, l'esclavage marchand demeurait encore minoritaire. Les esclaves de ce type travaillaient en effet surtout pour les souverains et les Grands. L'utilisation de cette main-d'œuvre de manière massive et mal contrôlée hors des cercles du pouvoir aurait mis en cause son rôle d'indicateur de richesse et de hiérarchies sociales. Au-delà d'un certain seuil, elle aurait également posé de nombreux autres problèmes : risques de fuites (si les captifs appartiennent à un peuple voisin) et donc nécessité d'une forte surveillance, menaces de fortes tensions internes — lesquelles, en d'autres lieux et à d'autres époques, rythmèrent la vie des Spartiates et de leurs hilotes. On comprend alors la rapidité de la réponse africaine au renforcement de la demande européenne en captifs, à partir de la seconde moitié du XVIIe siècle. La « matière première » — le captif — était là, abondante, et parfois encombrante. Pour les États du golfe de Guinée, l'accès aux « ports » du commerce transsaharien ne pouvait s'effectuer qu'après de longs et coûteux voyages. L'arrivée de nouveaux partenaires commerciaux sur place, sur la côte, rendait soudainement les choses beaucoup plus faciles. Comme l'écrit John Thornton, « nous devons [...] conclure que la traite par l'Atlantique et la participation africaine à ce trafic puisent solidement leurs origines dans les sociétés et les systèmes légaux africains ». Cette « disposition préexistante fut tout autant responsable du développement de la traite atlantique que n'importe quelle force extérieure »[119]. Les élites africaines ayant décidé d'entrer dans ce commerce avaient les moyens de l'entretenir et de le réguler, faisant ainsi jeu égal avec l'Europe.

PREMIÈRE PARTIE

ESSOR ET ÉVOLUTION
DES TRAITES NÉGRIÈRES

La métaphore de l'engrenage symbolise assez bien la manière dont la traite a été « inventée », ainsi que les raisons pour lesquelles elle a pris assez rapidement l'ampleur que l'on connaît. À l'origine de tout cela se trouvent en effet des logiques aussi variées que nombreuses qui se sont peu à peu assemblées et connectées, contribuant à relier trois mondes eux-mêmes extrêmement variés, en Occident, en Afrique et en Orient. Tout mécanisme, tout subtil engrenage, peut cependant se gripper un jour ou l'autre. Or l'histoire des traites négrières s'étend sur des siècles entiers ; des siècles riches en évolutions de toutes sortes qui nous font passer des temps médiévaux à la période contemporaine. Il est impossible que de tels changements n'aient pas influé au moins en partie sur la mécanique complexe à l'œuvre derrière l'infâme trafic. Les traites négrières, et notamment la traite atlantique, n'ont pourtant pratiquement pas cessé de se développer avant qu'un puissant mouvement abolitionniste international ne se soit formé afin d'y mettre un terme.

La question que j'aborderai au cours de ce chapitre (et du suivant) est donc celle de la longévité si singulière des traites négrières, celle des dysfonc-

tionnements qui n'ont pas manqué d'apparaître
dans leurs engrenages et des moyens par lesquels
elles ont néanmoins toujours plus ou moins réussi
à s'adapter, afin de se reproduire et de durer. Pour
cela il est nécessaire d'étudier les traites comme elles fonctionnèrent. C'est-à-dire comment chacun
des trois systèmes négriers (occidental, africain et
oriental) évolua, mais aussi comment ces évolutions influèrent sur leurs interactions, et donc sur
la dynamique de l'ensemble. Je commencerai par
présenter, dans le deuxième chapitre, ce qui ne subit guère de transformations. Je m'intéresserai ensuite, dans le troisième chapitre, aux éléments
moins stables du système et enfin à leurs interactions. Mais plus succinctement, car ce dernier chemin n'a encore, malheureusement, guère été emprunté par la recherche.

2

Ce qui ne change pas,
ou peu : les structures
du quotidien

C'est surtout le quotidien des négriers et des esclaves qui, sur la longue durée, n'a guère changé. Non que le temps soit demeuré « immobile », comme on a pu le dire à l'époque de Braudel. Car le temps est tout sauf immobile. Mais, tout simplement, l'évolution de certaines pratiques négrières fut très lente. Ainsi les principales routes de la traite ne subirent guère de modifications. Elles furent seulement plus ou moins empruntées, en fonction des circonstances. Au sein de chaque ensemble négrier, la typologie des marchandises de traite fut définie assez tôt, et ne subit ensuite guère de retouches. Quelle que soit l'époque, les mêmes produits transitèrent par l'intermédiaire de chacune des traites, orientale, occidentale et africaine. Certains pouvaient trouver ici ou là de meilleurs débouchés, mais tous devaient plus ou moins entrer dans la composition de l'assortiment nécessaire pour acquérir des esclaves. Les tractations commerciales étaient relativement normalisées. Seul le déroulement du voyage qui s'ensuivait pouvait être sujet à d'importantes différences. Qu'il s'agisse de la traversée de l'Atlantique, du Sahara ou de la mer Rouge, des expéditions se déroulaient avec un minimum de

pertes en vies humaines, d'autres se soldaient par
de véritables catastrophes humanitaires. En fonction des attaques, des révoltes, des épidémies, du
caractère des négriers, et de nombreux autres paramètres, le taux de mortalité des esclaves pouvait en
effet varier de manière considérable. Cependant, si
chaque opération négrière était unique, toutes
étaient organisées plus ou moins de la même manière. Des souffrances de même nature étaient infli-
gées aux esclaves, par des négriers usant de procédés expérimentés de longue date. Et, si toutes les
expéditions pouvaient être mises en série, on s'aper-
cevrait finalement de la répétition de certains types,
toujours identiques. Pour plus de clarté, je classerai
ces différentes « structures du quotidien » selon
une progression logique, de la production des captifs au déroulement des voyages de traite.

PRODUIRE LES ESCLAVES

Modes de production

Dissocier un mode de production des captifs occidental, un autre africain, et un dernier oriental serait tout à fait erroné. Pour la simple et bonne raison que les traites d'exportation, occidentales et
orientales, dépendaient en bonne partie des populations d'Afrique noire pour leur approvisionnement
en captifs. Aussi est-il plus judicieux d'opérer trois
distinctions : là où les négriers venus du dehors
jouèrent un rôle, même secondaire ou temporaire
dans la production des captifs ; là où ils se sont dé-

chargés de ces opérations sur des États tampons faisant partie intégrante de leur aire d'influence et/ou de civilisation ; là, enfin, où les négriers du dehors n'avaient pratiquement aucune influence.

Le premier cas de figure renvoie à deux types de réalités : celle de la production directe, par la guerre et les razzias, et celle que l'on pourrait qualifier de production « accompagnée ». Le plus rare fut le mode de production direct. Il fut pratiqué par les Européens au tout début, notamment au XVe siècle. En 1445, João Fernandez obtint des Maures neuf esclaves, contre des marchandises. Pour nombre de nobles ibériques, cette attitude commerçante était indigne. D'où certains rapts. « Vingt-deux personnes étaient endormies ; je les rassemblais pour les diriger vers les navires, comme s'il s'agissait d'un bétail », raconte Diego Gomes en 1460[1]. Cette pratique, cependant, faisait déjà partie du passé avant même que la traite par l'Atlantique ne s'intensifie. Dès 1448, Henri le Navigateur avait en effet donné l'ordre de privilégier l'établissement de relations commerciales avec les Africains. C'est à cette date qu'un fort fut établi dans l'île d'Arguin. On y faisait transiter des esclaves et de l'or, contre des chevaux, du blé, des toiles et de la soie de Grenade. Cette politique d'entente commerciale devint ensuite la règle, assurant un commerce plus stable. Des Italiens habitués à la traite des esclaves en Méditerranée figuraient dans l'entourage d'Henri, comme Alvise Cadamosto qui voyagea au Sénégal et en Gambie, découvrant certaines îles du Cap-Vert. Ils jouèrent sans nul doute un rôle dans cette nouvelle politique. Du côté des traites orientales, la production directe des captifs fut tout aussi rare. Elle accompagna des opérations militaires de grande envergure, comme celle menée en 1591 par des troupes marocaines. Son objectif principal était de mettre la main sur les circuits du commerce africain de l'or. Elle ne réussit qu'à faire tomber le royaume du Songhaï et à produire au passage des captifs. Au XIXe siècle, on retrouve ce type d'intrusion avec les opérations commanditées par le pacha d'Égypte au sud du Nil, afin de ramener de l'ivoire et des esclaves incorporables dans l'armée. Événements exceptionnels, mis à part les raids qui dévastèrent une bonne partie de l'Afrique orientale et centre-orientale au cours du XIXe siècle.

Le plus souvent, le rôle des négriers venus du dehors se limita à un accompagnement des opérations de traite africaines. Ce fut le cas dans les régions du sud de l'actuel Sénégal et de la Gambie, où des traitants français réussirent à pénétrer vers l'intérieur. Cependant, la plupart des esclaves ainsi obtenus l'étaient à la suite de transactions avec les Maures ou les Africains islamisés, puis expédiés vers Gorée, qui ne fut qu'un très modeste site de traite. En Gambie et au Liberia, les Anglais étaient plus présents. Mais c'étaient surtout des métis de Portugais — les _tango-mãos_ ou _lançados_ — qui intervenaient dans la traite[2]. Des contrebandiers s'étaient installés là, notamment à partir du dernier tiers du XVIe siècle ; ils avaient d'abord été pourchassés, à la fois par les Portugais et par les Africains ; mais certains avaient fait souche. D'autres, des juifs convertis de force ou bien des déportés, s'étaient ajoutés à eux. À la troisième génération s'était ainsi constituée une communauté d'hommes tolérés par les sociétés africaines car maritalement et culturellement en partie intégrés. Ils formaient un groupe parfaitement capable de jouer les intermédiaires entre négriers blancs et négriers noirs. Selon l'historien guyanais Walter Rodney, ils doublèrent cette fonction d'intermédiaires par un rôle de producteurs directs de captifs. Mais c'est plus au sud, dans le royaume du Dahomey (actuel Bénin), et plus tard, au XIXe siècle, qu'ils semblent avoir été vraiment importants en cette matière. Notamment lorsque Francisco Felix da Souza (qui avait été greffier puis commandant du fort portugais de Ouidah) obtint du roi Ghézo, en 1818, la charge de Chacha. Elle faisait de lui le responsable du commerce pour le royaume africain d'Abomey. D'ailleurs, plus que des Afro-Portugais, ce sont des Afro-Brésiliens qui se mirent alors en évidence. Plus généralement, les marchands et agents occidentaux établis sur les côtes d'Afrique avaient souvent des concubines noires, appartenant parfois à de bonnes familles, ce qui pouvait permettre de renforcer les liens avec les élites locales. Les opérations de traite nécessitaient également l'intervention d'interprètes sur place. Parfois, les Européens rivalisaient afin d'offrir à des Africains des séjours dans leurs pays respectifs, pensant leur y donner une éducation occidentale et s'en faire des alliés, à leur retour au pays. Français et Anglais entrèrent ainsi en concurrence à Anomabu, sur la Côte-de-l'Or. Eltis signale aussi le cas de quelques marchands africains partis de leur plein gré en Occident afin de commercer[3]. Mais tout cela resta très limité.

C'est au Congo que la présence européenne, concrètement celle des Portugais et des « Brésiliens », fut sans doute la plus effective, sans être pour autant totalement efficace. Le roi Alfonso avait ouvert son pays au commerce négrier. À sa mort en 1543, le système qu'il avait instauré avec l'aide des

Portugais s'effondra. Les circuits négriers furent
déstabilisés au moment même où l'essor de l'économie de plantation au Brésil suscitait une plus forte
demande en main-d'œuvre servile. À la diplomatie,
à la fois commerciale et religieuse (Alfonso s'étant
converti au catholicisme), succéda donc une politique d'intervention directe. En 1569, la première armée coloniale « européenne » envahissait une zone
d'Afrique tropicale. Ces troupes, six cents hommes,
sont généralement présentées comme ayant été directement envoyées par la cour du Portugal. Luis
Felipe de Alencastro considère, au contraire, qu'il
s'agit d'hommes déjà fortement « brésilianisés ».
Pour lui, la cheville ouvrière de l'expédition ne doit
pas être recherchée du côté de la Couronne portugaise, mais plutôt des intérêts de lobbies brésiliens
déjà fortement individualisés[4]. Quoi qu'il en soit,
l'expédition eut surtout pour effet de renforcer le
rôle local de la communauté hispanophone. La plupart des hommes ayant contribué au rétablissement
du roi Alvaro sur son trône bénéficièrent en effet de
largesses de sa part. Politiquement efficace, l'expédition fut ainsi commercialement peu bénéfique
pour ses commanditaires. Comme le note David
Birmingham, « les traitants expatriés au Congo,
comme ceux de Guinée, avaient leurs propres priorités commerciales et ne mettaient aucune bonne
volonté à soutenir les intérêts de l'administration
des finances et des douanes de Lisbonne[5] ».

Une seconde expédition coloniale fut donc suscitée, à partir de 1571. Elle devait aboutir à la création d'une colonie de l'Angola, placée sous la souveraineté du Portugal et administrée sur place par
une série de nobles propriétaires, comme aux premiers temps de l'installation des Européens dans le

Nouveau Monde. Du fait de l'opposition du pouvoir africain en place, l'entreprise n'aboutit finalement qu'à la construction d'un fort, à Luanda, quatre ans plus tard. Après la réunion des couronnes d'Espagne et du Portugal (1580) et la mort du seigneur propriétaire de l'Angola (1589), cette politique de colonisation mixte (État/entreprise privée) fut abandonnée. Un gouverneur fut envoyé. Mercenaires et alliés locaux sécurisèrent et renforcèrent les circuits de traite capables de drainer vers la côte les esclaves nécessaires. Un système se mit ainsi en place. Des caravanes de *pombeiros*, c'est-à-dire de marchands indigènes acculturés, étaient commanditées par les Portugais. Elles s'enfonçaient à l'intérieur du continent pour aller produire ou acheter des esclaves.

Ce système d'accompagnement des opérations de traite et de production des captifs par le biais de populations en partie métissées fut surtout le fait des Occidentaux, européens et brésiliens. Les populations musulmanes d'Afrique du Nord et du Moyen-Orient n'avaient pas besoin de recourir à ce procédé. De l'Atlantique à la mer Rouge, toute une série d'États se succédèrent, du haut Moyen Âge jusqu'à la fin de la traite organisée, au début du XXᵉ siècle. Le XIᵉ siècle vit l'expansion islamique au Sahel et au nord de l'Afrique occidentale. C'est l'époque où les Almoravides se sont emparés d'Aoudaghost et ont précipité le déclin du royaume du Ghana, où le roi du Mali, sur le Niger, et celui du Kanem, au nord du lac Tchad, se sont convertis à l'islam. Une nouvelle phase d'expansion, au XVᵉ siècle, fut contemporaine de la conversion des commerçants haoussa et mande et de la fondation de l'empire Songhaï de Gao. Localisés à la frontière du désert, la plupart des ensembles politiques sahélo-soudanais furent ainsi islamisés. États d'Afrique noire, ils appartenaient à l'aire d'influence et de civilisation musulmane[6]. Ils opéraient des razzias en direction des populations païennes voisines. Pour leurs propres besoins, car l'esclavage y était pratiqué comme dans le reste du monde musulman, mais aussi pour se procurer, en les vendant, des produits issus du commerce transsaharien. Pour les régions situées plus au nord, il était donc facile d'acheter des captifs. Des commerçants arabes pouvaient aussi s'installer dans ces États sahélo-soudanais, et, à partir de là, rayonner plus au sud. Selon Paul Lovejoy, l'essentiel des circuits négriers d'Afrique noire occidentale étaient ainsi sous l'influence de marchands islamisés[7].

Ailleurs, la production des captifs était affaire purement africaine. Les modalités d'asservissement étaient partout les mêmes, empruntant aux principales catégories de réduction en esclavage répertoriées par Orlando Patterson : capture à la guerre, kidnapping, règlements de tributs et d'impôts, dettes, punition pour crimes, abandon et vente d'enfants, asservissement volontaire et naissance[8].

La pauvreté, la famine pouvaient contraindre certains individus à se vendre ou bien à vendre une partie de leur entourage. Selon Joseph Miller[9], qui a étudié la traite angolaise, dont l'importance fut considérable au sein de la traite atlantique, le rôle des facteurs écologiques (sécheresses, famines, maladies) fut loin d'être négligeable dans le processus de production des captifs. Le cas des tributs peut être illustré par celui payé par le Dahomey à Oyo entre 1730 et 1818, qui consistait en la livraison de quatre-vingt-deux esclaves par an.

Certaines fautes pouvaient également être sanctionnées par la servitude et la déportation : actes d'adultère commis avec les épouses royales, non-paiement de dettes, etc. À l'échelle du continent noir, ces cas de répression judiciaire pouvaient fournir d'assez forts contingents de captifs. Ils étaient relativement fréquents dans les régions du Loango et de l'Angola. Cependant ils étaient trop limités pour répondre aux besoins des différentes traites, internes ou d'exportation. De plus, il devait être difficile de systématiser de manière injustifiée ce genre de procédures qui ne pouvaient, à terme, qu'induire une insécurité croissante au sein des sociétés concernées, et, par conséquent, saper les fondements des pouvoirs en place. À moins de disposer d'une organisation sophistiquée usant de multiples formes de légitimation, à l'instar de celles que mirent en place trois communautés œuvrant ensemble, à l'est du fleuve Niger. Dans cette région amphibie, où voisinaient forêts d'estuaires, palétuviers et marécages, le trafic se concentrait autour des villages de Brass, Bonny et Calabar. Les Aro contrôlaient l'oracle d'Aro-Chuku, qui permettait de légitimer les razzias de captifs. Certains individus étaient accusés par lui de sorcellerie et condamnés à être dévorés par le dieu, en fait envoyés aux négriers de la côte. Propriétaires de pirogues, les ethnies Iogho, Ijaw, et Ibidjo s'occupaient des opérations de traite proprement dite, remontant les rivières à l'aide de longs canots d'une trentaine de pagayeurs, avec fusils, étendards et tambours de guerre. La société Ekpe contrôlait la régularité des transactions. De leur côté, les traditions orales des Dyula font référence à l'histoire d'un géant, Malobe, appartenant à l'une des communautés voisines, qui fut vendu comme esclave afin de la punir d'avoir attaqué des marchands dyula dans son propre village. Cette tradition fonctionne là aussi comme un instrument de légitimation, transformant les opérations de traite organisées par les marchands dyula en réactions justes[10]. La variété des histoires ainsi inventées afin de masquer le rôle joué par les Africains dans la traite est grande. Plus remarquable encore est leur longévité. Un consensus existait dans la communauté afro-américaine des années 1930, à propos de l'idée selon laquelle leurs ancêtres avaient été directement capturés par les Européens[11].

Les razzias nécessitaient une certaine organisation. Il fallait commanditer un groupe d'hommes assez nombreux, capables de franchir au moins une ou deux frontières linguistiques et ethniques afin de fondre sur un village, jamais trop souvent le même. Ils intervenaient généralement le matin, lorsque les villageois se dispersaient pour vaquer à leurs différentes activités. Ce type d'opération devait être rapide, pour ne pas risquer une réaction organisée. Dans le cas contraire, les assaillants pouvaient être pris et vendus à leur tour. Ensuite il fallait faire retraite, emmener les captifs au loin, afin de pouvoir les vendre, généralement à des intermédiaires spécialisés dans l'approvisionnement en captifs de marchés plus vastes. Quant aux guerres, les historiens en distinguent généralement deux types : les guerres opposant des sociétés lignagères, et celles mettant en cause des États. Mais des combinaisons entre ces deux types n'étaient pas rares. Les premières faisaient sans doute moins de victimes. Toutes se soldaient par la réduction en esclavage d'une partie des forces ennemies.

À la vente volontaire d'individus, au détournement des règles coutumières, aux rapts, razzias et conflits militaires s'ajoute un dernier mode de production des captifs. Il a été mis en évidence par Joseph Miller à propos de l'Angola. Pour lui, le personnage central n'est pas un chef politique, religieux ou guerrier, mais un créditeur. Une partie des esclaves auraient en effet été produits à travers la mobilisation des circuits de la dette, les débiteurs payant leurs créditeurs avec des hommes. Miller a ensuite tenté d'étendre au reste de l'Afrique ce type de relation, notamment entre l'Afrique occidentale et l'Afrique du Nord. « Alors que la coercition, sinon la violence, demeurait essentielle au moment de la capture de nombreux esclaves, écrit-il, le stimulus conduisant à capturer et la justification idéologique de la capture provenaient de l'expansion des réseaux mettant en relations marchands-créditeurs et guerriers-fournisseurs[12]. » Ce qui ne semble pas avoir convaincu Paul Lovejoy, même s'il est clair que ces circuits de la dette ont très bien pu se renforcer du fait d'une pratique très répandue en Afrique, consistant à offrir les services d'une personne contre un prêt. Il ne s'agissait pas à proprement parler d'esclavage, mais ceux qui n'arrivaient pas à rembourser « finissaient souvent comme esclaves ». L'argent ainsi levé était généralement utilisé pour acheter des captifs et d'autres produits commercialisables. De plus, les esclaves étaient d'ordinaire « loués » contre un prêt, « ce qui, en retour, fournissait un nouvel encouragement à l'achat d'esclaves »[13].

Des modèles locaux ou régionaux, au sein desquels un ou plusieurs modes de réduction en servitude prédominaient, ont pu exister. C'est ce que la confrontation de multiples sources et travaux laisse supposer. Selon une enquête de M. Gillet établie en 1863 dans la région du Congo, seuls quarante esclaves environ, sur un total de 2 571, étaient prisonniers de guerre ou bien avaient été pris et vendus par des peuples voisins. On comptait 1 519 « esclaves de naissance », 413 personnes avaient été vendues « par des gens de leur propre tribu sans avoir, selon [elles], commis aucun délit ». Enfin, 399 avaient été condamnées (pour infidélité, adultère, vol, crimes et délits divers, commis par eux ou par certains de leurs proches)[14]. On est loin du cas de figure présenté en 1850 par S. Koelle. Ce dernier interrogea en Sierra Leone 142 esclaves provenant de l'ensemble de l'Afrique occidentale. Parmi eux, 34 % dirent qu'ils avaient été pris à la guerre, 30 % qu'ils avaient été kidnappés, 7 % qu'ils avaient été vendus par des membres de leur famille ou des supérieurs. Par ailleurs, 7 % avaient été vendus pour solder des dettes et 11 % condamnés au cours de procès[15]. Peut-on pour autant opposer un mode de production faisant la part belle à la guerre (dans l'Afrique sahélo-soudanienne influencée par l'islam et les djihads) à un autre modèle en partie fondé sur le détournement des règles coutumières (en Afrique centrale) et la déportation d'individus déjà esclaves ? Ce dernier peut-il, à son tour, être relié au principe de la mobilisation des créances mis en avant par Joseph Miller pour l'Angola ? On peut en émettre l'hypothèse. À la suite de A. G. B. et H. J. Fisher, on peut en effet considérer que l'introduction de l'islam, avec son système très codifié de réponses aux infractions et délits, a pu réduire le rôle initialement joué, dans la zone sahélo-sou-

danienne, par la répression judiciaire en matière
d'asservissement[16]. D'un autre côté, à lire les différents travaux de P. Lovejoy, on s'aperçoit que les
élites des régions islamisées de l'Afrique noire répugnaient quelque peu à vendre leurs esclaves aux
Occidentaux, préférant les utiliser sur place ou
bien les insérer dans les circuits du commerce
transsaharien. Les esclaves de naissance, déjà soumis, devaient donc plus facilement être conservés.
À l'inverse, nombre de témoignages indiquent que
l'on n'hésitait nullement à vendre aux Occidentaux
ceux qui, potentiellement, étaient le plus susceptibles de miner l'ordre local, notamment les opposants politiques et les soldats faits prisonniers lors
des djihads. Concernant l'Afrique centre-occidentale, on sait que les réseaux de traite pénétraient
profondément à l'intérieur du continent, ponction-
nant des régions non islamisées et moins structurées sur le plan politique, là où le détournement
des règles coutumières était peut-être plus facile,
où les guerres d'État étaient moins nombreuses et
où l'on répugnait sans doute moins à vendre au-
dehors (en l'occurrence aux Occidentaux, car les
« ports » du commerce transsaharien étaient trop
éloignés) les personnes déjà esclaves. Mais la présence de ces deux modèles pour l'Afrique occidentale, l'un au nord de l'équateur, l'autre plus au sud,
reste à confirmer. Pour l'heure, on peut seulement
constater que des faits troublants apparaissent dès
lors que l'on tente de relier certaines enquêtes réalisées par des contemporains, suggérant ainsi
l'existence possible de modèles locaux et régionaux de la production des captifs qu'il reste à définir précisément. Des modèles forcément évolutifs
dans le temps, en fonction de la conjoncture (et

notamment des calamités naturelles), mais aussi des changements ayant pu apparaître en matière de guerres africaines.

Des débats existent en effet à propos de la possible intensification de ces guerres. Comme on le verra dans le dernier chapitre de cet ouvrage, certains pensent qu'elles devinrent plus fréquentes et qu'elles furent de plus en plus entreprises afin de produire des captifs. D'autres estiment que ces conflits s'expliquent par des raisons plus « politiques », et que les esclaves n'en étaient qu'un sous-produit. D'autres encore pensent que la réalité se situe quelque part entre ces deux versions. En tout cas, la question des modèles régionaux de production des captifs constitue indéniablement un énorme (et encore quasi inexploré) champ de recherche pour des études résolument comparatives.

Ce qui est sûr, c'est que tous les modes de réduction en servitude n'avaient pas forcément les mêmes conséquences. Chaque type de mécanisme jouait sur des populations particulières. Le kidnapping tendait à la capture d'individus mobiles, notamment de jeunes, et donc « d'actifs, d'un point de vue économique ». « Les procédures judiciaires et les accusations de sorcellerie risquaient plus de produire des adultes d'âge mûr. Les exactions sous forme de tributs conduisaient probablement à l'asservissement de personnes qui étaient physiquement ou socialement marginales, à moins que les élites dominantes ne fussent capables d'exiger la fourniture d'esclave répondant à des critères spécifiques. La famine et les épidémies se soldaient par la réduction en esclavage d'une forte proportion d'enfants[17]. » Enfin, si les modalités et le type des combinaisons établies entre les divers modes de production ont pu changer, la typologie des modes d'asservissement était partout plus ou moins la même. On a également vu que la traite était à la fois affaire de pouvoirs en place et d'entrepreneurs privés. Quelles furent la nature et l'évolution des rapports entre ces deux types d'acteurs ?

Pouvoirs en place et entrepreneurs privés

En 1609, le juriste et avocat de la Compagnie des Indes hollandaise Grotius proclamait que la mer appartient à tous, que l'on peut y naviguer et y commercer librement. Défenseur des intérêts commerciaux de l'Angleterre, qui étaient alors en opposition avec ceux des Provinces-Unies, John Selden avançait au contraire l'idée que la mer pouvait être susceptible de domination, comme tout territoire. *Mare liberum ou mare clausum* ? La question trouva un important terrain d'application à l'échelle des rapports entre États et entrepreneurs privés. Les débuts de la traite s'effectuèrent en effet sous le régime des monopoles.

Officiellement, dans l'Amérique espagnole, l'introduction de captifs ne pouvait se faire que sous le régime de l'*asiento* (c'est-à-dire la chose assise, convenue). À l'époque moderne, en droit public espagnol, le terme désignait un contrat par lequel l'État concédait contre rétribution un certain nombre de privilèges, monopoles ou exemptions fiscales. Dans le cas précis qui nous intéresse, officiellement seul habilité à pratiquer la traite, l'État affermait ce droit à des compagnies commerciales ou bien à des individus, nationaux ou non. Le bénéficiaire exclusif du contrat avait la possibilité de vendre ensuite des licences de traite à d'autres contractants. Désigné après dépôt de candidature ou d'appel d'offres au plus offrant, il se voyait confier l'approvisionnement en captifs des colonies espagnoles. Le contrat d'*asiento* prévoyait le nombre des captifs pour lesquels étaient délivrées les licences d'importation, leur répartition par sexe, les lieux de traite et de destination. Le tout devait être contrôlé par la Casa de Contratación, à Séville. En 1662, lors du contrat d'*asiento* concédé aux Hollandais, l'unité retenue fut la fameuse « pièce d'Inde ». Elle n'était pas forcément équivalente à un captif, mais plutôt au potentiel de travail d'un adulte dans la force de l'âge (15-35 ans), d'une certaine taille (environ 5 pieds), et sans défauts physiques majeurs[18]. En 1513, une licence revenait à deux ducats, soit 7,56 grammes d'or. À cela il fallait ajouter le prêt, généralement à court terme, que le bénéficiaire de l'*asiento* se devait de faire à l'État. Le prix des licences passa à 30 ducats par tête en 1561. Il fallait ajouter les frais de douane et l'impôt du dixième. Vendu en Amérique, l'esclave pouvait rapporter entre 45 et 55 ducats. Le coût d'armement, le voyage et les risques devaient être pris en compte. Mais l'affaire était rentable, tant pour l'État que pour le transporteur. C'est pourquoi dès les années 1590 le système tendit à devenir monopolistique, avec la croissance du nombre de licences par personne. L'effondrement du monopole ibérique sur le Nouveau Monde, du fait de l'émergence de nouvelles nations coloniales européennes, ne conduisit pas à une déréglementation du système. L'*asiento* espagnol survécut. La concurrence entre les nations fut même rude pour en bénéficier. Et il passa de main en main. Cela s'explique cependant moins par l'importance du marché négrier de l'Amérique espagnole, que par la possibilité de commercer ainsi indirectement avec elle. Sous prétexte d'*asiento* et de traite, il était en effet possible d'introduire en contrebande des productions européennes.

Ailleurs, dans l'Europe mercantiliste, la plupart des autres nations intéressées par la traite commencèrent elles aussi à réglementer très fortement ce trafic. Chaque pays vit apparaître ses propres compagnies, dites « à charte » ou « à privilèges », car chacune bénéficiait de la part de l'État d'un quasi-monopole. Créée en 1625, la Compagnie hollandaise des Indes occidentales (West Indische Compagnie, ou WIC) s'implanta en Afrique, à Elmina, Arguin et Gorée. Disposant d'entrepôts de redistribution aux Antilles, à Saint-Eustache et à Curaçao, elle pourvoyait en captifs les colons français et anglais. Bénéficiaire indirecte de l'*asiento*, de 1662 à 1685, elle fut florissante jusque vers 1720, son privilège étant aboli en 1735. Notons également la Compagnie d'Afrique suédoise (1649-1655), les Compagnies de Glückstadt et des Indes occidentales, au Danemark, qui fusionnèrent en 1671, ou bien encore la Compagnie africaine de Brandebourg (1682). En Angleterre, la première Compagnie de Guinée, puis la Company of Royal Adventurers into Africa ne réussirent pas vraiment. Créée en 1672, la Royal African Company fut plus efficace. Perdant son monopole en 1698, elle poursuivit son existence jusqu'au milieu du XVIIIe siècle. En France, la première Compagnie des Indes occidentales (1664) n'arriva pas à profiter du monopole dont elle disposait sur un espace sans doute beaucoup trop vaste, s'étendant du cap Blanc au cap de Bonne-Espérance. Héritant du monopole en 1674, la Compagnie du Sénégal réussit à s'implanter en Sénégambie, face aux Hollandais. Mais, en 1685, elle dut partager son monopole avec la Compagnie de Guinée, pour la région comprise entre le Sierra Leone et le cap de Bonne-Espérance.

Du fait du régime de l'exclusif, il s'était également opéré une sorte de « nationalisation » du commerce colonial, chaque colonie étant tenue de maintenir avant tout des relations commerciales avec sa métropole. Mais, lancées afin de soutenir les premières tentatives coloniales, les compagnies à charte éprouvèrent très rapidement de nombreuses difficultés. Au-delà des nuances nationales, toutes étaient en effet obligées de respecter un cahier des charges relativement précis, ou encore d'entretenir des forts et des garnisons sur les côtes d'Afrique. Leurs coûts d'exploitation étaient donc élevés, plus que ceux des marchands contrebandiers. Certains de leurs agents étaient très capables, comme le Français André Brüe au Sénégal. Cependant, beaucoup employaient en réalité sur place des personnes à la compétence et à la moralité douteuses. Aussi cédèrent-elles souvent, contre finances, une partie de leur monopole à des entrepreneurs privés. En France, le monopole fut partiellement brisé lorsque des armateurs (notamment nantais) non impliqués dans la Compagnie furent autorisés à pratiquer la traite, en 1713, 1716 et 1717. Tant et si bien que lorsque la traite fut ouverte à tous les ports autorisés à commercer avec les îles, en 1741, elle était déjà, de fait, largement dans les mains d'entrepreneurs privés.

Au total, on peut dire que l'État aida en Europe à mettre la traite sur ses rails, et qu'il n'eut ensuite de cesse de la défendre, parfois même de la subventionner (comme en France, en 1784 et en 1786) et de se faire l'écho des protestations adressées par les armateurs. Mais, dès les années 1720, l'initiative privée l'emportait un peu partout, entraînant avec elle la prospérité du trafic négrier. Ce renforcement de l'initiative privée fut doublé par une série de mesures de libéralisation et par une dérégulation du trafic qui, selon Eltis, atteignit son apogée en 1804. Les négociants européens impliqués dans les activités maritimes étaient grandement avantagés en ce qu'ils n'étaient pas soumis aux nombreux et restrictifs règlements pesant, en métropole, sur la production et le commerce. À la différence des corporations, le commerce maritime à longue distance fut, dès les débuts du XVIIIe siècle, un monde d'assez grande liberté. Libertés et privilèges étaient généralement les deux revendications des milieux maritimes, et leurs demandes étaient souvent prises en considération par les États mercantilistes. La standardisation des techniques utilisées dans le commerce à longue distance (établie dès le XVIIe siècle, au moins au sein de chaque État-nation), l'absence de réelles barrières ethniques, culturelles ou politiques expliquent la relative aisance avec laquelle ceux qui savaient lire, écrire et compter pouvaient se lancer dans le commerce transocéanique. Les facilités de crédit, l'habitude de diviser le montant de la mise-hors nécessaire à l'armement d'un navire en de nombreuses parts, elles-mêmes divisibles, travaillaient également dans le même sens. Au sein de milieux où tout était plus ou moins (et de plus en plus) défini en fonction de critères économiques, les seuls obstacles au succès commercial et à l'intégration sociale étaient les compétences personnelles, la réputation... et la chance.

Il n'en était pas tout à fait de même en Afrique noire, où les facteurs ethniques et religieux continuaient à jouer un rôle, sinon dominant, du moins important, au sein des communautés de marchands pratiquant le commerce à longue distance. De nombreux exemples pourraient être mentionnés à ce sujet, des Hausa de Salaga qui monopolisèrent une grande part du négoce ashanti de la noix de kola, à des groupes comme les Dyula[19]. Analysant les formes actuelles de commerce en Afrique noire, Florent Dovonou peut encore écrire que « le négoce africain est fondé sur de véritables castes de marchands et de réseaux perceptibles surtout dans les régions frontalières et qui se créent selon les affinités ethniques et religieuses[20] ». Ces affinités n'étaient pas exclusives d'une certaine forme de cosmopolitisme (il suffit, par exemple, de regarder du côté des liens variés et subtils établis entre les communautés marchandes d'Afrique noire et l'islam), mais elles contribuaient beaucoup plus à façonner le commerce qu'en Europe. Il est également évident, écrit Herbert Klein, « que les coûts d'entrée dans le commerce négrier étaient relativement élevés, étant donné la nécessité de recourir à la force et l'implication dans ce commerce de nombreuses communautés et États. Les marchands devaient rassembler des porteurs, acheter des produits pour commercer, et disposer de contacts, personnels, familiaux ou religieux, étendus à de vastes régions afin d'y garantir une traversée pacifique. Ils avaient aussi manifestement besoin de soldats, ou bien de fidèles armés, afin de protéger leurs acquisitions des pillards et d'empêcher leurs esclaves de s'échapper [...]. Tout cela signifie que seuls des individus relativement riches, ou bien des associations de petits marchands bien structurées (que l'on trouvait partout, entre le Nigeria et le Loango) pouvaient s'engager dans la traite[21] ».

Un autre trait remarquable concerne les liens entre les différents pouvoirs africains (qu'il s'agisse ou non d'États) et le commerce à longue distance ; des pouvoirs qui semblent avoir exercé sur ce commerce un contrôle plus étroit qu'en Europe. Deux types de cas, au moins, peuvent être mis en évidence (si l'on excepte celui des peuples courtiers plus ou moins liés aux deux autres cas) : celui des États « centralisés » de la côte et celui des pouvoirs plus « segmentaires » de l'intérieur.

Le premier ensemble a été illustré par les travaux de Martin portant sur la côte du Loango[22]. Ici, c'est le *mafouk*, le troisième personnage dans la hiérarchie de l'État vili, qui contrôle la police des marchés et fixe le montant des taxes que les Européens ont à payer afin de pouvoir commercer, ainsi que le prix des esclaves. Il achète sa fonction et verse des droits au souverain, ce qui nous rappelle le principe de la vénalité des offices qui avait cours dans l'Europe moderne. Surtout, n'étant pas forcément issu d'une famille princière, le *mafouk* peut espérer accéder à ce rang, tandis que tout homme, quelles que soient ses origines, peut devenir l'un de ses intermédiaires autorisés *(markedores)*. Selon Robin Law, le cas du Dahomey (à propos duquel « des travaux ont fourni la base à de très remarqués modèles généraux concernant l'organisation économique des sociétés africaines[23] ») n'est pas intrinsèquement différent. Jusqu'au début du XVIIIe siècle, deux royaumes côtiers dominaient la région dite de la « côte des Esclaves », ceux d'Allada et de Ouidah. Leur conquête par le roi Agadja d'Agbomi (Abomey) se solda par la mise en place d'un régime relativement centralisé, dans les mains du Yovogan. Law montre que les rois de la région jouèrent un rôle important dans la traite atlantique avant même le xviiiᵉ siècle, et pas seulement à cette époque comme on le pensait généralement. Il indique que ce rôle évolua dans le temps, déclinant au cours du xixᵉ siècle, du fait de la transition s'opérant alors entre la traite et le commerce dit « légitime ». Même au moment où le contrôle royal était à son sommet, celui-ci « n'atteignit jamais le niveau d'un monopole[24] », à l'exception, peut-être brève et encore incertaine, des années 1780 et 1850. Les souverains recevaient le montant des droits prélevés sur les capitaines des négriers européens afin de les autoriser à commercer, ainsi qu'une taxe portant sur chaque esclave vendu. Ils bénéficiaient aussi d'un droit de préemption sur les marchandises importées, recevaient un prix plus élevé pour leurs esclaves que celui payé à d'autres propriétaires dahoméens, et se réservaient le droit exclusif d'acheter certains produits, « notamment les armes à feu et la poudre ». Le prix des esclaves devait de même être négocié avec le roi, « et ne pouvait être directement fixé avec des marchands particuliers ». Cet « important mais néanmoins incomplet contrôle » laissait de la place pour un groupe de marchands africains privés (les akhisinus), tandis que les chefs militaires semblent avoir « commercialisé leurs esclaves par l'intermédiaire de leurs propres courtiers »[25].

On fait trop souvent de la traite une activité uniquement conduite par des États au détriment de sociétés dites sans État, les premières razziant les secondes. Comme l'a montré Walter Hawthorne[26], la traite fut également l'affaire des sociétés moins structurées d'un point de vue étatique. En effet, si une certaine stabilité politique était nécessaire à l'existence du commerce négrier, la fragmentation politique pouvait, en revanche, être un facteur susceptible de faciliter la traite, du fait de l'existence d'une multiplicité de populations étrangères les unes aux autres. De plus, analysé par David Northrup, le cas de la région située au sud du Nigeria nous apprend que la nature formelle de l'État (et notamment son degré de « centralisation ») est beaucoup moins déterminante, pour notre propos, que ne le sont les formes de contrôle effectivement exercées. Ici, la famille large dirige toutes les affaires intérieures. Les lignages patrilinéaires constituent la base politique des unités sociales, et l'organisation de la vie politique est « essentiellement segmentaire ». Dans ce système où « un excès d'individualisme peut seulement être tenu en échec par les obligations que doit tout citoyen aux membres de sa famille, de son lignage, de son village et de sa ville », l'initiative individuelle est favorisée. Néanmoins, au cours du XVIIIᵉ siècle, les progrès du commerce ne conduisirent à aucun changement structurel. Tout simplement parce que le commerce était soutenu par l'extension des « formes traditionnelles de relations interpersonnelles et intergroupes ». Et ces relations étaient plus facilement mobilisables par les membres des communautés marchandes établies que par les nouveaux venus. De plus, le contrôle exercé par les sociétés secrètes, comme la société Ekpe, à Vieux Calabar, encourageait les puissants à accroître leur richesse « dans un sens qui était socialement bénéfique, respectueux envers les valeurs traditionnelles, et, de ce fait, capable de préserver la stabilité de la société et de l'ordre so-

cial ». Aussi, si l'un des « développements les plus
significatifs de cette période fut la diffusion de
nombreuses associations d'hommes parmi les communautés enrichies par le commerce », un autre
développement « poussait l'énergie des marchands
à promouvoir les valeurs traditionnelles », détournant ainsi les hommes de la « recherche du gain
matériel »[27]. Deux choses méritent ici d'être relevées : le renforcement des communautés de marchands déjà établies, grâce à l'essor commercial, et
la réalité du contrôle exercé par les différents pouvoirs au sein d'États pourtant non centralisés. Une
différence apparaît ainsi avec l'Europe, où la croissance économique conduisit à de nombreuses formes de démocratisation au sein des milieux maritimes, c'est-à-dire, *in fine*, à plus de chances, pour les
nouveaux venus, de pouvoir s'insérer dans les circuits du commerce transocéanique.

Pour résumer, au moins quatre catégories de personnes pouvaient, dans l'Afrique noire précoloniale,
bénéficier de la traite : les guerriers professionnels
employés ou contrôlés par les seigneurs de la guerre
et les « États guerriers » (comme le Wolof, le Kajoor,
Kong et Ségou)[28], les personnes privées qui réduisaient les captifs en esclavage, les membres de l'élite
politique et leurs agents, et enfin les marchands
privés[29]. Même assez strictement contrôlé, le commerce avec les Blancs autorisait donc la participation de niveaux sociaux assez variés. Néanmoins,
cette participation était à la fois ordonnée et limitée
par les pouvoirs en place. À ce stade de l'analyse, et
reprenant la classification établie par Norbert
Elias[30], on pourrait être tenté de dire que le système
de compétition en vigueur dans le commerce négrier
était largement libre au sein de milieux marchands

organisés dans un cadre national, en Europe et dans le Nouveau Monde, tandis qu'il était plus proche de la situation du « privilège » en Afrique noire, au moins en ce qui concerne les États côtiers.

Ce qui ne réduit en rien le rôle essentiel joué par les réseaux marchands. L'individu capturé ne devenait en effet que très rarement la propriété de son capteur. Il était revendu et ne prenait de réelle valeur qu'au terme d'un processus de désocialisation décrit par l'anthropologue Claude Meillassoux. C'est grâce au transport et aux ventes successives, et donc aux réseaux marchands, qu'un captif pouvait ainsi devenir un *autre* au sein d'une société esclavagiste donnée. Cette fonction était assurée par des marchands de grande envergure comme les Ovimbundu d'Angola, les Maraka de la moyenne vallée du Niger, et les chefs swahili d'Afrique orientale au XIXe siècle. Mais une foule de petits opérateurs étaient également présents, sans compter ce que Patrick Manning appelle les « agences commerciales étatiques » et les États opérant pour leur propre compte.

Il est difficile d'entrer dans le détail des rapports pouvoirs/entrepreneurs privés dans le cas des traites orientales, du fait du peu de données dont on dispose à leur sujet. On peut néanmoins distinguer les « traites d'État », comme celles entreprises par le pacha d'Égypte et les rois du Bornou, au XIXe siècle. Mais, le plus souvent, même les traites destinées à alimenter une prospère économie servile, comme celle de Zanzibar, au XIXe siècle, étaient en fait principalement alimentées par une multitude de traitants (ce qui pourrait s'expliquer en partie par les taxes pesant sur les transferts d'esclaves dans l'Empire ottoman, lesquelles étaient moins lourdes lorsqu'un marchand traitait moins de cinq esclaves à la fois[31]) jouissant d'une grande, sinon d'une totale liberté d'action. Ce qui se rapprocherait apparemment plus de la situation en Occident que de celle en Afrique noire. Cependant, une originalité apparaît à la lecture de l'étude consacrée par E. Toledano au trafic négrier de l'Empire ottoman au XIXᵉ siècle. On y voit, en effet, que le commerce des esclaves n'était aucunement le monopole d'un groupe de négociants. Toledano distingue les individus opérant dans les provinces à partir desquelles étaient organisées les opérations de capture des Noirs, ceux qui, installés dans les grandes villes de l'Empire, vendaient directement les captifs, et enfin ceux plus spécialisés dans leur transport. En outre, de nombreux individus privés pouvaient acheter des captifs afin de les revendre, payant ainsi en partie leur voyage à La Mecque. Cette multitude d'acteurs révèle la parfaite intégration de la traite et de l'esclavage au sein de l'économie, de la société et de la culture de l'Empire ottoman d'alors. Il en allait tout différemment en Europe, où les armateurs négriers, qui n'étaient pas légion, s'occupaient seuls d'acheminer des captifs dans de lointaines colonies tropicales.

ACQUÉRIR ET TRANSPORTER LES CAPTIFS : TRAITES ORIENTALES ET INTERNES

Acquérir

Une fois produits par les pouvoirs en place et/ou des entrepreneurs privés, les captifs étaient échangés. On a vu que, dans le cas des traites orientales et internes, les modes de production et d'échange des captifs étaient assez largement mêlés. Des échanges normalisés s'établirent ainsi très tôt entre négriers de la traite orientale et États africains. S'occupant eux-mêmes de produire des captifs, par la guerre ou par le système de la razzia, ces derniers étaient demandeurs de produits appelés à un bel avenir. On sait, grâce aux résultats de l'archéologie, que, bien avant l'arrivée des commerçants venus de l'empire musulman, les Noirs utilisaient des ornements et des bijoux faits de pierre, d'ivoire, de bois, d'ossements d'animaux ou encore de coquillages. Des pagnes et des bandes de textile étaient aussi fabriqués en certaines parties du littoral au moment de l'arrivée des Portugais. Entre-temps, le commerce transsaharien avait apporté en Afrique noire nombre de perles (parfois de Venise), de colliers en pierres, en coquilles et en verre, ainsi que des textiles d'Europe, d'Afrique du Nord et d'Égypte : hambels (couvertures et tapis), djellabas (longues tuniques à manches et à capuchon), ou bien haïks (pièces d'étoffes rectangulaires). Du Nord venaient également des dattes. En cours de route, les caravanes se chargeaient de sel, dans les salines de Teghazza ou du Kaouar. Chevaux pour la guerre et sel exceptés, nombre de ces produits s'apparentent à ceux qui, beaucoup plus tard, ont été apportés par les Européens sur les côtes occidentales d'Afrique. La nomenclature des produits d'importation nécessaires à la traite a donc été sans doute très tôt établie, du fait de la rencontre entre la demande africaine et les traitants de l'empire musulman.

Un accord comme celui conclu entre ces derniers et le roi du Bornou, relaté au XVIᵉ siècle par Léon l'Africain, montre que le système était alors parfaitement capable de s'entretenir tout seul. Cet accord prévoyait la livraison de quinze à vingt captifs par cheval, ainsi qu'un « crédit » d'environ trois mois pendant lequel, ayant pris livraison des animaux, les troupes du Bornou pouvaient se mettre en quête des hommes nécessaires à leur paiement. En aval, une ville comme Le Caire disposait de lieux spécialisés dans le quartier de Cancalli où se tenaient les marchés aux esclaves. Chaque agglomération musulmane d'importance disposait du sien. On l'appelait généralement Suq al-Raqiq.

Transporter

Une fois produits et échangés, les esclaves devaient généralement subir un long voyage avant d'arriver à leur point de destination final. En Afrique noire, les esclaves servant de porteurs, les routes de la traite recoupaient sans aucun doute en partie celles d'autres trafics propres au continent, comme celles du commerce de la noix de kola, de l'or, du sel ou encore de l'ivoire. Un gros travail, à peine commencé, serait de reconstituer ces routes de la traite, de mesurer avec plus de précision leurs liens avec les autres axes commerciaux, ainsi que l'évolution de ces interactions. Nous n'en sommes pas encore là. Nous savons seulement que, entre l'intérieur et la côte, ou entre l'intérieur et les « ports » sahéliens, toute une infrastructure était nécessaire. Il faut imaginer des routes, de multiples étapes intermédiaires, des marchés. Les pouvoirs en place n'hésitaient pas à lever des taxes sur les chefs de caravanes. Certains captifs étaient vendus en cours de route, afin de répondre aux demandes locales. Des précautions étaient évidemment prises pendant ces trajets, qui n'avaient rien d'un voyage d'agrément. Mais les illustrations nous présentant des cortèges d'hommes et de femmes enchaînés ou bien maintenus par des fourches en bois doivent sans doute être considérées avec prudence. Non parce qu'elles nous donnent une vision fausse de la réalité, mais parce que les procédés les plus terribles ne devaient être réservés qu'aux individus les plus récalcitrants. Les marchands noirs avaient sans doute autant d'imagination à ce propos que les négriers des traites occidentales et orientales. Mais, comme leurs homologues, ils savaient aussi qu'il valait mieux essayer de conserver leurs esclaves en bonne santé, afin de les vendre au meilleur prix. Certains peuples se sont reconvertis ou spécialisés dans le commerce des esclaves. Ces peuples courtiers sont dits Dyula en Afrique occidentale. Ils recrutaient parmi les Sarakollé, les Mande ou encore les Haoussa. D'autres, les Krew (ou Crewmen), mettaient leurs pirogues au service des négriers blancs, afin d'embarquer les captifs sur les navires ayant jeté l'ancre un peu au large.

Les routes de la traite orientale sont mieux connues. Au Maghreb, elles furent établies dès le haut Moyen Âge. La conquête s'accompagna de rafles. Puis des routes vers le sud, reconnues depuis longtemps, furent empruntées par des traitants à la recherche de captifs, entraînant ainsi l'essor de la traite, sans doute dès le VIIIe siècle. À cet égard, le rôle des Ibadites (de la secte kharidjite) ne fut pas négligeable. Chassés de Kairouan, ils fondèrent la cité de Tahert (près de l'actuelle Tiaret, en Algérie) et étendirent leur influence jusqu'à Ouargla. De ces deux cités partirent des négociants qui atteignirent les régions de la boucle du Niger. La plus centrale des routes de la traite transsaharienne était ouverte. À l'est, ce sont encore des musulmans ibadites (réputés dans le monde musulman médiéval pour le nombre de captifs qu'ils trafiquaient) qui, à partir de Zawila, dans le Fezzan, rayonnèrent jusqu'au lac Tchad, reliant cette région à la Tripolitaine. À la même époque, une liaison Maroc/Sidjilmasa/Ghana était ouverte. Elle devait devenir rapidement l'une des plus fréquentées par les captifs noirs, selon le voyageur Al-Bakri, qui, au XIe siècle, reprit les propos d'un auteur du Xe. Cela témoigne d'une modification très nette du centre de gravité des régions exportatrices de captifs par rapport à l'Antiquité, l'Afrique occidentale prenant de l'ascendant sur les pays du Nil. Les mines d'or du Bambouk et du Bouré, sur le cours supérieur des fleuves Sénégal et Niger, l'ivoire, l'or, l'ambre gris ou les animaux sauvages en Afrique orientale contribuent à expliquer l'ampleur et la rapide expansion que prirent les échanges sur l'ensemble de ces routes. Partout, le captif y devint une importante « marchandise », pratiquement la seule à transiter sur l'axe Kanem-Fezzan, selon un chroniqueur arabe du IXe siècle. Toute une organisation se mit en place. Des sites spécialisés servirent au « rafraîchissement » des captifs, après une longue et difficile traversée du désert.

Très tôt, villes étapes et centres répartiteurs formèrent ainsi les mailles de vastes cellules d'échange, à l'échelle internationale. Car si l'essentiel des esclaves était redistribué au sein même de l'empire musulman, une partie d'entre eux transitait sur les routes qui le reliaient au reste du monde, vers l'Europe, et surtout vers l'Inde, mais pas seulement. Des esclaves noirs furent en effet introduits en Chine, au moins dès le VIIe siècle. Au XIIe, ils formaient une petite communauté à Canton, mais demeuraient rares dans le reste de l'empire[32]. En Insulinde, une inscription datée de l'an 800 mentionne la présence d'esclaves noirs, tandis qu'un texte du Xe siècle fait état d'une flotte d'un millier d'embarcations ayant visité les côtes d'Afrique.

À travers le Sahara, des itinéraires ont changé au cours du temps, du fait du tarissement de certains puits, ou bien de l'évolution des conditions politiques et économiques. Mais les routes principales ne subirent guère de modifications. Deux itinéraires joignaient l'Afrique occidentale au Maghreb. Partant du Sénégal, le premier aboutissait au Sous marocain en passant par l'actuelle Mauritanie. C'est le plus ancien. Plus central et plus fréquenté, le second reliait les « ports » de la boucle du Niger, Tombouctou et Gao, aux puits d'Araouane, juste avant la traversée du désert. Après la traversée du Tanezrouft, sans eau, une branche aboutissait au Maroc par le Tafilalet et Sidjilmasa, une autre à l'Algérie (par El-Goléa). Cette dernière permettait également de poursuivre vers Ghadamès-Tripoli, ou bien en direction de Ouargla-Kairouan. Des diagonales existaient entre ces deux premiers itinéraires, joignant Tombouctou à la Mauritanie, par le Hodh, ou bien traversant le désert d'Araouane, à Tindouf. Une troisième route partait du Kanem, au nord du lac Tchad. Par les oasis du Kaouar et du Fezzan, elle permettait d'atteindre Tripoli, Barca ou Le Caire. Une quatrième et ancienne route, dite « des quarante jours », prit de l'importance au XVe siècle, grâce aux pèlerinages musulmans. Elle suivait les régions du Sahel, par le Kanem, le Ouadaï et le

Darfour, pour relier Assiout, sur le Nil inférieur. Il fallait au minimum trente jours pour la seule traversée du désert, à vitesse maximale, en circulant de nuit. De Tombouctou à Mogador, il fallait soixante-cinq à quatre-vingts jours. Entre un et trois mois, c'est aussi le temps que durait, en moyenne, la traversée de l'Atlantique pour les esclaves des traites occidentales.

Le terme Sahel, qui définit la frange sud du désert, signifie « côte » en arabe. On peut donc comparer le désert à un gigantesque océan de sable. D'où d'indéniables souffrances. Différentes de celles occasionnées par la traite atlantique, elles ont parfois été exagérées, dans leur zèle abolitionniste, par les explorateurs et voyageurs européens du XIXᵉ siècle. Mais elles n'en étaient pas moins bien réelles. Les caravanes devaient affronter les tempêtes de sable ou de neige, les puits comblés ou à sec, les énormes différences de température entre le jour et la nuit, les attaques de pillards. Hubert Deschamps note qu'en 1805 une « caravane de 2 000 hommes et 1 800 chameaux disparut entièrement[33] ». Voici comment P. Henderson, alors envoyé du ministre des Affaires étrangères, décrivait le transport des esclaves le long de la route du Sahara central menant en Libye : « Les pauvres créatures qu'on amène à Djado de l'intérieur ne rapportent pas plus de dix à douze livres, et si une sur trois arrive en vie à Djado, le propriétaire fait encore un profit qui le paie largement de tous les risques encourus, car, à Ouadaï, le prix d'un esclave commence à trois pièces de calicot. Ces êtres pitoyables parcourent vingt-trois degrés de latitude à pied, nus, sous un soleil brûlant, avec une tasse d'eau et une poignée de maïs toutes les douze heures pour leur entretien.

[...] Ce voyage prend au moins trois mois, dont deux en déplacement effectif[34]. » Sur la route de Kano à Tunis, changeant parfois de maître au détour d'une étape, les esclaves noirs pouvaient franchir à pied près de trois mille kilomètres. À leur arrivée, ils étaient soit expédiés pour le Levant, soit à nouveau vendus. Les marchands d'esclaves, nous dit Ibrahima Baba Kake, avaient plus d'égards pour leurs chameaux, essentiels à la vie des nomades du désert, que pour leurs captifs. À la fatigue s'ajoutait la soif. L'eau était soigneusement économisée, et pas forcément destinée aux plus faibles, dont les chances de survie (et donc de profit pour le négrier) étaient *minces*[35]. Il ne faut pas en déduire que les négriers de la traite orientale étaient plus cruels que ceux de la traite occidentale. Comme pour eux, le captif était une marchandise. Il ne bénéficiait même pas « de la protection théorique de la loi, écrivent A. G. B. Fisher et H. J. Fisher, car les règlements concernant l'esclave ne prenaient effet qu'à partir du moment où les captifs étaient amenés dans un territoire musulman sûr. Tant qu'ils étaient sur la route, ils constituaient simplement un butin[36] ». Un butin qu'il était néanmoins préférable de maintenir dans le meilleur état possible afin qu'il soit converti en espèces sonnantes et trébuchantes au terme du voyage. Les taux de mortalité en moyenne plus importants de la traite orientale (6 à 20 % au XIXe siècle, selon Ralph Austen[37]) s'expliquent peut-être, outre la difficile traversée du désert, par un plus faible coût d'acquisition des captifs, du fait, notamment, de la multiplicité des grandes razzias opérées par les États « tampons » de la frange méridionale du désert. L'investissement étant moindre, il n'était pas nécessaire d'être trop regardant. D'autant plus que des haltes ou temps de repos supplémentaires, indispensables pour certains, ne pouvaient en définitive qu'accroître la durée totale du trajet, et donc les risques pour l'ensemble. Quels que soient les négriers, la traite n'a jamais été une affaire de morale.

Du côté de l'Afrique orientale, les esclaves pouvaient être expédiés vers le nord, à travers le Sahara, selon des modalités ressemblant à celles mentionnées plus haut. Ils pouvaient aussi être embarqués sur la côte, à destination du Moyen-Orient, des îles de l'océan Indien, de l'Inde et du reste de l'Asie. Les côtes de l'Afrique orientale (de la Somalie au Mozambique) étaient depuis longtemps en relation avec l'Asie, en particulier grâce aux vents de mousson qui facilitent en hiver les départs depuis l'Inde et l'Arabie, et en été les retours. Elles virent également s'installer, dès le VIIᵉ siècle, des immigrants arabes et persans ayant quitté leur pays d'origine pour des motifs de dissension religieuse. C'est ainsi que furent fondées d'assez nombreuses cités et enclaves commerçantes, entre Mogadiscio au nord et Sofala au sud, la pointe extrême de la région influencée par les vents de mousson et le débouché des mines d'or du Monomotapa (ou Zimbabwe). Les principales routes de la traite à partir de l'Afrique orientale furent donc, elles aussi, établies très tôt, ne subissant ensuite guère de modifications. Ce qui changea, au cours du XIXᵉ siècle, ce fut la très importante pénétration des réseaux de traite au sein du continent, soit à partir du Nil, au nord, soit à partir de la côte est, sous l'impulsion des négociants de Zanzibar.

Les routes maritimes de cette traite sont vraisemblablement les moins connues des non-spécialistes.

Elles concernent les esclaves qui, venus de l'intérieur, arrivaient sur la côte est de l'Afrique, à Kilwa,
Bagamoyo ou ailleurs. Les modalités du transport
vers l'île de Zanzibar, au XIXe siècle, sont les moins
mal répertoriées. Deux types de bâtiments étaient
depuis des siècles utilisés en Afrique orientale et en
Arabie. Tous deux étaient dotés d'un arrière relevé,
de voiles triangulaires à grandes vergues et de mâts
penchés vers l'avant (afin de rendre les manœuvres
plus faciles), ce qui explique sans doute pourquoi
les Français usaient d'un terme générique pour les
qualifier, celui de *boutre*. Les *baddanes* n'avaient
qu'un mât. Outre le grand mât, les *baggala* ou daou
(*dhow*, en anglais) en avaient également un petit, à
l'arrière. On les préférait, car ils étaient plus rapides. Il existait enfin un troisième type d'embarca-
tion, le *matapa*. Fabriqué à partir d'écorces cousues
avec des lanières de peaux, il était connu sur la côte
africaine dès le IIe siècle de notre ère. Un boutre
transportait généralement entre cent et cent cinquante esclaves, parfois deux cents. Ils étaient là,
accroupis, genoux au menton, juste au-dessus des
pierres qui, au fond du navire, formaient le ballast.
Une plate-forme de bambou était disposée sur cette
première rangée d'esclaves, afin qu'une autre puisse
s'y loger. Il y en avait parfois une troisième. Il fallait, par bon vent, environ vingt-quatre heures de
Bagamoyo à Zanzibar, et deux jours à partir de
Kilwa. Il suffisait que le vent tombe pour que la durée du voyage s'allonge, et que les conditions du
transport deviennent véritablement désastreuses. À
l'arrivée, à Zanzibar, on faisait le tri entre les morts,
jetés à l'eau, les mourants, abandonnés sur la plage,
et les hommes valides, bons pour la douane et pour
être vendus. Des *steamers* furent aussi utilisés pour

la traite ottomane. Ils étaient plus visibles, mais aussi plus rapides. Étant donné l'apathie des autorités en matière de répression, leur usage s'accentua au cours du dernier tiers du XIXᵉ siècle, après l'ouverture du canal de Suez (1869) et celle de lignes régulières en direction du Yémen.

ACQUÉRIR ET TRANSPORTER
LES CAPTIFS : TRAITES OCCIDENTALES

Acquérir

Comme de coutume, les opérations commerciales liées à la traite occidentale sont connues avec beaucoup plus de détails. Et c'est avec certitude que Herbert Klein peut écrire : « Bien que les marchés aient évolué en fonction de l'offre et de la demande, et que l'assortiment des marchandises amenées pour acheter des esclaves ait pu varier considérablement dans le temps, il y eut peu de changement dans les mécanismes d'acquisition et de mise sur le marché des captifs avant les deux dernières décennies du trafic », c'est-à-dire les années 1840, lorsque les forces affectées au blocus naval britannique passèrent d'un rôle quelque peu passif, en haute mer, à une active politique d'intervention sur les côtes africaines elles-mêmes[38]. Aussi, quelle que soit l'époque, les mêmes types de commerce ou de « troque » peuvent être distingués, en fonction de la nature des littoraux, des pouvoirs africains et du degré d'implantation des Européens.

Parfois, à cause de la barre, c'est-à-dire des hauts

fonds et des vagues parfois impressionnantes qui en résultent, les navires ne pouvaient accoster. On pratiquait alors la troque sous voiles. Le navire demeurait au large et l'on devait faire appel à des piroguiers africains. Dans certains estuaires, il fallait faire avec le mascaret, ailleurs avec la faiblesse des tirants d'eau des chenaux, ou bien avec l'envahissante mangrove. Du cap des Palmes à l'entrée de l'actuel port d'Abidjan, des fortifications européennes[39] constituaient autant de points permettant d'accueillir la troque à terre. Quarante-trois constructions, occupées sans doute par moins de trois mille personnes, se repartissaient du Sénégal au delta du Niger. Mais elles étaient surtout concentrées sur la Côte-de-l'Or (entre le cap des Trois-Pointes et Keta), où l'on en trouvait trente-deux. Ici, comme à l'est du golfe de Guinée, ainsi qu'au sud, vers l'équateur, la côte assez rectiligne favorisait la troque sur rade foraine. Échelonnés sur plus de trois mille cinq cents kilomètres de côte, les sites de la traite occidentale se regroupaient en quelques grandes régions : Sénégambie, haute Guinée (avec la côte des Graines et la côte de l'Ivoire), Côte-de-l'Or, côte des Esclaves et baie du Bénin, baie du Biafra, Afrique centre-occidentale, Afrique centre-orientale et Afrique orientale.

Mais, comme l'indique David Eltis, ancrages en eaux profondes, îles, rivières et problèmes liés à la barre n'expliquent pas tout. Recherchées au XVIIIe siècle, car on pouvait s'y mettre à l'abri des incursions africaines, les îles le furent beaucoup moins au XIXe siècle, lorsque la traite commença à être réprimée par des navires de guerre occidentaux, surtout anglais. Les négriers préférèrent alors aller se réfugier sur le continent, notamment dans les estuaires des rivières et des fleuves où ils pouvaient se cacher. Il est aussi à noter qu'un site comme celui de Ouidah (aujourd'hui au Bénin), d'accès difficile et ne disposant d'aucun port, fut l'un des plus importants sites de la traite atlantique. De même, bien que beaucoup plus proche de l'Europe que toutes les autres régions de traite, et donc susceptible de conduire à des opérations moins longues et moins coûteuses, la Sénégambie joua un rôle bien modeste dans l'essor de la traite atlantique. Tout cela montre combien les conditions politiques locales furent, au final, décisives. Le commerce négrier en Afrique, comme les autres commerces, ailleurs dans le monde, nécessitait une certaine stabilité, assurée soit par un État puissant, soit par des groupes lignagers assez solides. La nature de l'État importait peu, et il n'avait pas forcément besoin de se convertir en une machine de guerre pour se procurer des esclaves qu'il pouvait acheter. Le commerce négrier, conclut Eltis, « se développa là où les conditions politiques africaines lui permirent de se développer[40] ».

Dans tous les cas, le courtier africain commençait par analyser les marchandises européennes et par y opérer une sélection de produits. De son côté, le capitaine avait été muni au préalable d'instructions précises par l'armateur du navire. Il devait être capable de faire preuve d'esprit d'initiative afin de les adapter en fonction des circonstances locales. Le capitaine préférait généralement tel ou tel type d'Africain, car un certain nombre de jugements couraient alors sur les principales ethnies, relativement à leur aptitude à l'effort, à leurs mœurs ou bien encore au degré de leur esprit de liberté. Une fois les négociateurs d'accord, le capitaine acquittait la *coutume*, droit lui permettant de commencer véritablement les opérations, et qu'il versait également à la fin, sous forme de cadeaux. Parfois élevé, le montant de la coutume pouvait atteindre jusqu'à 10 ou 12 % de la valeur de la cargaison, mais il s'établissait le plus souvent autour de 5 à 6 %. Suivaient les tractations. Il s'agissait d'estimer la quantité de chaque type de marchandises entrant dans la composition de l'*assortiment* nécessaire à l'achat d'un captif. Si l'on retrouvait partout plus ou moins les mêmes produits de traite, la demande africaine variait selon les régions, certains produits étant localement plus demandés que d'autres. Les navires devaient donc être approvisionnés en conséquence. Cela explique que seulement 5,2 % des négriers pour lesquels nous disposons d'informations suffisantes allèrent traiter leurs esclaves dans plus d'une région africaine. La plupart passaient de site en site, sans franchir ces limites régionales.

Les tractations s'établissaient en fonction d'unités de compte locales, telles que la barre (parfois de cuivre, souvent de fer, d'environ 12 kilogrammes et 3,5 mètres de long), le paquet (au Loango, ce terme désignait la quantité de marchandises européennes acceptées pour le prix d'un captif), ou encore l'acquêt (établi sur le cours de l'or, dans la région de la Côte-de-l'Or). Parfois longues, ces tractations conduisaient souvent les navires à aborder plusieurs sites de traite, pour compléter leur cargaison. Les esclaves n'étaient en effet achetés que par petits lots, et en obtenir en moyenne cinq par jour était déjà une bonne opération pour le négrier. Il fallait encore ajouter le temps de navigation de site en site, les négociations, les interruptions occasionnées par la guerre ou par des désaccords commerciaux.

Quelquefois, les négriers occidentaux utilisaient de petites embarcations pour remonter certaines rivières, travaillant avec des intermédiaires africains bien connus. Cela leur permettait d'étendre un peu la sphère géographique de leurs opérations commerciales, et de compléter les achats effectués sur la côte. En moyenne, au XVIIIe siècle, un navire pouvait ainsi rester entre trois et six mois sur les côtes d'Afrique. Seuls les Portugais disposaient de villes permanentes, en Angola. Mais leurs navires négriers devaient néanmoins stationner entre trois et cinq mois pour compléter leur cargaison d'esclaves.

Plusieurs moyens permettaient d'essayer d'écourter la durée des opérations. Deux techniques se développèrent à partir des années 1740 : celle du crédit, que le capitaine consentait au courtier africain, et celle des barracons. Il s'agissait de constructions légères situées à proximité de la côte, destinées à parquer un certain nombre de captifs en attente d'être livrés aux navires de passage. Au XIXe siècle, à l'époque où la traite fut peu à peu décrétée illégale, et donc réprimée, les négriers avaient également tout intérêt à réduire la durée d'immobilisation de leur navire. Aussi, dans les années 1850 et 1860, des facteurs brésiliens et cubains vinrent-ils s'établir en Afrique. Leur tâche était d'acquérir des esclaves à l'avance, afin d'écourter ensuite la durée nécessaire à leur embarquement.

En forte croissance dans la seconde moitié du XVIIe siècle, au moment où la demande en captifs augmentait dans le Nouveau Monde, le prix des esclaves tendit ensuite à se stabiliser, avant de s'élever à nouveau, au cours du XVIIIe siècle. Il variait en fonction des lois de l'offre et de la demande, de la saison, des régions, et parfois de la réputation des captifs que celles-ci fournissaient. En Sénégambie, il fallait compter entre 100 et 200 livres tournois. Sur la Côte-de-l'Or, à la fin du XVIIIᵉ siècle, une *pièce d'Inde* pouvait atteindre 300 livres. Les prix étaient sensiblement moins élevés à l'est du delta du Niger, intermédiaires au Loango, entre l'actuel Gabon et la rive droite du fleuve Congo.

Un malentendu existe quant aux marchandises proposées par les négriers. À cause de l'usage inconsidéré du terme « pacotille », emprunté à l'espagnol *pacotilla*, on croit souvent qu'il s'agissait de choses de faible valeur. Cette confusion était jadis entretenue dans les discours des racistes blancs. Pour eux, le trafic négrier était simple. Des Européens venaient acheter des « esclaves » à des « roitelets » africains, lesquels se contentaient en échange d'une menue pacotille. La disproportion de valeur entre les « produits » échangés servait alors à inférioriser l'Africain, qui pouvait accepter quelques perles en échange de ses semblables. Par un curieux retour des choses, le même type de discours (de la « pacotille » contre des hommes) sert parfois aujourd'hui à mettre en accusation l'homme blanc, capable d'estimer la valeur d'un être humain au travers de quelques menus produits dont la futilité même semble témoigner de son inhumanité intrinsèque. En fait, au XVIIIᵉ siècle, le terme « pacotille » signifiait deux choses : d'une part, un certain poids, volume ou quantité de marchandises, et donc un « paquet » dont on ne présumait pas de la valeur, d'autre part, les produits qu'il était permis aux officiers et gens d'équipage d'embarquer pour leur propre compte.

Sur au moins 110 à 115 types de produits de traite différents, nombreux étaient des produits re-

lativement chers ; ce qui explique que 60 à 70 %
du montant de la mise-hors nécessaire à l'armement d'un navire négrier allait alors à la cargaison. C'est le cas des textiles, et notamment des
« indiennes » (d'abord importées d'Inde puis ma-
nufacturées en Europe), qui représentaient souvent entre 60 et 80 % de la valeur totale de la
cargaison. D'autres produits, des haches, des réci-
pients en tout genre, des métaux (plomb, fer —
dont 70 à 80 000 tonnes furent introduites en Afrique au cours du XVIIIe siècle[41]...), étaient particulièrement utiles aux Africains, pour les défriche-
ments, dans la vie quotidienne, pour lester les
filets de pêche, ou fabriquer quantité d'armes et
d'outils. Vins et spiritueux étaient souvent coupés
d'eau sur place, ce qui permettait de diminuer les
coûts, de ne pas trop perturber la santé des acheteurs et de réserver à certains les meilleurs produits. Ils étaient divisés en trois catégories. L'eau-
de-vie pure était destinée aux personnages importants, celle dite de « traite » contenait un tiers
d'eau, la moyenne était mélangée à 50 %. Des armes, blanches et à feu, et des produits de luxe
(porcelaines, pistolets fins...) complétaient le tout.
La « guinéaillerie », c'est-à-dire le corail, les papiers dorés, miroirs, et autres perles, était alors
également écoulée en Europe, par le biais du commerce de colportage. Elle ne représentait guère
plus de 10 à 15 % de la valeur d'une cargaison de
traite. Une place à part doit être faite aux cauris,
des coquillages de l'océan Indien amenés chaque
année par tonnes entières, et que l'on retrouvait
ensuite en Afrique jusqu'à 1 200 kilomètres à l'intérieur des terres. Impossibles à contrefaire, ils devaient, dans un continent où les productions

étaient d'un faible coût, fournir d'utiles et perti-
nents instruments monétaires, et cela parfois
jusqu'au XXe siècle[42].

Tous ces produits nécessaires à la traite occidentale furent peu à peu testés. Les premières cargaisons portugaises comportaient des animaux, des
agrumes et de la nourriture. Ce n'est qu'après, à
partir du dernier tiers du XVIIe siècle, c'est-à-dire à
partir du moment où la traite atlantique prit son essor et devint le principal objet des relations entre
l'Occident et l'Afrique, que la typologie des marchandises de traite se fixa. La demande africaine
pouvait varier quelque peu selon les régions, mais,
globalement, les navires négriers, qui devaient trafiquer de site en site, partaient toujours avec un assortiment assez standardisé. N'imposant pas leurs
marchandises, les Occidentaux répondirent à la demande africaine. Celle-ci fut peut-être influencée
par la nature des produits depuis longtemps ache-
minés à travers le Sahara. Mais elle renvoie, à la
base, à un système de valeurs original. Le consom-
mateur africain estimait les produits européens en
fonction de leur usage (d'où l'importance des textiles, des produits de parure et de fantaisie destinés à
être portés). Dotés d'un pouvoir de différenciation à
la fois symbolique, social, économique et parfois
militaire, les objets importés marquaient et consoli-
daient les pouvoirs. Ils pouvaient aussi faciliter la
vie quotidienne. Cela dénote une logique qui, non
totalement marchande, n'en était pas moins particulièrement cohérente et efficace. Sans oublier le
fait que de nombreux produits importés pouvaient
servir d'étalon monétaire (barres de fer, cauris...),
contribuant ainsi à augmenter de manière parfois
considérable le stock de monnaie en circulation. La

traite ne doit donc pas être réduite à une simple affaire de morale (un commerce d'hommes) ou de duperie commerciale (des biens qui, quelle que soit leur valeur marchande, ne « vaudront » jamais la vie d'un seul homme). Elle fut un carrefour, un lieu de rencontre et d'affrontement entre des logiques qui se sont longtemps côtoyées en s'ignorant ; jusqu'à ce que la mondialisation de l'économie ne conduise au triomphe de l'une d'entre elles. Pas forcément de la « meilleure », mais de celle qui, historiquement parlant, s'est avérée la plus performante dans le processus de l'accumulation inégale des richesses.

On comprend, au vu de tout cela, l'importance de la compétence commerciale dont devaient faire montre négriers blancs et négriers noirs, de même que le caractère limité de la pénétration européenne. Car les pouvoirs africains entrant dans le trafic ne tentaient pas seulement de le rentabiliser au mieux. Ils souhaitaient préserver l'intégrité territoriale des sociétés locales, ce qu'ils réussirent généralement à faire jusqu'à la seconde moitié du XIXe siècle. Loyers versés par les occupants des forts, coutumes de traite, voire destruction de forts, étaient là pour montrer à qui appartenait la propriété éminente du sol. Constituées d'enceintes entourant quelques quartiers résidentiels, bureaux, entrepôts et échoppes, ces constructions étaient parfois imposantes, comme à Elmina ou bien à Cape Coast. Mais elles ne doivent pas, aujourd'hui, faire illusion. Ce n'étaient, nous dit un mémoire du négoce nantais datant de 1762, que « des comptoirs fortifiés pour être à l'abri des avaries et des surprises [...] qui n'emportent point avec eux l'idée d'une souveraineté territoriale[43] ». Les principales nations européennes souhaitaient disposer localement de points d'appui pour leurs opérations commerciales. Cependant, en raison de leur rivalité, certains furent pris et repris. Celui de Ouidah passa ainsi sous contrôle anglais, français, brandebourgeois, hollandais et portugais. L'influence européenne était donc largement fragmentée[44].

Lorsque les traites occidentales devinrent progressivement illégales, au XIXe siècle, de nombreux artifices furent utilisés afin de tromper les croiseurs chargés de leur répression. Au départ, on fraudait sur la destination déclarée pour le voyage. En cours de route, on pouvait utiliser plusieurs jeux de documents de bord et de pavillons, afin de profiter de la complexité des accords bilatéraux de répression. En métropole, dans les colonies, aux États-Unis (d'où officiaient certains négriers portugais et brésiliens, entre 1850 et 1865), la corruption ouvrait les portes de nombreuses administrations. En Afrique, traite indirecte et traite déguisée se pratiquaient. Dans le premier cas, un navire européen amenait ses marchandises. Il s'éloignait ensuite de la zone de traite. Un autre bâtiment, le navire négrier, venait alors récupérer sa cargaison humaine. Voici comment Fleuriot de Langle nous décrit l'opération. Nous sommes en Afrique orientale, en 1861 :

« Les négociants européens qui s'occupent de ce commerce font porter leurs marchandises de troc par des navires expédiés directement à Zanzibar d'où elles sont redistribuées, soit à Moufia, Monbaze, Lamoo, soit à Kilwa, soit à Mozambique [...]. Les navires qui ont apporté les marchandises ne prennent pas ordinairement les noirs, ils vont souvent ailleurs et chargent quelques pacotilles ; dès que la traite est préparée, les navires qui doivent prendre les noirs sont avertis et se présentent devant les comptoirs où, en peu d'instants, ils reçoivent leur cargaison ; quelquefois leurs vivres et leur eau se font en même temps car sans cela ils donneraient prise à la croisière anglaise. Les gouverneurs portugais qui n'ont pas d'autres revenus tolèrent ce trafic qui se fait ostensiblement, et les cheiks arabes qui ont tous des intérêts dans ce trafic sont également les premiers à exciter les Européens. Les noirs qui embarquent sur ces navires européens sont expédiés à Cuba [...]. Les esclaves qui restent ou qui ne peuvent supporter la traversée de Mascate sont introduits à Madagascar, où les noirs sont troqués contre du bétail qui vient se revendre à Mao ou à Nossi-Bé[45]. »

La traite déguisée consistait à racheter officiellement des esclaves « libérés » en leur faisant signer un contrat (qu'ils ne comprenaient pas toujours). Cette procédure était strictement réglementée, mais les dérapages n'étaient pas rares. Cependant, mis à part ces précautions, les modalités du troc sur les côtes d'Afrique paraissent ne pas avoir véritablement changé au XIXe siècle. Ce que l'on sait des quelques cargaisons bien renseignées montre que l'assortiment des marchandises de traite était le même qu'au siècle précédent.

Transporter

Une expression, juste dans certains cas, fortement réductrice dans d'autres, est souvent utilisée pour qualifier les routes de la traite occidentale : celle de « commerce triangulaire ». Elle relève pourtant souvent du poncif. À l'entendre, à regarder les cartes qui la visualisent, on pourrait imaginer que les traites occidentales (et parfois même, dit-on, toutes les traites) se résument à un périple sur l'océan. Comme si toute l'histoire de ces traites consistait à partir d'Europe avec des marchandises, à les échanger contre des captifs en Afrique, et à les vendre aux Amériques avant de s'en retourner en Europe, les cales remplies de produits tropicaux. Certains, comme Petit de Baroncourt, au XIXe siècle, voulaient ne voir dans ce « triangle » que des mers chaudes et des rivages exotiques. La traite, pour lui, n'était qu'un simple transport de personnes d'une « plage » à l'autre de l'Atlantique. Cette vision des choses est heureusement aujourd'hui bien dépassée. Mais l'on a parfois tendance, inversement, à ne mettre l'accent que sur le portrait apocalyptique d'une traversée dont les souffrances n'ont pas besoin d'être exagérées afin de témoigner de l'ampleur du traumatisme subi par les captifs. Ce faisant, en ne se focalisant que sur elles, on rejette dans l'obscurité nombre de choses essentielles à la connaissance des rouages du trafic négrier. On oublie, en premier lieu, ce qui se passait en dehors du périple océanique. On escamote le rôle de l'Europe qui s'activait, en amont de la traite, afin de réunir les capitaux, les marchandises, les hommes et les navires nécessaires, aussi bien que les alibis permettant de légitimer le trafic ; tandis que, en aval, elle s'occupait de la transformation des denrées coloniales.

Les flèches bleutées des cartes représentant le « commerce triangulaire » conduisent également à ne considérer l'Afrique et l'Amérique qu'au travers d'escales, plus ou moins secondaires dans l'organisation et la logique du trafic. On mésestime ainsi lourdement l'importance du continent noir, où les captifs, qui n'apparaissaient pas par enchantement sur les sites de traite, étaient « produits », transportés, parqués et estimés par des négriers noirs. De leur côté, les Amériques ne constituaient pas seulement des lieux par lesquels transitaient les captifs, puisque c'est la logique du système esclavagiste qui entraînait la traite. Et l'on sait aujourd'hui que Rio de Janeiro, et non Liverpool, fut le premier port négrier de la planète. Outre les traites orientales et internes à l'Afrique, on oublie enfin les trafics océaniques ne s'inscrivant nullement dans un triangle. Celui reliant le Brésil à l'Afrique, et notamment à l'Angola, fut essentiel car il fit transiter la plus grande partie des captifs de la traite atlantique. Celui mettant en contact l'Afrique orientale et les Mascareignes ne fut pas négligeable, de même que celui reliant directement l'Afrique aux Caraïbes, et qui était en bonne partie alimenté, à l'aller, par des cargaisons de rhum. D'un point de vue strictement maritime, le fameux « triangle » ne constitua donc jamais que l'une des routes de traite empruntées pour la traversée de l'Atlantique. L'expression « commerce triangulaire » conviendrait d'ailleurs sans doute beaucoup mieux à d'autres trafics maritimes, tel le circuit morutier entre la France, Terre-Neuve et la Méditerranée. Comme tous les commerces transocéaniques de grande ampleur, la traite des Noirs se caractérisait par la complexité de son circuit commercial et par l'extrême variété de ses modalités d'exécution. C'est pourquoi aucune campagne négrière ne fut jamais, dans le détail, tout à fait identique aux autres. Quelques données fondamentales peuvent néanmoins être relevées.

Préparer une expédition consistait à rassembler un navire, des marchandises, des hommes et des capitaux[46]. Malgré le nombre de nations impliquées dans ce trafic, il est étonnant de constater de grandes similitudes. Comme l'écrit Herbert S. Klein, « la manière de transporter les esclaves à travers l'Atlantique semble avoir été assez identique » chez les diverses nations européennes impliquées dans la traite. « Tous les Européens transportaient approximativement le même nombre d'esclaves, à bord du même type de navire, et mettaient à peu près le même temps pour traverser l'Atlantique. Ils logeaient et nourrissaient également leurs passagers esclaves approximativement de la même manière[47]. »

Les travaux de l'archéologue naval Jean Boudriot ont permis de mieux connaître le profil du navire négrier. Cependant, malgré les recherches entreprises au large de l'Afrique par l'Unesco, nous ne disposions que de plans, et non de vestiges concrets, afin de nous représenter l'architecture de ces bâtiments. Cela jusqu'à la découverte de l'épave d'un négrier, au large du Danemark[48]. Généralement, la silhouette d'un tel navire s'articule autour de deux constantes et de deux variables.

La première constante réside dans la polyvalence d'un navire (sans doute très accentuée aux débuts du trafic[49]) devant être capable, au retour des Amériques, de transporter des denrées coloniales comme tout autre navire marchand. Partout, très peu nombreux étaient les négriers réguliers. La seconde constante, à défaut d'une construction particulière, apparaît à certains aménagements. C'est le cas de la cale, dont le volume devait être important pour y entreposer les vivres et l'eau nécessaires pour la traversée souvent longue d'un grand nombre de personnes. Il fallait compter 2,8 litres d'eau par personne et par jour. Pour un voyage de deux mois et demi, le capitaine d'un navire de 250 tonneaux, monté par

45 hommes et transportant 600 captifs devait donc emporter 140 000 litres d'eau. Conservée dans des bottes (pièces de huit barriques) ou en futailles (valant de une à sept barriques), elle était stockée entre l'étrave et la cloison centrale, près du grand mât. Derrière la cloison de la cale à eau étaient aménagées les soutes à vivres (biscuits, fèves, riz…), à raison d'environ 40 kilogrammes par personne. Importante également était la hauteur minimale de l'entrepont, espace situé entre la cale et le pont proprement dit. Il était délimité par un plancher léger, souvent amovible. Sur les navires marchands d'un port supérieur à 120 tonneaux, l'entrepont servait au logement de l'équipage, aux soutes ou à la remise des câbles des ancres. Sur un négrier, sa hauteur libre n'était généralement pas inférieure à 1,40 mètre (au lieu de 1,29 mètre en général). Elle pouvait aller jusqu'à 1,70 mètre. On y installait les parcs à esclaves : celui des hommes à l'avant, celui des femmes et des jeunes enfants à l'arrière. Des plate-formes étaient établies latéralement à mi-hauteur, sur une largeur de 1,90 mètre. Cela permettait d'augmenter la surface disponible, et donc le nombre de captifs embarqués. Là, sur des planches de bois, une seconde série de captifs étaient en effet installés. Seules les parties centrales du parc à esclaves conservaient donc leur hauteur maximale. Notons également la présence, assise sur le plancher de l'entrepont, d'une forte cloison d'épais bordages, la rambarde supérieure. Hérissée de lames coupantes et de meurtrières, elle permettait à l'équipage de s'y réfugier en cas de révolte, et de fusiller les hommes tentant de l'escalader. Enfin, le navire était souvent équipé d'un filet, sur quatre pieds au-dessus du bord, afin de mieux repêcher les captifs qui s'étaient jetés à la mer.

Les deux variables pouvaient jouer en sens opposé. La première dépendait du tempérament et de la stratégie déployée par l'armateur. Certains n'hésitaient pas à investir dans de rapides et fins voiliers, d'autres, économisant sur tout, utilisaient à la traite de vieux rafiots en fin de carrière[50]. La seconde paraît résider dans une sophistication croissante, mais tardive, du navire négrier. Jean Boudriot[51] insiste sur une triple évolution apparue en France aux lendemains de la guerre de Sept Ans pour s'accomplir vraiment à partir des années 1780. Elle se caractériserait par la recherche d'une plus grande vitesse de marche (donnant la possibilité d'échapper aux navires ennemis en cas de conflit, de réduire la durée de la traversée, donc la mortalité de la cargaison humaine), par l'intérêt porté à la résistance des coques, parfois doublées de plaques de cuivre (ce qui permettait d'éviter la formation de végétations sous-marines nuisibles au sillage, tout en renforçant leur protection contre les tarets, mollusques marins qui abondent dans les eaux tropicales), et par l'élévation du tonnage moyen[52]. Un port d'au moins 250 tonneaux devint alors plus courant. Il y a à cela des raisons techniques, car au-dessous de ce seuil l'élévation des œuvres mortes (avec un faux pont) devenait nuisible à la marche et à la stabilité du bâtiment. Mais les primes au tonnage versées par l'État (en France) et l'essor d'une traite pratiquée sur une plus grande échelle pourraient aussi en avoir été les motifs.

Même s'il tend à diminuer au cours du XVIIIe siècle, le nombre d'hommes d'équipage sur un navire négrier était souvent deux fois plus fourni que celui des autres navires marchands de même tonnage. En France, il fallait ainsi 20 à 25 hommes par

100 tonneaux, ou encore un marin pour dix captifs. L'effectif diminua progressivement[53], mais le tonnage et le nombre d'hommes embarqués par négrier furent toujours sensiblement supérieurs à ce qui se pratiquait dans la traite anglaise[54]. L'équipage, dans tous les cas, était fréquemment composé en partie de jeunes, novices ou pilotins, parfois fils d'armateurs, effectuant à l'école de la traite leurs premières et terribles armes. Le reste était constitué de déracinés, d'aventuriers en tout genre attirés par une solde qui, forcément thésaurisée pendant les longs mois de l'expédition, pouvait assurer à la fin un certain pécule. En attendant, il fallait survivre, résister à la chaleur et aux fièvres tropicales, aux révoltes des esclaves, au scorbut, au froid, car l'on remontait assez haut en latitude lors du voyage de retour qui se faisait parfois en hiver. Lorsqu'un marin mourait en mer et que l'on procédait à la vente de ses biens, on ne trouvait souvent qu'une chemise et une culotte déchirées.

À bord du navire devaient également se trouver quelques spécialistes. Il pouvait s'agir du capitaine, qui parfois portait perruque et lisait Rousseau, alors que d'autres, particulièrement vindicatifs et féroces, ne dessoûlaient pas de toute la traversée. En 1731, Jean Bonneau, capitaine du négrier nantais le *Saint Jean-Baptiste*, frappa l'équipage « avec la plus grande cruauté du monde ». Il cassa le bras gauche du charpentier avec une bûche, puis essaya de s'emparer de deux courtiers africains qui trouvèrent plus expédient de se jeter à la mer. En 1776, c'est le second capitaine de l'*Aimable Françoise* qui se fit remarquer par ses excès, maltraitant l'équipage ainsi qu'une « très belle négresse, à laquelle il cassa deux dents [...] et qui ne [put] être vendue à

Saint-Domingue qu'à un très bas prix ». Il poussa « même la brutalité à violer une petite négrite de huit à dix ans, à qui il ferma la bouche pour l'empêcher de crier ». Ces cas[55] nous sont connus par les plaintes que formulaient les membres d'équipage, au retour des navires. Cela indique que de tels comportements étaient ressentis comme anormaux, et qu'il ne faut donc pas les généraliser. Toutefois, ce que l'on critique, en l'occurrence, peut-être plus que l'attitude, ce sont les conséquences déplorables sur la suite de l'expédition : équipages divisés, parfois conduits à la mutinerie, opérations commerciales mal conduites, captifs mal vendus à cause de mauvais traitements.

Manieur d'hommes et chef de chiourme, commerçant avisé devant connaître le montant des coutumes et la valeur des étalons d'échange en Afrique, être capable de récupérer les créances des colons, en Amérique, enfin bon marin, tel était, pour l'armateur, le capitaine négrier idéal. Comme le succès ou l'échec de l'opération reposaient en partie sur ses épaules, les armateurs n'hésitaient pas à lui faire prendre un intérêt sur le navire, en plus des primes qu'il pouvait recevoir et de son droit de port permis lui donnant la possibilité de traiter quelques marchandises pour son propre compte. À ses côtés se trouvait le tonnelier, dont le travail était indispensable pour assurer la bonne conservation de l'eau et des aliments. Il y avait aussi le charpentier, dont la tâche essentielle résidait dans la confection du faux pont. Il y avait enfin le chirurgien, modeste praticien aux connaissances souvent bornées, dont l'impuissance se mesurait à l'aune du niveau médical de l'époque. En Afrique, il s'occupait de la sélection des captifs, afin de déceler les tares ou insuffisances physiques que les courtiers noirs pouvaient essayer de dissimuler. « Enfoncer un doigt dans l'anus des hommes ou le vagin des femmes, humer l'urine, goûter la salive, soupeser des seins et des testicules, vérifier qu'ils ne sont pas flasques[56] », tout cela faisait partie de ses premières occupations. Il procédait aussi au marquage des captifs, avec un fer chaud appliqué sur l'épaule, le sein, la fesse ou le flanc. Après quoi, faute de moyens véritablement efficaces pour lutter contre les maladies, il n'avait plus qu'à espérer que la traversée de l'Atlantique se fasse sans encombre.

Il fallait compter avec les réalités quotidiennes de la navigation au temps de la marine à voiles, c'est-à-dire avec les vents et les courants. Dans l'Atlantique, les vents sont largement conditionnés par la présence de deux anticyclones. Dans l'hémisphère Nord, les vents tourbillonnent autour de celui des Açores dans le sens des aiguilles d'une montre. C'est l'inverse autour de l'anticyclone du Capricorne, dans l'hémisphère Sud. Deux circuits, nord et sud, sont ainsi naturellement délimités. À cela s'ajoutent les alizés, des vents soufflant constamment des hautes pressions subtropicales vers les basses pressions équatoriales, dans le sens nord-est sud-ouest dans l'hémisphère Nord, et inversement dans l'autre. Un troisième circuit, vers les régions bordant l'océan Indien, était déterminé par l'anticyclone du Capricorne, par les alizés et par le cycle des moussons.

Poussés par les alizés, des côtes du Sud-Ouest européen jusqu'au golfe de Guinée, les navires abordaient généralement sans incident les côtes d'Afrique, après une éventuelle escale (à Madère, aux Canaries...) pour réparer ou se ravitailler. Le long du golfe de Guinée, le courant nord-équatorial facilitait le cabotage de site en site. Ce n'était qu'ensuite, pour ceux allant plus au sud, que le courant contraire de Benguela posait quelques problèmes. Il y avait alors le choix entre une « petite route », suivant la côte mais obligeant constamment à louvoyer, et une « grande route » qui se caractérisait par le contournement de l'anticyclone du Capricorne par le sud. Plus longue, cette dernière était plus facile, et par conséquent parfois plus rapide. C'est celle que l'on utilisait pour gagner le cap de Bonne-Espérance, avant de profiter des vents d'ouest poussant les navires jusqu'à l'est des Mascareignes. On se servait alors des alizés pour remonter vers le nord, vers Madagascar, le Mozambique, Kilwa ou Zanzibar. À partir du Brésil, la traversée était plus rapide. À l'aller, on abordait par l'ouest les vents du côté nord de l'anticyclone du Capricorne. Il fallait ensuite louvoyer pour remonter vers la côte de Guinée, au nord. Le retour s'effectuait grâce au courant équatorial. La situation était plus complexe des côtes d'Afrique aux Antilles. Les vents et les courants équatoriaux n'ayant pas une grande fixité de parcours et d'intensité, calmes plats et tempêtes se succédaient. Cette irrégularité, qui explique en bonne partie l'élasticité de la durée de la traversée de l'Atlantique, pesait fortement sur le taux de mortalité des captifs embarqués. En revanche, la navigation de retour était facilitée par le Gulf Stream, qui se fractionne en plusieurs courants dans l'Atlantique Nord.

Auparavant, en Afrique, le navire avait embarqué ses captifs. Certains étaient déjà épuisés par un long séjour, soit dans les barracons, soit, dans le cas d'une traite itinérante sous voiles, à bord du navire. Une étape de rafraîchissement était alors parfois décidée, notamment aux îles de Principe et São Tomé. Commençait ensuite la traversée de l'Atlantique, ce que les Anglo-Saxons appellent le *middle passage*, et qui correspond au second segment du voyage dit « triangulaire ». Hubert Deschamps préférait parler de « noir passage », avec raison. Car tous les circuits négriers ne sont pas « triangulaires », et parce que l'expression est aussi parlante au sens propre (elle correspond en ce cas à la traversée de l'océan par les esclaves) qu'au sens figuré, étant donné l'ampleur des souffrances endurées.

Souvent exagéré par les abolitionnistes, le taux d'entassement était malgré tout important. Jean Boudriot note que le « meilleur rendement » était obtenu en plaçant les individus sur le côté, les corps imbriqués tête-bêche, trois adultes pouvant occuper un mètre cube. On pouvait en outre « regrouper dans la partie centrale de l'entrepont des captifs dans la position assise, les genoux sous le menton ». « Déduction faite de l'épaisseur des planches, écrivait Hubert Deschamps, chaque captif disposait de 83 centimètres de hauteur, c'est-à-dire beaucoup plus que les voyageurs des couchettes intermédiaires de seconde classe sur nos chemins de fer, qui n'ont que 48 centimètres. Un petit homme pouvait s'asseoir, un grand se tenir sur les coudes. » Mais « le minimum généralement admis », pour la largeur, « allait de 40 à 43 centimètres », ce qui est « insuffisant pour un homme normalement large d'épaules »[57]. De plus, les esclaves étaient enferrés deux par deux. Ils couchaient nus sur les planches. Dès que le navire bougeait, c'est-à-dire fréquemment, les corps nus frottaient sur les planches. Des écoutilles munies de caillebotis servaient à l'aération. La plupart des négriers européens de la seconde moitié du XVIIIᵉ siècle transportaient au minimum 1,5 captif, et souvent un peu plus de 2,5 par tonneau de jauge, un volume théorique de 200 x 100 x 72 cm, soit 1,44 m³. La moyenne d'environ 350 à 450 esclaves par navire, qui était la norme pendant une bonne partie du XVIIIᵉ siècle, fut aussi celle du XIXᵉ [58].

Lorsque le temps le permettait, ces conditions rendaient indispensable le « rafraîchissement » des captifs. On les autorisait à monter, par groupes, sur le pont supérieur, vers huit heures du matin. Suivaient la vérification des fers, la toilette par aspersion à l'eau de mer. Deux fois par semaine, on passait les corps à l'huile de palme pour adoucir la peau et la rendre moins sensible. Une fois par quinzaine, les ongles étaient coupés et la tête rasée. Pendant ce temps, les bailles à déjection étaient vidées, l'entrepont gratté et lavé. Contre les vapeurs méphitiques, on jetait du vinaigre ou l'on brûlait de la poudre. Vers neuf heures venait le repas, à base de légumes secs (fèves, haricots), de riz, de maïs, ignames, bananes et manioc que l'on avait achetés sur la côte. Le tout était bouilli, complété par du piment, de l'huile de palme, parfois un peu d'eau-de-vie. Il y avait un plat pour dix, une cuiller en bois pour chacun. « L'eau douce est passée dans une couverture de laine pour éliminer les insectes et les impuretés [59]. » L'après-midi, on incitait les esclaves à s'occuper. On organisait des danses, un exercice difficile pour des hommes enchaînés, censé aider à combattre le scorbut dont on ne connaissait pas les causes. Puis l'on redescendait dans l'entrepont, vers cinq heures, pour une interminable nuit. Le pont était alors lavé et gratté à son tour.

En cas de mauvais temps, la vie devenait atroce.

Pour empêcher la mer de pénétrer à l'intérieur, aux écoutilles, des panneaux pleins remplaçaient les caillebotis. En cas de tempête, on tendait des filins, afin que les hommes puissent s'accrocher et ne pas être projetés sur la coque. Les esclaves restaient en permanence dans l'entrepont clos. La quasi-obscurité, les bailles à déjections qui se renversaient rendaient l'air irrespirable, affaiblissant et terrorisant encore plus des Africains qui, ne connaissant rien de la haute mer et des motifs de leur déportation, croyaient parfois qu'ils étaient destinés à être dévorés par les Blancs. « Ces vagues sans retour », tel pouvait constituer, pour l'historien Robert Harms, « l'état d'esprit de l'esclave embarquant à bord d'un négrier »[60]. « J'étais persuadé que j'étais dans un monde de mauvais esprits qui allaient me tuer », se souvient Olaudah Equiano, un esclave ayant pu ensuite raconter et publier son expérience[61]. À cela s'ajoute l'épreuve de la traversée, ancrant dans la mémoire des captifs ce « roulis primordial » qui, pour l'écrivain martiniquais Patrick Chamoiseau, continue de hanter nombre d'Antillais[62].

L'analyse des facteurs de mortalité a suscité de multiples recherches. On sait les inventorier : durée de la traversée (généralement comprise entre un et trois mois[63]), état sanitaire des esclaves au moment de leur embarquement, région d'origine des captifs[64], révoltes (dont on n'enregistrait souvent que les plus dures[65]), naufrages[66], eau et nourriture insuffisantes en cas d'allongement inattendu de la durée de l'expédition, manque d'hygiène, épidémies (notamment la dysenterie, mais aussi la variole, la rougeole, etc.), le tout évidemment aggravé par la promiscuité. Mais il est toujours difficile d'indiquer le ou les facteurs véritablement essentiels. Paradoxalement, ni le taux d'entassement[67], ni la durée de l'expédition, ni la nationalité du négrier ne paraissent avoir joué un rôle déterminant. En temps normal, les décès survenaient de manière régulière, sans concentration excessive à certains moments — au départ, à l'arrivée ou à mi-parcours. Les enfants de moins de quinze ans semblent avoir été plus fragiles que les hommes, et les femmes moins que ces derniers. Le fait que les navires transitaient par des régions tropicales est peut-être le facteur le plus simple et le plus important en matière de mortalité, avec celui de la région d'embarquement des captifs. « L'éventail des taux de mortalité à travers la traite par l'Atlantique, écrivent Klein, Engerman, Haines et Shlomowitz, était essentiellement dépendant avant tout des ports africains de départ. Les conditions environnementales et économiques des diverses parties de l'Afrique acquièrent ainsi une importance centrale pour la compréhension de la traite et de son expérience en termes de mortalité[68]. » L'absence de corrélation évidente entre les conditions de vie à bord (taux d'entassement, durée du voyage...) et le taux de mortalité ne réduit évidemment en rien la réalité des souffrances endurées par les captifs au cours de la traversée. La mortalité moyenne pour l'ensemble de la traite atlantique serait comprise entre 11,9 % (chiffre avancé par les mêmes auteurs) et 13,25 %[69] ; moyenne générale qui masque une très grande irrégularité de fait et qui apparaît largement plus faible que la mortalité imputable aux opérations de transport des esclaves à l'intérieur même de l'Afrique[70]. La majeure partie des expéditions, quelle que soit l'époque ou la nation négrière, connut un taux de mortalité le plus souvent compris entre 10 et 20 %. Certaines, plus rares, atteignirent 40, voire 100 %.

Dès lors, on peut penser que c'est la réduction de ces expéditions marginales[71], excessivement meurtrières, qui serait à l'origine de la diminution de la mortalité moyenne au cours du XVIIIe siècle. C'est également ce que pense H. S. Klein. Constatant que la mortalité était généralement comprise entre 5 et 15 %, au XVIIIe comme au XIXe siècle, il ajoute que « la stabilité de ces taux moyens de mortalité masque un déclin régulier, dans le temps, de la dispersion autour de la moyenne. Aussi, de plus en plus de navires atteignaient ou passaient sous le taux moyen à mesure que l'on avançait dans le XIXe siècle — une tendance qui avait débuté au cours du XVIIIe siècle et continua jusqu'à la fin de la traite ». Le taux de mortalité serait ainsi descendu aux alentours de 5 à 8 % dans le dernier quart du XVIIIe siècle, le seuil des 5 % semblant constituer un minimum difficile à réduire du fait des conditions spécifiques du transport à bord des négriers. Roger Anstey[72] estimait que, pour la traite anglaise, la mortalité moyenne se serait située autour de 10 % vers 1750. C'était le cas de la traite hollandaise, dont la mortalité, au cours du siècle, passa de 16,1 à 10,1 % (un tiers des décès ayant lieu au cours des dix premiers jours de la traversée). C'était également le cas des négriers nantais de la fin du XVIIIe siècle, où la mortalité était comprise entre 3,9 et 9,5 %. Les données les plus récentes, établies à partir d'un échantillon de 332 expéditions, donnent à penser que la mortalité moyenne aurait évolué de la manière suivante[73] :

1597-1700	1701-1750	1751-1800	1801-1820	1821-1864	Ensemble de la période
22,6 %	15,6 %	11,2 %	9,6 %	10,1 %	11,9 %

Les écarts sont donc réels, entre les divers observateurs, mais la tendance à la réduction du taux de mortalité au cours du XVIIIe siècle semble avérée. Par ailleurs, les différences en fonction des lieux d'embarquement sont fortes. Sur l'ensemble de la période, la mortalité est la plus faible (8,3 %) pour l'Afrique centrale-occidentale et la plus forte (18,3 %) pour celle de la baie du Biafra. De manière générale, on remarque une tendance à la baisse, au cours du temps ; le redressement du taux des années 1821-1864 pouvant s'expliquer de deux manières : d'une part du fait des pratiques de la traite au temps de l'illégalité, d'autre part à cause du rôle joué alors par le Mozambique, et de la très forte mortalité des expéditions parties de cette région au début de la période considérée. Cette baisse de la mortalité moyenne pourrait être causée par les améliorations apportées par les négriers, car le capitaine avait tout intérêt à conserver intacte sa cargaison humaine, ce qui n'excluait nullement certains actes de barbarie[74]. On met également de plus en plus en avant la fréquence des changements en matière de législation maritime afin de renforcer la sécurité à bord des navires, notamment britanniques[75]. Mais beaucoup trop d'incertitudes demeurent encore à ce propos pour nous permettre d'aller plus loin.

Ce qui est sûr, c'est que la mortalité à bord des négriers fut toujours supérieure à celle des navires transportant des condamnés ou des militaires. Cela tient peut-être au fait que les premiers transitaient par la zone tropicale (et étaient donc sujets aux maladies de cette région), alors que les seconds pouvaient effectuer l'essentiel du voyage dans une zone tempérée[76]. On sait également que la mortalité des esclaves était globalement moins importante que

celle touchant les équipages des négriers (17,8 %
pour 1 190 expéditions françaises bien renseignées
du XVIIIe siècle). Cette surmortalité parmi les marins
est, certes, calculée sur la totalité d'un voyage dont
la durée était souvent au minimum d'un an. Cependant, chez les marins, la plupart des décès avaient
lieu en Afrique, durant les quelques semaines (ou
mois) de leur séjour. Le différentiel d'intensité entre
les deux mortalités — noire et blanche — ne fut
donc sans doute pas considérable, ce qui renforce
la thèse du rôle des facteurs climatiques dans la
mortalité à bord des négriers[77]. Cela montre, en
tout cas, que la mort était partie intégrante de la
traversée de l'Atlantique. Les corps étaient ensevelis
par l'océan. Parmi les nombreuses représentations
littéraires attachées à cet aspect des choses, citons
Herman Melville, dans *Moby Dick*, qui indique que
les requins constituaient invariablement l'escorte de
tous les navires négriers traversant l'Atlantique.

Une fois arrivé en Amérique, le navire négrier devait satisfaire à des formalités sanitaires et fiscales.
Les captifs étaient « rafraîchis », c'est-à-dire mieux
nourris, lavés et reposés. La vente, qui pouvait durer une bonne semaine, se déroulait soit à bord du
navire, soit à terre. Elle était annoncée par divers
moyens publicitaires, et se faisait par lot, aux enchères, ou de gré à gré. Les esclaves nouvellement
arrivés (ou *bozales*) étaient généralement vendus
moins cher que ceux, « acclimatés », vivant déjà
aux Amériques. Ces derniers étaient en effet habitués à dépendre d'un maître et, entre-temps, avaient
souvent acquis certaines qualifications profession-
nelles. Le paiement pouvait se faire au comptant,
par le moyen d'une lettre de change, ou bien en
marchandises. Comme les planteurs manquaient

souvent de liquidités, du fait des aléas climatiques (et donc de l'irrégularité de la production) et du système de l'exclusif (qui, visant à éviter la sortie du numéraire de métropole, conduisait à l'existence de monnaies « coloniales » dévaluées), les opérations commerciales dérivaient parfois vers des formes de troc. Pour ces motifs, et parce que les colons pouvaient faire montre d'une mauvaise volonté à honorer leurs dettes, les armateurs étaient obligés de leur consentir des crédits, à moyen et parfois long terme, à l'origine des fameuses « queues » de retour du capital. Ce n'est qu'une fois arrivés en Europe, après transformation et/ou revente, et donc après d'autres opérations tout aussi complexes et aléatoires, que les produits tropicaux étaient convertis en espèces sonnantes et trébuchantes. Fondé pour les investisseurs européens sur la division des risques et sur le recours à l'assurance, en Afrique sur des tractations spécialisées et parfois longues, en Amérique sur des opérations pouvant aller jusqu'au troc, le système commercial négrier était à la fois complexe et archaïque. Il était porté par une série de cellules de crédit transatlantiques, européennes, africaines et américaines.

À l'époque de la traite illégale, les navires avaient tendance à être plus fins et plus rapides afin d'échapper aux croisières de répression. On utilisa ainsi parfois de rapides vapeurs ou bien de modernes clippers. Le plus souvent, la recherche de vitesse signifiait de plus petits bâtiments, et donc moins de place à bord pour les esclaves. Il suffit, pour s'en rendre compte, de comparer deux plans célèbres utilisés par les abolitionnistes, celui d'un navire anglais de la fin du XVIIIe siècle, le *Brookes*, et celui d'un navire français pris en flagrant délit de pratiques négrières en 1822, la *Vigilante*. À bord de ce dernier navire, seuls les Noirs placés contre les bordages avaient la possibilité de s'étendre. Tous les autres, au centre, étaient assis, jambes repliées. On peut penser que, pour se reposer, les esclaves changeaient de position à tour de rôle. Dans certains navires, plus petits, il n'y avait pas d'entrepont. Les esclaves étaient descendus dans la cale, séparés des barriques d'eau par quelques planches. Lorsqu'un négrier était menacé d'être intercepté par un navire de guerre, les capitaines n'hésitaient pas à jeter les esclaves à l'eau, enferrés, afin de se débarrasser de preuves compromettantes. Au total, la mortalité parmi les captifs pourrait avoir été comparable à celle du XVIIIe siècle car, si les conditions d'entassement augmentèrent (du fait de la finesse des navires et de l'abaissement de leur tonnage moyen), leur bonne marche permettait d'écourter la durée de la traversée de l'Atlantique. Un recensement effectué à partir des négriers repérés par le British Foreign Office à destination du Brésil (1817-1843) montre que la mortalité variait entre 5,6 % (pour les captifs embarqués au Sierra Leone) et 17,6 % (pour ceux du Mozambique), la moyenne générale s'établissant autour de 9,1 %. Concernant la traite française, elle se situerait autour de 13,5 % pour les esclaves (34 observations) et de 13,5 % pour les membres d'équipages (164 observations). Jusqu'aux années 1840, il n'y avait en effet, pour les marins, que très peu de remèdes contre la malaria et la fièvre jaune.

3

Flux et reflux
des traites négrières

TRAITES ORIENTALES

Analyse quantitative

Il existe une tendance à minimiser les traites ayant alimenté le monde musulman en captifs. On parle de traites à finalités érotiques, ayant essentiellement fourni des eunuques et des concubines, n'ayant eu aucune répercussion économique dans les pays d'Islam, d'un esclavage qui y aurait été « doux », et de conséquences très faibles pour les sociétés d'Afrique noire ponctionnées par la traite. Le tout contribuant à accréditer ce que l'on pourrait appeler une légende dorée.

Les motifs permettant d'expliquer cette vision des choses sont nombreux. On peut tout d'abord y voir une logique et saine réaction vis-à-vis de la légende noire construite par les explorateurs européens de la fin du XIXᵉ siècle. Souhaitant œuvrer en faveur de l'abolition de la traite au sein même du continent africain, ils ont en effet parfois imprudemment stigmatisé les traites orientales, insistant (comme toute la littérature abolitionniste, d'ailleurs) sur la cruauté

de négriers musulmans saccageant des villages entiers, maltraitant les esclaves et n'hésitant pas à
abandonner les plus faibles en cours de route. C'est
donc avec raison que Ann McDougall a récemment
insisté sur la nécessité de dépasser ces poncifs[1].
D'autres motifs renvoient à d'évidents tabous[2], ou
bien à des attitudes ou des raccourcis idéologiques
obsolètes : « solidarité » entre pays d'Afrique noire
(parfois musulmans) et monde musulman du fait
d'une commune marginalisation à l'époque de la bi-
polarisation Est/Ouest ; habitude erronée (car certains pays du Moyen-Orient sont loin d'être pauvres) de les classer ensemble dans un « Sud » en
voie de développement s'opposant à un « Nord » développé. Le tout est renforcé par des témoignages
insuffisamment passés au crible de la critique. C'est
le cas, parmi d'autres, de celui d'Emily Ruete, une
princesse de Zanzibar écrivant à la fin du XIXe siècle
qu'il « ne faut pas comparer l'esclavage oriental à
celui qui existe en Amérique », car, « une fois arrivés au terme du voyage, les esclaves sont généralement bien traités sous tous les rapports »[3]. Défendant l'institution esclavagiste locale en reprenant
certains des poncifs avancés par les amis des planteurs et négriers occidentaux, elle oubliait ainsi
qu'alors même où elle écrivait la mortalité parmi
les captifs travaillant sur les plantations de l'île variait entre 20 et 30 % par an.

Aujourd'hui encore, il n'est pas rare que, souvent
afin de mieux insister sur les traites occidentales,
des journalistes et des historiens de qualité minimisent l'ampleur et la réalité du traumatisme lié aux
traites orientales[4]. Pourtant, disons-le nettement,
reconnaître cette importance, avérée, ne réduit en
rien les souffrances imputables à la traite par l'At-

lantique. De ce point de vue, il ne saurait y avoir de challenge entre les deux.

De nombreux facteurs ont également contribué à atténuer considérablement la « visibilité » et par là même l'ampleur apparente des traites orientales. Certains tiennent à l'histoire. La colonisation de l'Afrique noire par l'Europe ayant suivi (d'un petit demi-siècle quand même) la fin de la traite atlantique, traite atlantique et colonisation sont parfois assimilées, ce qui ne peut contribuer qu'à rendre les réalités négrières encore plus criantes. Inversement, parfois plus forte que celle de l'Europe, l'influence des pays d'Islam fut plus diffuse et parfois plus intériorisée. D'autres facteurs susceptibles de réduire la « visibilité » des traites orientales relèvent de leur structure même : le fait qu'elles se soient en partie déroulées à l'*intérieur* du continent africain (alors que les traites occidentales conduisirent au passage d'un continent à un autre), que les captifs aient parfois été incorporés à des caravanes acheminant d'autres produits, que le transport par voie de mer ait été (sinon inexistant) beaucoup moins flagrant que celui à destination des Amériques. À cette dilution plus grande des opérations de traite proprement dites (par rapport à la traite atlantique) s'ajoute la dispersion des captifs au sein de vastes territoires. Pour Janet J. Ewald, « cette traite plus diffuse » correspond aussi à un « savoir plus diffus ». « Il nous semble beaucoup plus difficile de compter le nombre des esclaves exportés dans le monde islamique que celui vers les Amériques, poursuit-elle, en partie à cause de l'ancienneté et de la complexité de cette traite. » Mais, « surtout, l'esclavage n'a pas préoccupé les intellectuels musulmans au même titre qu'il a inquiété les penseurs européens et nord-américains des XVIIIe et XIXe siècles ». Sans compter que « le monde islamique n'a pas, au XXe siècle, produit un équivalent à celui des spécialistes afro-antillais ayant médité sur les liens traversant les trois continents dont ils sont les héritiers »[5].

Tout cela pour dire que l'histoire quantitative des traites orientales n'a vraiment débuté qu'à la fin des années 1970, dix ans après que le même processus a été lancé à propos des traites occidentales. Depuis, différents travaux sur l'histoire du monde musulman ont abordé cet aspect des choses, mais rares sont ceux à y avoir été entièrement consacrés. De plus, les données statistiques aujourd'hui disponibles sont plus fondées sur une mise en série critique de sources de seconde main que sur des données archivistiques. On doit procéder par recoupements, utiliser les données chiffrées concernant le nombre d'esclaves noirs incorporés dans les armées d'Afrique du Nord et du Moyen-Orient (soit une cinquantaine d'informations différentes, pour la période comprise entre les IXe et XIVe siècles), mettre à profit les récits du temps, ou bien encore établir des projections mathématiques, estimant le nombre d'arrivées annuelles de captifs en fonction de la quantité d'esclaves répertoriés dans certaines villes et de leur taux de mortalité supposé sur place. La marge d'erreur est donc sans aucun doute beaucoup plus grande que pour les statistiques concernant la traite par l'Atlantique. Ralph Austen, à qui nous sommes redevable d'une bonne partie de ce que nous savons sur le sujet, l'estime lui-même autour de 25 %. Ces remarques sous forme de réserve n'invalident cependant nullement l'intérêt des estimations dont nous disposons aujourd'hui. Sans cesse complétées et affinées par Ralph Austen, elles nous permettent d'avoir une idée des effectifs globaux d'Africains déportés à travers le Sahara, la mer Rouge et l'océan Indien, depuis le haut Moyen Âge, ainsi que des rythmes des traites orientales.

Elles indiquent que la marge est grande entre l'image de traites de faible importance et la réalité. Un peu plus de onze millions de captifs ont été déportés par l'ensemble des traites atlantiques. Selon Austen, près de dix-sept millions semblent l'avoir été par les différentes traites orientales, entre le VIIe siècle et les années 1920[6] :

Routes	Périodes	Ampleur (millions)	Moyenne annuelle (milliers)
Mer Rouge	650-1920	4,1	3,2
Côte swahili	650-1920	3,9	3,1
Transsaharienne	650-1910	9,0	7,1
Total		17	13,1

On met parfois en doute certaines données pourtant établies avec beaucoup de conscience et de rigueur à propos du nombre d'esclaves déportés par les traites occidentales, tout simplement parce que, en étant sans cesse mieux affinées, les estimations fantaisistes et souvent démesurées du passé ont été peu à peu ramenées à des ordres de grandeur plus réduits, bien que toujours effroyables. Il n'est donc pas inutile d'indiquer ici que ceux relativement importants auxquels on arrive désormais à propos des traites orientales ont, eux aussi, suivi le même mouvement. Les dix-sept millions de captifs dont a fait état Austen pour l'ensemble des traites orientales sont à mettre en relation avec les quatorze millions dont parlait Raymond Mauny en 1961 pour le seul trafic transsaharien, ou encore avec les douze à dix-neuf millions d'esclaves, qui, selon une étude de Tadeusz Lewicki datant de 1967, auraient transité par le seul marché égyptien durant le XVIᵉ siècle[7].

Les travaux modernes, grâce à Austen, permettent de penser que, dans le détail, 900 000 personnes auraient été déportées à travers le Sahara entre 1400 et 1600 710 000 entre 1601 et 1700, 715 000 entre 1701 et 1800 et 1 200 000 de 1801 à 1900 (mais on verra plus loin que Austen parle également parfois de 1,5 million de déportés pour la traite transsaharienne au XIXᵉ siècle). En incluant les périodes comprises entre le VIIᵉ et le XVᵉ siècle (autour de 3 800 000 déportés), on arrive à un peu plus de 7 300 000 personnes, auxquelles il faut encore ajouter 1 565 000, décédées au cours du voyage de traite, et 372 000 captifs n'ayant pas atteint l'Afrique du Nord car ayant été retenus en bordure du désert ou dans les oasis. On arrive ainsi à un total de 9 262 000 personnes. Les régions proches de la mer Rouge et de l'océan Indien auraient connu la déportation d'environ huit millions de personnes, dont peut-être plus du tiers au cours du XIXᵉ siècle. Comme l'écrivait Paul Bairoch, dans *Mythes et paradoxes de l'histoire économique*, « les plus grands marchands d'esclaves ne furent pas occidentaux[8] ».

Tentons maintenant de passer du stade des estimations globales à celui des rythmes de la traite orientale. On peut alors très grossièrement estimer qu'en moyenne un peu plus de 6 000 captifs par an ont été déportés entre le VIIᵉ et le XIVᵉ siècle (inclus). On serait passé à environ 5 690 personnes par an aux XVᵉ et XVIᵉ siècles. Et l'estimation serait de l'ordre de 8 960 au XVIIᵉ, de 9 040 au XVIIIᵉ, de

43 172 au XIXe siècle[9]. Il est clair qu'à ce niveau de généralisation seuls les ordres de grandeur sont à retenir. Ils permettent de distinguer trois temps. Le premier, jusqu'au XVIe siècle, est celui de débuts remarquables à la fois par la faiblesse relative du nombre de départs annuels et par la régularité de la ponction exercée. Les XVIIe et XVIIIe siècles correspondent à un premier et sensible accroissement du trafic. Le dernier temps correspond au XIXe siècle, époque à laquelle on assiste à une véritable explosion du trafic.

Phases et configurations

Suivant François Renault[10], analysons plus en détail ces différentes phases. Les premiers siècles consécutifs à la conquête musulmane virent la traite orientale véritablement décoller. Les grands axes se déplacèrent d'abord au rythme de l'expansion musulmane. Le premier fut constitué par la vallée du Nil et, secondairement, par la ligne Kanem-Fezzan. Une importante révolte d'esclaves noirs en Mésopotamie semble avoir conduit, au Xe siècle, à une baisse du trafic sur la vallée du Nil. En revanche, les deux siècles suivants furent pour la traite une période d'intense activité, de l'Atlantique à la mer Rouge. Elle profita sans doute aux routes occidentales, lesquelles, fréquentées depuis le VIIIe siècle, commencèrent à prendre de l'importance. Les données sur la traite orientale des XIIIe et XIVe siècles sont assez maigres. Le monde musulman subit alors une série d'épreuves : essoufflement de la production d'or au nord de la Nubie, incursions mongoles, raids de Tamerlan. On peut donc supposer que, toujours notables, les flux négriers furent en baisse par rapport à la période précédente. Des rafles massives effectuées dans les États nubiens qui étaient affaiblis au XIIIe siècle, ainsi que l'établissement d'une liaison directe avec l'empire du Mali, sur la boucle du Niger, firent sans doute de l'Égypte le principal foyer d'importation d'esclaves, à une époque où le Maroc n'en recevait peut-être pas plus de quelques centaines par an.

Nouveau bouleversement au cours des XVe et XVIe siècles, avec une reprise des exportations vers l'Asie, c'est-à-dire l'Inde, la Malaisie et l'Insulinde. Des sources plus abondantes indiquent pour cette période une forte activité négrière. C'est que la conquête ottomane conduisait à l'intégration de l'Égypte dans un grand empire étendu aux régences d'Afrique du Nord, au moment où les progrès de la canne à sucre et où les menaces portugaises augmentaient les besoins du Maroc en travailleurs et en soldats. Parallèlement, privée de ses « esclavons » du pourtour de la mer Noire, du fait de la prise de Constantinople par les Turcs (1453), l'Europe méridionale se tournait vers le marché africain. À une demande accrue répondit une offre plus abondante, dans l'empire de Gao, les États haoussa et le Bornou, c'est-à-dire dans les régions comprises entre le fleuve Niger et le lac Tchad.

Pour le XVIIe siècle, les sources sont peu nombreuses. Une baisse a pu se manifester dans certaines régions. Elle serait plus imputable à un déclin de la demande (plantations marocaines ruinées par l'essor des Antilles) qu'à la concurrence de la traite atlantique. Mais il est impossible d'en déterminer la proportion, et les rythmes ont pu augmenter ailleurs. Les données des consulats européens concernant les « États barbaresques » (Maghreb) et l'Égypte sont assez inégales pour le xviiie siècle. Une évolution du trafic peut être esquissée pour la Libye, mais pas vraiment pour l'Égypte. On sait en revanche que l'itinéraire occidental fut constamment l'objet de soins de la part des souverains du Maroc, et qu'à partir de 1765 le nouveau port de Mogador (Essaouira) devint le principal débouché maritime des caravanes du Sud. La région du Fezzan, qui jouait un rôle d'entrepôt dans le commerce des esclaves depuis le Moyen Âge, semble également avoir accru son rôle à partir du xviiie siècle, à moins que celui-ci ne soit seulement devenu alors plus visible qu'auparavant, comme le souligne prudemment Austen.

Les informations relatives à la traite dans les régions de la Corne de l'Afrique et de l'océan Indien sont encore plus impressionnistes. Elles ne permettent la réalisation d'aucune esquisse évolutive. Une chose cependant est sûre : le fait que le commerce des esclaves constitua à l'époque médiévale l'une des activités principales des marchands du Yémen et du golfe Persique. Dans sa *Géographie*, Edrisi nous apprend que Zabid, la seconde ville en importance du Yémen, était au xiie siècle très peuplée et très opulente, du fait de son commerce. Or le seul produit d'importation qu'il y mentionne est représenté par les captifs noirs amenés là par les Abyssins. À propos des cités côtières d'Afrique orientale, où l'essor de la traite remonte aux viie-xe siècles, on peut penser que la prospérité des xive et xve siècles a certainement dû accentuer encore les flux de traite.

Au xixe siècle, alors que la traite atlantique disparaissait progressivement, les traites orientales prirent une ampleur considérable, drainant entre 4,5 et 6,2 millions de personnes hors de l'Afrique noire continentale[11]. Ralph Austen indique qu'au moins 1,5 million de captifs traversèrent le Sahara[12] (chiffre auquel il faut ajouter ceux ayant été retenus dans les oasis du désert), et que le taux de mortalité sur la route vers la Libye (autour de 20 %) était beaucoup plus élevé que celui sur la voie occidentale joignant le Maroc (autour de 6 %). Il y avait quatre principales routes de la traite transsaharienne : celle partant d'Afrique occidentale (avec Tombouctou pour grand centre), celle du Ouadaï, celle du pays Haoussa et celle du Bornou. Les deux dernières semblent avoir dominé. Le financement de la traite centre-saharienne était alors sans doute le fait de marchands arabes d'Afrique du Nord, à partir de la place de Ghadamès (au sud de la Libye), tandis que la traite entre le Ouadaï et Benghazi était en partie alimentée par le capital de la confrérie senousis. Cependant, note William Gervase Clarence-Smith, « le degré d'implication des Arméniens, des Grecs, des Juifs et des firmes commerciales du cœur de l'empire demeure complètement incertain[13] ». À ce bilan global, des nuances régionales doivent être apportées.

En Afrique occidentale, les djihads produisirent au moins 1,2 million de captifs au cours du siècle. Mais, sur les pistes du Sahara occidental, la traite était en déclin. Selon Renault, le Maroc aurait reçu 7 000 à 8 000 captifs par an à la fin du XVIIIᵉ siècle. Cinquante ans plus tard, leur nombre aurait baissé pour s'établir autour de 3 500 à 4 000, la chute s'accentuant au cours de la seconde moitié du XIXᵉ siècle, du fait du déclin du trafic caravanier durement concurrencé par les progrès du transport maritime. Les arrivées n'auraient sans doute pas dépassé le cap des 500 personnes par an au cours des années 1880, diminuant ensuite, sans disparaître totalement. Quelque peu marginalisées, du fait de leur position excentrée par rapport aux principales routes transsahariennes, l'Algérie et la Tunisie apparaîtraient alors comme des centres importateurs encore moins importants. La population servile totale de la première est estimée à 18 000 personnes en 1848, celle de la seconde à 30 000. Si la hiérarchie entre les États du Maghreb ainsi établie par Renault correspond aux données établies par Austen, il n'en pas va de même des estimations chiffrées. À la différence de Renault[14], Austen constate en effet une augmentation importante des arrivées au Maroc au cours des dernières décennies du XIXe siècle. Voici ses données (les arrivées sont calculées en moyennes annuelles, le total est indiqué entre parenthèses)[15] :

	Algérie			Tunisie			Maroc	
1700-1839	500	(70 000)	1700-1799	800	(80 000)	1700-1810	2 000	(220 000)
1840-1879	700	(21 000)	1800-1849	700	(35 000)	1811-1840	3 000	(90 000)
1880-1900	500	(10 000)	1850-1899	200	(10 000)	1841-1875	2 000	(70 000)
1876-1895	5 000	(100 000)						
sous-total		(101 000)			(125 000)			(480 000)
Total*		(110 000)			(144 000)			(509 900)

(* en incluant le taux de mortalité lors de la traversée du désert : 6 % pour le Maroc, 10 % pour l'Algérie et 15 % pour la Tunisie)

Daniel J. Shroeter apporte à ce tableau un correctif à la hausse. Pour lui, 3 500 à 4 000 esclaves auraient été importés annuellement au Maroc entre 1840 et 1856. Le trafic aurait ensuite décliné (avec des arrivées de l'ordre de 500 personnes par an), pour redémarrer dans les années 1865-1870 (3 000 à 4 000 par an) et s'accroître encore dans les années 1870-1894 (4 000 à 7 000 esclaves par an)[16]. Il est, dans les circonstances présentes, impossible de trancher entre ces diverses estimations, d'autant plus, que, comme le souligne Shroeter, de nombreux captifs étaient en fait absorbés par la région du Sous et dans le Sahara occidental. Par ailleurs, l'écart entre Austen et Renault apparaît plus au niveau de la répartition par décennies qu'à celui des effectifs globaux[17].

Plus à l'est, le Fezzan était en relation avec Tombouctou (d'où partirent peut-être 1 000 à 2 000 captifs par an pendant la majeure partie du siècle), le Bornou, l'oasis Ghat et le Haoussa. Le Fezzan joua le rôle d'une véritable plaque tournante, alimentant en captifs l'ensemble de la Tripolitaine. Dix mille Noirs arrivaient encore à Tripoli en 1865, 2 000 à 3 000 en 1869[18].

Différente était la situation des régions du bassin du Nil. Selon François Renault, au XVIIIᵉ siècle, l'Égypte devait recevoir annuellement 5 000 à 6 000 esclaves noirs du Darfour, 1 500 (« sauf une période d'éclipse ») du Sennaar et quelques centaines du Fezzan[19]. La moitié était destinée au Caire, les autres étant réexportés vers la Turquie. Dès 1820, souhaitant se constituer une armée de soldats noirs et entrer en relation avec les régions riches en éléphants (et donc en ivoire) du haut Nil, Méhémet-Ali, pacha d'Égypte, décidait de conquérir le Soudan. L'ivoire se faisant rapidement rare, à la suite d'une surexploitation, les traitants prirent l'habitude de pénétrer toujours plus en avant, dans des régions jusque-là isolées, razziant des captifs afin de rémunérer leurs hommes. Dès le début de la seconde moitié du XIXe siècle, jouant des rivalités locales, ils se sont érigés en véritables potentats. À l'ouest du Nil, dans la région du Bahr el-Ghazal, leurs commis fondaient leur pouvoir sur le contrôle d'une série de points fortifiés, les *zeribas*. À la fois bases de départ pour les raids esclavagistes, lieux de vie, entrepôts pour les marchandises et marchés ouverts aux commerçants arabes qui les ravitaillaient, ils permettaient de contrôler, d'exploiter et de ruiner d'immenses territoires. Ici, le trafic connut son apogée de 1886 à 1900, lorsque Rabah dominait la région s'étendant du Bornou au Bahr el-Ghazal. Un peu plus à l'ouest, au Dar-Fertitt, le relief étant plus favorable à la pénétration, les grands négociants n'hésitaient pas à résider sur place, dans des palais fortifiés au faste oriental, les *dems*. Partout, une partie des captifs étaient utilisés localement, comme domestiques, concubines, soldats, porteurs, ou ouvriers agricoles dans les plantations nécessaires à l'alimentation des populations vivant sur place. Les autres étaient dirigés vers le nord, en Égypte et en Cyrénaïque, et surtout vers l'est, c'est-à-dire la mer Rouge et l'Arabie. Au total, deux millions de captifs furent sans doute ainsi exportés au cours du siècle. La moitié d'entre eux étaient originaires du bassin du haut Nil et du massif éthiopien. Un quart, au moins, aurait traversé le Sahara. Le Bornou et le califat de Sokoto en exportaient entre 3 000 et 6 000 par an, et le Soudan environ 30 000, autour de 1867. Sous Méhémet-Ali (pacha d'Égypte entre 1805 et 1848), l'Égypte aurait reçu à elle seule 10 000 à 12 000 captifs par an. Souvent niée, plusieurs fois interdite, la pratique des razzias d'État s'est maintenue, note Gérard Prunier, jusque dans les années 1860[20]. À cela il faut ajouter les circuits de traite interne et les raids privés. Dopés par la guerre de Sécession qui, faisant flamber les prix du coton, stimula la production égyptienne (et donc la demande en main-d'œuvre), la chasse aux captifs faisait théoriquement l'objet d'un commerce libre. Mais il fut vite monopolisé par les Égyptiens, les Nubiens et les Syriens[21].

L'Afrique centre-orientale (de l'océan Indien à l'intérieur du continent et de l'Oubangui au lac Nyassa) connut également une très forte expansion du trafic négrier, notamment après 1840 et l'installation définitive à Zanzibar de Saïd, dirigeant de Mascate. Un schéma identique se répéta maintes fois, poussant des traitants (Arabes, Swahilis ou Africains islamisés) à ouvrir des routes vers l'intérieur, à créer des stations fixes ou temporaires, et à attirer ainsi des aventuriers en tout genre. Ce scénario souvent reproduit eut pour résultat la mise à sac de régions entières, jusqu'aux Grands Lacs d'abord, puis bien au-delà, le fleuve Congo constituant une voie naturelle de pénétration. Renault note que les raids pouvaient durer une année ou deux, parfois plus. Lorsque les traitants « atteignaient une région suffisamment prometteuse, ils établissaient des stations temporaires, bases pour leurs mouvements et lieux pour emmagasiner le butin obtenu. Après avoir pillé la zone voisine, les installations étaient abandonnées, et ils allaient plus loin ». Tout cela alimenta une très importante traite interne qu'il est difficile de quantifier[22], et qui était liée à un non moins important trafic d'armes à feu. Pour prendre conscience de l'ampleur du phénomène, il suffira de dire que les « surplus » destinés à l'exportation à partir de cette région constituèrent une population d'un million et demi de captifs. Du port de Kilwa jusqu'aux îles de Zanzibar et Pemba, le transport s'effectuait à bord de voiliers de faible tonnage, les *dhows*, sur lesquels les esclaves étaient, comme on l'a vu, entassés les uns sur les autres, selon des modalités pratiquement jamais approchées par la traite atlantique. Une grande partie des survivants étaient destinés aux plantations de girofliers pour lesquelles les deux îles disposaient alors d'un quasi-monopole mondial. D'autres étaient réexportés vers la péninsule Arabique. Un petit nombre de captifs partaient également pour le Brésil et les Mascareignes.

Scenarii

On voit ainsi que de grandes mutations ont affecté, au XIXe siècle, l'ensemble des traites orientales. Ces changements ont été remarqués à propos des flux de captifs, mais ils ont aussi fait évoluer la hiérarchie des centres d'importation et d'exportation d'esclaves. Tout cela est à mettre en rapport avec l'évolution des économies et des sociétés des régions concernées. En annexant la Crimée en 1783, puis en mettant la main sur les pays du Caucase, entre 1801 et 1828, la Russie ferma tout d'abord au monde musulman les portes de vastes régions au sein desquelles il était depuis des siècles habitué à puiser des esclaves. Subitement, comme le note Bernard Lewis, le monde islamique n'avait plus guère de moyens de se procurer des captifs blancs[23]. La portée de ce facteur est cependant contestable. Erdem indique en effet que le recul des arrivées d'esclaves blancs est plus ancien, et qu'il remonterait même au XVIIᵉ siècle, au moment où l'expansion territoriale de l'empire était largement terminée. De plus, les esclaves en provenance du Caucase avaient jusque-là toujours été acquis en quantités modestes, servant surtout de soldats et de concubines. Plus important encore, « la fourniture d'esclaves blancs ne fut pas arrêtée par l'occupation russe ». D'autres raisons doivent donc être invoquées afin de comprendre l'essor des traites orientales au XIXᵉ siècle. Pour Erdem, elles seraient essentiellement techniques, « allant de l'établissement d'un meilleur accès aux zones de recrutement d'esclaves » (l'occupation égyptienne du Soudan, en 1820-1822, et la réoccupation de Tripoli, en 1835) « jusqu'à l'amélioration des moyens de transport » (« l'ouverture du canal de Suez, en 1869, et l'établissement de lignes de vapeurs régulières avec les Yémen et le Hijaz, entraînèrent une grande amélioration des routes terrestres et rendirent plus facile la réexportation des esclaves à partir des provinces arabes vers le cœur de l'empire »)[24]. Parallèlement, des transformations décisives se faisaient jour en Afrique, facilitant et transformant tout à la fois la traite des Noirs.

Dans sa partie occidentale, la bande sahélo-soudanienne était alors soumise à un processus de désertification ancien, mais dont les conséquences étaient devenues majeures[25]. Désormais encore plus dépendants des céréales fournies par les paysans noirs, les nomades du Nord furent de plus en plus tentés d'intervenir dans leurs affaires. Sans compter

les nombreux djihads qui secouèrent l'Afrique noire
occidentale, depuis la fin du XVIIᵉ siècle jusqu'à celle
du XIXᵉ, d'Ousman dan Fodio à Samori. Au sel venant traditionnellement du Nord s'ajouta une demande renforcée en chevaux de guerre, car il devenait plus facile de les utiliser dans les savanes
septentrionales, du fait de la désertification, et donc
du déclin de la trypanosomiase. Le petit poney de
Sénégambie étant impropre à la guerre, les États
wolofs côtiers et ceux de la région du fleuve Niger
importèrent un grand nombre de chevaux arabes et
maghrébins. Le Kajoor aurait compté cinq mille à
dix mille cavaliers au début du XIXᵉ siècle (ce qui représente plus qu'un doublement en une trentaine
d'années), et le Waalo deux mille[26]. La demande
était plus forte encore sur le Niger, où un bon cheval valait entre dix et trente captifs au cours des
premières décennies du siècle. Ces importations
s'étalèrent sur l'ensemble du siècle, jusqu'à ce que
l'élevage local prenne le relais. Elles furent en partie
acquittées par des captifs noirs. Souvent d'origine
arabe, les guerriers hassanis raflaient des paysans
noirs au sud du Sénégal et sur les bords du Niger.
Commerçants et propagateurs de l'islam, les Zwaya
(qui étaient plutôt d'ascendance berbère) jouaient
un rôle dans le trafic négrier et les guerres des marabouts. Plus loin, sur la boucle du Niger, Berbères
et Bédouins fournissaient sel, chevaux et armes aux
leaders des djihads peuls ; le tout contre des céréales et des esclaves, notamment à l'époque d'El-Hadj
Omar, au milieu du siècle. Au XIXᵉ siècle, l'esclavage
se développa donc de manière considérable dans les
régions sahéliennes. Il en alla sans doute de même
pour les oasis du désert, où le taux de rétention des
captifs s'accrut de façon tangible. On considère

trop fréquemment le Sahara et sa frange méridionale comme une simple zone de contact entre l'Afrique du Nord et l'Afrique dite noire, alors que des économies et des sociétés spécifiques aux régions du désert et de sa bordure jouèrent un rôle non négligeable dans la configuration de la traite transsaharienne[27].

Au Soudan central, c'est une formation d'origine arabo-berbère, la confrérie senoussiste, qui joua un rôle essentiel[28]. D'origine berbéro-saharienne, son fondateur était un soufiste, Es-Senoussi (ou Muhammad ibn 'Ali al-Sanusi, 1787-1859). Il contrôlait un mouvement dominé par des arabophones, à la fois religieux (comme pour les djihads de l'Ouest africain), politique et économique. La doctrine insistait sur le travail et sur une piété rigoriste. Mais une réforme essentielle, consistant à autoriser l'asservissement des musulmans, eut pour résultat un fort accroissement du commerce négrier. Organisée à partir de 1837, et partie de la Cyrénaïque, la confrérie dut ensuite essaimer vers le sud, en raison de la présence française en Algérie et de l'abolition de l'esclavage au Maghreb. Elle poussa depuis les grandes oasis jusqu'au cœur du Sahara, touchant le Touat vers 1855-1860, puis Koufra, et ensuite le Bornou. Sa piste fut jalonnée de petites principautés autonomes dépendantes de l'agriculture d'oasis et du commerce, notamment négrier. À son apogée, la confrérie couvrait le Sahara central et oriental, des abords du Nil aux Ajjer, et du Sud tunisien au lac Tchad. Ghadamès, au sud de la Libye, joua également un rôle important, en finançant en partie cette traite saharienne centrale. Elle fut facilitée par un système de crédit et de lettres de change efficace. Elle était également éloignée du Maghreb et de l'Égypte, où l'influence européenne pouvait s'exercer un peu plus facilement. D'où son intérêt et son essor.

Le Hedjaz, lié au marché de La Mecque, connut également un grand essor, car les lois ottomanes limitant ou interdisant la traite n'y étaient pas applicables. Importés par voie maritime, les esclaves étaient ensuite envoyés à partir de là vers le nord ou bien vers l'Égypte. On a vu précédemment comment, à partir du sud de l'Égypte, une autre voie permettait de se fournir en captifs. Cette route, la plus ancienne de toutes, se déployait vers les régions situées plus au sud du Nil. Elle ne fut que temporairement coupée au XIXe siècle : d'abord à la fin des années 1870, puis après 1896-1898, du fait des initiatives anglo-égyptiennes.

En Afrique orientale, trois raisons expliquent l'accroissement de la traite au XIXe siècle. L'augmentation de la demande française et brésilienne en captifs pour les plantations des Mascareignes fut réelle, mais porta, du côté français, sur des effectifs limités. La demande malgache en captifs (qui en exportait aussi)[29] et les conflits internes à la région furent beaucoup plus déterminants. Les guerres mfecanes débutèrent en 1816, avec l'accession au pouvoir de Shaka, en pays zoulou. Elles se soldèrent par de nombreuses migrations de groupes guerriers, à partir de l'Afrique du Sud jusqu'au Mozambique. Chacun de ces groupes (mais surtout ceux des Ngoni et des Shangaan) faisait de très nombreux captifs qui étaient expédiés vers la côte. Un dernier facteur d'expansion de la traite vint de l'étroitesse des liens entretenus entre l'Oman, Zanzibar et la région du Gujerat, en Inde. En 1820, Seyyid Saïd (1804-1856) accédait au trône de l'émirat d'Oman. Aussitôt, il entreprit de développer ses relations avec sa colonie de Zanzibar, où il s'installa définitivement en 1840, en faisant ainsi sa capitale. Un grand empire commercial se déploya alors, fondé sur l'agriculture de plantation (clous de girofle, grains) et sur l'exportation de l'ivoire. Cet empire dépendait à la fois de ses relations avec l'Afrique orientale et avec l'Inde. Mais voyons cela plus en détail.

Selon l'explorateur Baker, l'Afrique orientale des années 1860 ne connaissait que deux articles d'exportation : l'esclave et l'ivoire. Ce n'est pas un hasard. Anciens, les liens entre les deux trafics s'étaient en effet considérablement renforcés, sous l'effet de la progression d'une double demande. Celle des captifs venait essentiellement de Zanzibar et de Pemba. Celle de l'ivoire, forte en Europe, était également en rapide expansion en Asie, et notamment en Inde, qui était alors, selon William Gervase Clarence-Smith, le principal foyer d'importation de ce produit. Signe de l'interaction entre les différents trafics d'Afrique orientale, les captifs que les sultans de Zanzibar utilisaient étaient chargés d'ivoire, des Grands Lacs jusqu'à Kilwa ou Bagamoyo, sur la côte. L'ivoire était ensuite vendu avec les porteurs, dont le produit permettait d'augmenter les profits et d'économiser sur les frais de retour. Entre l'océan Indien et l'intérieur de l'Afrique orientale, les routes de la traite prirent donc une importance inaccoutumée au XIXe siècle.

L'essor du trafic incitait certaines populations de l'intérieur à se reconvertir. À Senna, grand site de traite, Livingstone nota que les marchands envoyaient les esclaves chasser l'éléphant et acheter l'ivoire aux populations alentour[30]. Les Nyamwezi vivaient autour de Tabora, à mi-chemin entre la côte et le lac Tanganyika où se trouvait le grand marché d'esclaves d'Ujiji. En 1858, Speke et Burton notaient qu'ils « considèrent le portage comme une preuve de virilité » et qu'on les voit, « dès l'âge le plus tendre, se charger d'un petit morceau d'ivoire ». Pendant ce temps, des esclaves cultivaient leurs champs. Chez les Yao, agriculteurs et chasseurs d'éléphants islamisés, les femmes ont peu à peu remplacé leurs maris aux champs. Pouvant dès lors s'absenter plus longuement, ces derniers se mirent dès le milieu du xviiie siècle à conduire des caravanes d'esclaves et d'ivoire jusqu'aux abords de Kilwa et de Lindi, lieux à partir desquels il les revendaient aux marchands arabes. À Tete, dans le Mozambique tenu par les Portugais, les officiers, écrivait Livingstone en 1858, s'arrangent de manière à épouser les filles ou les veuves de riches négociants et ils font le commerce d'ivoire au moyen des esclaves qu'ils ont acquis de la sorte. Lourde de conséquences est également la poussée zouloue au sud du Limpopo. Fuyant Shaka (le « Napoléon zoulou »), le clan shagana, de langue ngoni, pénétra au Mozambique. Les guerriers ngoni essaimèrent ensuite vers le nord et l'ouest, ravitaillant les réseaux de traite d'esclaves.

Les liens étaient donc forts entre la traite et les autres grands trafics de la région, comme entre les différents groupes humains habitant ou étant en relation avec la région. Aux Africains, aux Arabes et aux rares Européens, il faut aussi ajouter le monde indien, qui ne se contentait pas simplement d'importer de l'ivoire. Dès le xviiie siècle, à partir de l'île de Mozambique, la communauté Hindu Vania (Banians), du Gujerat, dominait une large partie du commerce de la côte swahili. À partir de Mocha, elle jouait également un grand rôle dans les régions du sud de la mer Rouge et du golfe d'Aden. De ce fait, elle entrait en compétition avec les Arabes omanais et hadhrami, les Sindhi Hindus et les Cairene Maghribi. Le siècle suivant vit l'ascension des Indiens Kutchi, également issus du Gujerat, tandis que les Ibadites omanais devenaient leurs principaux compétiteurs. La traite, comme les autres commerces de ces régions, dépendait donc des liens sans cesse renégociés entre ces groupes, divers par leurs origines géographiques, mais aux intérêts étroitement imbriqués et souvent de confession musulmane.

La traite était largement financée par les Indiens. On sait en effet qu'en 1873 la moitié du trafic négrier zanzibarite dépendait d'eux, et qu'ils contrôlaient financièrement la presque totalité du trafic du Mozambique au cours des années 1840. Sujets d'une Angleterre largement engagée dans le combat abolitionniste, les Indiens ne voyaient aucun problème à abandonner la pratique effective de la traite aux Arabes. Ces derniers, comme on l'a vu plus haut, se déchargeaient à leur tour partiellement des opérations de capture sur les Africains de la région. Celles concernant l'intérieur de l'Est africain étaient ainsi regardées comme une chasse gardée des Omanais, alors que le commerce maritime des esclaves dans l'océan Indien était partagé entre Omanais et Hadhrami, ces derniers opérant à partir de leurs bases dans les Comores. De la même façon, en partie dépendantes du capital indien, les plantations esclavagistes de la région étaient une spécialité arabe. Insistant sur la multiplicité des interactions en jeu dans l'Afrique orientale du XIXe siècle, Clarence-Smith note que la traite y fut la conséquence à la fois de l'expansion des empires égyptien, éthiopien et omanais, ainsi que des guerres africaines, mais qu'en dernière analyse les traites d'exportations étaient « en de nombreuses manières un simple sous-produit d'un trafic intérieur florissant[31] ».

TRAITES OCCIDENTALES

Le « jeu des nombres »

Il a fallu attendre 1969 et la publication du fameux *The Atlantic Slave Trade. A Census*, de Philip D. Curtin[32], pour que l'histoire quantitative de la traite par l'Atlantique sorte véritablement des brumes de l'imaginaire. Ce que les historiens anglo-saxons appellent le « jeu des nombres » débutait alors. Pour la première fois, les travaux portant sur la question étaient passés au crible de l'analyse critique historique. L'étude de Curtin venait à un moment où l'histoire de la traite des Noirs prenait son envol. C'était également l'époque où la *New Economic History* commençait à s'affirmer dans le monde anglo-saxon. Une histoire empruntant à l'économétrie qui a, de suite, trouvé dans la traite par l'Atlantique un formidable levier. Les résultats du *Census*, de Curtin, ont donc été immédiatement à l'origine de vastes débats, contribuant à impulser de très nombreuses recherches. En 1999, un CD-Rom était publié, recensant 27 233 expéditions négrières réalisées entre 1595 et 1866[33]. Reprises et commentées par Herbert S. Klein, dans un livre sorti la même année, complétées par David Eltis, dans un article paru en 2001, ces données seront encore affinées, lors de la publication d'un nouveau *Census*, annoncée par Stephen Behrendt, David Eltis et David Richardson. Tout cela fait du trafic atlantique la traite aujourd'hui la mieux connue, d'un point de vue statistique. Aucune autre migration humaine de l'histoire — forcée ou non — n'a sans doute été étudiée avec un tel luxe de détails.

Il n'y a certes pas d'accord total sur les chiffres. Ainsi, bien qu'ayant révisé ses estimations à la baisse, Joseph Inikori[34] indiquait, en 2002, qu'environ 12 700 000 Africains avaient été déportés à travers l'Atlantique. Cependant, un consensus assez général se dessine, confirmant les analyses d'ensemble de Curtin quant au volume global de la traite, tout en les nuançant dans le détail, c'est-à-dire dans ses rythmes. Selon lui, 9,5 millions d'Africains auraient été introduits dans les différentes colonies du Nouveau Monde et, compte tenu de la mortalité au cours du *middle passage*, 11 millions, environ, seraient partis d'Afrique. Lors d'un colloque tenu à Nantes en 1985, Catherine Coquery-Vidrovitch annonçait que 11 698 000 Africains auraient été déportés, ajoutant par ailleurs que ce que l'on sait sur l'état des marines européennes de l'époque moderne ne permet guère de penser que ce chiffre aurait pu être dépassé. En 2001, Eltis arrivait à un total de 11 062 000 déportés et de 9 599 000 esclaves introduits dans les Amériques, entre 1519 et 1867[35]. Ce sont ces dernières données que j'utiliserai ici. Elles ont été élaborées à partir de sources de première main extrêmement variées, puisées dans les trois continents ayant été impliqués par la traite par l'Atlantique.

Rythmes et configurations

ÉLÉMENTS DE PÉRIODISATION

Ce n'est qu'avec l'essor de l'économie de plantation américaine que la traite négrière, commerce spécialisé, s'est véritablement substituée à un commerce plus diversifié entre l'Afrique et l'Occident. Pendant deux siècles (vers 1440-1640/1660), les Européens venant accoster sur les côtes d'Afrique en profitaient surtout pour acheter de l'or, de l'ivoire, de la malaguette (poivre) et d'autres produits. Ils amenaient en échange des animaux sur pied (chevaux, chèvres, porcs, vaches), des agrumes, de la nourriture, des textiles, voire des esclaves. Les Portugais ont ainsi vendu des captifs noirs aux Africains de la Côte-de-l'Or, environ 30 000 entre 1482 et le milieu du XVIIe siècle.

Les données statistiques maintenant fiables dont on dispose sont résumées dans le tableau ci-contre. On y remarque aisément trois périodes. La première débute vers 1519, avec les premières expéditions répertoriées, et s'achève au cours du dernier quart du XVIIe siècle. Elle conduit à la déportation d'environ un million de personnes. Les moyennes annuelles encore faibles, ainsi que la croissance heurtée et fragile du trafic indiquent que celui-ci est alors dans sa phase de structuration. La deuxième période, entre 1676 et 1800, se caractérise par la croissance, certes irrégulière, mais absolument constante, de la traite. Elle concerne plus de 6,6 millions de captifs. La dernière époque (1801-1867) correspond au lent déclin du trafic négrier, et au départ de plus de 3 400 000 personnes.

Rythmes de la traite par l'Atlantique

Périodes	Nombre total d'esclaves embarqués en Afrique (en milliers)
1519-1600	266
1601-1650	503,5
1651-1675	239,8
1676-1700	509,5
1701-1725	958,6
1726-1750	1311,3
1751-1775	1905,2
1776-1800	1921,1
1801-1825	1610,6
1826-1850	1604,5
1851-1867	231,7
Total	11061,8

Établi en fonction des grandes phases ainsi définies, le tableau ci-dessous permet de relever les constantes et les changements concernant les régions d'arrivée des esclaves de la traite atlantique. Au cours de la première période, l'Amérique espagnole continentale et le Brésil dominent largement. Lors de la deuxième, les Antilles s'affirment véritablement, mais le Brésil demeure toujours une grande région d'importation. Enfin, au XIX\ :sup\`e\` siècle, ce dernier fait pratiquement cavalier seul, devant les Antilles espagnoles (et notamment Cuba).

Principales régions d'arrivée des esclaves

	Brésil	Ant. britanniques	Ant. françaises	Am. britannique continentale	Am. espagnole continentale	Ant. espagnoles	Ant. néerlandaises	Guya.	Total
1519-1675	273,1	117,7	8,5	2,3	339,3	0	40,8	8,2	789,93
1676-1800	1854,3	1990,5	1005,9	285,3	64,9	73,6	88,9	318,9	5682,3
1801-1867	1774,8	130	78,3	73,4	26,2	718,3	0	76,6	2877,6
Total	3902,2	2238,2	1092,7	361	430,4	791,9	129,7	403,7	9349,83

Ant. = Antilles ; Am. = Amérique ; Guya. = Guyanes.

Quant aux transporteurs, le Portugal et l'Angleterre dominent la première période, les Anglais, les Portugais et les Français la deuxième, les « Portugais » (et/ou Brésiliens) la dernière :

1519-1675 : nombre total d'esclaves transportés (en milliers) 1009,4. Répartition : Portugais 757,3 ; Anglais 140,2 ; Français 5,9 ; Hollandais 105,8 ; Espagnols 0 ; actuels États-Unis 0, Danois 0,2.

1676-1800 (total : 6 606), respectivement : 2044,1 ; 2715 ; 1135,3 ; 419,6 ; 9,6 ; 198,9 ; 83,5.

1801-1867 (total : 3 447). respectivement : 2273,5 ; 257 ; 315,2 ; 2,3 ; 507,4 ; 81,1 ; 10,5.

Les éléments d'une première périodisation étant présentés, tentons maintenant une incursion au sein de chacune de nos trois grandes phases, afin d'essayer d'en démonter les mécanismes.

PHASE I

La première phase de la traite atlantique, celle pendant laquelle elle s'est peu a peu structurée, a vu les Ibériques jouer un rôle majeur. Ayant largement contribué à son lancement, ils se sont ensuite en grande partie retirés du trafic. En perte de vitesse au XVIIIᵉ siècle (bien que les Portugais occupent alors une place non négligeable), ils ne reparurent vraiment au premier plan qu'au siècle suivant. Comment expliquer ce rôle d'avant-garde puis ce déclin précoce ?

Tout d'abord, si les Ibériques furent d'abord en tête, c'est qu'ils furent, tout simplement, les premiers, et quasiment les seuls, à disposer de vastes empires coloniaux, tandis que les autres nations européennes mirent assez longtemps à s'impliquer dans le commerce colonial. Or, sans colonies ni commerce colonial véritablement important, pourquoi s'intéresser à la traite ? Le partage du monde entre les puissances ibériques avait été officialisé par le pape (1494). Il ne fut au début que fort timidement contesté par les autres pays, trop accaparés par le règlement d'affaires intérieures. Entre 1562 et 1598, la France fut embourbée dans les guerres de Religion. La création de la Compagnie des Indes occidentales par Colbert, en 1664, ne changea pas grand-chose. La France ne se vit reconnaître officiellement la partie occidentale de l'île de Saint-Domingue qu'en 1697. Et il fallut attendre la fin de la guerre de Succession d'Espagne (1701-1713) pour que les projets de mise en valeur des possessions coloniales françaises l'emportent définitivement sur l'idée consistant à court-circuiter, par la course et la piraterie, les routes de l'or et de l'argent hispaniques. L'Angleterre d'Élisabeth s'était intéressée au monde colonial, envoyant ses « chiens de mer » au contact des Espagnols. Mais l'autoritarisme de Charles Iᵉʳ et, surtout, la guerre civile marquèrent un temps d'arrêt. Malgré les actes de navigation instaurés par Cromwell, en 1651, il fallut en fait attendre la Restauration, à partir de 1660, pour que le commerce colonial anglais commence à se développer. À l'exception des Provinces-Unies, nées d'une guerre les ayant opposées à l'Espagne, leur ancienne puissance tutélaire, les pays de l'Europe du Nord-Ouest n'entrèrent dans la compétition coloniale que peu à peu, et d'abord de manière informelle. C'est donc, pourrait-on dire, faute de compétiteurs, que les Ibériques exercèrent leur domination, pendant un temps.

Cependant, incapable de fournir à ses colonies le nombre de captifs nécessaires, l'Espagne fit vite appel à des concours extérieurs. Les premiers à en bénéficier furent les Flamands. Car si les Portugais fournirent d'abord des esclaves, c'étaient les Flamands qui avançaient les capitaux. Anvers était alors, après Lisbonne, la ville d'Europe où vivaient le plus grand nombre d'Africains. De là venaient les toiles et les objets de cuivre nécessaires à la traite. Les premiers financiers de la traite espagnole furent des Portugais (Haro, Rodriguez, Jiménez), des Flamands, comme Van Eckeren et Coymans, et des Italiens, comme Lemelin. Repris en 1532, l'*asiento* fut ensuite octroyé aux Génois (et à leur Compagnie des Grilles), aux Portugais, puis à la Compagnie française de Guinée, par le traité du 27 août 1701 ; ce qui précipita le déclenchement de la guerre de Succession d'Espagne. Le traité d'Utrecht y mit fin et transféra le privilège aux Anglais (jusqu'en 1759), notamment à la British South Sea Company. La situation évolua au cours de la seconde moitié du XVIIIe siècle, lorsque les Bourbons d'Espagne se mirent à encourager la culture de plantation dans leurs colonies, tentant de se passer d'intermédiaires pour les approvisionner en captifs. En 1755, une autorisation permit ainsi à la Compagnie de Barcelone de pratiquer la traite. Mais elle n'en fit pas vraiment usage, car trop de restrictions subsistaient. À la fin de son bail, en 1780, l'Espagne tenta de favoriser une traite nationale, sans grand succès. L'*asiento* fut considérablement assoupli (mais aboli seulement en 1817), ce qui conduisit à une liberté d'importation presque complète. Au Portugal, les choses changèrent avec l'arrivée au pouvoir de Pombal. Grâce au capital accumulé par la traite dans l'océan Indien et aux encouragements de l'État, un petit groupe d'armateurs se forma alors dans les ports mozambicains. Il s'adonna au commerce au long cours et à la traite pendant une vingtaine d'années. À Quelimane se déployait un autre groupe, qui pratiqua la traite jusqu'en 1830. En revanche, l'apparition de deux compagnies destinées à combattre la traite interlope alimentant le Brésil ne fut pas d'un grand effet. Nées en 1755 et 1759, elles disparurent en 1778 et 1787, sans avoir réussi à remplir leur mission. Fondés sur le principe du monopole mercantiliste et manquant de moyens, les efforts ibériques étaient rendus caducs par la concurrence du commerce libre.

Un troisième caractère est intéressant à noter, au cours de cette première phase, après le rôle majeur des Ibériques et la timide apparition de l'Europe du Nord-Ouest. Il s'agit des velléités manifestées par les puissances de la Baltique. On n'y insiste généralement guère, au vu de la faible place qu'occupèrent ces puissances dans la traite atlantique. Cependant, souvent handicapées par l'absence d'établissements coloniaux et ruinées par les grandes nations atlantiques, les tentatives menées par les États riverains de la mer du Nord et de la Baltique montrent que l'entreprise négrière et coloniale intéressait alors une bonne partie de l'Europe, que l'on s'affrontait pour pénétrer ce marché et y jouer un rôle.

Le Grand Électeur de Brandebourg réussit à maintenir quelques postes fixes sur les côtes d'Afrique, comme Axim jusqu'en 1716 ou Arguin jusqu'en 1721. Il fondit aussi une Compagnie dite « d'Afrique » (vers 1683) puis de Brandebourg et d'Emden, qui disparut en 1723. Entre 1688 et 1699, une douzaine de navires traitèrent ainsi environ 4 500 captifs. De son côté, Frédéric Ier, roi de Prusse, pensa dès 1711 à recruter des Africains pour son armée. En 1768, souhaitant rétablir la Compagnie d'Emden, Frédéric II proposa à la France une association qu'elle refusa. Aux Pays-Bas autrichiens, les premières tentatives privées se firent dans les années 1687-1688, s'accélérant ensuite entre 1718 et 1721. L'État tenta alors de les encourager, en créant la Compagnie impériale des Indes (1723). Mais, ne pouvant résister à la concurrence des compagnies brandebourgeoises et hollandaises, celle-ci fut suspendue en 1727 et abolie en 1732. Ensuite, c'est donc indirectement, en profitant du port libre d'Ostende (1781-1783) et de la neutralité du pavillon impérial que les Flamands organisèrent leurs campagnes négrières, en association avec des armateurs étrangers, notamment français et hollandais. En 1783, la révocation d'une bonne partie des facilités offertes en France aux navires négriers neutres annihila leurs tentatives. La traite flamande s'éteignit peu à peu, et les principales maisons de négoce négrier disparurent, par faillite ou anoblissement de leurs membres. Concernée par l'esclavage seule-

ment dans sa colonie de Saint-Barthélemy, entre
1784 et 1847, la Suède tenta d'entrer dans le commerce négrier antillais après la guerre de Trente
Ans (1618-1648). Elle s'appuya alors sur Stade, passée sous sa domination, et sur les capitaux des marchands hambourgeois. Mais ses opérations furent
arrêtées par la guerre avec le Danemark, puis par
les Hollandais. Également basés sur l'Elbe inférieur, les Danois débutèrent en 1640, à partir de la
forteresse de Glückstadt. Parvenant difficilement à
s'implanter sur les côtes africaines, ils concentrè-
rent leurs moyens à Copenhague, en 1671. L'année
suivante, ils occupaient l'île antillaise de Saint-Thomas. Selon Svend Green-Pedersen[36], la traite danoise déporta entre 53 000 et 86 000 captifs, de
1733 à 1802, sur plus de deux cents navires dont la
moitié furent armés après 1776. Dans le même
temps, 70 000 esclaves auraient transité dans les
Antilles danoises, ce qui montre que le centre de
gravité de cette traite était tout autant antillais
qu'africain, et qu'il prit un caractère multinational.

PHASE II

La deuxième phase de la traite atlantique fut
marquée par un essor prodigieux du trafic négrier,
dû essentiellement aux puissances de l'Europe atlantique du Nord-Ouest. Trois nations, surtout, firent de la traite une vaste entreprise commerciale :
les Provinces-Unies, l'Angleterre et la France.

La traite hollandaise[37] débuta en 1596. Une seule
expédition est vraiment renseignée en ce qui concerne les quinze années ayant suivi la fondation de
la W.I.C. (Compagnie des Indes occidentales), période pendant laquelle les corsaires hollandais ont

capturé et revendu environ 2 000 captifs. Les premiers sont arrivés en Nouvelle-Hollande, en 1623. Avec l'implantation hollandaise au Brésil et à Elmina, la traite a pris de l'importance. À la fin des années 1640, les flux étaient plutôt dirigés vers l'Amérique espagnole (vers le Río de la Plata après 1648, et surtout les Caraïbes), jusqu'à ce que la conquête de la Jamaïque (1655) interrompe le commerce espagnol, permettant ainsi à Curaçao (déclaré port franc en 1675) de devenir un important marché d'esclaves, pour les colonies espagnoles, mais également pour les îles françaises et pour la Jamaïque. Environ 25 000 captifs furent importés en Nouvelle-Hollande, entre 1635 et 1654. À cette époque, les Hollandais avaient acquis une position dominante dans le trafic négrier. Une position qui fut renforcée par l'*asiento* de 1662 (même si les Hollandais ne réussirent pas à remplir les termes du contrat, n'introduisant qu'environ 700 captifs par an à Curaçao, au lieu des 3 000 à 3 500 prévus), par l'accord de 1685, conclu directement entre l'Espagne et la firme Coijmans d'Amsterdam, et par celui signé avec les asientistes de la compagnie portugaise de Cacheu, en 1699. La W.I.C. transporta ensuite en moyenne 2 000 à 3 000 captifs par an, ce qui, étant donné la croissance de la traite atlantique dans son ensemble, représentait une baisse en pourcentage. Le passage de l'*asiento* dans les mains de l'Angleterre (1713) fit l'effet d'une douche froide. Le monopole de la W.I.C. pour le commerce avec l'Afrique dura jusqu'en 1730, et celui pour la traite jusqu'en 1738. L'ouverture au commerce libre augmenta le nombre de captifs transportés par les Hollandais, les sommets étant atteints entre 1751 et 1775, avec 148 000 esclaves déportés. Au total, selon Eltis[38], 527 700 Africains furent ainsi déportés entre 1601 et 1803-1825.

Les trois premières expéditions anglaises ayant quelque envergure furent commandées par Hawkins, entre 1559 et 1567. Du fait du monopole concédé en 1698 à la Royal African Company, Londres fut sans doute le premier port anglais à pratiquer vraiment la traite. En moyenne, vers 1710, vingt-quatre navires en partaient à destination de l'Afrique. À la même époque, Bristol (qui devait l'emporter à partir des années 1728-1732, le temps d'une décennie) en envoyait vingt, et Liverpool deux. Trois ans plus tard, Liverpool commençait à entretenir un commerce régulier avec la Barbade. Au total, 5 700 négriers y furent armés, ce qui en fit, de loin, le premier port négrier d'Europe. Entre 1686 et 1769, 38,5 % des négriers abordant la Jamaïque partirent de Liverpool, 32,5 % de Bristol, 24,3 % de Londres. La part des autres ports (Whitehaven, Glasgow, Dublin, Plymouth...) n'était que de 4,7 %. Mais elle crût rapidement (6,3 % de 1752 à 1757, 13,7 % de 1762 à 1769). Les données chiffrées fournies par Eltis[39] suggèrent l'existence de trois phases. Celle des balbutiements (2 000 captifs déportés entre 1519 et 1600, 23 000 entre 1601 et 1650) s'achève au milieu du XVIe siècle. Débute alors une phase de croissance assez spectaculaire : 115 000 esclaves déportés entre 1651 et 1675, plus du double dans la période suivante (243 000 entre 1676 et 1700), puis une croissance rapide (380 000 entre 1701 et 1725, 490 000 entre 1726 et 1750) et enfin presque un nouveau doublement (859 000 esclaves entre 1751 et 1775). La décrue débute assez tôt, dès les années 1776-1800, avant de devenir spectaculaire, du fait de l'interdiction du trafic édictée en 1807.

Un précieux instrument, le répertoire des expéditions négrières françaises au XVIIIe siècle, de Jean Mettas[40] a été largement utilisé dans la confection du CD-Rom de 1999 sur la traite par l'Atlantique. Il permet de retrouver la trace de 3 317 expéditions. Dix-sept ports couvrant l'ensemble des littoraux ont participé à la traite, treize jouant véritablement un rôle. Six ont armé entre 7 et 82 navires (Brest 7, Bayonne 9, Vannes 12, Rochefort 20, Dunkerque 44, Marseille 82). Trois en ont expédié entre 100 et 200 (Honfleur 125[41], Lorient 156, Saint-Malo 216). Trois autres se sont détachés de la masse (Bordeaux 393, Le Havre 399, La Rochelle 427). Un domina l'ensemble : Nantes, avec 1 427 expéditions, soit 42 % de la traite française (sa part passant de 65 % entre 1713 et 1722 à « seulement » 34 % entre 1783 et 1791). L'enfance de la traite française est à rechercher du côté de la Normandie (région qui envoie 330 navires vers la côte occidentale d'Afrique entre 1570 et 1610) et des ports de la Manche favorisés par la proximité de Paris. Ailleurs, notamment sur la façade atlantique, quelques initiatives isolées (comme celle du *Saint-Jean-de-Luz*, de Bordeaux, en 1543) ont ouvert les appétits et procuré une certaine expérience. Mais le démarrage y fut plus tardif, car les vieux trafics médiévaux fondés sur les blés, le vin et le sel y demeuraient actifs. Les armateurs des ports de l'Atlantique savaient entretenir d'anciennes relations (avec le Sud pour Bayonne) ou en exploiter de nouvelles (comme la pêche à la morue). Il fallut que ces trafics soient touchés par la crise pour que la traite et le grand commerce colonial apparaissent pour eux comme une solution de remplacement. La liberté du commerce avec les îles contre un droit de 5 % (à verser à la Compagnie des Indes) sur la valeur des retours, la fermeture des ports coloniaux aux étrangers et la réduction de la taxe précédente à 3 % (1671) donnèrent le coup d'envoi à la traite française. Bordeaux en 1672, Saint-Malo en 1669 et Nantes en 1688 expédiaient leurs premiers négriers ; 45 étaient partis de La Rochelle avant 1692. À l'échelle nationale, le décollage fut d'abord timide (1707-1711), en pleine guerre de Succession d'Espagne, puis plus net (1712-1721), se poursuivant jusqu'en 1755, malgré deux périodes de repli (1722-1724, 1732-1734). Si l'on défalque les années 1745-1747, la moyenne annuelle de cette période est de 33,5 expéditions négrières. La deuxième phase débute en 1763 (la guerre de Sept Ans ayant interrompu totalement le trafic), se poursuivant jusqu'en 1778. Elle est plus régulière et conduit à un niveau moyen plus élevé (50,8 expéditions par an). La dernière phase (1783-1792) est celle d'un spectaculaire essor : 1 009 expéditions en dix ans, soit une moyenne annuelle de 100,9 départs.

RÉFLEXIONS SUR UN APOGÉE

L'exemple français nous montre que croissance continue et instabilité permanente constituent les deux principaux caractères du trafic négrier dans son ensemble. Les facteurs permettant de rendre compte du premier sont nombreux. L'instauration d'un cadre réglementaire favorable est de ceux-là. En Afrique, les années 1710-1720 virent les Européens se mettre d'accord sur le principe de la libre concurrence, ce qui contribua à réduire des heurts qui ne réapparurent guère avec force avant les années 1780. En France métropolitaine, le monopole de la Compagnie des Indes relatif à la traite fut assoupli en 1716, tandis que les lettres patentes de 1727 fondaient véritablement le système de l'exclusif. Aux vingt premiers ports autorisés à armer pour les colonies s'ajoutèrent ensuite (1763) Marseille, Dunkerque, Vannes, Cherbourg, Libourne, Toulon et Caen. Plus tard encore, des primes furent allouées aux négriers, en fonction du tonnage de leurs navires (1784) et du nombre de captifs importés dans la partie sud de l'île de Saint-Domingue (1786), là où l'essor des plantations était prodigieux (en 1788, la valeur des exportations des îles vers la France était de 205 millions de livres, et la part de Saint-Domingue de 116 millions). Plus que les dispositions réglementaires, qui ne font en fait que l'accompagner et l'encourager, c'est donc l'essor des îles qui entraîne celui de la traite.

Le second caractère du trafic négrier, son instabilité congénitale, est dû en partie aux rapports complexes qu'entretenaient traite et guerres maritimes. L'effet le plus connu des guerres était celui de l'interruption des trafics. Les navires armés pour d'autres commerces pouvaient se réunir en convois, afin de se protéger. Les négriers ne le faisaient jamais, concurrence oblige. La traite pouvait donc cesser parfois totalement en période de guerre, notamment en France qui avait souvent le dessous dans les conflits maritimes l'opposant à l'Angleterre. La chose fut particulièrement nette entre 1758 et 1762, pendant la guerre de Sept Ans, ainsi qu'en 1779 et 1780, lors de la guerre d'Indépendance américaine. Mais cela n'empêchait pas d'armer sous pavillon neutre, ou bien de tenter de passer les barrages, grâce à des navires d'un tonnage réduit, plus rapides et mieux armés. C'était d'ailleurs souvent le cas au début des conflits, lorsque les dangers ne semblaient pas encore insurmontables et que les armateurs étaient attirés par l'espoir de hauts profits, en cas de réussite. L'armement négrier français demeura ainsi à un haut niveau pendant les trois premières années de la guerre d'Indépendance, tandis qu'il continua à progresser au commencement (1740-1743) du conflit de la Succession d'Autriche. Seule exception, la guerre de Sept Ans. Mais le choc fut alors effroyable, la rafle opérée par l'amiral Boscawen (1755) ayant anéanti une grande partie des forces françaises avant même le début officiel du conflit. L'année la plus terrible de la guerre de Succession d'Autriche avait conduit à une diminution de 55 % du commerce colonial français. Il chuta de 85 % pendant la guerre de Sept Ans. Ce désastreux conflit n'invalide pas cependant une autre « règle » du trafic négrier, et maritime en général : l'apparition d'un brusque renouveau à la fin d'un conflit. Anticipant les effets de la paix, les armateurs se ruaient alors, espérant profiter du prix élevé atteint par les captifs dans les colonies, du fait de la rareté introduite par plusieurs années d'un approvisionnement ralenti. Le trafic négrier redémarra ainsi en 1748 (33 expéditions contre 4 l'année précédente ; la paix n'ayant été officiellement signée que le 25 octobre 1748, à Aix-la-Chapelle), en 1763 (53 expéditions contre aucune depuis 1758, mais le traité de Paris est du 10 février 1763) et en 1783 (le traité de Versailles fut signé le 3 septembre 1783 ; 103 bâtiments furent armés à la traite cette année-là).

Tout cela révèle le caractère hautement spéculatif du trafic négrier. Attirant les armateurs parce qu'il était naturellement aléatoire (et que les bénéfices potentiels étaient donc élevés) en période normale, il aiguisait leur intérêt lorsque la guerre accroissait les risques sans pour autant les rendre rédhibitoires. L'histoire de la traite française au XVIIIe siècle apparaît alors comme celle d'une progressive montée en puissance. La diffusion de la pratique négrière sur un plus grand nombre de ports, l'essor du commerce colonial de la fin du siècle, le soutien financier de l'État, ainsi que la baisse de rentabilité probable du commerce de droiture permettent de comprendre pourquoi la « normalisation » du milieu du siècle a été suivie par une prodigieuse expansion à la veille de la Révolution ; une expansion que l'on ne rencontra pas toujours de manière aussi claire chez les autres nations négrières.

Des nuances doivent être apportées à cette première vision d'ensemble, notamment lorsque l'on délaisse les chiffres bruts pour s'intéresser à l'évolution du taux de croissance du trafic. Le rythme d'accroissement moyen annuel de la traite atlantique[42] est de l'ordre de 3,3 % de la fin du XVe au début du XVIe siècle. Accidents exceptés, il tourne autour de 2,2 % entre 1500 et 1700, pour tomber à 0,7 % pendant les quarante premières années du XVIIIe siècle. Il y a ensuite stabilisation, puis déclin, après 1790. De ce point de vue, le XVIIIe siècle négrier correspond à un plateau élevé, divisé en deux moitiés à peu près égales. La première continue à connaître une certaine croissance, bien que ralentie. L'autre correspond à une stabilisation puis à un déclin de cette croissance. Le mouvement étant net, il apparaît inexact de considérer, comme on le fait souvent, que le XVIIIe siècle, *dans son ensemble*, coïncide avec une époque de croissance continue d'un trafic négrier n'ayant été perturbé qu'à partir des guerres de la Révolution et de l'Empire. L'importance prise par la traite, un effet d'inertie tout à fait classique, et la croissance de certaines îles antillaises, à la fin du XVIIIe siècle, expliquent que l'on ait alors atteint des sommets, en chiffres bruts, avec une moyenne de 80 045 captifs transportés chaque année, entre 1776 et 1800. Mais, reporté sur la longue durée, le taux de croissance moyen annuel de la traite déclina de façon précoce. La guerre maritime, après 1792, accentua seulement le phénomène, puisque l'on passa d'un taux de croissance pratiquement nul à un déclin.

Intéressons-nous à la manière dont le trafic se hiérarchise et l'on constatera que, là aussi, un tournant s'est dessiné autour du milieu du siècle. C'est en effet vers 1720-1760 que la traite européenne apparaît la plus concentrée et la plus hiérarchisée, et cela quelle que soit l'échelle d'analyse. Au niveau de l'Europe, cette période voit deux États dominer très sensiblement le trafic : l'Angleterre (environ 50 % de la traite) et la France (20 à 25 %). Les velléités négrières des Pays-Bas autrichiens et des États de la Baltique sont à cette époque entravées. Les Provinces-Unies, qui étaient très actives au XVIIe siècle, ne jouent plus qu'un rôle secondaire, à l'instar des Ibériques. À l'échelle des nations, l'entreprise négrière est tout aussi hiérarchisée (Liverpool en Angleterre, Nantes en France...). Si l'on se penche sur la situation des armateurs, dernière échelle d'analyse, on retrouvera les mêmes signes. À savoir, à la base, l'assez large étendue des associés, et, au sommet, la domination d'une élite, essentielle, mais numériquement peu nombreuse. Plusieurs signes indiquent que ces hiérarchies assez bien établies ont évolué à partir des années 1760. À l'échelle de l'Europe, la suprématie négrière franco-anglaise commença à être contestée : par les Danois, les Espagnols et les Portugais (ces derniers traitant environ 1 700 000 captifs au cours du XVIIIe siècle). À l'échelle des nations, les « petits » ports négriers prirent également de l'assurance, comme on l'a vu pour la France et l'Angleterre. Du côté des hommes, le dernier tiers du siècle vit arriver en France de nouvelles générations d'armateurs. Le taux de concentration de l'armement négrier tendit alors à diminuer. Quelle que soit l'échelle d'analyse, tout un système assez bien organisé commençait donc à se transformer, selon des modalités et une chronologie qu'il resterait à affiner en fonction des aspects et des lieux étudiés. Changements et perturbations se sont développés en deux temps. L'un s'est manifesté dans les années 1750-1760 (c'est le cas de la traite portugaise, ou bien, à l'échelle des individus, des grandes familles de négociants français stoppées par la guerre de Sept Ans, par exemple), l'autre à partir des années 1780 (évolution des traites espagnoles et danoises, arrivée de nouveaux armateurs en France, etc.).

Ces phénomènes ne concernent-ils que la traite, ou bien sont-ils le reflet de changements plus généraux, propres au grand capitalisme maritime ? L'un des travers les plus fréquents des études sur la traite atlantique consiste à la considérer comme totalement atypique. Cette attitude peut se comprendre, car on a toujours tendance à insister sur l'originalité du thème que l'on étudie. De plus, certaines particularités relatives à la traite sont évidentes. Mais, l'aspect moral mis à part, peu de choses distinguaient le trafic négrier des autres grands commerces maritimes. Les problèmes se posant à l'ar-

mateur étaient les mêmes : rassembler des
hommes, des capitaux et des navires. Moyennant
quelques aménagements, le navire de traite ressem-
blait à d'autres. Commerce particulier, la traite s'in-
sérait donc parfaitement dans la logique du système du grand capitalisme maritime et colonial,
ainsi que dans celle du « système atlantique » cher
à l'historiographie anglo-saxonne[43]. Une confirma-
tion de cette idée pourra être apportée par la confrontation des étapes de la croissance de la traite
atlantique et de la manière dont évoluèrent les relations entre les grandes nations au sein du système
maritime et colonial occidental.

Débutant au milieu du XVIIᵉ siècle, la première
période de ces relations est celle d'une lutte à
outrance. Elle vit les colonies (non ibériques)
d'Amérique se développer, notamment dans les îles,
où la plupart étaient fixées dès la fin du XVIIᵉ siècle
et où la délimitation des zones d'influence ne subit
ensuite que des retouches. Cette période s'acheva
dans les années 1720, par une sorte de « nationalisation » des commerces maritimes dont Fernand
Braudel avait pressenti l'importance. À l'exception
(en partie) des Ibériques, partout, ce sont les négociants du cru qui s'emparèrent des grands commerces hauturiers, vers l'Afrique et les Amériques, laissant aux autres (notamment les Hollandais et les
Hanséates) le grand cabotage international. C'est à
cette époque (vers 1660-1720) que s'opéra le passage au commerce libre, au détriment des grandes
compagnies à monopoles.

La deuxième époque, après 1720, fut celle d'une
sorte de coexistence pacifique que l'on peut illustrer
par l'analyse des rapports centre-périphérie. Dans
les zones périphériques (importantes mais non vita-

les), les nations occidentales n'hésitaient pas à se heurter directement. Au « centre », dans les espaces vitaux pour l'économie maritime (les Antilles, les positions acquises en Afrique, ou bien les treize colonies), les empiétements étaient légers et tolérés. Légers, sinon la riposte aurait été immédiate. Tolérés, car le système protectionniste de l'exclusif, qui était adopté plus ou moins partout, se révélait parfois insuffisant pour répondre aux besoins des colonies. D'où un trafic interlope, de contrebande, relativement important. D'où, également, la mise en place de certains aménagements au sein du système protectionniste, comme le passage, en France, après 1763, à ce que l'on a appelé l'exclusif mitigé. Le seul contretemps fâcheux dans cette phase de « coexistence pacifique » fut la guerre de Sept Ans. Toutefois, bien que bouleversant l'économie maritime, ce conflit n'aboutit pas à des changements majeurs : la France perdit le Canada mais conserva ses droits de pêche à Terre-Neuve ainsi que ses possessions antillaises. L'essentiel, pour elle, n'était donc pas touché.

La troisième période fut celle d'un « équilibre de la terreur » de plus en plus fréquemment rompu. Elle puisa ses racines dans l'après-guerre de Sept Ans et s'affirma au cours du dernier tiers du siècle. L'affaire de Cabinda (site de traite africain sur lequel les Portugais entendirent se réserver véritablement la traite, en 1783, rompant ainsi avec des tolérances antérieures), ou bien encore le soutien de la France aux *Insurgents* américains en furent des signes manifestes.

Ces trois périodes, sur le plan politico-militaire (vers 1660-1720, 1720-1760, après 1760 et surtout les années 1780), correspondent à trois phases du commerce colonial sur le plan économique (décollage du grand commerce atlantique, envolée de ce même commerce, ratés et restructurations) ; trois phases valables pour le grand commerce en général comme pour la traite en particulier, notamment pour la France et l'Angleterre, les deux grandes nations négrières du siècle des Lumières. Ajoutons que l'Espagne, le Portugal, les Provinces-Unies, l'Angleterre et la France sont tous entrés progressivement dans le trafic, et que chacun ne s'y fit vraiment remarquer qu'au moment de son apogée commercial. Tous ces pays appartenaient à l'Europe atlantique vers laquelle, dès la seconde moitié du XVIIe siècle, s'était déplacé le centre de gravité économique du continent, au détriment de l'axe méditerranéen.

À l'intérieur d'un même cadre global, chaque nation négrière organisait la traite à sa manière. Les régions de l'océan Indien étaient dominées par les Arabes, les Indiens et les Portugais. Du côté atlantique, ces derniers se retirèrent progressivement de la côte congolaise pour se concentrer sur l'Angola. Les Anglais étaient présents sur l'ensemble des aires de traite d'Afrique occidentale, notamment en Gambie, sur la Côte-de-l'Or, et, plus au sud, entre Lagos et le fleuve Niger. Entre le cap des Trois-Pointes et la Volta, ils cohabitaient avec les Danois et les Hollandais. Ces derniers se fournirent d'abord en captifs sur la côte des Esclaves, avant de se déplacer vers l'ouest, au XVIIIe siècle : d'abord vers la Côte-de-l'Or, puis dans les parages de l'actuelle Côte d'Ivoire. Un quart de leurs captifs ont été achetés sur les rivages du Loango et de l'Angola. Les Français trafiquaient surtout dans une région comprise entre le sud de l'actuel Sénégal et le Loango. Mais ils s'intéressèrent aussi à l'Afrique orientale, au cours du dernier tiers du XVIIIe siècle. Ce fut le cas des Bordelais, qui utilisèrent les piastres gagnées dans le commerce avec l'Amérique hispanique afin de s'implanter dans le commerce négrier d'Afrique orientale.

Aux stratégies nationales, évolutives, s'ajoutaient celles tout aussi mouvantes des différents ports de traite. Du côté américain, chacun alimentait en captifs ses propres colonies. Le Surinam reçut 90 % des Africains déportés par les Hollandais. Les négriers de Bristol se dirigèrent surtout vers la Virginie, ceux de Liverpool vers la Jamaïque, tandis que les Français allaient principalement à Saint-Domingue. Le protectionnisme en vigueur n'empêcha pas un trafic de contrebande, dit interlope, à la grande satisfaction de quelques planteurs heureux de pouvoir ainsi faire jouer la concurrence. Aussi certains lieux devinrent-ils les plaques tournantes d'un trafic de redistribution à l'intérieur des Caraïbes. Les Hollandais s'activèrent d'abord à Curaçao, puis à Saint-Eustache. Les Danois firent de même à Sainte-Croix et Saint-Thomas, les Anglais à partir d'Antigua et de la Jamaïque (près d'un tiers des captifs arrivés à la Jamaïque entre 1702 et 1777 furent réexportés). Mentionnons aussi les Suédois, qui prirent possession de l'île de Saint-Barthélemy, en 1784, ou bien encore les Ostendais qui profitèrent de la neutralité de leur pavillon pendant la guerre d'Indépendance américaine.

PHASE III

La troisième phase de la traite occidentale (XIXe siècle) correspond à un décrochement par rapport au XVIIIe siècle, qui devient particulièrement

net à partir des années 1850. Cela n'a pas empêché
la traite atlantique de se poursuivre à un niveau
fort élevé pendant plusieurs décennies, à un rythme
parfois même supérieur à celui de la première moitié du XVIIIe siècle. D'un point de vue purement
quantitatif, deux choses sont donc à expliquer : la
tendance générale, qui est celle d'un déclin, et la capacité du système négrier à lui résister.

La tendance générale s'explique par le fait que le
XIXe siècle coïncide avec le moment où la traite est
peu à peu devenue interdite et illégale, au regard
des législations des pays occidentaux, européens et
américains. Même s'il ne parle guère à l'homme du
XIXe siècle, et notamment à l'armateur, le terme
« illégal » est sans doute celui qui convient le mieux
pour caractériser la traite d'alors. Parler de commerce interlope serait à la fois anachronique (l'expression renvoyant au commerce de contrebande
du XVIIIe siècle) et inapproprié (car ce sont des hommes qui sont en cause). Serge Daget rejetait une
autre expression, celle de traite « clandestine », en
raison de la noblesse que l'idée de clandestinité (associée à celle des mouvements de résistance contre
le nazisme) a pu revêtir aux lendemains de la Seconde Guerre mondiale[44]. Si le terme d'« illégalité »
contribue à donner une certaine tonalité à la traite
occidentale du XIXe siècle, il ne faut cependant pas
oublier, comme nous le verrons dans le chapitre
suivant, que la pratique négrière ne fut que fort
progressivement bannie par la loi.

L'ayant interdite à ses propres ressortissants à
partir de 1807, l'Angleterre admit que le Portugal la
poursuive légalement, jusqu'en 1830, dans les régions situées au sud de l'équateur. Ce n'est qu'entre
cette date et les années 1860 qu'elle devint réelle-

ment illégale partout. D'ailleurs, dès 1969, dans son *Census*, Curtin notait que la traite par l'Atlantique avait commencé à décliner à partir des années 1790, avant même l'essor véritable du mouvement abolitionniste. Celui-ci n'aurait donc pas été à l'origine de la décrue. La plupart des travaux ont, depuis, renforcé cette hypothèse. Même le blocus des côtes africaines exercé par les croisières de répression de la marine britannique n'a pas été d'une grande efficacité. Selon David Eltis, sur 7 750 voyages de traite entrepris entre 1808 et 1867, seuls 1 635 ont pu être interceptés et donner lieu à une condamnation[45]. 131 000 captifs purent ainsi être libérés. Mais cela ne représente qu'environ 4 % du nombre total d'esclaves alors déportés vers les Amériques. L'illégalité, néanmoins, eut des conséquences indirectes en matière de coûts. La corruption avait un prix, et celui des assurances souscrites par les armateurs négriers a certainement augmenté. « Il a été estimé, écrit Herbert Klein, que les coûts de transport, dans les années 1830 et 1840, représentaient la moitié du prix final de vente [des captifs] pour la plupart des routes cubaines, et à peine un peu moins pour celle en direction de Rio de Janeiro. Dans la période de traite légale, avant les années 1830, ces coûts de transport étaient estimés à seulement 15 % du prix final de vente[46]. » Et le cas français montre qu'une répression efficace put réellement être dissuasive. C'est en effet largement à cause de l'ampleur des risques financiers (du fait des croisières de répression) et légaux (l'armateur reconnu comme négrier risquait de dix à vingt ans de travaux forcés, par la loi de 1831) encourus par les négriers que la traite française disparut au début des années 1830.

La capacité de résistance du système peut être expliquée de diverses manières. D'une part, comme on le verra plus loin (chapitre v), par le maintien d'une offre abondante en captifs, du côté africain. De l'autre, par une nouvelle répartition des cartes au sein du monde colonial américain. La révolte de Saint-Domingue (1791) conduisit à la perte et à la ruine de la colonie qui avait été depuis la seconde moitié du xviiie siècle le premier producteur mondial de sucre tropical. Les guerres de la Révolution et de l'Empire contribuèrent à accentuer la déstabilisation du système, tout comme l'abolition formelle de la traite en Angleterre et aux États-Unis, en 1808. Mais la demande en produits tropicaux reprit à la fin du conflit. L'entrée de l'Europe dans l'ère industrielle conduisit même à l'augmenter. Profitant du déclin de Saint-Domingue, d'autres économies de plantation purent ainsi développer considérablement leur production, principalement à Cuba et au Brésil. D'où un boom en matière négrière qui dura en gros des années 1810 aux années 1840. Il faut donc en finir avec les vieux clichés selon lesquels la traite n'aurait été au xixe siècle qu'un trafic moribond. Selon Curtin (1969), 1 898 000 captifs auraient été introduits aux Amériques entre 1801 et 1871. Klein, en 1999, avançait le chiffre de 2 957 070 personnes. En 2001, Eltis estimait que plus de 3 446 000 captifs, soit plus de 30 % de ceux jamais transportés aux Amériques, avaient quitté l'Afrique noire après 1800 (chiffre auquel il faut encore ajouter, pour les traites occidentales, environ 200 000 esclaves déportés vers les Mascareignes)[47]. Entre 1801 et 1867, plus de 51 000 captifs partirent en moyenne chaque année d'Afrique à bord de négriers occidentaux, un chiffre dont l'importance apparaît immédiatement lorsqu'il est comparé à celui de la moyenne annuelle des départs entre 1676 et 1800 (phase II, la plus intensive de la traite) : 52 800. La traite illégale ne constitue pas le dernier avatar d'un trafic condamné. Elle témoigne plutôt de la vigueur et des capacités d'adaptation d'un trafic pluriséculaire.

Par rapport au XVIIIe siècle, il faut cependant noter toute une série d'évolutions, ou de réajustements, tant au niveau des hiérarchies entre puissances négrières qu'à celui des sites de traite et des lieux d'importation. Au XIXe siècle, les Latins dominent très largement le trafic, avec les Portugais et les Brésiliens (près de 66 %), les Espagnols et les Cubains (14,7 %) et les Français (9,14 %), loin devant les Anglais (7,45 %) et les États-Unis (2,35 %)[48]. Un problème se pose néanmoins pour les Cubains, que l'on ne différencie pas toujours très bien des Espagnols, ainsi que pour les Brésiliens. Dans les années 1820, les quatre cinquièmes des navires négriers arrivant à Cuba sont d'origine cubaine. Plus de 90 % des bâtiments arrivant à Bahia, et 80 % de ceux destinés à Rio dépendraient des négociants locaux. Plus de 55 % des captifs introduits dans les Amériques entre 1801 et 1825 arrivent au Brésil (57 % entre 1826 et 1850), à une époque où les Antilles espagnoles concentrent 18 % des esclaves nouvellement introduits (21 % entre 1826 et 1850, 81 % entre 1851 et 1867). Et Eltis a estimé qu'autour de 1820 plus de 90 % de la propriété des navires négriers était de fait basée aux Amériques. Mais il est parfois difficile de savoir si ces « Brésiliens » se considèrent comme Portugais ou Brésiliens[49]. Les rapports entre Cuba et l'Espagne ne manquent pas non plus d'ambiguïté.

De plus, les produits (60 % de la valeur totale des marchandises de traite dans les années 1820) et le capital anglais continuaient indirectement d'alimenter la traite. Par ailleurs, des navires des États-Unis, non soumis au droit de visite britannique, alimentaient en esclaves l'île de Cuba. Des capitaux américains y finançaient des plantations, tandis que des esclaves étaient à partir de là réexportés vers le vieux Sud cotonnier. Des Américains participaient également à la traite interdite. Ainsi, grâce au *Wanderer*, le clipper le plus rapide du monde, l'armateur Charles Lamar, de Géorgie, put organiser plusieurs voyages de traite sans encombre[50]. Le *Mohican*, de Gordon, fut saisit en 1860, avec 890 esclaves à bord. Gordon fut pendu en février 1862. Les circuits négriers étaient donc loin, au XIXᵉ siècle, de se limiter aux seules nations officiellement engagées dans ce trafic.

Des études plus poussées, centrées sur le degré de renouvellement des interlocuteurs négriers en Afrique, pourraient être intéressantes. En effet, mises en relation avec l'évolution constatée au niveau de la hiérarchisation des sites de traite, elles permettraient peut-être de mieux comprendre la transition entre traite et colonisation. On peut notamment se demander si le rôle des « Blancs » n'est pas, ici ou là, sur les côtes d'Afrique occidentale, plus notable au XIXᵉ siècle qu'il ne l'était autrefois. C'est ce que suggère, entre autres, l'étude des *lançados*, ces hommes de souche portugaise dont les descendants se sont largement intégrés au sein des sociétés africaines d'accueil. Avec les Afro-Brésiliens, ils ont fourni au XIXᵉ siècle la majorité des revendeurs de captifs entre Ouidah et Lagos. Felix da Souza — comme on l'a déjà vu précédemment —, qui contrôlait le fort portugais de Ouidah, facilita l'installation au pouvoir du roi Ghézo. À partir de 1818, il obtint en échange la charge de Chacha (ex-Yovogan). Elle fit de lui à la fois le chef des Blancs et le ministre des Affaires étrangères et du Commerce. Vers 1820, trois factoreries étaient en ruine dans le rio Pongo, celles du docteur Botifeur, de l'Américain Curtis, du Hollandais ou Allemand Guch. Mais d'autres subsistaient, comme celles de John Ormond junior, de Paul Faber ou de Mme Lightburn, laquelle, née de père américain et de mère africaine, était la belle-sœur de Campbell, le consul britannique à Lagos. Ces brèves annotations ne concernent cependant qu'une portion des sites de traite. À l'est du delta du Niger, les choses étaient très différentes, et le rôle des intermédiaires africains beaucoup plus important.

Tout ce qui a été dit devrait enfin être nuancé, corrigé et adapté en fonction des différentes traites nationales. Traditions négrières, arsenal répressif, sites de traite et modalités techniques variaient en effet considérablement. Les Espagnols, qui ne bénéficiaient pas d'une longue tradition en matière de traite directe, s'appuyaient sur la diaspora lusophone. Ils s'activaient surtout dans les rivières de Guinée, sur la côte des Esclaves et à Cabinda. Peut-être de plus en plus dominée (mais jusqu'à quel point ?) par la finance brésilienne, la traite portugaise se concentrait principalement au sud de l'équateur. Trafiquant peu dans les zones de traite luso-brésiliennes, ainsi qu'au large du Sénégal, les Français[51] évitaient la Côte d'Ivoire et la région des forts, pour se regrouper à l'est du delta du Niger, dans la baie du Biafra (Brass, Bonny, Vieux Calabar), sur la côte de Malaguette (Gallinas, cap Monte et cap Mesurade), ainsi que dans les parages du Sierra Leone (rio Pongo, rio Nunez) et de Sherbro, qui n'étaient pourtant guère éloignés des croisières anglaises de répression. Ils affectionnaient particulièrement les « rivières » et leurs lacis de cours d'eau, où les « captiveries » pouvaient plus facilement se dissimuler. Signalons également la persistance de la traite sur les côtes orientales de l'Afrique. Les cultures des Mascareignes avaient été dès le XVIIIe siècle à l'origine d'un trafic négrier dans la région[52], lequel alimentait aussi les faibles besoins en captifs de la colonie du Cap. L'essor sucrier de la Réunion, après 1830, conduisit à une accélération du processus. Hubert Gerbeau[53] estime que 25 000 à 30 000 Noirs y auraient été introduits entre 1827 et 1848. Au total, au XIXe siècle, 200 000 esclaves furent probablement dispersés dans les plantations européennes de la partie occidentale de l'océan Indien.

TRAITES INTERNES

L'histoire des traites internes constitue un gigantesque trou noir, sur le plan des connaissances. En 1996, Patrick Manning notait que « nous manquons toujours d'études empiriques sur les traites internes à l'Afrique avant le XIXe siècle ». Pour lui, ce phénomène « résulte en partie de la pénurie de données, mais aussi de la volonté des historiens de se focaliser sur les traites d'exportation[54] ». Or la plupart des études récentes, toutes écoles confondues, indiquent que les Africains ne furent pas seulement des victimes de la traite, mais aussi des acteurs, et que nombre de questions ne pourront trouver de réponse adéquate à moins de revisiter l'histoire africaine, qu'il s'agisse de la mortalité au cours de la traversée de l'Atlantique, comme on l'a vu plus haut, ou de bien d'autres problèmes.

L'importance de ces traites peut être globalement estimée. Selon Manning, avant 1850, un tiers de tous les captifs survivants restèrent en Afrique noire, les autres étant exportés. Après 1850, « les achats africains d'esclaves surpassèrent le volume combiné des esclaves exportés en Occident et en Orient ». Après 1880, presque tous les esclaves seraient restés sur place. Pour Manning, « le nombre de personnes réduites en esclavage et retenues en Afrique [...] dépasse la moitié du total des esclaves exportés par les traites occidentales et orientales »[55]. Si l'on retient le chiffre de 28 millions de captifs exportés (11 pour la traite occidentale, 17 pour la traite orientale), on peut estimer que 9,3 millions d'esclaves sont restés en Afrique noire avant 1850 et qu'au total les traites internes ont conduit la réduction en servitude de 14 millions de personnes. Martin A. Klein va plus loin que Manning. Selon lui, en Afrique occidentale, même durant les années d'intensité maximale de la traite atlantique, une majorité de captifs — notamment des femmes et des enfants — était en fait absorbée sur place. Un phénomène qui aurait ensuite pris une ampleur encore plus grande. Si l'essor progressif des traites internes semble évident, sa chronologie régionale est donc sujette à discussion. Une partie de ces esclaves est parfois qualifiée de « domestiques », comme on le verra au cours du chapitre VII. Cela ne doit nullement impliquer l'idée de conditions d'existence idylliques. Un esclave est un esclave. Comme le remarquait François Renault, l'« adjectif "interne" ne doit pas être perçu comme une sorte d'atténuation, du fait que les victimes demeuraient sur le sol africain[56] ».

DE LA QUESTION DES RYTHMES
À CELLE DE LEUR RÉGULATION

Résumons-nous : les modes de production, de transport, d'achat et de vente des captifs n'évoluèrent que très peu et généralement de manière assez lente. Les rythmes de la traite, en revanche, changèrent sans cesse, à la fois sur le court, le moyen et le long terme. Ce constat soulève la question des capacités d'adaptation du système négrier, considéré à la fois dans ses différentes parties et dans son unité systémique.

Traites occidentales

Du côté des traites occidentales, un exemple, parmi d'autres, permet de prendre conscience de cette capacité du système négrier à s'adapter à un environnement changeant sans être réellement mis en danger : celui des liens entre politiques démographiques esclavagistes et conditions de la traversée de l'Atlantique. Trois phases peuvent à ce propos être distinguées.

Au cours de la première, et bien que leur prix fût généralement stable au XVIIe siècle, le nombre des

captifs africains travaillant dans les colonies antillaises resta assez faible, du moins jusqu'aux années 1660-1680. Le capital dont disposaient les
planteurs était au départ peu élevé. Ne pouvant acquérir qu'un petit nombre de captifs, ils semblaient,
afin de maintenir plus longtemps intacte leur force
de travail, ne point les soumettre à une trop rude
discipline. À cette époque, leur reproduction sur
place était encouragée, ou du moins non entravée.
À la Guadeloupe, en 1671, 47 % des maîtres
n'avaient qu'un seul esclave. Dans les premiers
temps, dans les treize colonies anglaises, serviteurs,
blancs et noirs, travaillaient côte à côte, dans le cadre de petites exploitations. Inversement, dans les
îles françaises, les engagés blancs étaient alors durement traités, les planteurs souhaitant les exploiter
au maximum pendant la durée de leur contrat. À
bord des navires négriers, c'était le temps de ce que
H. Gemery et J. Hogendorn ont appelé le « transport
confortable » — par rapport à ce qu'il advint
ensuite[57]. Les captifs disposaient généralement d'un
espace minimal, parfois réglementé, comme dans le
cas de la Royal African Company fondée en 1672.

À partir du moment où, avec la révolution sucrière, l'on privilégia l'utilisation massive d'une main-
d'œuvre rapidement amortie (deuxième phase), les
conditions de vie devinrent plus dures pour les captifs. Dans les colonies françaises, le Code noir
(1685) assimila l'esclave à un bien meuble. La rentabilité immédiate étant privilégiée, la reproduction
sur place n'intéressait plus. Parfois on y était même
carrément hostile, car la femme enceinte perdait de
son efficacité au travail et l'on ne pouvait attendre
la montée en âge des enfants. Parallèlement, les négriers tentèrent de plus en plus de respecter une rè-

gle tacite, dont l'application n'a pas toujours été aussi aisée qu'on l'imagine[58], celle consistant à n'embarquer en moyenne qu'une femme pour deux hommes. Dans les îles anglaises, le nombre des hommes l'emporta sur celui des femmes dès 1672. Ce fut le cas en 1682 à la Martinique. Les conditions de la traversée de l'Atlantique se sont détériorées. Dans son *Black Cargoes*[59], Mannix qualifie les négriers d'alors de « tasseurs de sardines ».

Au cours de la seconde moitié du XVIIIe siècle (troisième phase), plusieurs facteurs provoquèrent une nouvelle évolution. La guerre de Sept Ans mit au jour la fragilité du système colonial. La mise en valeur des îles nouvellement acquises par l'Angleterre, l'essor des caféières (dont les besoins en travail étaient encore supérieurs à ceux des plantations de sucre), et le désir d'accroître la production de denrées coloniales se sont traduits par une importante demande en main-d'œuvre. L'augmentation du prix des esclaves poussa nombre de planteurs à s'interroger sur les raisons de la mortalité sévissant parmi les captifs, lors des premières années de leur introduction en Amérique. À cela s'ajouta la vague moralisante héritée des Lumières, et les critiques émises par les premiers abolitionnistes, qui attachaient beaucoup d'importance aux problèmes démographiques[60]. Comme l'a montré Klein, c'est essentiellement le déséquilibre entre les sexes au sein des populations serviles, et non une surmortalité imputable aux mauvais traitements, qui était la cause de leur difficulté à croître — et même à se maintenir — de manière naturelle[61]. Aussi, portés par un courant dit « d'humanité et d'intérêt », plusieurs codes furent-ils édictés à partir des années 1780, dans les îles françaises, anglaises et espagnoles. Ils visèrent à encourager la reproduction des captifs sur place, et favorisèrent parfois l'établissement de familles d'esclaves officiellement reconnues. Cependant, chez les planteurs souvent hostiles, l'incitation à la maternité prit plus la forme d'une répression de l'avortement que celle d'encouragements positifs, plus coûteux. Les choses changèrent un peu plus encore avec l'affirmation du processus abolitionniste. On constate en effet que la proportion des esclaves mâles introduits en Amérique augmenta dans les décennies qui suivirent l'année 1800, atteignant alors son maximum par rapport à la longue histoire de la traite atlantique[62]. Comme si la répression de la traite et les menaces pesant sur l'institution esclavagiste avaient conduit les planteurs à mettre encore plus l'accent sur le gain de productivité immédiat constitué par le recrutement d'hommes en âge d'être tout de suite mis au travail. Au milieu du XVIIIe siècle, à l'époque où l'on pensait que la traite et le système esclavagiste pourraient être progressivement réformés ou supprimés, miser sur l'introduction d'un nombre plus significatif de femmes pouvait être logique, afin de permettre aux populations serviles de se maintenir ou bien de se renforcer par croît naturel. Un siècle plus tard, le système semblant plus directement menacé, il devenait maladroit de rechercher des femmes capables de mettre au monde des enfants qui, de toute manière, seraient émancipés à plus ou moins brève échéance. Un autre fait, apparemment contradictoire, est également intéressant à noter : c'est vers 1840 que le pourcentage d'enfants introduits en Amérique fut au plus haut. Mais il peut s'expliquer par des raisons tout aussi logiques : des enfants d'un certain âge pouvaient travailler relativement vite, permettant aux planteurs de s'assurer une marge de sécurité pour un petit nombre d'années, à un moment où l'esclavage ne paraissait pas encore complètement condamné, mais où la traite commençait à être réprimée de manière sévère, et où le prix des captifs, jusque-là assez stable, allait en augmentant. Tout cela pour dire que l'on gagnerait à essayer de relier l'histoire purement quantitative de la traite avec celle de l'abolitionnisme et du système de la plantation, du fait de l'importance des interconnections entre ces divers phénomènes.

Alors que l'économie de plantation continuait à être rentable, il fallut toute la force du mouvement abolitionniste (dont la logique, comme on le verra, renvoie à des facteurs propres au monde occidental) pour mettre fin à la traite et à un système qui avait été pendant très longtemps capable de s'adapter. Du côté des traites orientales, les époques d'expansion et de contraction des diverses parties du monde musulman ont également joué un rôle majeur, contribuant à expliquer en bonne partie les phases de croissance et de recul de la traite. Chaque traite d'exportation fut donc très largement influencée par des caractéristiques propres aux mondes qui s'approvisionnaient en captifs noirs.

Afrique noire

Qu'en est-il de ses traites internes et de leur capacité à alimenter, simultanément, des traites d'exportation ? Il sera sans doute toujours difficile de répondre à cette question. Malgré le manque de certitudes, il est néanmoins utile d'essayer de recoller quelques-unes des pièces du puzzle. On peut tenter tout d'abord de superposer les données relatives aux diverses traites d'exportation. Marier et croiser des estimations statistiques aussi inégalement fondées et précises pourra sembler périlleux. Et je souscris bien volontiers à un certain nombre de remarques formulées par David Heninge dans son article intitulé « Measuring the Immeasurable[63] ». Cependant, même aléatoire et critiquable (mais quelle analyse historique ne l'est pas ?), ce travail me paraît nécessaire. Non pas pour comparer l'ampleur des différentes traites afin d'en stigmatiser certaines et d'en escamoter d'autres, mais pour tenter l'approche d'une vision d'ensemble du phénomène. On arrive ainsi, pour l'ensemble des traites d'exportation, à environ 6 000 départs annuels entre les VIIe et XIVe siècles. Le niveau est sensiblement le même aux XVe et XVIe siècles (5 689). On assiste ensuite à une série de brusques augmentations, aux XVIIe (15 388), XVIIIe (61 885) et surtout XIXe siècles (94 616). Cette dernière étant à nuancer, comme on le verra ci-dessous, c'est le XVIIIe siècle qui semble devoir être mis en évidence.

Sommaire, cette reconstitution permet néanmoins de discerner les moments où la ponction exercée par les différentes traites d'exportation s'est apparemment cumulée (XVIIe-XIXe siècle), et ceux où, du fait de la plus grande dissociation de leurs rythmes, l'intensité de la ponction exercée sur le continent noir fut moins élevée. On remarque également que l'intensité maximale des traites orientales coïncide avec le XIXe siècle, lorsqu'elles ont drainé hors de chez eux entre 4,5 et 6,2 millions d'êtres humains, sans compter ceux utilisés sur place, notamment en Afrique centre-orientale où, kidnappant eux-mêmes les captifs, les traitants dirigeaient des raids à la fois particulièrement typés (du fait de la production directe de captifs par des négriers venus du dehors) et meurtriers, ruinant d'immenses territoires. Du côté occidental, la phase la plus intensive de la traite correspond au XVIIIe siècle, une époque témoin de la déportation d'environ six millions de personnes. Les traites orientales s'étendent largement dans le temps. Mais, sur le plan de l'intensité, il n'y a donc pas de véritable différence avec les traites occidentales, lors des phases d'apogée des trafics.

Ce que cette analyse ne permet pas de mettre en évidence, faute de données statistiques par décennies pour la traite orientale, ce sont tous les décrochements entre les rythmes des deux traites d'exportation. L'un d'entre eux semble évident. Il concerne le XIXe siècle. La traite occidentale s'estompe en effet très nettement après 1850 alors que tout laisse penser que la ponction exercée par la traite orientale s'accentue terriblement. Aussi faut-il disjoindre et non additionner les 51 444 départs moyens annuels imputables à la traite occidentale (première moitié du XIXe siècle) et les 43 172 de la traite orientale (surtout seconde moitié du siècle). D'autres éventuels décrochements entre les deux traites d'exportation, plus anciens, nous sont sans doute masqués par l'insuffisance des données concernant la traite orientale. On voit ainsi que les conclusions tirées d'une analyse globale, sur la longue durée, peuvent être inversées par une étude plus attentive au temps court. C'est dire l'incertitude dans laquelle nous sommes et la prudence dont on doit faire preuve. Il faudrait pouvoir véritablement comparer les rythmes des deux traites, mettre au jour l'ensemble de leurs décrochements, puis les expliquer. À ce sujet, celui des facteurs explicatifs, on a vu le rôle des logiques internes, propres à l'Occident et à l'Orient. Cela ne veut pas dire que certains changements en matière de traites d'exportation n'aient pas été la conséquence d'évolutions internes au continent noir. Ces évolutions sont encore mal connues. Il serait sans aucun doute possible de les restituer, au moins dans leurs grandes lignes, grâce à un méticuleux travail de synthèse à impulser, à partir des données de l'histoire des peuples africains. Tâche délicate, en raison de l'évidente imbrication entre dynamique externe et interne.

Prenons le cas des régions de départ des Africains déportés par les traites occidentales. Des régions qui ne coïncident pas toujours, il faut le mentionner, avec celles où les captifs étaient directement produits, et qui étaient parfois situées plus loin, à l'intérieur du continent. L'intérêt du choix de ces régions de départ est que leur importance respective est maintenant assez bien connue, même si leur délimitation pose parfois problème, tous les auteurs n'utilisant pas les mêmes catégories. Reprenant ici les données statistiques élaborées par Eltis (dans son article paru dans *The William and Mary Quarterly* en 2001), je me suis également inspiré de son classement régional, à l'exception de la haute Guinée. À propos de cette région j'ai en effet choisi, comme l'indique Lovejoy, de regrouper des espaces pouvant difficilement être disjoints : la côte du Sierra Leone et la Côte sous le Vent). Une analyse menée à une autre échelle, par décennie, serait sans doute plus susceptible de révéler des nuances. Le découpage chronologique ici retenu se justifie par le fait qu'il correspond aux grandes divisions de la traite atlantique.

Régions de départ des esclaves de la traite atlantique

	A Afrique centrale	B Baie du Bénin	C Baie du Biafra	D Côte-de-l'Or	E Haute Guinée	F Séné-gambie	G Afrique de l'Est	Total
I) 1519-1675	787,4 (78 %)	35 (3,5 %)	94,8 (9,4 %)	51,3 (5,1 %)	2,5 (0,2 %)	34,8 (3,5 %)	3,2 (0,3 %)	1 009
II) 1676-1800	2 473,8 (37,4 %)	1 453,4 (22 %)	963,8 (14,6 %)	922,9 (14 %)	367,8 (5,6 %)	349,1 (5,3 %)	75,2 (1,1 %)	6 606
III) 1801-1867	1 626,4 (47,1 %)	546,5 (15,9 %)	459,1 (13,3 %)	69 (2 %)	225,2 (6,6 %)	114,5 (3,3 %)	406,1 (11,8 %)	3 446,8
Total	4 887,6	2 034,9	1 517,7	1 043,2	595,5	498,4	484,5	11 061,8
%	44,18	18,4	13,8	9,43	5,38	4,5	4,38	100

Les chiffres correspondent à des milliers de personnes, les pourcentages à la part de chaque région dans l'ensemble de la traite atlantique, pour une période donnée.

À ce niveau de l'analyse, on remarquera que certaines régions ont été relativement peu ponctionnées par la traite atlantique. C'est le cas, notamment, de l'Afrique de l'Est, si durement touchée par les traites orientales depuis la plus haute Antiquité. Cependant, on note une croissance régulière et forte de la part de cette région. Négligeable au cours de la phase I, elle croît au cours de la phase II, et de manière encore plus spectaculaire au cours de la phase III. Cette dernière évolution peut s'expliquer par l'essor des colonies à sucre des Mascareignes au XIXᵉ siècle (des îles qui étaient désertes lors de leur prise de possession, au XVIIIᵉ siècle), à un moment où la répression de la traite dans l'espace atlantique rendait l'Afrique orientale plus intéressante pour les Portugais et les Brésiliens. Bref, des raisons externes aux peuples africains de la région seraient en cause. Mais la demande ne put être comblée qu'en raison de l'importance des changements internes à la région que l'on a déjà passés en revue. La croissance modérée de la phase II est plus délicate à comprendre. Elle semble correspondre à une réponse des négriers occidentaux à l'accroissement de la concurrence qu'ils se livraient sur les côtes de l'Afrique atlantique. C'est notamment assez clair en ce qui concerne la traite française. Mais ce motif est-il le seul ? Ne faut-il pas aussi faire entrer en ligne de compte une évolution de l'offre en captifs qui aurait eu tendance à décliner au cours de la seconde moitié du XVIIIe siècle, dans certaines régions de l'Afrique atlantique ? Surtout, au cas où cette tendance serait avérée, fut-elle le résultat de choix délibérés de la part de certaines élites africaines ou, plus grave, la conséquence d'une impossibilité locale de répondre à une demande devenue trop grande par rapport aux possibilités démographiques des régions concernées ? Au stade où en sont les recherches, celui des questions est difficile à dépasser. Il est cependant bon de les indiquer afin de mettre en évidence à la fois les enjeux et les limites qui s'imposent à la réflexion.

Les mêmes remarques pourraient être formulées à propos des régions B à F du tableau ci-contre. Il s'agit de zones qui, toutes, furent négligeables, avant d'accroître considérablement leur poids au cours de la phase II, et de voir celui-ci décliner au XIXe siècle. Leur période d'affirmation coïncide avec la phase d'apogée de la traite atlantique. Cet accroissement s'explique-t-il par de plus grandes pressions exercées du dehors (c'est-à-dire par la demande), ou bien par une mutation de l'offre, et donc par l'évolution des sociétés africaines ? Ce qui est sûr, c'est que l'offre en captifs demeura forte dans ces régions au XIXe siècle. Le déclin du nombre de captifs exportés alors s'explique essentiellement par une baisse de la demande : désengagement des puissances européennes qui fréquentaient traditionnellement la région au XVIIIe siècle, des difficultés de la traite au nord de l'équateur en raison de la répression exercée par les Britanniques.

Reste le cas de l'Afrique centrale, qui mériterait beaucoup plus d'attention que celle qui lui est généralement accordée par l'ensemble de la littérature, scientifique ou non, ainsi que par les médias. Alors que les revendications en matière de réparations proviennent aujourd'hui surtout des pays d'Afrique noire situés entre le Sahara et l'équateur, on voit que ce sont les régions situées plus au sud qui ont fourni, de loin, la plus grande partie des esclaves déportés par les traites occidentales (ce sont aussi elles qui, en Afrique centre-orientale, furent le plus ponctionnées par la traite orientale). Quoi qu'il en soit, la géographie des régions d'exportation des captifs fut à l'évidence mouvante. Tenter de rendre compte des motifs de ces fluctuations sera, à n'en pas douter, l'un des principaux défis à relever par les chercheurs au cours des prochaines décennies.

Un autre problème de taille est celui de l'évolution des régions de production des captifs. Certains historiens, et notamment Manning, estiment que la plupart des captifs, quelle que soit l'époque, provenaient de régions guère éloignées de la côte de plus de deux cents kilomètres. D'autres affirment que, plus on avançait dans le XVIIIe siècle, plus important était le nombre de captifs venant de zones toujours plus lointaines. Si tel était le cas, cette évolution pourrait s'expliquer par de multiples raisons : une demande plus sensible, des changements intervenus dans les régions de l'intérieur, ou une augmentation du prix des captifs de la traite atlantique ayant pu permettre à des régions plus lointaines de voir s'atténuer les effets négatifs de leur éloignement, en termes de rentabilité pour les négriers noirs[64]. Mais, comme souvent en la matière, les modèles généraux ne recoupent pas forcément les réalités régionales et temporelles. David Eltis indique qu'après 1800 les Africains qui furent embarqués dans les régions de la Sénégambie, du Sierra Leone et de la Côte sous le Vent vinrent de zones situées plus près de la côte qu'auparavant. Il reste donc encore beaucoup à faire si l'on veut mieux saisir la nature et l'évolution des régions d'origine effective des captifs déportés.

Ce qui est sûr est que l'offre africaine en captifs, sur la côte, fut très souvent relativement concentrée. Quelques régions (la Côte-de-l'Or et la côte des Esclaves dans le golfe de Guinée, par exemple), quelques zones au sein d'espaces régionaux (en Afrique centrale, les trois quarts des captifs vendus le furent dans un espace situé entre Cabinda au nord et Luanda au sud, deux sites éloignés d'à peine 300 milles), et quelques sites (plutôt que « ports ») négriers, comme celui de Ouidah, dans l'actuel Bénin, furent d'une importance capitale. Pour le XIXe siècle, les dernières recherches signalent que la haute Guinée et la Sénégambie n'ont joué qu'un rôle réduit (environ 5 000 captifs par an jusqu'aux années 1850), mais que le trafic s'y concentrait dans la région de Gallinas. Dans la baie du Bénin (environ 10 000 captifs par an jusqu'aux années 1850, amenés d'assez loin à l'intérieur des terres), Lagos et Ouidah centralisaient près de 60 % de l'offre. Dans la baie du Biafra, 9 à 12 000 captifs partaient annuellement, jusqu'aux années 1840, surtout à partir de Bonny et des deux Calabar. Mais c'est le Congo (Loango, Cabinda et Ambriz) et surtout l'Angola (Luanda et Benguela) qui dominaient alors le trafic, avec près de 48 % des exportations de captifs africains au XIXe siècle (dont 30 % pour l'Angola). Mieux comprendre les interactions entre les différentes traites et les modalités par lesquelles elles ont pu ou non se réguler impliquerait donc de scruter avec attention l'histoire comparée de ces espaces et de ces sites de traite particulièrement importants.

La liste des facteurs de régulation est d'ailleurs elle-même susceptible d'être élargie, avec les progrès de la recherche. C'est du moins ce que suggère un article de Lovejoy, dans lequel il met l'accent sur ce qu'il appelle le « facteur islamique[65] ». Selon lui, deux cas de figure doivent être très nettement différenciés. Les régions de l'Afrique atlantique qui étaient sous l'influence des marchands musulmans ou islamisés, et celles qui échappaient à cette influence. En Afrique de l'Ouest, écrit-il, « les marchands musulmans étaient omniprésents en de nombreux lieux, et le champ de leur activité s'élargit avec le temps ». La distinction fondamentale en Afrique occidentale, note-t-il tout d'abord, s'établissait « entre les États côtiers et les sociétés qui étaient plus activement impliquées dans le commerce transsaharien, et les États et sociétés de la savane qui s'intégraient de plus en plus au sein d'un monde islamique en situation d'interaction avec la traite atlantique et le commerce transsaharien ». Cependant, cette distinction était parfois ténue. Il ajoute en effet, que, plus ou moins contrebalancée par les pouvoirs en place, l'influence des marchands islamisés s'exerçait sur l'essentiel des régions d'Afrique occidentale. Pendant l'ère de la traite atlantique, écrit-il, « la majeure partie de l'Afrique occidentale demeura sous le contrôle des marchands musulmans ». Ils « dominaient les routes commerciales [...], étaient les principaux traitants sur les artères menant aux rivières du rio Nunez et du rio Pongo, sur la côte de haute Guinée, de même qu'au Sierra Leone » Ils disposaient d'une « identité collective, en tant que marchands ». Aussi « les tentacules des réseaux commerciaux musulmans [pouvaient-ils] se répandre en de nombreuses parties de l'Afrique occidentale non musulmane, connectant par là la région dans son ensemble aux pays du cœur de l'Islam ». La distinction la plus évidente se situait au niveau du delta du Niger, à l'ouest duquel on pouvait trouver des marchands musulmans, alors que cela n'était pas possible à l'est, en allant de la baie du Biafra vers le sud, le long de la côte du Loango, du Congo et de l'Angola ; là où il n'y avait pas de musulmans ni de véritables liens avec les marchands musulmans de l'intérieur, au moins avant le milieu du XIXᵉ siècle, lorsque les marchés transatlantiques furent fermés. Les régions de l'ouest du delta du Niger et de la baie du Biafra se distinguaient ainsi très nettement de ce que les historiens appellent l'Afrique centre-occidentale. Or ce sont justement les zones situées au sud de cette ligne de démarcation qui, on l'a vu, fournirent les plus forts contingents d'esclaves à la traite atlantique.

Selon Lovejoy, il ne s'agit pas d'une coïncidence. Dans les régions sous leur influence, les musulmans auraient volontairement tenté de réduire le nombre d'esclaves vendus aux Occidentaux. Voilà qui renverse apparemment une idée ancienne, toujours relativement bien installée, selon laquelle la traite atlantique aurait conduit à un détournement des circuits du commerce et de la traite, jadis orientés en direction du monde musulman. En réalité, la contradiction entre cette thèse et celle défendue par Lovejoy n'est peut-être pas si flagrante. Contrôlés par des marchands islamisés, les circuits de traite de l'Afrique occidentale précoloniale n'étaient pas tous orientés vers le Nord. Ils avaient également une fonction « interne » à la région. Ils ont donc pu se développer alors que les envois de captifs vers le Nord devenaient moindres. L'idée d'un ralentissement du commerce négrier en direction de l'Afrique du Nord n'est donc pas forcément contradictoire avec celle des résistances posées à l'essor de la traite atlantique. Lovejoy souligne ainsi indirectement une idée partagée par nombre d'historiens : la distinction entre une Afrique « noire » et une Afrique « islamisée » est bien souvent inopérante.

Mais pourquoi les musulmans auraient-ils voulu limiter le nombre d'esclaves transitant par les traites occidentales ? La raison, pour Lovejoy, serait essentiellement religieuse et culturelle, à savoir la réticence à vendre des esclaves aux chrétiens. Il note que le corridor des djihads s'étira à l'intérieur à partir de la Sénégambie à travers le Fouta-Toro jusqu'au Masina, « là où les oppositions à la vente de musulmans ou d'esclaves tenus par les musulmans étaient fortes ». Mais son texte permet aussi de mettre l'accent sur d'autres facteurs. Des facteurs politiques, puisqu'il note que la production et l'exportation des captifs furent largement facilitées par « la fragmentation politique de l'Ouest africain après les années 1590 et la diffusion d'un mouvement dont le but était de constituer une nouvelle unité sur la base de l'islam ». Des facteurs également économiques, puisque Lovejoy indique à maintes reprises combien était primordiale l'utilisation de captifs au sein même des régions d'Afrique occidentale influencées par l'islam. Comme il l'écrit, « l'utilisation d'esclaves sur une grande échelle dans les plantations de la savane, commune au moins depuis la période médiévale », constituait un facteur capable de « maintenir une relative autonomie de la région par rapport au monde atlantique ». Aussi la répugnance des marchands musulmans à vendre des captifs aux Occidentaux ne veut-elle pas dire qu'il y avait ici « moins d'esclaves ou bien une diminution de l'échelle des asservissements ». Cela signifie que « le commerce [des esclaves] était dirigé vers l'intérieur et vers le monde musulman plutôt qu'au-dehors ». Qu'importe ici la nature de l'imbrication entre les divers motifs, religieux, culturels, politiques et économiques. L'important est que Lovejoy insiste sur un facteur jusqu'ici sous-estimé (le « facteur islamique »), capable d'expliquer pourquoi, bien que reliées au monde atlantique, de larges parties de l'Afrique noire continuèrent à percevoir la traite en fonction de critères qui leur étaient propres.

L'analyse des prix permet d'abonder dans ce sens, en soulignant le rôle joué par les marchés internes de la traite dans les diverses régions d'Afrique noire, que celles-ci aient été ou non sujettes à une forte influence musulmane. « L'importance relative des traites internes et externes ne peut être déterminée sur la base des données dont on dispose sur le prix [des esclaves] », écrit Lovejoy. Toutefois, « il y a une raison de supposer que le marché interne des esclaves fut un facteur non négligeable, et peut-être même le facteur dominant dans la détermination des prix. La demande transatlantique et transsaharienne influençait la décision d'exporter certaines catégories d'esclaves à partir de l'intérieur », mais il semble « que les facteurs internes étaient prépondérants dans la détermination de la composition de la population esclave et de la structure des prix de la traite au sein des diverses économies et sociétés d'Afrique de l'Ouest ». Le prix d'un homme, par exemple, pouvait avoir autant de valeur dans l'intérieur que sur la côte, là où les négriers occidentaux opéraient. En effet, « les hommes étaient souvent enlevés contre rançon et de ce fait libérés de l'esclavage à un prix qui était considérablement plus élevé que ceux du marché répertoriés et que l'apparent différentiel avec le prix des femmes ». Aussi, lorsque le facteur rançon est pris en compte, « le différentiel de prix entre l'intérieur et la côte atlantique et donc l'attraction exercée par les Amériques » sont beaucoup moins évidents qu'on ne l'imagine[66].

Derrière la question du prix des captifs, à diverses époques et en diverses régions d'Afrique, se profile celle, plus mal connue, des circuits du capital et du crédit à l'œuvre derrière la traite. C'est sans doute l'un des « plus grands trous noirs » de notre connaissance, comme l'indique Clarence-Smith, à propos de la traite dans l'océan Indien[67]. En fait, si elle a été abordée pour l'Angola par Miller, elle reste en suspens pratiquement partout ailleurs. Plus essentiel encore est le problème des logiques — économiques mais aussi culturelles, politiques... —

à travers lesquelles fonctionnaient ces divers circuits.

Sorties de système

En dernière analyse, il ressort de ce qui vient
d'être dit que, tout en étant évidemment connectées, traites occidentale, orientale et africaine continuèrent sur le temps long à répondre à leurs propres logiques. Il y a, à ce paradoxe de logiques à la
fois emboîtées et autonomes, une explication toute
simple : la diversité et la singularité des « valeurs »
accordées aux esclaves au sein de chaque système.
Si le « prix » d'un esclave avait pu être estimé de la
même manière, en fonction des mêmes critères, en
Afrique, en Orient et en Occident, ces trois marchés
auraient très certainement été beaucoup plus con-
nectés qu'ils ne le furent. Et les mutations affectant
l'un d'entre eux auraient été à la fois plus facilement et plus rapidement sensibles chez les autres.
Mais tel n'était pas le cas. En Afrique noire, l'esclave pouvait être perçu en valeur marchande, car il
était convertible en toutes sortes d'équivalents monétaires (cauris, barres de fer...). Manning nous
rappelle d'ailleurs une histoire illustrant cette idée
d'une transformation de l'esclave en monnaie. On la
raconte encore de nos jours au Bénin. Elle renvoie
à un esclave que l'on aurait immergé et dont le
corps ensuite repêché aurait été recouvert de
cauris[68]. Cependant, en Afrique, l'esclave n'était pas
seulement convertible en monnaies. Il l'était aussi,
et surtout, en valeur d'usage et en quantités de « capitaux » (dans le sens où Pierre Bourdieu entendait
ce terme), économiques, politiques, culturels, sym-

boliques... En Occident, l'esclave était avant tout
appréhendé en fonction de sa valeur marchande ;
laquelle dépendait de conditions différentes de celles en vigueur en Afrique noire et en Orient. La diversité des échelles de valeur entre les mondes concernés conduisait donc à limiter l'impact systémique
des oscillations se faisant jour au sein de chacun
d'entre eux.

À cela il faut ajouter que la variété des situations
régionales permit peut-être au continent africain de
répondre plus aisément aux sollicitations des traites
d'exportation. À propos de la traite atlantique, Eltis
rappelle en effet qu'individuellement chaque région
d'Afrique ne fit l'expérience que d'une seule période
d'accroissement marqué du nombre de personnes
jetées dans la traite. Dans tous les cas, « l'augmentation de la fourniture d'esclaves apparut après de
nombreuses années pendant lesquelles le nombre
de départs d'esclaves n'atteignait que quelques centaines par an ». Ce seuil franchi, toutes ces régions
passèrent par un « plateau », d'un siècle ou plus,
correspondant à de hauts niveaux de départ. L'Afrique centre-occidentale constitue un cas particulier,
car ici, l'accroissement des exportations put se faire
grâce à une expansion des réseaux négriers vers
l'intérieur, étant donné « l'immense taille de l'arrière-pays ». Partout ailleurs, la traite put se développer grâce à un processus conduisant toutes les
autres régions à ralentir fortement leurs exportations d'esclaves, après que celles-ci eurent passé le
seuil initial dans une autre et unique région. Le
mouvement de déclin de la traite, ajoute Eltis, correspond trait pour trait à celui de son expansion. Il
apparaît comme « une série d'étapes régionales »[69].

Les ajustements étaient, de ce fait, rendus plus faciles. Il suffisait qu'une région exporte moins de captifs pour qu'une autre, disposant de plus de captifs, vînt la compléter ou la supplanter.

La « convertibilité » de l'esclave en valeurs différentes, la diversité des économies et des sociétés mises en relation par la traite, le déplacement géographique, au cours du temps, des grandes régions africaines exportatrices de captifs, expliquent pourquoi la traite a pu durer si longtemps et aurait pu sans doute durer plus encore. L'esclave était l'unique interface entre des logiques imbriquées mais contrastées. Dans ces conditions, seuls deux éléments pouvaient conduire à mettre un terme au système négrier. En premier lieu, poussée à son terme, la logique en œuvre au sein d'un système donné était susceptible de rendre inutile ou bien de transformer la nature et le rôle de la traite. Ainsi, en Occident, l'apparition de produits de substitution aux denrées tropicales (comme le sucre de betterave), les progrès du machinisme et l'entrée dans l'ère de la prolétarisation pouvaient, à terme, condamner l'esclavagisme, et donc la traite. Inversement, l'essor d'un mode de production esclavagiste aurait pu, en prenant de l'ampleur, conduire l'Afrique noire à mieux utiliser ses esclaves, et à moins les exporter au-dehors. Mais tout cela ne pouvait se manifester qu'avec le temps. Il ne s'agissait, en outre, que de conséquences possibles (et non pas forcément inéluctables), au cas où certaines logiques internes auraient pu être menées au bout de leur évolution. L'autre moyen de sortir du système négrier, plus rapidement, était que, pour une raison ou une autre, l'un des trois ensembles le décide bru-

talement. C'est ce qu'il advint à la suite de l'affirmation d'un puissant mouvement abolitionniste international qui, né en Occident à la fin du XVIIIe siècle,
œuvra en faveur de l'extinction de la traite et de
l'esclavage. C'est vers ce mouvement, son histoire,
ses ambiguïtés et ses conséquences qu'il convient
donc, maintenant, de tourner nos regards.

DEUXIÈME PARTIE

LE PROCESSUS ABOLITIONNISTE, OU COMMENT SORTIR DU SYSTÈME NÉGRIER

En 1807, l'Angleterre, où le mouvement abolitionniste s'est organisé de manière plus solide qu'ailleurs, décide d'interdire la traite à ses ressortissants. Aussitôt, ou presque, elle se met à la tête d'une sorte de croisade visant à éradiquer de la planète cet abominable trafic. On peut donc dire qu'il y a un avant et un après 1807. Et il semble logique que nombre de travaux concernant le processus abolitionniste aient été consacrés au cas anglais. Le rôle éminent joué par l'Angleterre ne doit pas, néanmoins, conduire à occulter les autres aspects du problème. Si le mouvement abolitionniste s'est d'abord et surtout structuré en Angleterre, il n'en reste pas moins, en effet, que certaines des sources lointaines de ce mouvement doivent être recherchées dans un ensemble de données culturelles propres à une bonne partie de l'Occident. Et, comme le montrera l'étude comparée des mouvements abolitionnistes français et anglais, jusqu'à la fin du XVIIIe siècle, l'avance anglaise en la matière n'est pas encore déterminante. Ce qu'il faut donc essayer de comprendre, c'est pourquoi l'Angleterre s'est peu à peu détachée du reste des nations occidentales en matière d'abolitionnisme.

Je consacrerai à cette question le premier chapitre (IV) de cette partie. S'agissant de la machine abolitionniste proprement dite (chapitre V), la mise en scène de l'action britannique ne devra pas dissimuler ce qui, après tout, a été aussi important que sa détermination : la manière dont les différentes nations occidentales ont appréhendé la question de l'abolition. C'est en effet de l'interaction entre la politique britannique et celle des autres États que dépendit, à l'échelle internationale, la dynamique abolitionniste. D'où un processus lent, complexe, marqué de périodes difficiles, voire de replis, mais aussi de brusques accélérations et de coups de théâtre. Enfin, bien que décrétée en Occident, l'histoire du mouvement abolitionniste ne peut être écrite sans que l'on se réfère, d'une part, à la traite et à l'esclavage en Afrique et, d'autre part, aux esclaves eux-mêmes, en partie acteurs du processus ayant conduit à la fin de la traite et de l'esclavage.

4

Les sources du mouvement abolitionniste

Au début du XXe siècle, les historiens s'intéressant à la question des sources du mouvement abolitionniste étaient surtout enclins à célébrer le rôle des philanthropes anglais. Au tournant de la seconde moitié du siècle, sous l'impulsion d'Eric Williams, qui devint le premier Premier ministre de Trinité-et-Tobago, le poids des facteurs économiques a été porté sur le devant de la scène. Le rôle des forces religieuses, culturelles et politiques a été ensuite mis en évidence, notamment par Roger Anstey, David Brion Davis, Seymour Drescher et David Eltis. On a aussi, heureusement, insisté sur le rôle joué par les esclaves eux-mêmes. Tout un faisceau de forces favorables à l'abolition a donc été progressivement délimité. Mais, le plus souvent, les historiens se sont appliqués à en défendre certaines au détriment des autres. Or il apparaît de plus en plus évident qu'aucune des causes généralement avancées ne peut, à elle seule, expliquer un phénomène aussi complexe que celui ayant mené à l'abolition de la traite puis à celle de l'esclavage ; deux processus liés, mais ayant emprunté à des cinétiques, et parfois même à des logiques différentes.

La faiblesse des explications mono-causales prend

toute sa signification lorsque l'on s'aperçoit que certaines des forces ayant contribué à impulser le mouvement s'enracinent dans le temps long. De plus, si ce mouvement débute bien au cours des deux dernières décennies du XVIIIe siècle (quand il tend à se structurer véritablement, à l'échelle des nations comme sur un plan international), il se déploie pratiquement jusqu'aux années 1880, au moment où la traite atlantique ayant disparu, l'attention se dirige vers l'Afrique noire où traite et esclavage persistent ; les initiatives en direction du Moyen-Orient ayant débuté, elles, dès les années 1840. Au total, l'histoire du mouvement abolitionniste s'étend donc sur près d'un siècle. Un siècle particulièrement agité pendant lequel la conjoncture contribue fréquemment à une reconfiguration des éléments du puzzle abolitionniste. Les temps changent, les hommes également, et vouloir attribuer aux abolitionnistes en général tel ou tel trait de comportement ou idéologie serait ainsi particulièrement hasardeux. Ajoutons que l'abolitionnisme se décline de manières différentes dans l'espace : l'Espagne, l'Angleterre, la France, Zanzibar ou encore les États-Unis ne prennent pas forcément position sur les mêmes questions, de la même manière, au même moment, ni pour des raisons identiques.

Est-ce à dire qu'il faille renoncer à toute explication un tant soit peu générale et se résoudre à n'énoncer que des données fragmentées, exclusives les unes aux autres ? Pas forcément. Certaines des sources lointaines de l'abolitionnisme sont plus ou moins communes à l'ensemble des différents mouvements abolitionnistes. Commençons par elles.

LES ORIGINES ET L'ORIGINALITÉ
DU MOUVEMENT

Origines

Afin de mieux discerner l'originalité de l'abolitionnisme tel qu'il prit forme au XVIIIe siècle, David Brion Davis l'a replacé dans la longue histoire des idées depuis l'Antiquité classique. Son *The Problem of Slavery in Western Culture* est le premier ouvrage d'une triade devenue aujourd'hui classique et incontournable[1]. Il y a développé l'idée selon laquelle une profonde révolution morale contre la traite et l'esclavage se serait manifestée à partir du milieu du XVIIIe siècle. Pour prendre une vue d'ensemble du phénomène il est néanmoins nécessaire de remonter beaucoup plus haut dans le temps.

Au Moyen Âge, un premier déclic s'opère dès le XIe siècle. Comme l'indique David Eltis, « les Anglais considéraient les peuples situés aux franges du monde celtique comme différents d'eux-mêmes, mais, au moins depuis le XIe siècle, pas assez cependant pour être réduits en esclavage ». L'auteur ajoute que, d'une manière plus générale, « pour les élites comme pour les autres, l'asservissement demeurait un sort auquel seuls des non-Européens pouvaient être soumis ». Depuis la révolution néolithique jusqu'au Moyen Âge note-t-il, toutes les sociétés ont connu l'esclavage. « Soudainement, il exista une culture et la partie essentielle d'un subcontinent » qui ne le permettaient plus. Aussi, conclut-il, peut-être devrions-nous faire remonter les débuts de l'abolitionnisme non pas après 1750 mais au moment où l'on échoua « à faire revivre le ser-

vage ou même l'esclavage, lors de la crise de main-
d'œuvre qui suivit la peste noire, à la fin du XIVᵉ siècle ». Au XVᵉ siècle, le « concept *d'insider* inclut désormais toutes les personnes nées sur le continent »,
et, lorsqu'il existait, « l'esclavage était confiné aux
non-chrétiens » [2]. Comme on l'a souligné au cours
du premier chapitre, ce sont des raisons surtout
culturelles qui expliquent, pour Eltis, pourquoi la
mise en valeur du Nouveau Monde ne se fit pas par
le biais de l'exploitation d'une main-d'œuvre européenne plus facilement disponible, en théorie, que
celle venue d'Afrique. Ces raisons auraient également, beaucoup plus tard, favorisé ce qui devint la
doctrine abolitionniste. « En résumé, écrit-il, la liberté telle qu'elle se développa en Europe rendit
d'abord possible l'esclavage aux Amériques, et ensuite conduisit à son abolition[3]. »

Quoi qu'il en soit, retenons que certaines des racines de l'abolitionnisme seraient clairement discer-
nables en Europe dès les XIᵉ-XIVᵉ siècles. Pour Eltis,
fondées sur des principes plus religieux qu'ethniques, elles se seraient cristallisées dans l'Europe des
XVIᵉ et XVIIᵉ siècles, avant d'être étendues, un bon
siècle plus tard, aux populations situées « au-delà
de la ligne » séparant l'Europe du monde colonial.
Cette idée selon laquelle des forces ayant contribué
à l'essor de l'esclavage aux Amériques ont pu, ensuite, jouer contre ce même esclavage est particulièrement séduisante. Et Eltis a raison d'insister sur le
rôle du facteur religieux. Dans un monde où chrétienté rime pratiquement avec Europe, le fait qu'un
chrétien ne puisse réduire un autre chrétien en esclavage a en effet, au départ, pu avoir sa part dans
le recours à la main-d'œuvre servile noire. Ensuite,
peu à peu, un autre principe chrétien, l'idée selon

laquelle tous les hommes sont égaux devant Dieu, a pu aider à saper les fondements du système esclavagiste. Mais, entre-temps, ce que le sinologue Édouard Biot a appelé la « doctrine primitive » du christianisme a été mis en sommeil[4]. Preuve, s'il en est, que le message chrétien a été ou non reçu et retravaillé en fonction de circonstances autres que religieuses.

Il faut donc faire appel à d'autres facteurs, lesquels pourraient d'ailleurs plus conduire à confirmer qu'à infirmer l'hypothèse d'Eltis, relative à l'existence d'idées ayant, dans un premier temps facilité la traite et, dans un second temps, contribué à son éradication.

Ainsi, comme l'ont montré de nombreuses études, on peut assez facilement établir un parallèle entre les formes d'intégration/exclusion applicables aux « citoyens » d'une société donnée et la manière dont l'esclavage a été perçu au sein de ces mêmes sociétés. Lorsque le processus d'intégration sociale et politique se renforce, et que les membres de la société sont, dans leur quasi-totalité, assimilés au rang de « citoyen », comme cela s'est passé à Athènes après les réformes de Solon, l'esclave ne peut être que l'Autre, l'individu vivant en dehors de la communauté. C'est en partie comme cela qu'il faut comprendre l'ordonnance signée en France par Louis X le Hutin, en 1315, selon laquelle tout individu mettant le pied dans le royaume de France était libre. Inversement, la dévalorisation de certains groupes au sein d'une société donnée peut conduire à ce qu'ils soient plus ou moins assimilés au rang d'esclaves, au moins dans la façon de les nommer. Ce fut le cas chez les Vikings au Moyen Âge. Or, peu à peu, à partir de cette époque, l'idée d'appartenance à une même communauté nationale s'est affirmée en de nombreuses régions de l'Europe. Le sentiment national et le concept de liberté individuelle ont ainsi sans doute marché ensemble, renforçant le principe selon lequel les Européens ne pouvaient devenir des esclaves. Inversement, ces progrès rendaient l'esclavage des *outsiders* de plus en plus possible, sinon souhaitable. On sait qu'en s'approfondissant la notion de liberté individuelle a conduit à celle de liberté de l'homme, en général ; un concept évidemment en porte à faux avec l'existence d'un système esclavagiste. On voit ainsi que l'idée, laïque, selon laquelle tous les hommes sont libres au sein d'une même communauté politique a pu dans un premier temps faciliter l'esclavage des autres, avant de contribuer à saper les bases idéologiques du système esclavagiste. C'est donc aussi dans l'évolution complexe des *sociétés politiques* européennes, et pas seulement dans le message chrétien (comme le sous-entend Eltis), qu'il convient de rechercher les origines lointaines de ce qui donna lieu à l'idéologie abolitionniste.

Ajoutons que combattre la traite, c'est reconnaître l'humanité du Noir, considéré non plus comme une simple marchandise mais comme un homme à part entière. Ce qui veut dire que la recherche des origines lointaines du mouvement abolitionniste conduit nécessairement à une troisième donnée, la notion d'humanisme. Une notion qui, sous des formes et à des degrés divers, peut être repérée dans nombre de sociétés et à différentes époques. Dans le monde occidental, elle entretient des rapports à la fois évolutifs et complexes avec les deux éléments précédemment abordés : le corps d'idées issues de la tradition chrétienne et l'affirmation d'une con-

ception laïque de la liberté individuelle dans le cadre d'États-nations, divers mais insérés dans un
même ensemble géographique et culturel. En effet,
l'humanisme de la Renaissance et les traditions
chrétiennes ne s'opposent pas forcément. On sait
combien, au contraire, les hommes de la Renaissance ont tout d'abord essayé de concilier les deux
phénomènes, avant que la rupture introduite par la
Réforme, les progrès de la science expérimentale et
la laïcisation de la pensée ne soient venus contrecarrer leur projet, sans l'anéantir totalement. Un
exemple suffira à mettre en perspective la force de
ce courant humaniste : celui de ce capitaine de navire normand arrivé à Bordeaux, en 1571, avec une
cargaison de captifs noirs destinés à être vendus, à
une époque où des esclaves noirs travaillaient déjà
dans les îles de l'Atlantique, au Portugal et en Amérique. Ce capitaine fut doublement surpris. D'une
part, parce que le parlement de Bordeaux refusa de
l'autoriser à vendre ses captifs et, d'autre part,
parce qu'il les déclara libres, car il ne pouvait y
avoir d'esclaves sur le sol de la France[5]. Le cas n'est
pas isolé. Wim Klooster nous rappelle en effet que
« l'histoire de la traite hollandaise débute, en 1596,
avec celle du capitaine d'un négrier qui ne fut pas
autorisé à vendre sa cargaison humaine dans le
port zélandais de Middelburg », car « les esclaves
étaient baptisés chrétiens »[6]...

Lié à l'humanisme de la Renaissance et à la découverte d'autres mondes, un dernier phénomène
est également intéressant : l'apparition du mythe du
« bon sauvage ». Le caractère artificiel du discours
relatif à ce dernier est manifeste. Le sauvage n'est
décrété « bon » et « sage » que parce que, vivant à
l'état de nature, il ne semble pas pouvoir connaître

la perversité d'un monde occidental se croyant pourtant « civilisé ». Devenu allégorie et « être de papier », le sauvage américain ainsi dépeint n'entretient donc que peu de contacts avec la réalité objective. Mais le mythe du bon sauvage a le mérite de nous montrer qu'inférioriser l'Autre n'est pas, forcément, le premier et seul réflexe de l'homme blanc. Il suffit d'ailleurs, afin d'en prendre pleinement conscience, de s'intéresser aux premiers textes européens décrivant l'Afrique noire et ses habitants. À partir du xve siècle, le long du golfe de Guinée, les Portugais décrivent certes des peuples sans foi, sans roi et sans lois, mais ces remarques ne sont pas nécessairement péjoratives. Elles visent surtout à indiquer combien l'organisation de ces sociétés diffère de celle d'un monde occidental où dominent pouvoir monarchique et pouvoir d'Église. Plus au sud, les premières descriptions du Congo et du Monomotapa sont celles de royaumes exotiques, fabuleusement riches, peuplés de païens à la noble allure, organisés militairement à la manière des légions romaines de l'Antiquité. Quant aux régions de l'Afrique du Sud-Est, elles furent parfois au début confondues avec le paradis terrestre, en raison de leur position géographique, aux antipodes du monde alors connu[7].

De l'Antiquité à la Renaissance, en passant par le Moyen Âge, chaque époque a donc apporté sa pierre à la constitution des sources idéologiques lointaines et provisoires du mouvement abolitionniste. Provisoires, car elles ont été en partie éclipsées à partir du xviie siècle. Le renversement de la conjoncture économique en Europe, avec l'apparition de phases de dépressions, la guerre de Trente Ans (1618-1648), à la fois cause et reflet de ce que

Paul Hazard a appelé la *crise de la conscience européenne*[8], témoignent d'un temps de grandes évolutions et de grandes perturbations, celui de Descartes et de Newton, du baroque et du classicisme. Un monde ancien bascule alors, tandis que celui paraissant vouloir le remplacer a encore du mal à trouver ses marques. Dans cet univers désorienté qu'est le xviie siècle, c'est à l'extérieur de ses frontières que l'Europe occidentale apparaît le plus dynamique. Des colonies se développent en Amérique, et avec elles le système esclavagiste et la traite des Noirs. Face à ces importantes mutations, l'humanisme ne résiste pas. Comme on l'a vu dans le premier chapitre, l'image du Noir dans la littérature occidentale commence à se dégrader, tandis que, parallèlement à l'essor de la traite, sont peu à peu posées les bases réglementaires d'un racisme à l'encontre des Africains.

Le temps du réveil sonne avec les Lumières. Il ne faut pas y voir la simple reprise de principes anciens, empruntés à l'humanisme. Ceux-ci sont recomposés de manière originale, et même le mythe du bon sauvage évolue : bonté et sagesse s'y conjuguent désormais largement avec liberté et égalité. Car de nouvelles notions apparaissent, et notamment celle de la Liberté, en général, qui remplace peu à peu l'idée de libertés, au pluriel, c'est-à-dire de privilèges concédés à des particuliers, d'avantages dérogatoires à la loi commune. La nouveauté, surtout, réside dans le profond déséquilibre propre à la philosophie des Lumières. L'humanisme de la Renaissance était empreint d'équilibre. Ses acteurs étaient à la recherche des bonnes proportions, de mesure, d'une certaine harmonie. Les hommes des Lumières croient en la raison. Ils considèrent que, portés par elle, les êtres humains ne peuvent qu'être enclins à des actions raisonnables. Foncièrement optimistes, ils conçoivent la société comme un ensemble en perpétuel mouvement orienté vers le « progrès ». Pour l'entretenir, il faut savoir réformer et « régénérer » la société. L'idée de déséquilibre fait ainsi partie intégrante de la philosophie des Lumières. Second principe, les Lumières sont plurielles. Elles font cohabiter des idées pouvant éventuellement se trouver en situation d'opposition, comme l'humanisme égalitaire capable de justifier la libération des esclaves et le libéralisme individualiste pouvant légitimer l'exploitation de l'homme par l'homme, si cela est profitable. Instables et plurielles, les Lumières ne peuvent générer un discours uniforme sur la question de la traite et de l'esclavage. D'autres instances viennent d'ailleurs brouiller les cartes. C'est le cas de l'État, qui, comme on l'a vu, soutient l'économie coloniale et la traite à travers le mercantilisme. C'est aussi celui de l'Église, notamment catholique, que nous allons bientôt aborder. L'ambiguïté des Lumières n'est donc pas seule en cause. C'est un système de pensée, une culture d'Ancien Régime, qui permet la poursuite de la traite. Et comme il serait vain de vouloir chercher dans les Lumières un discours clair et définitif sur la question de la traite et de son abolition, chacun, admirateur ou détracteur des Lumières, pourra y trouver des arguments en faveur de ses opinions.

Les choses sont plus claires du côté de l'influence exercée par l'autorité pontificale et la hiérarchie catholique. Comme il a été dit au cours du premier chapitre, malgré certains scrupules, l'Église catholique contribua indéniablement au processus de légi-

timation de la traite : par ses intérêts dans le système colonial (l'ordre des Dominicains a investi à
Saint-Domingue)[9], par ses encouragements (le père
Labat, 1663-1738, n'invita-t-il pas les négriers français à prospecter de nouveaux sites de traite, afin
de mieux approvisionner les îles en captifs ?), par
les marques de respect qu'elle prodigua aux grands
armateurs négriers, enfin par les alibis qu'elle n'hé-
sita pas à fournir. Au XVIIIe siècle, des hommes
d'Église — des « héros intellectuels », pour reprendre l'expression d'Yves Bénot[10] —, tels les abbés
français Prévost (1697-1763), Raynal (1713-1796)
ou Grégoire (1750-1831), s'élevaient, il est vrai, contre l'esclavage et la traite, mais ils demeuraient isolés au sein de l'institution ecclésiastique, et ils agissaient avant tout en hommes de lettres et des
Lumières. Du côté de la position officielle de
l'Église, aucune véritable avancée n'était à noter depuis que Germain Fromageau avait eu à établir la
position de la Sorbonne, en 1698. Le théologien
Jean Bellon de Saint-Quentin en résumait l'essentiel en 1764. Peut-on faire la traite « en conscience » ? s'interrogeait-il. Oui, car elle n'est contraire ni à la loi naturelle ni aux textes sacrés, et
que, par ailleurs, une malédiction pèse sur les descendants de Cham, le fils maudit de Noé. Une comparaison est effectuée entre serviteurs, soldats (parfois enrôlés de force par le système de la « presse »)
et esclaves. Pour l'auteur, l'esclavage aux colonies
représente ainsi une forme de dépendance comme
les autres. Les captifs, ajoute-t-il, sont le produit de
guerres africaines « justes » au regard de Dieu. En
les achetant, les Européens contribuent à leur sauver la vie. Esclaves chez eux, esclaves ils demeurent
en Amérique, mais leur sort est adouci et leur âme

sauvée. Cela faisait dire à notre auteur, en conclusion, que, pour les Africains, le plus grand malheur aurait été… la fin de la traite (!)[11].

Après d'autres textes favorables aux Indiens, une bulle papale de 1639 menaça d'excommunication les catholiques se livrant au trafic de l'esclavage avec eux. Mais il fallut attendre 1814, avec la lettre adressée par Pie VII au roi de France[12], pour que l'Église s'engage au côté des puissances du congrès de Vienne, et notamment de l'Angleterre, afin de condamner la traite. La « toute première lettre [dénonçant] directement la pratique courante de la traite négrière », la constitution *In supremo apostolatus fastigio* du pape Grégoire XVI, ne date que de décembre 1839[13]. Et c'est seulement avec l'encyclique de Léon XIII, en 1888, que l'Église catholique s'engagea dans la croisade anti-esclavagiste en Afrique.

Originalité

Pendant longtemps, l'expression couramment utilisée, s'agissant de la libération des esclaves, était celle d'affranchissement. Parfois, au XIXᵉ siècle, on parla également d'émancipation. Rappelons aussi que c'est sans qu'il eût jamais été vraiment aboli que l'esclavage antique disparut progressivement de l'Europe occidentale, entre la fin de l'Antiquité et le XIVᵉ siècle. Les termes et les concepts d'abolition et d'abolitionnisme renvoient à des réalités très différentes. D'une part, parce qu'ils ne sont guère utilisés avant la fin du XVIIIᵉ siècle et qu'ils sont surtout employés à propos de la traite négrière et de l'esclavage aux Amériques. D'autre part, parce qu'il faut bien comprendre que le projet abolitionniste, tel qu'il se manifeste à partir de la fin du XVIIIe siècle, n'est pas seulement nouveau. Il est d'une nouveauté radicale. « En moins d'une génération, le temps de sa fondation, il visa à transformer le monde situé outre-mer. » Un monde qui se devait brusquement d'être réaligné sur celui de l'Europe, en ce qui concerne l'esclavage, « les limites légales de la dépendance en Europe occidentale devant devenir normatives et universelles ». L'ampleur du projet n'est pas seulement mesurable en termes géographiques. Jusqu'à la fin du XVIIIe siècle, c'est l'esclavage, et non la liberté, qui fait figure de *peculiar institution* (« institution particulière »). Adam Smith estimait en 1772 que, sur les 775 millions d'habitants de la planète, seuls 33, résidant en Europe et dans les colonies anglo-américaines, n'étaient pas esclaves, d'une manière ou d'une autre. Smith « ajoutait que les non-libres avaient de fortes chances de le rester pendant les siècles à venir, si ce n'est toujours » [14]. Précisons que tous les autres mouvements d'émancipation qui se firent jour à partir de la fin du XVIIIe siècle (émancipation de la paysannerie européenne, des Juifs, et des Indiens de l'Amérique espagnole) furent présentés et apparurent comme susceptibles de faciliter, d'impulser et de parachever une œuvre de modernisation servant les intérêts de l'État et de nombre d'élites. Inversement, l'abolition de la traite et de l'esclavage dut être imposée du dehors à des sociétés coloniales et africaines qui en dépendaient étroitement, où ces institutions étaient efficaces, rentables, et, en ce sens, modernes [15]. Enfin, le projet abolitionniste est pensé et élaboré au sein des sociétés du monde occidental. Les débats qui en résultent demeurent très largement internes à ces mêmes sociétés, les esclaves ou ex-esclaves n'y prenant qu'une faible part. C'est donc à l'histoire d'un formidable renversement des valeurs au sein du monde occidental que renvoie l'histoire de l'abolitionnisme.

Le projet grandiose et radicalement nouveau qui a pour nom « abolitionnisme » n'apparaît guère avant le tournant des années 1770. À cette époque, l'homme éclairé n'est pas vraiment un abolitionniste. Il est un critique du système esclavagiste. Il oscille entre le désir de le réformer pour en accroître l'efficacité, la sympathie qu'il peut nourrir à l'encontre de la figure de l'esclave, et l'espoir que l'on pourra améliorer son sort, voire, un jour, abandonner progressivement l'esclavage. On est encore dans un mode de pensée où tolérance et réforme du système vont de pair. Certes, « tolérantisme » et esclavagisme apparaissent alors comme deux approches pouvant entrer en conflit. Mais elles peuvent toutes deux conduire au *statu quo*. Toutes deux s'insèrent également dans un même cadre, celui d'une culture chrétienne essayant de trouver un moyen de s'accommoder d'un esclavage que la morale pourrait réprouver. Le tolérantisme ne disparaît pas, ensuite, avec l'essor du mouvement abolitionniste, bien au contraire. Il est même parfois récupéré par les défenseurs de l'esclavage et de la traite, qui trouvent que c'est un bon argument pour retarder les abolitionnistes, sans donner l'impression de s'opposer directement à leurs idées. Lawrence Jennings a montré que cette tactique fut en France celle des défenseurs de l'esclavage au cours des années 1830 et 1840[16]. De son côté, João Pedro Marques a souligné combien elle permettait d'expliquer les tergiversations du gouvernement portugais en matière d'abolition de la traite, après 1808. Même attitude au Brésil où, mettant en cause la philanthropie suspecte des Anglais, les négriers de Bahia demandaient en 1813 un « cheminement lent et tardif » en matière d'abolition, plutôt qu'un « coup mutilateur et subversif des principes établis »[17]...

Dès les débuts de l'abolitionnisme, le tolérantisme a ainsi entretenu des rapports ambigus avec ce que l'on appelle le graduellisme, une doctrine visant à mettre progressivement un terme à la traite et à l'esclavage. Pour certains graduellistes sincères, il s'agissait de faire les choses en douceur, afin qu'elles soient encore plus sûres. Pour d'autres, graduellistes de façade, il s'agissait seulement, en repoussant sans cesse l'abolition, de s'y opposer de manière feutrée. Peu à peu, les abolitionnistes les plus convaincus et les plus audacieux passèrent à l'immédiatisme, c'est-à-dire à la volonté d'en finir directement avec la traite et l'esclavage, par le biais d'une interdiction pure et simple[18]. Peut-être y a-t-il là, dans ce passage, quelque chose de plus qu'une évolution tactique. Si aujourd'hui tout impératif moral nous semble devoir trouver une application immédiate, au point que tout délai nous apparaît aussitôt comme un scandale et un fait en contradiction avec l'impératif, il n'en allait pas de même au XVIIIᵉ siècle, où l'impératif ne se comprenait pas forcément en termes d'urgence. Il y avait là deux registres qui n'entraient pas forcément en contradiction lorsqu'ils étaient en contact, d'où, sans doute, le voisinage (non synonyme d'hypocrisie, comme on s'empresse trop souvent de le dire), parfois dans les mêmes pages de certains philosophes, de belles envolées morales contre l'intolérable et de sereines considérations sur les moyens pratiques à mettre en place avant d'agir ; ce qui pouvait impliquer d'assez longs délais. La situation semble avoir changé peu à peu, au début du XIXe siècle, peut-être sous l'influence de Kant et d'autres philosophes, lorsque le décalage entre l'impératif et l'acte devint moins acceptable[19]. Le passage entre graduellisme et immédiatisme, au sein du mouvement abolitionniste, correspondrait ainsi à un changement beaucoup plus général en Occident.

Fruit d'un long processus qui s'est d'abord cristallisé en Angleterre au milieu du XVIIIe siècle, l'abolitionnisme a été appliqué environ un siècle plus tard à l'espace de l'Atlantique colonial. Les régions de l'océan Indien et de l'Empire ottoman ont été concernées dès les années 1840, et plus encore après 1870. À peine quelques décennies plus tard, c'était au tour de l'Afrique et d'une partie de l'Asie d'être directement impliquées, lorsque les Européens entreprirent de les coloniser. Rendre compte de cette progressive expansion de l'idéologie abolitionniste implique de changer d'échelle. Quittant le temps long des débats juridiques et moraux qui était nécessaire à la mise en évidence de ses sources lointaines et de l'originalité de son message, intéressons-nous donc maintenant à un temps plus court, celui de la conjoncture abolitionniste. À la fin du XVIIIe siècle, trois États sont sur le devant de la scène. Ils nous fournissent autant de modèles différents en matière de processus abolitionniste.

TROIS MODÈLES : LE DANEMARK,
L'ANGLETERRE ET LA FRANCE À LA FIN
DU XVIIIe SIÈCLE

Si importante qu'elle soit, la question des sources lointaines de la culture abolitionniste ne doit pas en occulter une autre : celle de l'alchimie particulière ayant permis à ce substrat de donner lieu à l'abolitionnisme militant en tant que mouvement ; une alchimie essentielle, car tous les phénomènes potentiellement réalisables sont loin, en histoire, de toujours passer dans le domaine du concret.

Priorité d'abord au Danemark. Quelques-uns des États constituant les États-Unis ont aboli la traite avant lui. Mais, en 1792, le Danemark fut le premier État-nation au monde à le faire. Le ministre des Finances, Ernst Schimmelmann, était un homme imprégné des idées philosophiques ; mais l'influence vint également des débats qui avaient lieu en Angleterre, les Danois pensant qu'on allait abolir la traite de manière imminente. Quoi qu'il en soit, l'abolition fut décidée très vite, à peine un an après qu'une commission eut été réunie sur le sujet, et sans qu'une véritable campagne d'indignation nationale ait eu lieu. Pragmatiques, les membres de la commission constatèrent que la rentabilité de la traite était faible, étant donné les pertes auxquelles elle conduisait (mort de marins et d'esclaves, naufrages, frais d'entretien des forts en Afrique...). Il n'y avait donc aucune raison de la maintenir pour elle-même, et de continuer à la subventionner par le biais des avantages concédés aux compagnies de commerce. Cependant, petite puissance coloniale par rapport à la France et à l'Angleterre, le Danemark était également un petit État. À son échelle, le commerce colonial était loin d'être négligeable. Aussi, sur la proposition du médecin Isert, les Danois tentèrent-ils de créer une plantation expérimentale en Afrique même, près de l'embouchure de la Volta, sans succès. Toujours conscients de l'importance des îles à sucre pour leur pays, les membres de la commission finirent par discuter principalement de la manière de conserver leur prospérité sans y introduire de captifs. Une période transitoire de dix ans fut ainsi définie, afin de pallier une éventuelle crise de main-d'œuvre en attendant les effets d'une politique d'encouragement à la reproduction des esclaves sur place. Pendant celle-ci, jusqu'en 1803, la traite danoise connut son apogée.

Du côté de l'Angleterre et de ses colonies, les choses commencèrent plus tôt. Mais elles mirent beaucoup plus de temps à aboutir. Des ouvrages attirèrent tout d'abord l'attention. En 1673, dans *Christian Directory*, le quaker Richard Baxter dénonçait les chasseurs d'esclaves comme des ennemis de l'humanité. En 1688, Mrs. Aphra Behn publiait *The Royal Slave*. Elle y décrivait, sous les traits d'un esclave du Nouveau Monde, un ancien roi d'Afrique doté d'une réelle grandeur d'âme et capable des passions les plus élevées. L'image du « noble » ou « bon sauvage » apparut également plus tard, en 1719, en la personne de Vendredi, le compagnon de Robinson Crusoé inventé par Daniel Defoe. Enfin, le discours de Moses Bom-Saam, publié dans divers périodiques anglais en janvier 1735, est souvent considéré comme l'une des premières manifestations d'une réelle compassion à l'égard des esclaves noirs dans la littérature. Il s'agit d'une fiction vraisemblable, située en Jamaïque, terre de marronnage. Les différences entre les hommes y sont présentées comme le résultat de faits de culture, et non de nature. Dans cette nouvelle humanitaire, la libération des esclaves est pensée à travers la figure d'un guide noir providentiel dont le charisme est renforcé par l'inspiration biblique de son nom. Dans les textes anglais de ce type, la connotation religieuse n'est jamais loin. Un certain puritanisme conduit à opposer la bonté des esclaves à la dépravation des mœurs de leurs maîtres.

Mais des voix surent également s'élever, de manière assez précoce, pour tenter, concrètement, de mettre un terme à l'esclavage. Ce fut initialement en Amérique. En 1700, le puritain Samuel Seward, juge à la Cour supérieure du Massachusetts, tenta de démontrer, en s'appuyant sur la généalogie biblique, que l'esclavage était contre nature. De leur côté, se fondant sur la seule morale divine, les quakers américains abolirent l'esclavage, notamment celui des Indiens, dès la fin du xviie siècle[20]. Leurs idées se répandirent en Pennsylvanie, qu'ils dirigèrent entre 1682 et 1756. À cette époque, Benjamin Lay, John Woolman et Anthony Benezet se lancèrent dans une véritable croisade anti-esclavagiste, ajoutant une connotation égalitariste aux arguments de leurs prédécesseurs. Mais si Benezet milita dès 1762 en faveur d'une action abolitionniste internationale, les derniers propriétaires d'esclaves quakers ne quittèrent la Société des Amis qu'en 1780. De plus, jusqu'aux années 1760-1770, dans les treize colonies, l'hostilité envers l'esclavage se manifesta surtout en des termes généraux et rhétoriques. Pendant la guerre d'Indépendance, les anti-esclavagistes furent plus actifs, établissant parfois un

lien entre le sort des Américains voulant s'émanciper de la tutelle anglaise et celui des esclaves. Leur
voix s'affaiblit ensuite, après la création des États-
Unis, se cantonnant aux États du Nord ayant le
moins d'esclaves. Adoptée en 1787, la Constitution
fédérale reconnut implicitement l'existence de la
servitude perpétuelle et héréditaire sur le territoire
national. Cela n'empêcha pas certains États de légiférer contre la traite. En 1788, le Connecticut, New
York, le Massachusetts et la Pennsylvanie interdisaient à leurs ressortissants de la pratiquer. L'année
suivante, le Delaware faisait de même. En 1793, la
Géorgie n'était plus que le seul État autorisant l'importation légale d'esclaves à partir de l'Afrique[21]. Un
an plus tard, les États-Unis décidèrent d'interdire
l'arrivée d'esclaves en provenance des Caraïbes. En
1807, Thomas Jefferson obtint du Congrès l'interdiction totale d'importer des esclaves sur le sol national. Ce qui facilita les choses, c'est que cette décision ne lésait pas vraiment les intérêts des
planteurs de la baie de Chesapeake, là où étaient
alors concentrées les plus grandes populations d'esclaves. Le tabac y était en déclin. Les planteurs disposaient donc d'une main-d'œuvre suffisante, voire
excédentaire, et la fin des importations ne pouvait
que faciliter la revente, sur le marché américain,
des esclaves en surnombre[22]. Néanmoins, des Américains continuèrent à être impliqués dans la traite,
et il fallut attendre la seconde moitié du XIXᵉ siècle,
l'accroissement des tensions interrégionales et la
guerre de Sécession, pour que la question de l'émancipation des esclaves (mais non celle de leur intégration à la communauté nationale) soit à nouveau
soulevée, et résolue.

Vers 1750, quatre-vingt-dix mille quakers parlant

anglais des deux côtés de l'Atlantique constituaient
une masse de manœuvre non négligeable. Leurs
idées se répandaient parmi de nombreuses églises
protestantes, et c'est en Grande-Bretagne que naquit un mouvement véritablement puissant, rayonnant à tous les échelons de la société. Il puisait aux
mêmes sources que le mouvement américain, à savoir la philosophie des Lumières. Mais il empruntait aussi au « Grand Réveil[23] », à un évangélisme
égalitariste, aux sectes non conformistes, anciennes
et nouvelles, et donc, finalement, à un mouvement
religieux qui fut tout autant une réaction au ratio-
nalisme des Lumières qu'une composante du mouvement philosophique. À la fin du siècle, dans un
pays d'environ huit millions d'habitants, plusieurs
centaines de milliers de personnes pétitionnaient en
faveur de l'abolition de la traite. Protestant français
réfugié à Philadelphie avant de devenir quaker,
Benezet publia en 1771 son célèbre *Some Historical
Account of Guinea with... the Slave Trade*. Trois ans
plus tard, revenant d'Amérique, John Wesley, l'un
des fondateurs du méthodisme, sortait son *Thoughts on Slavery*. Les temps étaient mûrs. Les pasteurs évangélistes, et notamment les méthodistes,
proclamaient désormais dans leurs sermons domi-
nicaux que la traite était monstrueuse et que
l'Angleterre, première nation au monde, se devait
d'œuvrer en faveur de son extinction. L'influent comité de Manchester prônait une « tactique nationale populaire[24] » afin d'alerter les masses. Cette
méthode fut aussi celle souhaitée par Granville
Sharp et Thomas Clarkson qui, en 1787, réunirent à
Clapham douze amis afin de former un comité
pour l'abolition de la traite des Noirs. Ils étaient en
majorité des quakers, mais pas seulement. L'ad-

jonction de non-quakers au mouvement permit de commencer à élargir sa base. On parla dès lors de la Clapham Sect, mais aussi des « saints de Clapham ».

Petit commis de bureau ayant fait son droit, Granville Sharp s'était d'abord fait connaître en 1769 par la publication d'une réfutation de la doctrine des officiers de justice York et Talbot. Établie en 1729, cette doctrine stipulait que ni le baptême ni le débarquement des esclaves dans les îles Britanniques ne suffisaient à les rendre libres. Légitimant la chasse aux fugitifs, on lui avait donné une grande publicité. Défendant un esclave nommé Somerset, Sharp alla plus loin encore. En 1772, il réussit à obtenir de Mansfield, le *Lord Chief Justice*, une déclaration très nette et faisant jurisprudence : « l'état d'esclavage [...] est si odieux que seule une loi positive pourrait le soutenir ; en l'absence d'une telle loi en Angleterre », les esclaves fugitifs, sur le sol de l'île, ne peuvent plus redevenir propriété de leur maître. Boursier de l'université de Cambridge, Thomas Clarkson commença quant à lui par remporter le prix de dissertation latine de l'année 1785. Le sujet était le suivant : *Anne liceat invitos in servitudinem dare ?* (« Est-il permis d'asservir [des hommes] contre leur gré ? ») Après avoir traduit son mémoire en anglais, il se mit à chercher assidûment des preuves de la barbarie de la traite, en parlant avec des marins, en visitant des navires négriers ; indiquant, en outre, que des échanges tout aussi lucratifs que la traite pourraient être noués avec l'Afrique, grâce à l'ivoire, à la cire, aux bois, au poivre ou encore à l'huile de palme. Malmené, il échappa de peu à la noyade, au bout d'une jetée, à Liverpool, principal port négrier anglais. À Manchester, qui était déjà un centre industriel, il trouva plus d'appuis.

L'idée des « saints », qui consistait à s'attaquer d'abord à la traite, était évidemment pratique. Sans se heurter de front aux planteurs et au puissant lobby des Indes occidentales, on pouvait ainsi limiter l'efficacité économique du système esclavagiste. L'esclave nouvellement arrivé étant plus facilement contrôlable que celui qui, au bout de quelques années, a appris à vivre avec le système esclavagiste, tarir la source alimentant les planteurs en nouveaux esclaves revenait en effet à augmenter les contraintes et le coût d'exploitation de l'économie de plantation. De plus, sans la traite, pensait-on, l'esclavage ne pouvait à terme qu'être condamné, faute de l'insuffisance du renouvellement des populations d'esclaves par croît naturel. À terme, car aucun leader du mouvement ne pensait un instant demander l'émancipation immédiate des esclaves. Il faut du temps, pensaient-ils, pour que ces derniers puissent acquérir assez de lumières afin d'user avec sagesse de leur future liberté.

Entre 1787 et 1792, le mouvement gagna les clubs et l'échelon populaire. Le système quaker des réunions hebdomadaires, mensuelles et trimestrielles fournit la structure à partir de laquelle un réseau provincial put être organisé, largement financé par les quakers. Ce mouvement fut relayé au Parlement par William Wilberforce (1759-1833), un fils d'homme d'affaires fortuné et un ami du Premier ministre William Pitt. En 1791, une proposition d'abolition n'obtint que 88 voix contre 163. L'année suivante, une proposition d'abolition graduelle, à l'exemple de ce qui venait de se passer au Danemark, obtint une majorité aux Communes. Mais la décision fut ajournée par les Lords. C'est qu'après la révolte des esclaves noirs dans l'île de Saint-Domingue certains n'hésitaient pas à appeler « jacobins » les abolitionnistes anglais, un qualificatif qui n'était alors guère prisé dans le pays de Burke. La presse de Londres et de province participait néanmoins aux débats. Par ailleurs, au sommet de l'État, les arguments développés par Clarkson ne laissaient pas indifférent. Et, comme chaque année le « rossignol des Communes » Wilberforce demandait à ses collègues d'abolir la traite, les choses se décantèrent peu à peu. En 1788, le Dolben Act était appliqué, permettant d'augmenter l'espace disponible pour chaque captif à bord des navires négriers. En 1805, interdiction était faite d'introduire des esclaves dans les territoires nouvellement acquis de la Guyane britannique et de la Trinité. Un an plus tard, les sujets britanniques se voyaient interdire de s'engager dans la traite avec les colonies étrangères. Le 23 février 1807, l'abolition de la traite fut votée, à une large majorité : 100 voix contre 36 à la Chambre des lords, 283 contre 6 aux Communes. Il était stipulé qu'aucun navire ne pourrait plus charger d'esclaves pour les territoires contrôlés par la Couronne après mai 1807, et qu'il serait interdit d'y procéder à leur débarquement après mars 1808. Enfin, en 1811, la traite était considérée comme un crime, passible de déportation.

Au xviiie siècle, l'influence culturelle de la France en Europe était loin d'être négligeable. L'intelligentsia française envisageait de deux manières la question de la traite et de l'esclavage : à partir d'une approche philosophique nourrie par la théorie du droit naturel, du contrat social et des droits de l'homme, et à partir d'une approche humanitaire, à connotation plus sentimentale que religieuse, à la différence de l'Angleterre. Dans un pays où les élites se piquaient de philosophie, étaient attachées à l'idée de nature, et sensibles à la vague sentimentale, c'est d'abord l'esclavage, plus que la traite, qui fut visé. Dans son *Esprit des lois*, en 1748, Montesquieu ne consacrait qu'un bref développement à la traite, parfois très mal compris par ses commentateurs, car interprété au premier degré. Toutefois, comme l'écrit justement Hubert Deschamps, « c'est un éclair, un des pics de notre littérature[25] ». Situé dans le chapitre v du livre XI, cet éclair emprunte à l'ironie pour rendre le discours plus efficace : « Il est impossible que nous supposions que ces gens-là [les Noirs] soient des hommes ; parce que si nous les supposions des hommes, on commencerait à croire que nous ne sommes pas nous-mêmes chrétiens. » Une donnée trop souvent passée sous silence est également à noter : le fait que, pour Montesquieu comme pour Diderot, Louis Sébastien Mercier et d'autres, un parallèle était souvent établi entre la tyrannie exercée par un despote sur son pays et celle dont usait le maître sur son esclave ; signe que la critique philosophique de l'esclavage était empreinte d'une connotation politique. Cependant, si l'on s'apitoyait sur le sort de l'esclave, tous n'en tiraient pas les mêmes conséquences. Dans l'article « Égalité naturelle » de *l'Encyclopédie*, Jaucourt, ami de Montesquieu, condamnait sans appel l'esclavage. « Que les colonies européennes soient plutôt détruites, que de faire tant de malheureux », écrivait-il, préfigurant le célèbre « Périssent les colonies plutôt qu'un principe ! », attribué plus tard à Robespierre. En revanche, dans la même somme, d'Alembert s'en accommodait. Ajoutons que, à l'époque où le mythe du « bon sauvage » provoquait un élan de sympathie pour les peuples « vivant à l'état de nature », le médecin et naturaliste hollandais Camper inventait la mesure de l'angle facial (1781). Celle-ci servit bientôt à laisser croire que, plus prononcé vers l'avant que celui de l'homme blanc, et, de ce fait plus proche du singe, le menton de l'Africain témoignait de son animalité.

Que faire face à cette ambiguïté intrinsèque du discours des Lumières sur la question de la traite et de l'esclavage ? Afin d'éviter de s'enfermer dans d'insondables querelles idéologiques, peut-être convient-il de rappeler une chose, simple et inhérente à l'histoire, car empruntant à la chronologie : le discours des Lumières évolue dans le temps. À la suite de Jean Ehrard[26], notons qu'une première étape fut franchie vers 1750-1770, lorsque les philosophes évoluèrent généralement de l'indifférence, qui était l'attitude partagée par la plupart de leurs contemporains, à la gêne. C'est alors qu'apparurent au grand jour certaines contradictions majeures entre le discours philosophique et la pratique négrière. Le débat ne fut plus seulement porté par la vague moralisante et sentimentale du temps. Il s'appuya sur des valeurs. Cela obligea les hommes des Lumières à se remettre en cause, à se renouveler et à aborder une seconde étape. Amorcée à partir des années 1770, celle-ci correspond au moment où l'on passa de la gêne à la révolte, et où naquit véritablement un mouvement abolitionniste. Afin d'en accélérer la marche, certains agitèrent le spectre de la libération insurrectionnelle des esclaves. Rendu crédible par la multiplication des révoltes dans les Caraïbes au cours de la première moitié du XVIIIe siècle, ainsi que par la constante pression exercée par les esclaves marrons s'enfuyant des plantations, ce thème fut repris par Louis Sébastien Mercier. Dans un roman d'anticipation, publié en 1771 et intitulé *L'An 2440*, il alla jusqu'à encourager l'esprit de révolte, proclamant qu'il sonnerait comme le triomphe de la philosophie dans le Nouveau Monde. En 1781, Condorcet publiait ses fameuses *Réflexions sur l'esclavage des nègres*. L'intérêt et la richesse d'une nation, écrivait-il, doivent disparaître devant le droit naturel à la liberté d'un seul homme. Plus tôt encore, en 1770, Raynal, un abbé bohème sur le pavé de Paris, avait édité son *Histoire philosophique et politique des établissements et du commerce des Européens dans les deux Indes*. « Somme monumentale de l'anticolonialisme, immense fatras où voisinent les pires bourdes et des connaissances précieuses, arsenal inépuisable que tout le monde va piller », écrit Jean Meyer ; les six volumes de l'ouvrage connurent trois éditions, trente réimpressions, une bonne dizaine de contrefaçons, et trois traductions, en anglais, en allemand et en espagnol. « Décousue et contradictoire », cette « propagande anticolonialiste » remporta néanmoins « un gros succès » [27]. Elle valut à son auteur la célébrité, la mise à l'Index, la confiscation et l'exil. Soulignant le droit de révolte des dominés, prédisant le soulèvement des esclaves et appelant de ses vœux la venue d'un Spartacus noir, tout en étant volontiers irrespectueux à l'égard de la religion établie[28], Raynal indiquait que les catastrophes issues d'une telle révolte pourraient être évitées. À la fois par l'amélioration du sort de l'esclave, et par l'abolition graduelle de la servitude.

Un principe fondamental, consubstantiel à la philosophie des Lumières et à la révolution bourgeoise de 1789, s'opposait en effet à toute mesure brutale qui aurait eu pour conséquence de ruiner le monde des planteurs antillais, celui du respect de la propriété individuelle ; le seul droit qui répété deux fois dans la Déclaration des droits de l'homme et du citoyen du 26 août 1789, y fut déclaré « inviolable et sacré ». D'ailleurs, à l'instar de Brissot et des abolitionnistes anglais, même les « patriotes » les plus engagés ne pensaient pas que les esclaves étaient mûrs pour la liberté. Non pas par inaptitude intrinsèque, mais parce qu'il fallait les y préparer afin que tout se passe dans le calme.

La Société des Amis des Noirs parisienne fut fondée le 19 février 1788, un an seulement après son homologue de Londres. Signe des liens unissant alors la France et l'Angleterre, et reflet de l'anglophilie des milieux français éclairés, c'est par l'intermédiaire d'un périodique intitulé *Analyse des papiers anglais* que la société française tenta de se faire connaître. Elle recrutait parmi les élites les plus diverses, comptait des fermiers généraux, des hommes de loi, des curés comme l'abbé Grégoire, des nobles libéraux comme La Fayette, et même des propriétaires à Saint-Domingue comme les Lameth. Mais elle manquait à la fois d'ampleur et de puissants relais populaires. Yves Bénot la compare à « un salon » ou à une « académie négrophile » [29]. Émietté et évolutif, demeuré trop intellectuel et coupé des masses, englué dans un système de pensée d'Ancien Régime dont il avait du mal à se démarquer totalement, le discours philosophique français était plus axé sur la condamnation de l'esclavage que sur la mise en accusation de la traite.

La doctrine la plus répandue avant la Révolution consistait donc à prôner une abolition progressive de l'esclavage, avec compensations pour les colons. Cette attitude faisait suite à un anticolonialisme jésuite du début du siècle. Elle allait également dans le sens de certains projets émanant des administrateurs coloniaux, désireux, dans les années 1770, d'améliorer le sort des esclaves tout en maximisant les performances du système de la plantation. Elle était enfin prolongée par le débat entre Voltaire et Rousseau à propos du luxe : en produisant des denrées superflues mais relativement coûteuses, les colonies ne contribuaient-elles pas à démoraliser le pays, contrevenant ainsi à l'idéal rousseauiste (et janséniste) de la vie simple ? Traversant la France à la veille de la Révolution, l'Anglais Arthur Young ajouta que les sommes détournées pour l'entretien et la défense des colonies seraient plus utiles si elles étaient employées à la mise en valeur agricole de la métropole. Mais cet anti-esclavagisme-là, libéral, était peu suivi. Seuls quelques physiocrates lui emboîtaient le pas.

Avec les débuts de la Révolution, on observa un retournement de la part des abolitionnistes français. Sous l'impulsion du mouvement britannique, ils commencèrent à s'intéresser plus directement à la traite qu'à l'esclavage, sans doute afin d'éviter d'irriter les planteurs qui étaient effrayés par toute idée d'émancipation, même graduelle. Dépêché en août 1789 par la Société de Londres, Clarkson aurait bien voulu faire voter l'abolition en France pour accélérer le processus en Angleterre. Déçu par les Amis des Noirs, il décida de prendre directement contact avec les députés favorables à l'abolition. La question fut posée à l'Assemblée le 8 mars 1790. On croyait réussir grâce à un élan enthousiaste comparable à celui qui avait permis aux députés, lors de la nuit du 4 août 1789, de mettre un terme aux privilèges de l'Ancien Régime. Inspiré des arguments de Clarkson, jouant également sur la fibre sentimentale en comparant les navires négriers à des cercueils flottants, le discours non prononcé de Mirabeau fut remarquable[30]. Mais rien n'y fit.

Car plusieurs questions éclipsèrent rapidement celle de la traite. Fallait-il, tout d'abord, accorder l'égalité civique aux « hommes de couleur libres », et donc leur permettre de participer aux assemblées coloniales ? Non, répondirent planteurs et négociants rassemblés pour l'occasion, malgré leur traditionnelle opposition, en un puissant lobby, le fameux club Massiac[31]. Le 15 mai 1791, l'Assemblée accorda une demi-mesure : l'égalité civique aux mulâtres nés de parents libres. C'en était trop pour les colons, dont la mobilisation conduisit Paris à se dessaisir de l'affaire, au profit des assemblées coloniales (1er juin). Faute de réelles concessions, la situation empira à Saint-Domingue. Le système traditionnel de contrôle de la main-d'œuvre servile était fondé sur la participation de mulâtres et de Noirs servant dans les milices coloniales, en contrepartie d'une liberté acquise après douze années de service. Il cessa de fonctionner. Une puissante révolte éclata en août 1791. L'île fut mise à feu et à sang pour plusieurs années. Les massacres répondirent aux massacres.

Médiatisée par la Révolution[32], la question des abolitions en pâtit également. À Paris, elle avança ou recula en fonction des renversements successifs de majorité, et elle s'enlisa dans des querelles politiques internes. Les primes en faveur de la traite furent supprimées le 27 juillet 1793. La fin des Girondins (le 2 juin 1793), plus proches des milieux traditionnels d'affaires que les Montagnards, la pression militaire anglaise dans les Caraïbes, ainsi que le désir de restaurer le calme à Saint-Domingue provoquèrent une divine surprise : l'abolition de l'esclavage, que l'on pensait ne pouvoir supprimer que de manière très graduelle. C'est d'abord Sonthonax, commissaire de la Convention, qui, sur place à Saint-Domingue, proclama de sa propre autorité l'affranchissement général et immédiat des esclaves, le 29 août 1793. Ce furent ensuite les membres de la Convention, à Paris, qui, le 4 février 1794, décidèrent de voter à l'unanimité l'abolition de l'esclavage dans les colonies françaises. La citoyenneté française était également accordée aux esclaves libérés, et la traite implicitement abolie. Les hommes qui avaient milité en faveur des Amis des Noirs aux débuts de la Révolution étaient alors morts ou en fuite, car proches des Girondins. Pour l'abbé Grégoire, grand défenseur de la cause anti-esclavagiste, cette émancipation si soudaine parut « désastreuse ». On peut soupçonner la Montagne, a écrit Deschamps, d'« avoir voulu confisquer et faire triompher immédiatement », au nom du principe de la liberté universelle, « une cause que les hommes de la Gironde avaient défendue, avec autant de modération d'ailleurs que d'inefficacité »[33].

Quoi qu'il en soit, reflet des luttes franco-françaises, le décret n'eut que peu d'effets. À la Guadeloupe, l'émancipateur des esclaves fut Victor Hugues. Prise par les Anglais, la Martinique restait à l'écart de la mesure. Saint-Domingue était aux mains des esclaves. Quant aux Mascareignes, ses représentants refusèrent, en janvier 1796, de recevoir les commissaires du Directoire chargés de faire appliquer l'émancipation. En 1802, le Premier consul, Bonaparte, décidait de rétablir la traite et l'esclavage. Saint-Domingue perdue, les Mascareignes toujours esclavagistes, son décret n'eut de réelles conséquences que pour la Guadeloupe et la Guyane. La même année, la sécurité des mers était restaurée par la paix d'Amiens. Les armateurs français en profitèrent pour expédier près de quatre-vingts bâtiments à la traite[34]. La réouverture des hostilités, en 1803, puis le blocus continental et la prise des colonies françaises par la marine britannique mirent à nouveau fin à la traite française. Tout comme le mouvement abolitionniste français, elle ne réapparut vraiment que sous la Restauration, après 1814.

DE L'EXEMPLARITÉ ET DE L'IMPORTANCE
DU MODÈLE BRITANNIQUE

Pragmatiques, les Danois ont réussi à agir vite et de manière définitive, tout en ménageant leurs intérêts économiques, et sans trop se préoccuper de ce qui se passait ailleurs. Pratiques mais aussi religieux, les Anglais n'ont réussi, dans un pays où les planteurs avaient de puissants alliés, que grâce à une ingénieuse mobilisation des énergies, à tous les échelons de la société. Plus sensibles aux arguments philosophiques et sentimentaux, les Français ont finalement échoué.

De ces constats il résulte que l'intérêt du cas britannique ne s'explique pas seulement par l'efficacité de son mouvement abolitionniste, sinon on se serait tout autant intéressé au Danemark. Force est également de reconnaître que cet intérêt ne tient pas plus à la pseudo-précocité du mouvement britannique. D'un point de vue purement chronologique, le décalage, par rapport à la France, n'était nullement évident au tournant des années 1750-1770. Il le fut encore moins au début des années 1770, lorsque les élites françaises les plus critiques passaient de la gêne à la révolte, alors que les écrits de Benezet et de Wesley commençaient à peine à paraître. Ajoutons que si le cas de Somerset n'a pas de véritable équivalent en France — différence de système juridique oblige —, cela ne veut pas dire que les Français se sont cantonnés dans l'abstraction pure. En 1772, le négociant marseillais Charles Salles perdait un navire négrier, le *Comte d'Estaing*. Se retournant vers ses assureurs, il se heurta au plaidoyer de l'avocat Émerigon, un jurisconsulte réputé. L'homme, répondit-il à l'armateur, « n'est ni une chose ni une marchandise propre à devenir la matière d'une assurance maritime ». Dire que « les esclaves noirs sont des choses et des marchandises c'est se dégrader soi-même en dégradant la nature humaine ». Remettant en cause le Code noir qui faisait des esclaves des biens meubles, Émerigon attaquait également les armateurs, responsables à ses yeux de macabres calculs[35]. Il n'eut pas gain de cause puisque, en mars 1776, le tribunal de l'Amirauté condamna les assureurs. En 1783, agitant l'opinion à propos d'un cas semblable, Granville Sharp ne fut pas plus heureux[36].

Enfin, rien n'indique, *a priori*, la supériorité de la méthode anglaise. Un mouvement coupé des masses mais sachant s'attirer la sympathie de la plupart des milieux éclairés de l'époque, des hommes de lettres aux administrateurs coloniaux, en passant par certains ministres, pouvait, dans le cadre de la société française d'Ancien Régime, parfaitement favoriser des réformes destinées à adoucir et à mettre progressivement fin à l'esclavage. D'un autre côté, le fait que la Société des Amis des Noirs se soit beaucoup appuyée sur les arguments avancés par les membres de son homologue londonienne ne signifie pas que la pensée française ait été limitée en ce domaine. Comme on le verra plus loin, les abolitionnistes français surent adapter ces arguments à leur propre sensibilité. Ils furent conduits à cette attitude par l'anglophilie alors à la mode au sein des élites cultivées. Tactiquement, cela n'était pas forcément mal jouer. Necker, qui fut contrôleur général des Finances (1778-1781, 1788-1789), déplorait l'existence de la traite et de l'esclavage. Mais il n'imaginait pas qu'il fût possible, du fait de la concurrence économique entre les diverses nations d'Europe, que l'une d'entre elles puisse, seule, décider d'abolir ce trafic. Aussi prônait-il, en 1784, dans *De l'administration des finances de la France*, une action internationale commune. Les liens entre les milieux abolitionnistes des deux côtés de la Manche, l'anglophilie qui régnait en France, le rapprochement économique entre les deux nations souligné par le traité de 1786 rendaient parfaitement plausible une coopération entre les deux pays en faveur de l'abolition de la traite et de l'esclavage. Ce qui mit un terme aux espoirs français, comme à ceux d'une collaboration entre la France et l'Angleterre, ce fut d'un côté la révolte des Noirs à Saint-Domingue, de l'autre la Révolution française. La première contribua à isoler les abolitionnistes français, désormais perçus comme des individus s'opposant aux intérêts nationaux. La seconde contribua à détourner les débats en matière d'abolition, avant que la guerre, déclarée par la France en avril 1792, ne fasse de l'Angleterre son ennemi le plus redoutable.

Il est donc clair qu'aucun des trois modèles abolitionnistes que nous avons passés en revue n'était, en soi, « meilleur » que les autres. C'est l'histoire qui donna au modèle anglais un plus grand retentissement. Trop souvent oubliées, les résistances à l'abolition au sein même du pays firent que le mouvement anglais dut se déployer dans le temps, se structurer, et par là même prendre une ampleur qui fut inconnue au Danemark. La disparition provisoire du mouvement français, son unique allié et rival en Europe, isola ensuite son homologue anglais. Toute une historiographie, apparue au début du XXᵉ siècle, célébra avec l'abolitionnisme britannique la puissance et le rayonnement d'une Angleterre qui pensait encore dominer le monde. Enfin, comme le débat sur le rôle économique de la traite dans l'essor de l'Occident s'est toujours largement focalisé sur le cas anglais, l'étude de l'abolitionnisme emprunta la même voie.

Souligner ainsi le rôle des aléas de l'histoire et le poids des modes historiographiques conduit à minimiser l'exemplarité du modèle abolitionniste britannique. Et cela ne peut être que positif. D'abord, parce que l'on imagine trop souvent que ce qui est valable pour l'Angleterre peut l'être pour l'abolitionnisme en général, à l'échelle de l'Occident. Ensuite, parce qu'une telle approche est nécessaire si l'on veut contribuer à impulser les recherches en direction d'autres mouvements abolitionnistes nationaux.

Qu'ils aient été importants ou non, efficaces ou non, n'est pas, en effet, l'unique élément à prendre en considération. La non-structuration d'un mouvement, dans tel ou tel pays, soulève, elle aussi, de grandes questions, qu'il faudra bien aborder un jour ou l'autre. Car si une partie des sources lointaines de l'abolitionnisme est propre à la culture européenne, pourquoi l'abolitionnisme militant s'est-il plus développé dans certains pays que dans d'autres ? Pourquoi la rhétorique abolitionniste anglo-saxonne, qui repose sur l'idée d'un crime à dénoncer et auquel il faut activement mettre fin, a-t-elle eu beaucoup de difficultés à gagner du terrain dans des nations où, comme en France ou au Portugal, tolérantisme et graduellisme prédominèrent longtemps ? L'histoire de l'abolitionnisme ne peut que profiter d'études comparatives plus nombreuses. Seymour Drescher a été un pionnier en la matière. Il fut l'un des premiers à introduire la méthode comparative dans un domaine où le modèle anglo-américain a longtemps été le seul à être étudié. Grand connaisseur de la France, il a aussi étudié le Brésil et les Pays-Bas. Nombre de ses travaux ont permis de mieux comprendre, en retour, le modèle britannique. Mais il reste à faire, et, comme il l'écrit, « notre appétit et notre sens critique devraient être aussi stimulés pour l'étude comparative de l'anti-esclavagisme que pour celle de l'esclavage[37] ».

Plus singulier qu'exemplaire, le mouvement abolitionniste britannique n'en reste pas moins d'une grande portée. La dimension populaire et véritablement nationale qu'il revêtit, avant de déborder audehors et de tenter d'imposer sa vision des choses au reste du monde, est en effet particulièrement étonnante. On ne peut donc que se demander pour-

quoi l'abolitionnisme anglais acquit cette dimension, cette force et cette présomption. Tenter de répondre à cette question nécessite en fait de passer
en revue la plupart des ingrédients ayant joué un
rôle dans la constitution du monde moderne ; preuve
que le débat abolitionniste est loin d'avoir été un phénomène secondaire[38].

LE DÉBAT SUR LES SOURCES
DE L'ABOLITIONNISME ANGLAIS

Historiquement parlant, la première interprétation de l'abolitionnisme anglais, celle qui prévalait
au début du XXe siècle, revenait à un processus en-
clenché et mené à bien grâce à la ténacité et à l'ab-
négation de quelques grands philanthropes, ces fameux « saints » de Clapham dont l'action était
censée représenter tout à la fois les progrès moraux
de l'humanité tout entière et la grande valeur de
l'Angleterre whig. « La croisade de l'Angleterre
contre l'esclavage, écrivait W. E. H. Lecky en 1869,
peut être placée parmi les trois ou quatre pages
parfaitement vertueuses de l'histoire des nations[39]. »
On peut avoir une idée de cette façon de voir les
choses en compulsant la biographie consacrée par
Reginald Coupland à William Wilberforce, en 1923,
ainsi que son livre *The British Anti-Slavery Movement*, paru en 1933. De nombreux documents ont
symbolisé cette interprétation, dont on retrouve encore des traces dans le livre, par ailleurs très utile
en son temps, qu'Hubert Deschamps consacra à
l'histoire de la traite des Noirs, en 1971. Parlant de

Clarkson, Deschamps commençait par dresser le portrait d'un « jeune homme grand, robuste, un peu gras, les yeux globuleux ». Celui d'un « scrupuleux, [d'] un chrétien » et d'« un lutteur ». Rentrant de Cambridge à Londres, écrivait-il, « il est soudain saisi d'une angoisse ». Est-ce que les atrocités de la traite dont il a fait mention dans sa dissertation sont bien exactes ? se demande-t-il. « Il met pied à terre, dans une grande agitation, et conclut : *Si cela est vrai, il faut que cela cesse*. Il médite encore à travers les bois et décide de consacrer sa vie à l'abolition de la traite des Noirs. » On « pense à saint Paul, lui aussi désarçonné et brusquement illuminé », écrivait Deschamps, avant de conclure : « Clarkson a 24 ans ; jusqu'à sa mort, en 1846, il restera voué à une cause qu'il va tirer du néant »[40].

C'est cette interprétation hagiographique sentant l'eau de rose que le fameux *Capitalism and Slavery* (1944) d'Eric Williams tendit à invalider en partie. Faisant de l'économie le facteur ultime de tout changement, Williams affirma que les profits de la traite permirent dans un premier temps d'accumuler le capital nécessaire au financement de la révolution industrielle, mais que, dans un second temps, en fait dès la fin du XVIIIe siècle, la survie de la traite était devenue un obstacle à l'essor industriel britannique. Les tarifs préférentiels accordés aux produits coloniaux étaient en effet devenus coûteux, tandis que, fondement du monde colonial, le système mercantiliste était contraire aux intérêts du capitalisme industriel naissant. Williams reprenait également l'idée développée par Ragatz, en 1928, dans *The Fall of the Planter Class in the British West Indies*. Selon lui, le déclin du système colonial anglais après la guerre de Sept Ans puis la perte des treize colonies ne justifiaient plus la poursuite de la traite anglaise. En d'autres termes, devenue un boulet pour l'économie britannique, la traite n'était même plus nécessaire pour un monde colonial condamné. Il était donc à la fois facile et dans l'intérêt des élites capitalistes anglaises de s'engager en faveur de l'abolitionnisme[41].

Cette théorie a d'abord été fortement contestée par Roger Anstey dans *The Atlantic Slave Trade and British Abolition*. Elle a été ensuite en grande partie infirmée par Drescher qui a renversé la thèse du déclin de l'économie coloniale. Dans son important *Econocide, Economic Development and the Abolition of the British Slave Trade* (1977), il montre en effet que c'est vers 1804-1806 que le système esclavagiste anglais des Indes occidentales a atteint son plus haut niveau. Stimulant le commerce extérieur britannique, il procura même un air salvateur à une économie menacée d'étouffement par les guerres napoléoniennes et le blocus continental. L'importance des colonies ayant été statistiquement établie dès 1788, les parlementaires britanniques auraient été parfaitement conscients de cet état des choses. De plus, la traite anglaise connut des sommets entre 1794 et 1805, et l'on voit mal des planteurs acculés investir massivement dans l'achat de captifs. Publié en 2002, *The Mighty Experiment* complète et conforte la démonstration. Drescher y montre comment, à leur grand désespoir, les abolitionnistes anglais se rendirent progressivement compte que l'économie esclavagiste était viable, que l'abolition de l'esclavage n'était pas forcément une bonne affaire pour l'Angleterre, et que leurs arguments fondés sur les vertus du travail libre étaient peu à peu infirmés par les événements. Parallèlement, Drescher réduit ainsi considérablement la portée d'une idée séduisante qui avait été auparavant développée, selon laquelle l'abolition de la traite et de l'esclavage avait marché de pair avec l'essor de l'idéologie du travail libre, si importante dans la configuration du monde contemporain.

D'ailleurs, si le capitalisme avait été l'élément essentiel et indispensable à la genèse d'un courant abolitionniste, c'est aux Pays-Bas, et non en Angleterre, qu'il aurait dû naître. C'est là, en effet, dans les Provinces-Unies du XVIIᵉ siècle, que le premier laboratoire d'un capitalisme véritablement nouveau et original vit le jour, avec l'affirmation d'une société bourgeoise et urbaine, d'une réelle industrialisation, et des prémices d'une société de classes. Or aucun mouvement abolitionniste n'y apparut réellement. « Les cas de l'émancipation en Amérique hispanique et au Brésil, écrit Drescher, [inspirent] aussi peu de confiance que celui des Pays-Bas dans l'association entre l'essor du capitalisme et celui de l'abolition[42]. »

Ayant largement contribué à en atténuer l'impact, Drescher a néanmoins finement analysé les motifs pour lesquels les théories de Williams demeurent utiles, bien que leurs conclusions doivent aujourd'hui être abandonnées dans leur formulation initiale. Le succès de l'ouvrage de Williams, dont les conclusions et le style diffèrent assez profondément de sa thèse soutenue quelques années auparavant, tint autant à la fluidité de ses syllogismes, à son style pamphlétaire et aux arguments qu'il donna à un mouvement tiers-mondiste naissant, qu'à la profondeur scientifique de ses analyses. Il s'agit, comme l'écrit Drescher, d'une « histoire-rhétorique », plus que d'une « histoire-savoir ». Mais Williams eut le grand mérite de contribuer à réinsérer la traite et l'esclavage dans un discours moins événementiel et plus global que celui qui était pratiqué avant lui : « L'ultime et plus durable message de Williams fut que l'abolition ne pouvait avoir triomphé indépendamment des développements économiques liés à l'industrialisation. » Cette « simple hypothèse s'est déjà révélée plus fructueuse que celles offertes par les historiens dans l'ensemble du siècle qui le précéda. *Capitalism and Slavery* changea notre manière de voir l'abolition, précisément parce qu'il riva notre attention sur le *contexte* plus que sur les héros[43] ».

C'est vers ce « contexte » que les historiens se sont depuis lors tournés, en réinvestissant ses configurations économiques, tout en ouvrant de larges et nouvelles avenues en matière d'histoire culturelle et politique. Du côté de la variable économique, que l'efficacité du travail servile ait contredit les adeptes de la *free labour ideology* n'exclut pas l'existence de liens entre elle et le mouvement abolitionniste. Car cela ne veut pas dire que certains abolitionnistes n'aient pas réellement cru en sa supériorité. De plus, cette « idéologie capitaliste », pour reprendre l'expression de l'un de ses meilleurs historiens, Howard Temperley, nous fournit un « juste moyen afin d'expliquer pourquoi des hommes au jugement indépendant, et qui ne partageaient pas la répugnance morale des abolitionnistes, étaient prêts, à l'occasion, à s'accorder avec eux » (même si « cela ne les empêchait pas, évidemment, d'agir en d'autres directions dans d'autres occasions »). En politique, après tout, la force d'un argument ne se résume pas seulement à son degré de correspondance avec le réel. Ce qui compte également, et parfois beaucoup plus, c'est que l'on y croit. Et nul doute que la *free labour ideology* ait été à la mode dans l'Angleterre de la fin du XVIIIe et du début du XIXe siècle[44].

Puisant à deux grandes sources d'inspiration, le marxisme et le freudisme, Davis a également beaucoup contribué à l'approfondissement et au renouvellement des thèses liant abolitionnisme et capitalisme. Ayant conclu, dans *Problem of Slavery in the Western Culture* (1966), à l'idée d'un changement radical survenu au cours de la seconde moitié du XVIIIe siècle, il s'est ensuite attaché à en trouver les raisons, explorant pour cela la société, la culture et la politique des États-Unis et de l'Angleterre d'alors. Selon lui, le mouvement abolitionniste revêtit un aspect capitaliste à la fin du siècle. Ce dernier aurait été notamment visible au sein de cette avant-garde anglo-américaine composée de quakers qui réussit à lier intérêts mercantiles, intérêts industriels et mouvement social. L'abolitionnisme aurait ainsi eu pour conséquence — en grande partie involontaire — de défendre l'ordre capitaliste naissant. Aux États-Unis, les quakers auraient contribué à attaquer l'esclavage tout en défendant la nouvelle discipline du travail capitaliste. En Angleterre, ils étaient politiquement beaucoup moins influents. Ils se seraient donc alignés sur les revendications plus politiques et morales défendues par les élites abolitionnistes. Pour Davis, la force de l'abolitionnisme est qu'il répondait en partie aux besoins de la classe capitaliste. En dénonçant l'esclavage aux colonies, en le peignant sous un jour extrêmement sombre, on pouvait ainsi espérer détourner les masses des problèmes causés par l'introduction du machinisme et de nouvelles formes d'exploitation du travail. En somme, l'abolitionnisme aurait réussi à faire d'un humanitarisme sincère un élément d'une idéologie de classe, et par là même de la culture nationale britannique. Il aurait conduit à renforcer les pouvoirs en place, à rendre plus invisibles, et donc à légitimer, les nouvelles chaînes imposées à l'homme par l'industrialisation. Williams analysait le capitalisme à travers ses marchés et le passage du mercantilisme à l'industrialisme. Davis le sonde à travers les tensions entre classes sociales.

Une critique apparaît à ce niveau de l'analyse, formulée par Haskell. Si la classe dominante agit ainsi inconsciemment, comme le dit Davis, comment peut-on parler de ses « intérêts » ? « Dire qu'une personne est mue par des intérêts de classe revient à dire qu'elle *entend* pousser plus loin l'intérêt de sa classe, ou bien cela ne veut rien dire du tout[45]. » Tout en s'accordant sur l'idée de liens entre capitalisme et abolitionnisme, Haskell préfère les trouver ailleurs. Il pense que les progrès du capitalisme auraient conduit à des changements cognitifs, à modifier la manière dont les individus appréhendaient les choses et la notion de responsabilité morale. C'est donc en acteurs parfaitement conscients de leurs intérêts qu'ils auraient agi. Ce faisant, délaissant l'approche freudienne, il retombe néanmoins dans un déterminisme marxiste plus classique.

Tout autre est la remarque formulée par Drescher. Il indique que les abolitionnistes ne furent nullement dans leur ensemble conduits à détourner les masses de leurs propres problèmes. « Ironiquement, écrit-il, au lieu de filtrer les mécontentements de la métropole, l'anti-esclavagisme stimula la discussion populaire autour des affaires intérieures comparables à celles de l'esclavage : la conscription, la flagellation, le système de la presse [pour l'armée], la détresse agricole, l'emprisonnement pour dettes, le service domestique, l'apprentissage dans le cadre des paroisses, de même que les sévices à l'encontre des écoliers, femmes, métayers, animaux, Irlandais pauvres, Écossais déplacés et personnes privées de droits politiques. » En fait, ajoute-t-il en substance, les choses doivent être interprétées différemment selon les époques. Avant 1815, lorsque les différences objectives de vie entre les esclaves déportés par la traite et les ouvriers anglais étaient évidentes, le discours abolitionniste était centré sur la figure de l'esclave. Après 1823, lorsque le débat sur l'abolition de l'esclavage dans les colonies anglaises permit d'accumuler une énorme documentation, certains avantages matériels relatifs des esclaves par rapport aux ouvriers de l'industrie anglaise furent mis en évidence. En percevant l'intérêt polémique, les abolitionnistes n'hésitèrent alors plus à pousser la comparaison. Aussi, « lorsque l'anti-esclavagisme devint lui-même plus populaire et radical, son idéologie était principalement tournée contre les industriels britanniques ».

Au total, les thèses liant abolitionnisme et capitalisme ont évolué. Celles fondées sur la faible capacité productive du travail servile et du système de la plantation ayant été infirmées, les nouvelles insistent sur les transformations induites, dans les métropoles, par l'essor du travail salarié et la lutte des classes. C'est néanmoins au prix d'un singulier rétrécissement du rôle attribué au capitalisme dans l'essor de l'abolitionnisme. En 1944, Williams analysait ces liens à l'échelle de la planète. On ne les scrute désormais plus guère qu'à celle d'une phase du développement industriel, dans un pays, et dans le cadre de l'idéologie attribuée à certaines classes sociales. De plus, Davis « a ajouté à son équation » tant « de nouveaux éléments non élitistes et non capitalistes » que l'idée sur laquelle il avait précédemment beaucoup insisté, celle d'un anti-esclavagisme perçu essentiellement comme un instrument de défense sociale aux mains des élites, s'est vue considérablement atténuée[46].

L'époque du primat des interprétations économiques est donc bel et bien dépassée. D'autant plus qu'entre-temps le rôle des variables culturelles et politiques dans le mouvement abolitionniste a été nettement affiné.

Pour Anstey, ce sont les motivations morales et religieuses qui auraient été à l'origine de l'abolitionnisme anglais. Dans son fameux *The Atlantic Slave Trade and British Abolition, 1760-1810* (1975), il faisait surtout appel au renouveau religieux piétiste et wesleyen et à ce qu'il appelait « l'éthique du salut et l'esprit de la Réforme ». Le message anti-esclavagiste est, on le sait, assez peu explicite dans les Saintes Écritures. C'est donc en forçant les textes, notait Anstey, que nombre de prédicateurs ont pu entraîner l'adhésion des fidèles. Ils ont notamment insisté sur quatre points : une interprétation particulière de la doctrine du salut, articulée autour des idées de rédemption et d'émancipation de l'esclavage ; l'association des notions de salut individuel, de rédemption du péché et de peuple élu ; une loi d'amour ouverte sur la fraternité ; « l'établissement d'un lien constant entre la servitude du captif et notre servitude honteuse, entre la liberté du captif et la liberté de l'homme dans l'amour de Dieu[47] ». Dans leurs sermons, les pasteurs évangéliques partaient systématiquement des textes bibliques. Ils n'hésitaient pas à proférer des menaces contre l'Angleterre, accusée d'être complice d'un mal collectif dont la faute rejaillissait inévitablement sur chaque individu. Faute d'œuvrer en faveur de l'extinction de la traite et de l'esclavage, le pays et ses habitants ne pourraient que subir le courroux divin. Sachant cultiver tous les registres et relier des droits ailleurs bien souvent disjoints (le droit divin, le droit naturel et le droit humain), les pasteurs tentaient également de faire appel à l'expérience sensible des personnes auxquelles ils s'adressaient, à leurs sentiments en tant qu'hommes, en tant que chrétiens et en tant qu'Anglais. Lorsqu'ils parlaient de droits et de libertés, ils renvoyaient en effet à quelque chose de concret, à un commencement de libéralisation de la vie politique, depuis la glorieuse révolution de 1688, dont les Anglais étaient particulièrement fiers et que l'on enviait ailleurs. Le combat pour l'abolition de la traite et la célébration de valeurs alors présentées comme typiquement anglaises étaient liés. Alors que le patriotisme fut, en France, au Portugal et ailleurs, souvent utilisé par les pro-esclavagistes, il servit ainsi dès les débuts la cause abolitionniste anglaise. Davis interprète cet engagement des Églises protestantes comme le signe d'une rupture par rapport à la tradition religieuse classique. Anstey préférait, pour l'expliquer, faire appel à l'affirmation d'une attitude, certes nouvelle, mais non en rupture totale avec le passé. Une attitude consistant à refuser de considérer que l'ordre établi se résume à un compromis avec le péché, et aboutissant à l'idée que Dieu confère à ses fidèles le pouvoir de changer le monde. C'est cela qui est à la fois nouveau et particulièrement important, cette intervention souhaitée du chrétien dans la Cité terrestre, au lieu de renvoyer la résolution des problèmes d'ici-bas à la Jérusalem céleste. Et c'est à un devoir moral issu de la foi chrétienne que fait référence Clarkson, en dehors de toute sentimentalité, afin de justifier son action[48].

À la décharge d'Anstey, on peut dire que croire en la capacité des bons sentiments afin de transformer le monde n'est pas forcément le seul reflet d'une attitude religieuse. Cette croyance renvoie également à une « tradition de la pensée européenne dans sa relation à l'Autre non européen, perçu comme victime directe ou indirecte de l'Europe, et donc à sauver[49] ». Elle renvoie aussi à une idée nouvelle pour l'époque, et qui est en partie d'inspiration laïque, comme l'a montré Albert O. Hirschman : l'idée que la passion et les intérêts peuvent se combiner en un cercle vertueux, générateur de progrès social[50]. Le meilleur exemple de ce phénomène, en matière d'abolitionnisme, est peut-être, comme l'a montré Davis, celui des quakers. Chez eux, en effet, sensibilité religieuse et esprit d'entreprise se combinaient souvent dans leur opposition à l'esclavage. Ils pensaient que celui-ci nuisait à la morale, aux bonnes manières et à l'éthique du travail, reliant ainsi lois naturelles, lois économiques et lois divines.

Cependant, être entraîné par de bons sentiments est une chose, arriver à convaincre les politiques de légiférer dans un sens qui leur soit favorable en est une autre. Aussi Anstey n'a-t-il pas seulement mis l'accent sur les fondements religieux de l'abolitionnisme anglais. Il s'est également intéressé à la stratégie et à la tactique abolitionnistes, afin de comprendre comment des sectes divisées sur le plan théologique ont pu constituer un lobby cohérent et efficace. À ce sujet, il faut noter le talent qui a con-

sisté à inventer le sentiment de la faute chez les citoyens britanniques n'ayant aucun lien avec l'institution esclavagiste et négrière. Il a suffi pour cela
d'indiquer que le simple fait de consommer du sucre pouvait être criminel. Ce qui fait, comme le
note Drescher, que la consommation de sucre, qui,
dans l'Angleterre de la fin du XVIIIe siècle, se faisait
réellement sur une grande échelle, pouvait être interprétée comme un « acte de communion cannibale[51] ».
Simultanément, la cause abolitionniste sut gagner à
elle les femmes, qui devinrent de puissants et actifs
agents en sa faveur. Les leaders du mouvement se
sont vus ainsi réhabilités dans l'historiographie,
non plus pour leur désintéressement, comme on
l'avait fait auparavant, mais pour leur habileté politique. Ils ont en effet réussi à réunir, au moins provisoirement, une grande partie de l'opinion publique, l'essentiel des sectes dissidentes, et une
majorité de parlementaires et de lords. Il s'agit là
d'une alliance véritablement nouvelle et étonnante
pour le monde politique anglais de l'époque. Elle
montre que le processus abolitionniste ne peut être
déconnecté des réalités de la politique intérieure de
l'Angleterre.

On pourrait rendre compte de ses méandres, car
cette histoire-là, aussi, a compté, mais cela nous en-
traînerait trop loin. Et comme je m'intéresse ici
plus à la pièce dans son ensemble qu'à ses différentes scènes, je préfère mettre l'accent sur la manière
dont les composantes de la vie politique se sont
agencées autour de la question abolitionniste. Il
nous faut pour cela un scénario. Le point de départ
est fourni par la précoce institutionnalisation de la
participation des Britanniques à la vie politique de
leur nation. Dès le Bill of Rights de 1689, le droit de

pétition devint une réalité. Sur cela se sont greffées les mutations affectant l'économie, la société et la culture de l'Angleterre du XVIIIe siècle. Dans une période de changement, on se pose des questions, on est amené à se repositionner, à essayer d'agir sur son environnement. Des masses déjà habituées à disposer d'un droit d'expression ne pouvaient qu'être tentées d'intervenir encore plus dans la vie politique. Changement essentiel, des mouvements d'opinion apparaissaient. Troisième élément du scénario, l'essor des sectes fut favorisé par des raisons internes, notamment le fait que le recours individuel aux textes sacrés était mis à l'honneur en terre protestante, alors que la soumission à l'autorité pontificale demeurait essentielle en terre de catholicité. Tout en s'insérant et en profitant de cette montée de l'opinion, les sectes contribuèrent à l'amplifier et à l'orienter, sans toutefois la canaliser totalement.

Car si l'abolitionnisme militant relève d'abord d'une « révolution dans l'opinion publique et parlementaire », comme l'écrit Drescher, l'analyse de la mécanique abolitionniste indique à la fois l'importance et les limites des modes de la mobilisation sociale. Avec l'élargissement de la discussion, note-t-il, il devient de plus en plus évident que l'essor de l'anti-esclavagisme doit plus être considéré comme le révélateur d'un « nouveau mode de mobilisation sociale » que comme le reflet d'une « nouvelle domination de classe[52] ». L'opinion publique populaire ne fut pas entièrement soumise aux mots d'ordre des élites bourgeoises et aristocratiques, elles-mêmes divisées sur la question de l'esclavage. Dotée d'une réelle autonomie, elle rejoignit et soutint volontairement la cause abolitionniste. Sans doute

fut-elle mue par des conceptions morales et religieuses, mais pas seulement, l'idée de fierté nationale ayant également joué un rôle non négligeable.
C'est en effet parce qu'ils se considéraient comme
appartenant à une grande nation, forte et fière de
ses libertés, de ses valeurs, de son originalité et de
sa « mission », que nombre d'Anglais ont adhéré à
un mouvement abolitionniste censé refléter tout
cela. Enfin, l'ensemble des transformations affectant alors l'Angleterre contribua à ce que l'histoire
des pétitions en faveur du combat abolitionniste
soit jalonnée par des millions de signatures. Parmi
ces transformations figurent l'exode rural, l'urbani-
sation, les débuts de l'industrialisation, la formation de la classe ouvrière. Jusqu'à un certain point,
s'opposer à la traite et à l'esclavage « au-delà de la
ligne », n'était-ce pas (au-delà même de la reconnaissance du principe que tous les hommes sont
égaux devant Dieu), même si cela n'était pas clairement affirmé, critiquer un mode d'exploitation de
l'homme par l'homme[53] ?

Qu'elles aient consciemment souhaité détourner
l'attention des masses de ces problèmes sociaux,
comme le suggère Davis, ou qu'elles aient voulu
conserver la main dans une période de forts changements, les élites, en tout cas, ne pouvaient rester
en marge du mouvement. En mobilisant les églises
évangéliques, les institutions alors les plus démo-
cratiques et populaires de la société britannique, en
organisant le mouvement au niveau des collectivi-
tés par la formation de sociétés abolitionnistes locales, et en débouchant sur des campagnes nationales, les abolitionnistes réussirent à toucher des gens
qui étaient demeurés jusque-là en marge des affaires nationales. Des personnes dépourvues de droit

de vote purent pétitionner. Comme le remarque Joseph Miller, la campagne abolitionniste fut ainsi « le fer de lance d'une profonde évolution vers une plus grande participation à la politique électorale [...] qui allait conduire en une génération à l'élargissement du droit de vote », par les lois de 1831 et de 1832[54]. James Walvin a poussé encore plus loin l'analyse, indiquant que le mouvement abolitionniste avait pu exercer une grande influence sur le radicalisme populaire anglais[55] (ce qui voudrait dire qu'il aurait aussi joué, indirectement, contre les intérêts des capitalistes).

Certaines élites ont donc pu considérer les aspects populaires de l'abolitionnisme anglais comme une forme de contestation de l'exclusivisme de la politique britannique, ou, pour le moins, de menace vis-à-vis de cet exclusivisme. Aussi tentèrent-elles d'organiser et de contrôler le mouvement. Dans son *Mighty Experiment*, Drescher remarque que les arguments utilisés au Parlement ne coïncidèrent que d'assez loin avec ceux brandis par l'opinion. Dans les Chambres, on préféra rationaliser le débat, en appeler aux sciences humaines et sociales alors en germe ou bien rassembler des informations en provenance d'autres lieux, d'autres colonies. Les données ainsi recueillies paraissent n'avoir été que des alibis, des moyens de se justifier, dont on usa seulement un temps, et que l'on changea ou adapta avec pragmatisme, en fonction des circonstances. Tout se passe donc comme si, au final, il s'était agi, au Parlement, de calmer le jeu, d'intégrer en le désamorçant le poids de l'opinion publique, de maîtriser le changement : placés sous le feu de « sévères pressions de l'extérieur, le Parlement et le gouvernement pouvaient encore tous deux démontrer » qu'ils étaient en mesure d'appréhender la question de l'émancipation comme celle d'un « choix purement rationnel » et consensuel en faveur d'un « changement social contrôlé »[56]. Ce faisant, en libérant tout en canalisant certaines tensions majeures non résolues au cœur de la société britannique, l'abolitionnisme a pu avoir pour effet de « renforcer les chaînes invisibles qui se forgeaient en Grande-Bretagne[57] ». Sous l'influence de phénomènes géopolitiques, à savoir la progressive mainmise sur les mers de la Grande-Bretagne, l'abolitionnisme version britannique a ensuite été exporté et appliqué au-dehors. « Lorsque l'Angleterre se vit la maîtresse des mers et le centre du seul empire mondial, écrit Drescher, l'exportation des normes métropolitaines britanniques en matière de relations humaines commença à sembler plus réalisable. En ce sens, l'hégémonie navale britannique, après 1760, correspond à une claire érosion des perceptions antérieures[58]. »

On le voit, qu'il s'agisse de la morale, de l'économique, du religieux ou du politique, aucun facteur, pris séparément, n'est vraiment suffisant pour expliquer à lui seul un processus abolitionniste britannique complexe, formé d'éléments variés se superposant, s'enchevêtrant et s'articulant en fonction de contextes particulièrement fluctuants. Afin de mieux prendre en compte cet enchevêtrement, peut-être pourrait-on proposer ici une hypothèse ; celle d'un mouvement constitué un peu à la manière d'une fusée à étages, avec une pluralité de facteurs jouant de manière un peu différente selon les niveaux de la société où ils sont représentés. À la base, qu'il ait été ou non en partie abusé, l'étage populaire fut animé principalement par des préoccupations morales, religieuses, patriotiques et sociales. Il eut ensuite le mérite de ne pas se faire oublier et, en certaines occasions, joua un rôle non négligeable. En 1791-1792, quatre cent mille adultes (un sur onze) signaient une pétition au Parlement en faveur de l'abolition de la traite. En 1814, l'article additionnel au premier traité de Paris donnait cinq ans de sursis à la France pour abolir la traite. Réclamant une abolition universelle, un million d'Anglais s'en indignaient, dont trente-cinq mille à Liverpool, sur une population d'environ cent mille habitants. Aussitôt, Wellington était envoyé à Paris afin de faire pression sur le gouvernement français. Ce rôle de l'opinion fut durable. En 1880, luttant en faveur de l'abolition de l'esclavage dans l'Empire ottoman, la British and Foreign Anti-Slavery (fondée en 1823) critiqua l'action de Disraeli et adressa un message clair aux électeurs du pays : « Nous recommandons ces faits à la plus sérieuse considération des électeurs et croyons que le jour des élections ils les conserveront fermement à l'esprit[59]. »

À l'étage supérieur, au Parlement, philanthropie, crainte de la contagion révolutionnaire, désir de s'opposer à la France et à son blocus continental et volonté de garder en main les cartes du jeu politique purent facilement se conjuguer à certains intérêts économiques. Car la vitalité des colonies esclavagistes anglaises n'impliquait pas qu'elles soient indispensables pour tous. Les mêmes arguments, sans doute plus empreints de pragmatisme, se retrouvèrent au sommet de l'État. Là, jouèrent également des arguments géostratégiques. Maîtresse des mers, puissance tutélaire d'un empire déjà vaste et en plein essor, la Grande-Bretagne était alors l'une des seules grandes puissances à concevoir une politique et une diplomatie à l'échelle planétaire. Dès 1803, le Colonial Office envoyait l'Écossais Mungo

Park explorer le cours du fleuve Niger et sonder les chances d'y ouvrir de nouveaux débouchés commerciaux. La doctrine des 3 C (civilisation, commerce et christianisation) était déjà plus qu'en germe. La fin de la traite pouvait gêner momentanément la Grande-Bretagne. Mais, à court et à moyen terme, son abolition internationale permettait de handicaper plus lourdement des nations moins aptes qu'elle à la supporter. L'attitude d'un William Pitt, Premier ministre de 1783 à 1806 (avec une interruption entre 1801 et 1804), illustre bien comment morale et pragmatisme purent se combiner. Homme intègre, adhérent de la première heure aux thèses abolitionnistes, il les défendit avec force au moment où la révolte de Saint-Domingue affaiblissait la France, mais devint plus réticent vers 1796-1797, lorsque l'Angleterre était moins concurrencée sur le marché des produits exotiques, du fait du retrait français en la matière. De la même manière, la défaite française à Trafalgar et la prise de possession par les Anglais de nouvelles colonies dans les Caraïbes contribuèrent à diviser les membres du lobby des planteurs. Une bonne partie d'entre eux n'avait en effet pas intérêt à ce que ces nouveaux territoires se développent, car ils auraient concurrencé les colonies sucrières anglaises plus anciennes. Aussi le Parlement accepta-t-il, en 1806, d'interdire la traite dans les régions nouvellement acquises. Enfin, hasard ou coïncidence troublante, c'est au moment où elle fut débarrassée de tout concurrent sur ce marché, en 1807, que l'Angleterre se convertit totalement à l'abolitionnisme.

Surtout, il y eut connexion entre les différents étages de la fusée. Le combat abolitionniste fut à l'origine de l'un des premiers mouvements politiques pacifiques de masse en Grande-Bretagne. Aucun gouvernement ne pouvait totalement fixer sa politique en fonction des mouvements d'opinion. Ce qui facilita grandement les choses, ce fut l'absence de réel conflit entre les objectifs de l'État et l'opinion publique. C'est donc dans la connivence véritablement historique qui s'est établie entre les deux que doivent, sans aucun doute, être recherchées à la fois l'originalité et la force de l'abolitionnisme britannique.

En tout cas, une fois la traite abolie chez elle, la Grande-Bretagne ne pouvait se permettre de la voir continuer ailleurs. L'acte de 1807 prévoyait de l'interdire sur les côtes et territoires d'Afrique, posant ainsi de manière implicite la question de l'internationalisation de la mesure. Entre 1810 et 1905, les questions négrières ont figuré à l'agenda de la diplomatie britannique, parmi ses trois ou quatre préoccupations majeures. Ce n'est sans doute pas un hasard. Rappelant que le siège de la société anti-esclavagiste internationale se trouve aujourd'hui toujours à Londres, James Walvin a écrit que la Grande-Bretagne avait su faire de l'abolitionnisme l'un des éléments de son impérialisme culturel.

5

La « machine » abolitionniste

On parle parfois de « machines » pour qualifier les grandes formations politiques contemporaines, désignant ainsi leur capacité, à la fois, à mobiliser les moyens nécessaires à leur action, à la définir et à la mettre en œuvre. Ces différentes fonctions furent également celles du mouvement abolitionniste tel qu'il s'est déployé, à l'échelle des différentes nations occidentales comme sur le plan international. Les hommes animant cette « machine » politique, diplomatique et médiatique avant l'heure n'ont guère tenté de dissuader planteurs et armateurs de miser sur la traite. En appelant d'abord à l'État, ils ont essayé d'influencer le législateur, le poussant ainsi à mettre un terme légal à la traite. Pour ce faire, afin de mieux faire pression, ils ont dû tenter soit de mobiliser les masses, comme en Angleterre, soit de convaincre l'opinion éclairée, comme en France. C'est dans ce contexte que l'analyse de leurs arguments peut être réalisée, puis comparée à celle du discours de leurs adversaires esclavagistes.

CONVAINCRE POUR INTERDIRE

Pour nombre d'Européens de la fin du XVIIIe siècle, l'Afrique était un continent inconnu, l'Africain au mieux un exotique « bon sauvage », au pis un esclave « naturel », proche de l'animalité. David Hume se disait sûr de l'infériorité naturelle du Noir par rapport au Blanc. Saint-Simon, que l'on qualifie à tort de socialiste utopique, eut des mots très durs à l'encontre des Noirs et, notamment, des révoltés de Saint-Domingue. Hegel ne croyait pas que les peuples d'Afrique noire pussent avoir une véritable histoire. Et la liste des « grands hommes » ayant porté des jugements défavorables sur l'Afrique et les Africains pourrait facilement être allongée.

Comme l'écrit Yves Bénot, les progrès « se jouent d'abord dans la sphère de la théorie et des énoncés de principe ; le verbe est au commencement. L'action ne vient qu'ensuite[1] ». Pour montrer combien la traite était infâme, les abolitionnistes devaient donc convaincre leurs contemporains de l'humanité du Noir. D'où un slogan, inventé par les Anglais, comme presque tout l'argumentaire abolitionniste : *Am I not a man and a brother ?* (« Ne suis-je pas un homme et un frère ? ») L'inscription orna le sceau de la Société abolitionniste de Londres, dessiné en avril 1787 par Josiah Wedgwood. Un médaillon en pâte jaspée fut ensuite fabriqué par William Hackwood. On y voyait un Africain agenouillé et enchaîné. Le succès de ce médaillon fut immense, en Angleterre comme aux États-Unis. On le fit monter en or sur des tabatières, tandis que les dames, selon le témoignage de Clarkson[2], le portaient sur des bijoux, en bracelets ou en épingles à cheveux. La So-

ciété française des Amis des Noirs en emprunta le
dessin pour faire graver son sceau. En 1788, souhaitant édifier les incrédules, Clarkson enquêta à
Liverpool. Il en ramena le plan d'un navire négrier,
le *Brookes*. Il y représenta 454 Noirs, disposés de la
manière habituelle sur les négriers, tout en tenant
compte des recommandations du Dolben's Act,
donnant ainsi une idée claire de leur entassement.
Œuvre de propagande entachée d'inexactitudes, dirent certains, elle fut, et là est l'essentiel, terriblement efficace. C'est à ce moment que Mirabeau, im-
pressionné, compara le navire de traite à un
cercueil flottant. Rapidement, le mouvement abolitionniste se rendit ainsi maître du terrain de la morale. Le pathétique constitua l'une de ses armes.
D'où certaines exagérations dans le discours, parfaitement adaptées, cependant, à une Europe de
plus en plus portée par la vague du « sentiment ».

L'économie politique ayant été en partie réinven-
tée par les Lumières, les hommes favorables à l'abolition tentèrent également de montrer que le trafic
négrier n'était peut-être pas une bonne affaire. En
France, Dupont de Nemours affirma, en 1771, que
des « ouvriers libres ne coûteraient pas plus » que
des esclaves, qu'ils « seraient plus heureux, n'expo-
seraient point aux mêmes dangers, et feraient double d'ouvrage ». À la veille de la Révolution des arguments économiques en faveur de l'abolition de la
traite furent également utilisés par Clavière, Brissot, Lavoisier et La Fayette. Mais, à l'époque révolutionnaire, ces prises de position individuelles
étaient surtout le fait de Girondins, et elles ne furent pas vraiment mises en relief dans le registre
des délibérations de la première Société des Amis
des Noirs dans laquelle ils étaient pourtant in-

fluents. À le lire[3], on voit que les arguments moraux l'emportaient. Il s'agissait, pour reprendre les termes du rapport de séance du 11 mai 1788, de plaire « au goût du lecteur français », et donc d'insister sur les faits « au coloris sombre ». La deuxième Société sembla plus préoccupée d'économie politique que la première. Au début du XIXe siècle, Say et Sismondi ont poursuivi dans cette direction. Mais, au total, la science économique française est apparue bien hésitante sur la question, lorsque ses auteurs n'ont pas changé diamétralement d'avis en cours de route, afin de trouver des arguments allant dans le sens de leurs thèses[4].

Plus généralement, lister les thèmes les plus couramment utilisés par les abolitionnistes français n'est pas trop difficile. Ils nous disent que la traite est néfaste pour l'Afrique (dont la population serait menacée d'extinction) comme pour l'Europe (coût élevé du sucre pour les consommateurs européens, forte mortalité parmi les marins, transfert de richesses vers l'Afrique, rivalités commerciales à l'origine de guerres coûteuses…). Ces idées étaient toujours plus ou moins reliées à des arguments moraux : des marins meurent à la traite, laquelle constitue, pour les autres, une école de dépravation ; le sucre est cher et il s'agit, de plus, d'une denrée qui n'est pas véritablement nécessaire et encourage au luxe ; la traite conduit à dépeupler l'Afrique alors que le commerce devrait être un outil contribuant aux progrès de la civilisation. Plusieurs solutions étaient préconisées afin de renverser le cercle vicieux qui s'était instauré : encourager la reproduction des captifs aux Amériques, établir un commerce « légitime » avec l'Afrique, fondé sur l'échange de produits et non sur le commerce des

hommes, favoriser l'établissement de colonies agricoles africaines fonctionnant grâce au travail libre.
On voit ainsi que les abolitionnistes n'étaient pas
forcément des anticolonialistes. Ils souhaitaient
seulement remplacer un type de rapports coloniaux
jugé néfaste par un autre type de rapports pouvant
être profitable à tous. Ce genre de discours n'était
pas exempt de contradictions, lorsque, par exemple,
on présentait la traite comme la source des maux
de l'Afrique tout en clamant qu'elle contribuait à un
coûteux transfert vers elle des richesses européennes. Mais surtout, le discours abolitionniste français n'a pas encore été étudié dans sa globalité ; il
est donc difficile de savoir ce que vaut tel ou tel argument pris isolément ; difficile de savoir s'il est représentatif d'un auteur, d'une époque ou du mouvement dans son ensemble.

De fait, c'est le mouvement abolitionniste anglais
qui, tout en combattant d'abord sur le plan moral[5],
semble s'être engagé le plus sur le front économique et sur celui des sciences sociales en général, en
développant la méthode de la preuve par les chiffres. Ce fut notamment le cas chez Clarkson qui,
dans son *Essay on the Impolicy of the Slave Trade*
(1788), insista sur l'idée que le trafic négrier n'était
pas une bonne affaire. Les marchandises de traite
n'étaient pas toujours produites sur place. On devait donc avoir recours à des importations, en contravention avec les doctrines mercantilistes en vigueur. Certains produits étaient même détournés et
réinjectés en Europe dans le commerce de colportage, ce qui nuisait aux industries nationales. En
laissant les Africains chez eux, ils pourraient dégager des surplus et acheter des produits à une Europe avide de gomme et d'indigo (pour l'industrie

textile), d'huile (pour l'entretien des machines), de bois, d'or ou d'ivoire. De part et d'autre, un nouveau commerce, « légitime », pourrait donc s'établir. L'ancien esclave Olaudah Equiano ne tarit pas d'éloges à ce sujet. « La population, les entrailles et le sol de l'Afrique regorgent de ressources précieuses et utiles, écrit-il. En un mot, un champ infini s'ouvre au commerce des fabricants et négociants britanniques qui oseront. L'intérêt des fabriques et l'intérêt général sont synonymes[6]. » À l'époque du décollage industriel, ce discours ne pouvait pas ne pas éveiller l'intérêt des hommes politiques. Parallèlement, Clarkson mettait l'accent sur le fait que la traite coûtait des milliers de vies humaines aux marines européennes[7], que, plutôt qu'une « pépinière », elle constituait un « tombeau » pour la Navy (et l'on sait quelle était son importance pour la Grande-Bretagne), et qu'elle condamnait à l'abrutissement les Noirs réduits en esclavage. Enfin, si l'on souhaitait les christianiser, ne serait-il pas préférable de le faire sur place, grâce à des missionnaires ?

On retrouve ici les trois grandes thématiques du discours des abolitionnistes anglais, tel qu'il est analysé par Drescher, dans *The Mighty Experiment* : le principe populationniste, l'argumentation relative au travail libre, et le recours à l'expérimentation. La première thématique tourne autour de l'idée selon laquelle la traite laisserait l'Afrique exsangue et empêcherait simultanément les populations des Indes occidentales de se développer par croît naturel. La deuxième conduit à mettre l'accent sur les vertus du travail libre ou salarié par rapport au travail forcé. La dernière se déploie au Sierra Leone, une province de liberté où, après 1787, on accueille les

Noirs libérés. Le régime haïtien, après sa stabilisation politique, ainsi que les expériences tentées à la
Trinité, à Tortola[8] et au Venezuela intéressaient
également les abolitionnistes, désireux de légitimer
par des faits concrets le bon sens de leurs propositions. Toutefois, comme l'indique justement Drescher, ce qui était présenté par eux comme « une
formidable expérience » fut avant tout « une formidable improvisation » [9]. Les abolitionnistes firent
appel à Smith et à Malthus, mais les théories de ces
derniers ne corroboraient pas forcément leurs arguments. La plupart des expériences concrètes auxquelles ils se rattachèrent se soldèrent par des
échecs ou bien fournirent tout autant d'arguments
aux défenseurs de l'esclavage. Et, au final, les abolitionnistes anglais durent sans arrêt changer leur fusil d'épaule, modifier la nature de leurs arguments,
afin de conserver une certaine crédibilité.

Alors que de nombreux travaux ont été consacrés
au discours abolitionniste, relativement peu de choses ont été écrites à propos de l'argumentaire esclavagiste. Ici ou là, on insiste sur la manière dont la
presse et quelques personnalités, souvent des politiques ou des officiers, ont tenté de répliquer au discours abolitionniste. Mais ce que dirent et pensèrent les planteurs et les armateurs négriers a été
assez peu étudié. Sans doute parce qu'ils sont restés
prudents, afin de ne pas donner trop de grain à
moudre à leurs adversaires, mais aussi parce qu'il
est plus difficile de s'aventurer dans les méandres
des archives privées que dans les registres de déli-
bération des différentes assemblées politiques ayant
eu à statuer sur l'interdiction de la traite. Aussi,
bien que cela puisse paraître paradoxal, les personnes les plus directement impliquées dans la traite

sont aussi celles à propos desquelles nous disposons aujourd'hui du moins d'informations. Comment les négriers percevaient-ils l'Afrique et les
Africains ? Avaient-ils des remords ? Peut-on déterminer quelles furent leurs attitudes, ainsi que la
manière dont elles évoluèrent ? Faute d'études suffisantes, je me bornerai ici, pour tenter de répondre
à ces questions, à étudier le seul cas français.

À lire les documents laissés par les capitaines et
les armateurs négriers, on s'aperçoit qu'un ensemble de stéréotypes relatifs à l'Afrique et aux Africains s'est peu à peu fixé, entre la fin du XVIIe siècle
et les premières décennies du XVIIIe. Cet ensemble
s'est ensuite assez largement diffusé au sein du milieu maritime, et il apparaissait relativement solidement fixé à la fin du XVIIIe siècle. Globalement, à la
différence des premiers Européens arrivés sur les
côtes d'Afrique occidentale, armateurs et capitaines
décrivaient un monde hostile. Pour eux, l'Afrique
était un continent stérile, dangereux et oppressif,
incapable d'offrir autre chose que ses hommes[10].
Son intérieur mystérieux et, par-dessus tout, son
climat malsain inquiétaient les marins qui mouraient en grand nombre sur ses côtes inhospitaliè-
res. La nature africaine n'était pas la seule à être
présentée comme un obstacle posé devant les négriers. Les courtiers et intermédiaires africains
étaient généralement décrits comme des gredins,
versatiles et immoraux. Ce racisme de « contact »
n'était généralement pas systématisé. En 1678, Bar-
bot notait à Accra l'agilité d'esprit des enfants, ce
qui lui faisait regretter leur manque d'éducation.
En 1804, Joseph Mosneron-Dupin écrivait, dans ses
Mémoires, que certaines populations (noires) vivant
à l'état de nature étaient d'une bien meilleure com-

pagnie que celle de rudes marins français. La seconde moitié du XVIIIe siècle vit également quelques
fils d'armateurs négriers critiquer la traite. Ce fut le
cas à La Rochelle, à Bordeaux, à Marseille. Certaines brèches apparurent donc au sein du système.
Mais elles furent vite colmatées par le milieu.

Selon Pierre Boulle, c'est à cette époque que se
manifesta « un changement d'attitude [...] qui peut
être analysé comme la date de naissance de l'approche raciste moderne » en France. Ce changement
serait à chercher principalement du côté des groupes qui « étaient étroitement associés avec la culture des élites et avec l'esclavage ou les institutions
le contrôlant : les colons eux-mêmes, les marchands
des ports, les fonctionnaires de l'État » [11]. Parallèlement, les attaques des abolitionnistes conduisirent
à un raidissement et à une certaine radicalisation
du discours, phénomène que l'on retrouve également en Angleterre[12]. Les négriers opposèrent leur
supposée « expérience », acquise au contact des populations africaines, aux « systèmes » de pensée ri-
gides des abolitionnistes. Ils se mirent à décrire les
« nègres » comme des fainéants barbares et dangereux, transformant ainsi le « bon sauvage » des Lumières en un « sauvage » tout court. La traite est-
elle cruelle ? Pas plus, répliquait-on, que les règlements de la marine britannique. Quant à l'Afrique,
secouée par des guerres intestines, elle serait seule
responsable de ses malheurs[13]. Les négriers inventè-
rent également un principe promis à un bel avenir,
celui de la coagulation des intérêts. Il consistait à
relier le trafic à de plus vastes questions, afin de
montrer qu'il était utile, et donc nécessaire. Ce type
de discours permettait d'évacuer les dimensions
morales et intellectuelles du débat, à propos des-

quelles les négriers n'étaient pas vraiment à leur aise. Le tout apparut avec force dans le syllogisme suivant : la traite est indispensable à la survie des plantations coloniales, celles-ci sont nécessaires au commerce extérieur des grandes nations, et sans commerce extérieur il n'y a pas d'économie nationale. Conclusion : la traite est une activité essentielle. La pertinence de ces arguments jouant sur la corde mercantiliste est plus que discutable. Mais ils pouvaient impressionner. Colons et négriers français annonçaient ainsi, en 1790, que l'abolition de la traite ruinerait soixante-dix mille planteurs, enlèverait 243 millions de livres tournois au commerce français et ferait périr de misère cinq à six millions de personnes. La guerre maritime et l'interruption de la traite, l'insurrection des Noirs à Saint-Domingue et l'arrivée au pouvoir de Bonaparte, en 1800, conduisirent à une certaine accalmie. Moins attaqués, les négriers pouvaient temporiser. On verra plus loin comment, au temps de la traite illégale, ils surent en partie renouveler leur argumentaire.

En Angleterre comme en France, abolitionnistes et négriers n'hésitaient pas à l'ajuster aux conditions du moment et à exagérer le poids de certains arguments, jugés plus efficaces que les autres. Ils contribuèrent ainsi à inventer des idées devenues ensuite des poncifs et qui, aujourd'hui encore, contribuent parfois à obscurcir certains débats relatifs à la traite et à ses conséquences — thème qui mériterait d'ailleurs des études spécifiques. Que leurs discours empruntent aux bons sentiments, à l'économie politique, à l'empirisme expérimental ou bien encore à la science, tous ou presque se rattachent aux idées du siècle des Lumières. C'est sans doute pour cela, parce que leurs arguments sont en fait issus de la même matrice et qu'ils sont établis afin de se répondre l'un l'autre, que chaque « camp » ne peut véritablement mordre sur l'audience de l'autre. Exception faite de l'Angleterre, l'abolition officielle de la traite ne signifia donc pas forcément sa cessation réelle. Pour stopper concrètement la traite, il fallut compléter l'interdiction par la répression.

RÉPRIMER POUR FAIRE CESSER

Dès 1784, on l'a vu, Necker pensait que seule une action internationale pouvait en finir avec la traite. Mais comment convaincre, passer outre les égoïsmes nationaux, les querelles d'influence, et mettre en place les principes d'un nouveau droit international, à une époque où, du fait des guerres révolutionnaires, toute œuvre commune semblait être impossible ? À ces questions toujours d'actualité, la Grande-Bretagne a su répondre, réussissant à établir des principes de supranationalité à l'époque où s'éveillaient les nationalismes, et cela sans conflit déclaré. Ce fut à la fois la conséquence, l'un des signes, et peut-être l'un des outils de la suprématie qu'elle entreprit alors d'exercer sur le monde. Je distinguerai ici trois aspects : la mise en place d'un mouvement abolitionniste international sous l'égide de la Grande-Bretagne, les facteurs ayant contrarié ce mouvement, l'instauration des politiques abolitionnistes nationales.

La mise en place d'un mouvement abolitionniste international

L'Angleterre sut pour cela saisir toutes les opportunités. Et d'abord celles offertes par les guerres napoléoniennes. En tant que puissance belligérante, elle exploita sa possibilité de saisir au large des côtes d'Afrique les navires négriers ennemis, contrôlant également les neutres, sous prétexte de contrebande. Elle saisit des négriers parfois de manière peu légale, profitant de sa maîtrise totale des mers. Des primes furent accordées aux marins pour chaque esclave libéré, afin de les encourager dans leur action. Une cour de justice militaire fut installée au Sierra Leone pour régler le cas des contrevenants, tandis que l'on s'occupa de faciliter le retour à la vie normale des esclaves libérés[14]. L'Angleterre extorqua également nombre de traités anti-négriers, en faisant pression sur ses alliés, sur les États nouvellement indépendants d'Amérique latine et sur ceux que le sort des armes mettait entre ses mains. Moyennant la reconnaissance officielle de leur souveraineté, le Venezuela, le Chili et l'Argentine en voie d'émancipation abolirent la traite. Dès 1810, l'article 10 d'un traité conclu entre la Grande-Bretagne et la cour du Portugal (laquelle, rappelons-le, s'était réfugiée à Rio en voyageant à bord de navires britanniques au moment de l'invasion napoléonienne) posait le principe d'une abolition graduelle de la traite par la coopération entre États consentants. La Suède disposait de quelques possessions dans les Antilles. En 1812, l'ancien maréchal d'Empire Bernadotte la faisait passer du côté des Anglais, contre la France. L'année suivante, elle abolissait la traite. En 1814, libérée des troupes françaises, l'Espagne acceptait le principe d'une abolition graduelle, tout comme les Pays-Bas et la France. Forte de ces succès, au congrès de Vienne, Londres souhaita passer à la vitesse supérieure et constituer une ligue internationale de répression de la traite. Il est à noter que des actions communes furent alors menées contre l'esclavage des Blancs dans les pays barbaresques. Serge Daget disait souvent que cette concertation initiale fut parfois utilisée afin de détourner l'attention de la question négrière. Mais elle servit également à nouer des liens qui, ensuite, ont pu se révéler utiles pour combattre la traite illégale. En tout cas, à Vienne, les cinq grandes puissances d'Europe étaient là, la France, la Grande-Bretagne, la Prusse, l'Autriche, et la Russie. Elles se contentèrent d'une vague déclaration, et condamnèrent le trafic sans se donner les moyens d'y mettre un terme. C'était peu, mais le texte avait l'avantage d'exister. À la conférence de Londres, qui réunit les mêmes nations, du 28 août au 22 novembre 1816, les diplomates anglais tentèrent de transformer l'essai. Mais trop de précipitation peut nuire. La conférence fut ajournée. La Grande-Bretagne oublia alors le projet d'une ligue internationale et mit au point une nouvelle tactique destinée à contourner les obstacles.

De 1816 à 1841, elle multiplia les conventions bilatérales. Celles-ci se composaient toujours de deux clauses. La première tendait à instituer un droit de visite réciproque permettant aux navires de guerre d'un État signataire de visiter les navires marchands de l'autre, de les arrêter s'ils étaient négriers, et de les escorter jusqu'à la colonie anglaise de Sierra Leone, siège d'une cour de justice habilitée à statuer sur leur sort. Connu depuis longtemps par les nations maritimes européennes, ce droit de visite relevait néanmoins d'une pratique de temps de guerre, et il était en totale contradiction avec l'idée alors dominante de la liberté des mers. Il s'agissait donc d'un principe de supranationalité particulièrement difficile à faire accepter. La seconde clause était relative à la mise en place de commissions chargées de statuer sur les négriers saisis et de procéder à la libération des captifs. Ces commissions étaient composées de deux commissaires par État signataire et d'un secrétaire britannique, ce qui assurait la majorité à la Grande-Bretagne, d'autant plus que ses représentants, bien rémunérés, siégeaient réellement, à la différence de ceux des autres nations qui préféraient parfois se dire « malades » et aller s'établir tranquillement aux Canaries.

En 1817 et 1818, l'Espagne et le Portugal acceptaient ces principes, moyennant une compensation financière de plus d'un million de livres sterling. La Hollande suivit, ainsi que la plupart des nouvelles nations sud-américaines auxquelles la Grande-Bretagne accordait en contrepartie la reconnaissance de leur indépendance et de leur souveraineté. Il s'agissait de promesses d'abolition qui ne furent souvent tenues qu'au terme de longues années. Mais elles permettaient aux Anglais — car c'étaient eux, en fait, qui « visitaient » — de constituer une croisière de répression. Cinq, puis sept à neuf navires surveillèrent les côtes d'Afrique, entre le Sierra Leone et l'équateur. Les primes par captif libéré attribuées aux matelots et aux officiers encouragèrent les ardeurs. Les premières commissions mixtes siégeaient dès 1819. Afin de complaire aux puissances ibériques, la traite demeura néanmoins autorisée au sud de l'équateur jusqu'en 1830.

En 1831 et 1833, la Grande-Bretagne obtint de la monarchie de Juillet le droit de visite qu'elle n'avait pu faire accepter aux souverains de la Restauration. Pour les États anciennement signataires, les années 1830-1840 virent le renforcement des mesures antérieures. Les diplomates britanniques pensèrent que les esprits étaient alors mûrs pour renouer avec leur vieux projet de ligue internationale. Le 20 décembre 1841, l'accord des cinq puissances et les textes bilatéraux signés par la Grande-Bretagne permettaient au système répressif de s'étendre de l'Atlantique à l'océan Indien. L'année suivante, le traité Webster-Ashburton liait Grande-Bretagne et États-Unis, ces derniers acceptant d'entretenir à la répression de la traite une flotte de quatre-vingts canons. L'Angleterre semblait avoir réussi dans son projet de ligue internationale contre la traite. Mais des forces contraires s'accumulaient.

Vents contraires

Après l'échec de l'expédition envoyée en 1841 à Lokodja, au confluent du Niger et de la Bénoué[15], on s'interrogea d'abord sur les chances d'implanter réellement des colonies agricoles modèles en Afrique. C'est ensuite l'existence même de la croisière de répression britannique — le British African Squadron — qui fut remise en cause. Le système n'étant pas entièrement efficace, certains abolitionnistes estimèrent qu'il incitait seulement les négriers à ruser davantage, ce qui finalement aggravait encore la manière dont les captifs étaient transportés. Au même moment, en 1845, un député libre-échangiste s'opposa au principe même de l'African Squadron. Son existence, disait-il, était contraire aux lois naturelles de l'offre et de la demande. Il ne servait qu'à augmenter les profits des négriers illégaux, et à accroître l'hostilité des puissances européennes à l'égard de l'hégémonie navale britannique. Bref, matériellement inefficace, la croisière britannique de répression ne conduisait qu'à rendre le trafic encore plus immoral, au détriment des intérêts des Africains et de la Grande-Bretagne. Le débat relatif au retrait de la croisière de répression atteignit son apogée au début des années 1850, lorsque Hutt présenta une résolution visant à ce que le gouvernement se retire de tout traité requérant l'usage de la force pour réprimer la traite. C'est que, depuis quelques années déjà, les Anglais s'étaient rendu compte que, privés de nouveaux esclaves, leurs îles à sucre étaient incapables de faire face à la concurrence. Sans être conscients du coût réel de leur croisade abolitionniste, ils commençaient donc à le trouver un peu trop lourd. Drescher estime que cela coûta aux citoyens britanniques l'équivalent de 1,8 % du revenu national, entre 1806 et 1863[16]. Au milieu des années 1840 les forces de l'African Squadron avaient pratiquement été triplées. À cela s'ajoute le montant des compensations allouées aux anciens propriétaires d'esclaves, ainsi que le prix à payer pour pallier la concurrence exercée par les producteurs de produits tropicaux demeurés esclavagistes (le fossé entre le prix du sucre anglais et celui du sucre étranger était au plus haut entre 1834 et 1846). Le tout à un moment où le montant de la dette représentait 225 % du produit national brut (alors qu'il se situe aujourd'hui, aux États-Unis, à moins de 65 %). Rien de surprenant donc, poursuit Drescher, au fait que, après une dé-

cennie de records en matière de coûts pour le revenu national, les politiques britanniques anti-esclavagistes aient été « en crise[17] ».

Dans ces conditions, l'Angleterre pouvait-elle
poursuivre son forcing en faveur de l'abolitionnisme international ? Si oui, devait-elle continuer
de la même manière ou bien changer de politique ?
Dès 1838, le Français Molé, président du Conseil,
notait que la politique britannique avait échoué.
Les intentions anglaises lui paraissaient sincères et
méritoires, disait-il en substance, mais la Grande-
Bretagne s'était fourvoyée. Entachés dès le départ
d'un esprit de supériorité, ses efforts avaient en effet conduit à freiner la coopération des autres États
et à créer un sentiment de défiance parmi leurs populations. Il était donc nécessaire, selon Molé, de
repartir sur de nouvelles bases[18]. En fait, aucune
voie nouvelle ne fut explorée. La Grande-Bretagne
s'obstina, et sa politique en matière d'abolitionnisme fut en partie sauvée par une série de coups
de force heureux. Ce fut d'abord le cas au Brésil. En
1850, des navires britanniques y brûlaient un négrier dans son port, en capturaient trois autres,
poussant le Brésil à voter une loi assimilant la traite
à un acte de piraterie. Au début des années 1860, la
pression anglo-américaine eut également raison des
réticences espagnoles et cubaines. La baisse de la
demande en main-d'œuvre servile africaine, à Cuba
comme au Brésil, l'adjonction de navires de guerre
à vapeur dans les croisières de répression anglaise,
désormais capables de surclasser les clippers négriers construits à Baltimore, ainsi que la guerre civile aux États-Unis (qui favorisa la coopération des
autorités fédérales avec l'Angleterre) constituèrent
autant de facteurs qui, à l'orée des années 1860,

permirent de commencer véritablement à mettre un terme à la traite par l'Atlantique.

Les difficultés rencontrées afin de mettre en place une ligue internationale de répression de la traite s'expliquent par deux types de phénomènes. L'un renvoie aux sombres desseins que l'on prêtait souvent à la Grande-Bretagne. Partout, en effet, mais avec une intensité variable selon les pays, on tentait de montrer que son combat en faveur de l'abolition de la traite n'était pas uniquement nourri par des préoccupations philanthropiques, et qu'il servait à renforcer son hégémonie sur les mers. On mit donc en avant des motifs dits « patriotiques » afin de s'opposer à son action. Et les arguments n'étaient pas difficiles à trouver. Pourquoi la Grande-Bretagne autorisa-t-elle jusqu'en 1830 le Portugal (dont elle tentait d'infiltrer le marché intérieur) à pratiquer la traite au sud de l'équateur, tandis qu'elle se montrait plus ferme à l'égard de la France ? Pourquoi condamnait-elle l'esclavage en Afrique alors qu'elle utilisait sans remords la main-d'œuvre présente en Inde ? Il est clair, écrivait Alexis de Tocqueville (1843), qu'en abolissant l'esclavage les Britanniques furent privés de certains avantages, et qu'ils ne désiraient nullement que les nations ne suivant pas leur exemple pussent en bénéficier[19]. Exaspéré, le capitaine de frégate Gervais, de la station navale française dans l'océan Indien, écrivait, de son côté, en août 1869 : « L'Angleterre étant la seule nation qui ait continué à exercer le droit de visite, il en résulte pour elle un bénéfice immense. Les Noirs enlevés par les croiseurs sont portés dans les colonies anglaises où ils sont cédés aux planteurs à un prix très minime[20]. » Mais les Français n'agissaient pas différemment, lorsque les navires qu'ils capturaient étaient envoyés à Mayotte ou dans une autre île française. De plus, profitant de la méfiance suscitée par l'activisme des Anglais en matière de répression de la traite, la France concédait son pavillon à de nombreux boutres arabes inscrits à Mayotte, sans examen préalable sérieux avant acte de francisation, ce qui facilitait ainsi la traite illégale. Reconnaissons-le, aucune action diplomatique internationale n'est exempte d'une certaine dose d'hypocrisie. Et si la Grande-Bretagne profita plus que les autres de son action abolitionniste, en sachant en faire un instrument de sa montée en puissance, elle fut loin d'être la seule à essayer de tirer profit de son action.

Le second facteur permettant de rendre compte des vicissitudes du mouvement abolitionniste international réside dans l'étroitesse et la complexité des liens établis, à l'échelle des nations, entre la question négrière et les autres données de la vie économique, sociale, culturelle et, peut-être plus encore, politique. C'est un élément essentiel. En effet, sur le plan de la machine abolitionniste, deux étapes sont à distinguer. Celle pendant laquelle l'Angleterre se retira de la traite et engagea sa croisade internationale pour convaincre les autres de la suivre. Et celle pendant laquelle, plus ou moins forcés, les autres États décidèrent de mettre en place et d'appliquer leurs propres lois abolitionnistes et répressives. C'est seulement avec cette seconde étape que l'on put mettre un terme définitif à la traite[21]. D'où l'importance déterminante des rapports entre question négrière, diplomatie internationale et politique intérieure des États. L'un des intérêts de l'étude consacrée par Paul Michael Kielstra à *The Politics of Slave Trade Suppression in Britain and France* est de

nous montrer comment les diplomates français et
britanniques ont su collaborer, malgré leurs différences d'appréciation, en vue d'abolir un trafic négrier que leurs opinions nationales respectives percevaient de manière fort différente. Il indique que,
contraints de trouver des moyens d'entente, les diplomates français et britanniques surent essayer de
coopérer. Comme il le dit justement en introduction, l'abolition devint autant un problème de relations publiques qu'un sujet humanitaire. De ce fait,
les deux gouvernements furent impliqués dans un
« délicat pas de danse » : « Paris concédait le strict
minimum, Londres le pressait de tenir ses promesses antérieures [...], chacun échangeant en privé les
informations permettant d'apaiser la population de
l'autre, tout en prenant soin de ne pas embarrasser
son partenaire[22]. »

On sait le rôle que jouèrent les combinaisons tactiques au sein des milieux politiques britanniques
en matière d'abolition, mais on a très peu étudié
pour elle-même la diplomatie. Or l'abolitionnisme
se définit très tôt en partie comme un mouvement
international (liens entre les sociétés de Philadelphie, de Londres et de Paris, rôle de quelques indi-
vidualités, comme le Suédois Wadström, qui fit le
lien entre plusieurs pays, à la fin du XVIIIe siècle, importance trop méconnue du groupe de Coppet, en
Suisse, autour de Mme de Staël, etc.)[23]. Et l'abolitionnisme appliqué (textes législatifs, croisières de
répression...) fut la résultante de liens entre enjeux
nationaux et accords internationaux. Nul doute,
dans ces conditions, qu'une histoire diplomatique
de l'abolitionnisme serait utile, notamment si, afin
de dépasser la seule narration des événements, elle
empruntait à la sociologie des groupes de pression

et à une histoire des relations internationales depuis longtemps bien établie. En attendant, voyons comment les choses se sont passées à l'échelle nationale.

Voies nationales

Aux États-Unis, une première loi abolitionniste fut promulguée en 1807, interdisant aux compagnies nationales de pratiquer la traite. Mais son inefficacité, ainsi que la collusion des pouvoirs publics, a été depuis longtemps démontrée, notamment par W. E. B. Dubois[24]. En 1820, la traite était assimilée à un acte de piraterie, et donc passible de la peine de mort. Cependant les États-Unis demeuraient irritables vis-à-vis des projets de la Grande-Bretagne, ancienne puissance coloniale. Leurs visées sur l'île de Cuba, où l'esclavage était particulièrement rentable au XIXe siècle, ainsi que le caractère conflictuel de la question de l'esclavage aux États-Unis expliquent également leur réticence à s'engager de manière contractuelle en faveur de l'abolitionnisme international. Ils préféraient à cela la voie de la répression autonome, dont l'efficacité laissa à désirer. Leur croisière de répression fut en partie dirigée par des commandants sudistes esclavagistes, et, avant 1842, elle ne fonctionna que de manière épisodique. Enfin, si les flux d'importation de captifs cessèrent pratiquement au XIXe siècle (le pays n'ayant, sur la longue durée, accueilli qu'environ cinq cent mille captifs[25]), New York n'en joua pas moins, indirectement, un rôle non négligeable dans le trafic illégal : en construisant des navires négriers fins et rapides, en fournissant des bases de

repli pour certains négriers ibériques, voire (cela serait à étudier plus en détail) des facilités bancaires
et financières pour les opérations de la traite illégale. La traite, aux États-Unis, ne s'acheva guère
avant 1862, lorsque la rupture entre l'Union et la
Confédération rendit le soutien britannique nécessaire à la seconde.

En France, de retour de l'île d'Elbe et désireux de
complaire à la Grande-Bretagne, Napoléon s'em-
pressa, le 29 mars 1815, de décréter l'interdiction
de la traite. À son retour à Paris, dans les bagages
des armées alliées, après Waterloo, Louis XVIII ré-
cusa cette décision, et Talleyrand obtint un sursis
de l'Angleterre. Vaincue et humiliée, la France refu-
sait en effet, à propos de la question négrière, de
s'incliner de nouveau devant l'Angleterre. L'abolitionnisme y était perçu à la fois comme une idéologie étrangère et comme l'un des avatars des idéaux
universalistes d'une Révolution française qui n'était
pas en odeur de sainteté chez les hommes de la
Restauration au pouvoir. Les tergiversations françaises s'expliquent également par une coalition d'intérêts. Sous la Restauration, la production des îles
restées françaises s'accrut, du fait d'une politique
du « tout sucre » et de droits protecteurs, ce qui
permit quasiment de retrouver la quantité de sucre
produite avant la Révolution. Mais le poids relatif
des colonies dans le commerce extérieur était devenu complètement négligeable, raison pour laquelle une bonne partie des négriers français de la
Restauration alla en fait approvisionner en esclaves
des colonies étrangères. Les colons étaient parfaitement conscients de ce retournement des choses. Et
eux qui étaient toujours enclins, avant la Révolution, à demander plus d'autonomie, n'avaient désor-

mais de cesse que de rappeler le « pacte de famille »
les liant à la métropole. Ils avaient donc tout intérêt
à défendre l'institution négrière. Aux planteurs et
aux armateurs s'ajoutèrent des militaires croyant
favoriser avec la traite les colonies françaises, et par
là même des points d'appui pour la flotte. Malgré
leur absence d'intérêt pour l'économie française, les
îles à sucre continuaient donc d'être perçues
comme très importantes par une partie des élites
influentes. Et c'est pour des raisons sans doute plus
idéologiques et politiques qu'économiques (planteurs exceptés) que la France tarda à faire cesser le
trafic. On pourrait d'ailleurs, en généralisant, dire
de même à propos de toutes les décisions majeures
prises en France entre 1794 et 1831. Qu'elles aient
conduit à abolir ou à faire renaître la traite, toutes
ont été le résultat de luttes politiques franco-françaises engageant un nombre restreint d'élites et de
décideurs.

L'Angleterre passa outre ces réticences. Elle
exerça sa répression malgré l'absence de convention, ce qui fut immédiatement perçu comme une
violation du territoire national, car « le pavillon
c'est le pays ». Paris n'avait donc guère le choix. Ne
pouvant ni laisser l'Angleterre agir à sa guise ni entrer en guerre contre elle, la France décida, pour
sauver l'honneur, de s'engager dans la voie de la répression autonome. En fait, elle fit semblant. L'ordonnance de 1817 considéra la traite comme une
simple contravention à la législation douanière. La
loi abolitionniste de 1818 n'apporta pas de grandes
nouveautés. Instituée la même année, la croisière
française de répression se borna à patrouiller au
large des possessions françaises du Sénégal, alors
que les négriers nationaux allaient ailleurs, et il lui

fallut quatre ans pour aboutir à la condamnation de l'un d'eux. À partir de 1823, les choses changèrent. Des navires neufs furent affectés à la mission répressive. Peu à peu, son commandement fut confié à des hommes d'une autre génération, ne considérant pas l'Angleterre comme une ennemie naturelle de la France. En 1825, une prime de 100 francs était instituée pour chaque Noir « re-capturé », car ils n'étaient pas encore vraiment libérés, mais employés dans les colonies à des travaux d'« utilité publique ». L'année suivante, une commission spéciale siégeait à Nantes, capitale de la traite illégale en France, afin d'empêcher le départ des navires suspects. En 1827, grâce à la Société de la morale chrétienne, qui regroupait de nombreux protestants ainsi que les chefs de l'opposition au régime (Rémusat, le duc d'Orléans, de Broglie, Thiers, Laffitte, Lesseps)[26], une deuxième loi abolitionniste faisait de la traite un « crime ». Mais si le capitaine pouvait être banni, les commanditaires échappaient encore à la justice. C'est par opposition au régime, et par l'effet d'une philanthropie surtout protestante, que la Société de la morale chrétienne joua un rôle essentiel en faveur de l'abolition. Arrivés au pouvoir en 1830, avec la monarchie de Juillet, ses membres trouvèrent dans le désir de complaire à la Grande-Bretagne un argument supplémentaire pour renforcer efficacement le dispositif répressif national. En 1831, une troisième et dernière loi abolitionniste était donc adoptée. Selon les termes du *Moniteur universel*, elle était destinée à frapper d'épouvante les négriers. L'armateur risquait de dix à vingt ans de travaux forcés. Mais cela faisait déjà un an que la traite française n'existait pratiquement plus...

L'attitude des Brésiliens et des Ibériques, les

« grands » de la traite illégale, mérite également que l'on s'y arrête. Dans l'Espagne du début du XIXe siècle, le système esclavagiste ne fut critiqué que par quelques personnalités isolées, comme J. Marchena, I. Antillón, A. Argüelles, J. M. Blanco White ou le comte de Toreno. Suite à la demande formulée par Alcocer et Argüelles, une commission parlementaire fut formée lors des Cortes de Cadix, en 1811, afin d'examiner la possibilité d'abolir la traite. Mais les débats semblent s'être vite enlisés. En Espagne, on craignait en effet que la suppression de la traite ne desserve l'économie cubaine et que, lésés dans leurs intérêts, les planteurs ne deviennent sensibles aux visées expansionnistes des États-Unis. Après le traité signé avec l'Angleterre, en 1835, une loi d'abolition et de répression de la traite fut promulguée en 1845. Son efficacité ne fut pas exemplaire, mais elle contribua à instituer un débat public autour de la question. L'accession à l'indépendance des colonies espagnoles d'Amérique, la révolte des esclaves de Cuba, en 1844, et l'exemple de la guerre de Sécession aux États-Unis ont également joué un rôle important dans l'évolution des élites libérales et de l'esprit public[27]. À Cuba, cette évolution fut marquée par les lois pénales de 1845 et de 1867, ainsi que par les efforts en matière de répression des capitaines généraux de l'époque. En métropole, en 1865, Viscarrondo créait la Société abolitionniste espagnole, dans laquelle ont ensuite participé de grandes figures de la première République espagnole, comme Salmerón, Castelar, Sagasta, Valera ou encore Arenal. L'année suivante voyait l'adoption d'une nouvelle loi contre la traite. Le dernier navire supposé avoir amené des captifs à Cuba fut repéré en 1867. Cela marqua la fin « officielle » de la traite atlantique.

Selon Eltis, les facteurs politiques ne peuvent rendre compte, seuls, de l'abolition du trafic espagnol et cubain. L'argument se fonde sur le fait que l'essor spectaculaire du système esclavagiste cubain s'explique par deux raisons. D'abord, par les guerres de la Révolution et de l'Empire et le déclin des colonies à sucre françaises, puis anglaises (avec l'abolition de l'esclavage en 1833). Ensuite, et surtout, par les progrès de l'industrialisation en Europe et l'élévation de sa consommation en produits exotiques. Une demande croissante à laquelle Cuba et le Brésil purent s'empresser de répondre. Dans ce contexte, c'est l'abolition de la traite qui, poussant à la hausse le prix des esclaves (à un moment où, par ailleurs, le cours du sucre colonial était à la baisse), aurait mis en danger l'économie de plantation cubaine[28]. Il y aurait donc une explication économique, liée aux marchés extérieurs, à la fin de la traite et de l'esclavage à Cuba[29]. Ce type d'interprétation a été également repris, avec des nuances, par une nouvelle école historiographique cubaine mettant l'accent sur les limites économiques — internes — de l'essor cubain, du fait de la difficulté qu'aurait eue le système de la plantation à répondre durablement aux sollicitations du capitalisme mondial[30]. Quoi qu'il en soit, dernier pays européen à avoir aboli l'esclavage dans ses possessions (1886), l'Espagne participa ensuite à toutes les manifestations diplomatiques internationales visant à sa totale éradication.

Réfugié à Rio, le gouvernement portugais n'a d'abord cédé à la Grande-Bretagne, lors de l'accord de 1810, que parce qu'il avait besoin de son appui pour reconquérir le territoire métropolitain. Pour João Pedro Marques[31], le terme de « complaisance » résume le mieux l'attitude officielle qui fut ensuite et pendant longtemps celle de l'État portugais vis-à-vis de la traite nationale. C'est à la suite de pressions anglaises, et notamment de la saisie de nombreux bâtiments battant pavillon portugais, que le gouvernement de Lisbonne a en effet été conduit à de nouvelles concessions. Par le traité du 22 janvier 1815, il acceptait, moyennant des compensations matérielles, de mettre fin à la traite portugaise au nord de l'équateur ; une mesure sans grande conséquence puisque les Portugais faisaient surtout la traite dans les régions de l'Angola et du Mozambique. Deux ans après, le droit de visite et les commissions mixtes étaient validés par le Portugal. En métropole, quelques hommes ont milité en faveur de l'abolition de la traite, comme Palmela (en tant qu'ambassadeur, ministre et parlementaire), le député Morais Sarmento et, plus tard, Sa da Bandeira. Mais, seul à s'engager de manière réelle et continue contre la traite, instigateur d'un décret prohibant l'exportation d'esclaves dans tous les territoires portugais, en décembre 1836, ce dernier fit ensuite preuve d'un grand pragmatisme, une fois devenu ministre de la Marine et de l'Outre-Mer. À la fin des années 1850, c'est en effet avec l'aide du plus grand négrier de la région, Francisco Antonio Flores, qu'il encouragea l'exploitation de l'Angola. N'étant que peu intéressées par la question de l'abolition, les élites politiques portugaises n'acceptèrent en fait de légiférer contre elle qu'afin de conserver l'initiative, face à l'Angleterre. Comme dans la France de la Restauration, prises pour donner le change, les décisions ne furent pas effectivement mises en pratique. Les gouverneurs envoyés en Angola et au Mozambique en 1837 affirmèrent ouvertement qu'ils ne feraient pas appliquer le décret de 1836, et les navires de guerre portugais n'arrêtèrent pas de négriers. Il fallut le bill du 24 août 1839 autorisant la Royal Navy à capturer tous les navires portugais suspects, et la saisie effective de dizaines de bâtiments portugais, pour que le gouvernement de Lisbonne accepte de coopérer réellement en faveur du processus abolitionniste.

Cette nouvelle politique fut illustrée par l'accord anglo-portugais du 3 juillet 1842. Les diplomates portugais souhaitaient ainsi défendre l'intégrité et l'honneur d'une nation qui était montrée du doigt à l'étranger. Mais ils n'étaient nullement suivis par l'opinion publique métropolitaine, très tolérante vis-à-vis de la traite illégale. Il en allait d'ailleurs de même de la plupart des tribunaux, de métropole et autre, chargés de statuer sur le cas des quelques négriers pris sur le fait. Dans les années 1840, des négriers notoires furent même distingués par le pouvoir central, accédant à la noblesse ou à la pairie. Ce fut le cas de Joaquim Ferreira dos Santos, qui devint comte et pair du royaume en 1842. Les négriers avaient en effet des intérêts et des relations extrêmement ramifiés au Portugal. C'est ainsi que le propriétaire du journal *O Nacional*, le principal organe de défense du commerce négrier, finançait le gouvernement de l'époque. Comme l'indiquait l'ambassadeur anglais à Lisbonne, « les trafiquants d'esclaves sont, à quelques exceptions près, les seuls capitalistes au Portugal, et leur argent mal acquis [...] leur procure dans ce pays, où la pénurie et les embarras financiers sont si prédominants, une position qui, si elle n'inspire pas le respect », leur permet « d'imposer le silence » [32]. Sans compter le fait que la traite était très importante pour l'économie des colonies portugaises africaines ; des colonies devenues elles-mêmes plus utiles qu'auparavant après l'indépendance du Brésil, en 1822, qui priva le Portugal de son principal débouché colonial. La traite continua donc, souvent avec l'assentiment des fonctionnaires coloniaux. C'est une vaste diffusion du tolérantisme au sein de la société portugaise, écrit Marques, qui, en dernière instance, permet d'expliquer les tergiversations et les ambiguïtés de la politique portugaise en matière de répression de la traite. Pour la population cultivée portugaise, la traite était un problème encore lointain. Plus qu'au sort des esclaves, la presse préférait s'intéresser à celui des Portugais émigrant vers le Brésil et la Guyane, dans des conditions parfois très difficiles. On retrouva la même attitude lors du combat pour l'abolition de l'esclavage. Une élite politique libérale ainsi que la Société de géographie de Lisbonne, créée en 1875, se manifestèrent en faveur de l'abolition. Mais, dans l'ensemble, l'opinion publique portugaise fut plutôt scandalisée par l'attitude critique des autres puissances à son égard. Ce sentiment joua un rôle important dans sa manière d'aborder la question du Congo, lors de la conférence de Berlin de 1885.

Au Brésil, il fallut attendre le milieu du XIXᵉ siècle pour que s'opère un retournement. Plusieurs événements d'importance, à l'échelle internationale, fournirent alors la preuve de la supériorité militaire occidentale et britannique, notamment la défaite de la Chine lors de la guerre de l'Opium (traité de Nankin, 1842). En 1849, la fin du conflit anglo-argentin permettait également à la Grande-Bretagne de libérer des forces et d'accroître sa pression sur le Brésil. Au Brésil même, la crainte d'une insurrection des esclaves et les progrès de la fièvre jaune (que certains attribuaient à l'introduction des Africains) firent réfléchir une partie de la population. Mais c'est l'attitude des planteurs qui importa le plus. Selon Leslie Bethell, rien n'indique que le lobby des propriétaires fonciers ait pu avoir des raisons de demander l'abolition de la traite, au tournant des années 1849-1850[33]. De Alencastro n'est pas tout à fait d'accord[34]. Il note qu'une partie des planteurs étaient endettés (comme ce fut presque toujours le cas dans le monde de la plantation), et, surtout, que l'agriculture brésilienne était une agriculture de fronts pionniers, s'étendant de plus en plus vers l'intérieur du pays. Sa capacité d'expansion atteignait alors certaines limites. Poursuivre la mise en valeur des terres de l'intérieur signifiait une augmentation du coût d'acheminement de la production vers la côte ; une solution qui passait par la voie ferrée. Aussi, si la fin de la traite posait évidemment un problème aux planteurs, les locomotives anglaises et une politique favorable à l'immigration de prolétaires venus d'Europe permirent de les satisfaire. L'interdiction officielle de la traite (1850) put, dès lors, entrer dans la réalité.

En fait, la thèse de Bethell et celle d'Alencastro ne s'opposent pas forcément ; on pourrait même dire qu'elles se complètent. Peu favorables à l'abolition, les planteurs ont dû se plier aux décisions prises en haut lieu, sous la pression britannique. Mais la décision politique d'en finir avec la traite a pu être appliquée plus facilement grâce aux contreparties dont les planteurs ont objectivement bénéficié. D'autant plus que, dans certains États essentiels pour l'économie esclavagiste, comme le Minas Gerais, la population servile avait dès le début du

XIXe siècle commencé à progresser par le seul fait du croît naturel[35].

Un dernier cas intéressant à étudier est celui de la manière dont les Pays-Bas négocièrent leur sortie du système colonial esclavagiste. Il permet en effet de confirmer, outre le poids des considérations économiques, le rôle essentiel joué par le politique, facteur qu'il convient réellement de réhabiliter dans l'histoire du mouvement abolitionniste. L'abolition de la traite ne posa ici guère de problèmes. Le trafic négrier hollandais était quasi arrêté avant même l'occupation du pays par la France, en 1795-1796. Lors de la reprise des hostilités entre la France et l'Angleterre, en 1803, les firmes hollandaises qui étaient encore engagées dans la traite cessèrent leurs activités. De plus, dès 1806, les planteurs du Surinam qui auraient pu souhaiter acquérir des esclaves n'en avaient plus vraiment les moyens, car des investissements trop importants et précipités, à la fin du XVIIIe siècle, avaient conduit à une véritable crise financière. Les mesures légales prises après les guerres napoléoniennes suffirent donc à faire disparaître totalement le trafic. La colonie de Surinam continua à recevoir des esclaves jusqu'en 1826, par l'intermédiaire de négriers français, espagnols ou américains. Mais son économie était loin d'être alors aussi dynamique que celle de Cuba et du Brésil. L'arrêt de la traite, après 1826, demeura néanmoins avant tout un acte politique métropolitain, allant à contre-courant des intérêts des planteurs. Il n'est pas sûr, en effet, que la protection de leurs produits sur le marché britannique ait constitué pour eux une compensation suffisante par rapport à la concurrence exercée par les économies de plantation continuant à recevoir des esclaves. Au total, la faiblesse des incitations à la reprise de la traite, mais aussi la « stagnation » politique, économique, sociale et religieuse du pays expliquent la quasi-absence de mouvement abolitionniste aux Pays-Bas. La question y fut appréhendée « comme une affaire purement technique[36] ».

Des adieux qui n'en finissent pas

L'adhésion de principe ou de façade des nations occidentales au système abolitionniste fut plus ou moins acquise à la fin des années 1810. De là à la mise en œuvre d'un système international de répression relativement efficace, au tournant des années 1840, il se passa plus que le temps d'une génération. De multiples raisons expliquent, on l'a vu, ce premier décalage. Mais l'institution d'un système de répression relativement efficace à l'échelle internationale ne suffit pas pour mettre un terme à la traite négrière. Entre sa mise en place et la fin officielle de la traite atlantique, il fallut attendre le tournant des années 1860, soit une bonne vingtaine d'années. Encore faut-il être prudent, car la cessation officielle de la traite par l'Atlantique ne signifie pas la fin de toute migration de main-d'œuvre plus ou moins contrainte en direction du monde colonial. L'histoire du déclin du travail forcé dans les colonies est celle d'adieux qui n'en finissent pas ; une « aube trompeuse », écrivit joliment Christopher Lloyd[37]. Pourquoi fut-il si difficile de sortir de ce système ?

On peut d'abord tenter de répondre à cette question en avançant des raisons « techniques ». S'accorder sur un système de répression est une chose, le faire fonctionner sur le terrain en est une autre. Sans revenir sur la traite illégale proprement dite (thème abordé au cours du chapitre III), il faut prendre en compte les conditions dans lesquelles les croisières de répression exerçaient leur mission le long des côtes africaines. Les hommes en faisant partie devaient se procurer des cartes, apprendre les particularités des côtes et bénéficier d'une logistique adéquate. Au Sénégal, les Français étaient installés à Saint-Louis et à Gorée, les Américains dans les îles du Cap-Vert. Ils étaient à ce titre beaucoup moins favorisés que les Anglais. Ces derniers tentèrent sans succès de prendre pied à Fernando Poo, plus proche des grandes zones de traite que leur colonie du Sierra Leone. Mais ils n'étaient jamais bien éloignés d'un havre battant pavillon britannique. Les opérations menées contre les négriers étaient parfois difficiles et coûteuses en vies humaines, notamment chez les captifs, que certains capitaines n'hésitaient pas à jeter à la mer, enchaînés, afin de faire disparaître des preuves trop compromettantes. L'illégalité conduisait à la ruse. La complexité des accords internationaux favorisait l'usage de faux pavillons et de faux papiers. De plus, les navires armés pour le commerce légitime ne se distinguaient pas facilement de ceux expédiés à la traite. Il fallait donc le plus souvent prendre ces derniers sur le fait, ce qui n'était pas facile. Sur le plan tactique, à la chasse aux négriers en solitaire succéda bientôt la poursuite à plusieurs. Le 17 mai 1820, quatre navires anglais et cent cinquante hommes d'équipage inauguraient une autre technique, celle de l'intervention localisée : bombardement du rio Pongo et débarquement de troupes de marine conduisirent à la destruction de trois villages et de plusieurs « captiveries ».

On critique parfois les résultats du système répressif. Mais il ne faut pas sous-estimer le rôle indirect que put jouer la répression de la traite, dont on faisait alors parfois grand bruit dans la presse. Elle a, en effet, sans doute favorisé la prise de conscience des populations occidentales, facilitant ainsi leur ouverture en direction de ce que l'on peut appeler la défense des « droits de l'homme ». Sur un plan purement technique, la répression de la traite aurait commencé à être efficace seulement à partir des années 1826-1830. C'est à cette époque que le coût économique de la répression devint de plus en plus dissuasif pour les négriers français. Selon Serge Daget, le dispositif répressif aurait été « presque totalement » opératoire dix ans plus tard. Eltis a estimé que 7 750 expéditions négrières ont touché l'Afrique entre 1808 et 1867 ; 1 635 (soit 21 %) ont abouti à une condamnation[38]. De la sorte, 160 000 Africains ont échappé à l'esclavage et, parmi eux, 96 000 se sont installés en Sierra Leone.

L'idée de créer une colonie pour accueillir les Noirs libres avait été proposée en 1783 par deux membres de la « secte de Clapham », Henry Smeathman et John Fothergill. Il s'agissait pour eux de trouver une solution au problème des *black poors*, puisque, depuis le procès gagné par Sharp, en 1772, tout esclave mettant les pieds sur le sol britannique pouvait éventuellement se soustraire à l'autorité de son maître. À ces hommes vinrent s'adjoindre des marrons de la Jamaïque et des esclaves noirs qui s'étaient battus avec les Anglais lors de la guerre d'Indépendance des États-Unis, puis, surtout, les captifs libérés par la croisière anglaise de répression de la traite sur les côtes d'Afrique. C'est la Compagnie de Sierra Leone, créée par des aboli-

tionnistes anglais, qui géra la région à partir de
1790, avant qu'elle ne devienne une colonie de la
Couronne en 1808. On estime à cinquante mille le
nombre de Noirs introduits au Sierra Leone entre
1808 et 1863. Malgré la diversité de leurs origines,
la colonie devint une réelle province de liberté. En
1818 était créée aux États-Unis l'American Colonization Society. La même année, celle-ci envoyait
une mission exploratoire au Sierra Leone. En 1819,
elle obtenait du gouvernement américain le droit de
fonder un État libre pour les esclaves affranchis, en
Afrique occidentale. Le premier convoi partit en
1820 pour le Liberia, avec quatre-vingt-neuf pionniers, qui périrent ou durent s'installer au Sierra
Leone. Deux ans plus tard, la Société commençait
véritablement l'établissement d'Africains libérés au
Liberia. En 1847, date à laquelle ce pays proclamait
son indépendance, il comptait un peu plus de trois
mille habitants, répartis en quatre agglomérations.
Il fallut attendre la guerre de Sécession pour qu'en
1862 les États-Unis reconnaissent sa souveraineté.
Les expériences françaises de retour d'esclaves en
Afrique, à Libreville, au Gabon, se révélèrent plus
difficiles encore.

Des motifs culturels expliquent également la lenteur avec laquelle s'estompa le système du travail
forcé. Nombre de négriers du XIXᵉ siècle étaient les
héritiers biologiques ou culturels de ceux du XVIIIᵉ.
Les idées n'évoluèrent que lentement, et pas forcément dans le bon sens. Le XIXᵉ siècle fut celui de
l'affirmation du racisme dit « scientifique ». Dans
les colonies, la fin de la traite puis celle de l'esclavage n'impliquèrent nullement la fin des préjugés
racistes. Un certain nombre de planteurs choisirent
d'employer des travailleurs sous contrat venus

d'Inde ou du Mexique plutôt que d'embaucher comme libres travailleurs leurs anciens esclaves. Ces derniers ne le souhaitaient d'ailleurs pas toujours, préférant les cultures familiales d'autosubsistance au travail pour un patron qui était leur ancien maître. L'arrivée de nouvelles populations de travailleurs ne fit souvent qu'accentuer et complexifier les hiérarchies locales fondées sur la race et la couleur. Ajoutons que le travail des esclaves libérés ne permit pas toujours aux colonies à sucre de continuer à être compétitives. Ce phénomène eut pour effet de relancer d'anciens débats : non pas seulement entre les partisans du travail salarié et les partisans du travail forcé, mais aussi, et plus grave, à propos des capacités naturelles et du degré de civilisation des Noirs. Longtemps abordé de manière feutrée, à l'époque où abolitionnistes et pro-esclavagistes s'opposaient, le racisme revint ainsi par la grande porte une fois que l'émancipation fut acquise. Enfin, note Françoise Vergès, l'émancipation fut souvent présentée aux esclaves comme le résultat d'un don consenti par le pouvoir métropolitain. Un don ensuite souvent rappelé, de commémoration en commémoration. « Or, s'il y a rappel constant de la dette, il devient impossible aux débiteurs de se détacher, de se construire de façon autonome par rapport au créditeur, car toute émancipation [réelle] se construit sur un socle d'égalité[39]. »

Mais, en dernier ressort, si le travail forcé fut si long à disparaître, ce fut pour des raisons économiques. Abolir la traite ne changeait rien, en effet, du côté de la demande en captifs, tant que l'esclavage continuait à être légal. Or, aboli par la Grande-Bretagne en 1833[40] et par la France en 1848, l'esclavage persista dans les colonies néerlandaises jusqu'en

1860. L'Espagne ne l'abandonna à Porto Rico qu'en 1872. Il ne disparut à Cuba qu'en 1885, au Brésil en 1888. Le décalage chronologique avec l'abolition de la traite étant flagrant, le trafic négrier ne pouvait que continuer, malgré les interdictions. Du côté des armateurs, persistance de l'offre et dangers de l'illégalité signifiaient un accroissement des bénéfices potentiels de la traite. Par ailleurs, du côté de l'économie de plantation, on est loin d'avoir assisté à un déclin. Inséré dans toute une chaîne de révolutions sucrières, situées chronologiquement en amont et en aval, le XVIIIe siècle a correspondu à un apogée relatif suivi d'une période de profondes transformations, économiques (la révolution industrielle), politiques et culturelles. Ce sont ces transformations structurelles, beaucoup plus que les guerres de la Révolution et de l'Empire, qui menaçaient ce que Curtin a appelé le « complexe de la plantation » (lequel continue à croître jusqu'à la fin du XIXe siècle, pour connaître de nouveaux succès au XXe). Mais comme ces modifications furent lentes à se mettre en place, qu'elles le firent de manière différente, dans le temps et dans l'espace, et comme l'Europe industrielle, plus vigoureuse, accrut sa demande en produits tropicaux, l'économie de plantation avait encore de beaux jours devant elle, moyennant certains réajustements. Ainsi, tandis que les Antilles françaises et anglaises déclinaient, d'autres régions connaissaient un grand essor. Ce fut le cas dans les Mascareignes, et plus encore à Cuba, dont l'essor fut prodigieux à partir de la fin du XVIIIe siècle. Au Brésil, la traite nourrissait une économie souterraine fortement dépendante de l'évolution du commerce mondial. À mesure que le café et le sucre brésilien pénétraient aux États-Unis et dans les marchés d'Europe continentale, les exportations européennes et américaines vers le Brésil augmentaient. Le tout entretenait la traite à destination du Brésil, la valeur des esclaves débarqués ici variant entre le tiers et plus de la moitié de celle de toutes les importations légales du pays[41]. Dans ces conditions, on comprend qu'il ait fallu l'intervention de la Royal Navy (1849) coulant des négriers dans les rades de Bahia et de Rio (ce qui aurait pu constituer un *casus belli*), pour que soit votée une loi draconienne (la fameuse *lei aurea*, ou « loi d'or »)[42] en 1850, sur le modèle de la loi française de 1831.

L'éradication progressive et volontariste de la traite, puis de l'esclavage, posa un problème majeur à ce monde de la plantation toujours aussi dynamique : celui du recours à une main-d'œuvre de substitution capable de remplacer les anciens esclaves noirs. La solution la plus fréquemment employée (si l'on excepte les formes de traite indirecte et déguisée — voir le chapitre III) consista à recourir à des travailleurs sous contrat. À la différence de ce qui s'était passé avant l'essor de la traite atlantique, ces travailleurs n'étaient généralement pas des Européens[43]. Ce furent des Indiens du Yucatán, des Chinois, des Indiens, mais aussi, on l'oublie souvent, des Mélanésiens. La guerre de Sécession conduisant à une raréfaction du coton, on implanta sa culture en Australie et aux îles Fidji. Le sucre vint peu après. Une partie de la main-d'œuvre fut directement razziée dans les Nouvelles-Hébrides, les îles Salomon et les Gilbert. À Java, les Néerlandais installèrent le système dit des « cultures forcées », qui exista, dans ses grandes lignes, de 1830 à 1870. En gros, l'administration obligeait la population à cultiver certaines denrées d'exportation, qui étaient ensuite vendues au profit du Trésor néerlandais[44]. Globalement, le centre de gravité de cette main-d'œuvre se déplaça donc vers l'est, vers l'Asie. Au total, 138 462 Indiens quittèrent Pondichéry et Karikal pour les colonies françaises entre 1849 et 1889. Entre 1811 et 1939, la région des Caraïbes reçut environ 799 000 esclaves africains, 543 000 travailleurs originaires de l'Inde britannique, 180 000 Européens, 145 000 Chinois, 58 000 Africains libres et 32 000 Javanais[45]. Le *coolie trade* ne disparut qu'au début du XXᵉ siècle.

Il s'agit, pour H. Tinker, d'un « *new system of slavery* ». Thèse que paraît en partie confirmer R. Hoefte[46]. Les modalités du recrutement des travailleurs, d'abord plus que critiquables puis mieux contrôlées, et surtout l'exploitation des *coolies* dans les colonies d'accueil peuvent leur donner raison. Mais le taux de mortalité au cours de la traversée était inférieur à celui connu à bord des navires négriers, dont les voyages étaient pourtant souvent moins lointains. Il fut de 2,7 % pour le *coolie trade* français entre l'Inde et les Antilles de 1853 à 1861, et de 7,85 % pour le trafic anglais entre 1850 et 1861. Les modes de recrutement, comme les conditions de la traversée océanique, n'avaient rien de commun avec celles de la traite. Par ailleurs, Pieter Emmer note avec raison que les *coolies* avaient la possibilité de retourner dans leur patrie d'origine au bout de quelques années, ce que, dans leur grande majorité, ils n'ont pas souhaité faire. Emmer ajoute que le taux de natalité de ces populations était bien supérieur à celui des esclaves sur les plantations[47]. Même si son employeur disposait de moyens non négligeables pour alourdir ou détourner certains termes du contrat par lequel le *coolie* avait été recruté, il est difficile de conclure à une identité de statut et de condition avec l'esclavage. Toute forme d'exploitation n'est pas forcément de nature esclavagiste. Au XIXᵉ siècle, l'ouvrier des grandes cités industrielles d'Europe du Nord-Ouest dépendait très largement d'une organisation politique, économique et sociale sur laquelle il n'avait guère de prise. Nombre d'entrepreneurs considéraient qu'ils étaient quittes en ne lui fournissant, en guise de salaire, que ce qui permettait d'assurer sa survie. Pour autant, cela ne faisait pas de lui un esclave. Le travail forcé n'implique pas la capture violente, la déportation lointaine, la « dépersonnalisation », la « désocialisation » ou encore la « désexualisation »[48] » imputables à l'esclavage. Si l'on peut analyser le système des *coolies* à la lumière de l'esclavage qui l'a précédé, il est tout aussi possible de le faire à la lumière de ce qui l'a suivi, à savoir l'âge de la prolétarisation dont les effets ont culminé, en Occident, avec l'essor de la seconde révolution industrielle. S'estompant justement à partir de ce moment, le système des *coolies* pourrait apparaître comme l'une des formes de transition entre l'âge de l'esclavage et celui de la prolétarisation.

À cette époque, les plantations avaient été mécanisées (du moins le traitement primaire des produits, et parfois les transports, non le côté purement agricole), le Brésil avait trouvé avec les prolétaires italiens la main-d'œuvre dont il avait besoin, et la plupart des pays d'Amérique avaient vu leurs populations natives s'accroître sensiblement. C'est ainsi que le développement d'une main-d'œuvre locale joua beaucoup pour les plantations de cacao de l'Équateur, du Venezuela et de l'Amérique centrale[49]. De son côté, grâce aux effets de la transition démographique, l'Europe disposait chez elle, déjà depuis plusieurs décennies, d'une importante source de main-d'œuvre libre. Plus tard, l'Afrique noire subjuguée, l'Europe y eut recours au travail forcé[50], ce qui réduisit l'utilité de l'esclavage traditionnel. Son corollaire, la traite, put alors devenir un souvenir, plus ou moins refoulé. Tels sont quelques-uns des résultats de l'émancipation des esclaves, pour les métropoles et leurs colonies ; thème à lui seul particulièrement vaste et dépassant très largement la question de la traite proprement dite.

Au total, pragmatisme, chantage, usage de la force ont été tour à tour nécessaires pour abolir le trafic négrier. L'abolitionnisme ne préfigure donc pas seulement l'actuelle idéologie de l'humanitaire avec son éthique d'urgence, son injonction à intervenir et à s'ingérer dans les affaires d'États souverains[51], il en constitue la première véritable manifestation, tout autant qu'une étape clé dans l'affirmation progressive des droits universels de l'homme. Pour que disparaisse vraiment la traite atlantique, il a néanmoins fallu compter avec l'évolution des mœurs, elle-même accélérée par des mutations économiques et sociales[52], et l'intervention de mouvements à forte connotation morale et idéaliste traversés par de multiples courants d'intérêt, économiques bien sûr, mais aussi politiques. À tous ces titres, la fin de la traite apparaît comme l'un des révélateurs de la progressive agonie d'un Ancien Régime excellant à durer. Aussi n'est-ce sans doute pas tout à fait un hasard si c'est en Angleterre, là où les révolutions politiques, économiques et culturelles génératrices du monde moderne se firent en premier, que le mouvement abolitionniste fut à la fois l'un des plus précoces, des plus efficaces et des plus importants. Pour que *cesse* la traite, il a enfin fallu la réprimer, ainsi que combattre un système esclavagiste qui était économiquement efficace. À l'heure où fleurissent ce que d'aucuns appellent des formes d'« esclavage moderne », peut-être pourrait-on tirer des enseignements du passé, ne pas attendre que les victimes demandent elles-mêmes réparation, mais plutôt prendre les devants : adopter des mesures pour que ces nouvelles formes d'exploitation ne soient pas si rentables pour ceux qui les orchestrent, et prévoir une législation véritablement répressive à l'encontre de ceux qui voudraient néanmoins poursuivre dans cette voie.

L'AFRIQUE, L'ORIENT ET L'ABOLITION

L'abolitionnisme, un concept occidental

Si la question des causes du mouvement abolitionniste occidental demeure toujours très controversée, un point fait apparemment l'unanimité parmi les historiens, toutes écoles confondues : l'abolitionnisme en tant qu'idéologie semble, pendant longtemps, avoir été un concept étranger à l'Afrique noire. L'abolition de la traite puis celle de l'esclavage ont été décrétées en Occident et appliquées dans le monde colonial sous domination ou influence occidentale, avant d'être exportées en Afrique noire et en Orient. « Il y aurait peu de fondements, écrit David Eltis, pour écrire une contrepartie non occidentale de *The Problem of Slavery in Western Culture* publié en 1966 par David Brion Davis », sans doute parce qu'il n'y avait pas, à l'époque où l'abolitionnisme s'organisait sous la forme d'un mouvement international en Occident, d'opinion publique ni de sentiment identitaire dans une Afrique où, en outre, le concept d'État-nation n'était pas développé[53]. Ralph Austen précise que, à la différence de l'abolitionnisme européen, peu de données indiquent que « la stigmatisation morale africaine de la traite » ait été associée « à une opposition politique à ce commerce pendant l'époque de son fonctionnement ». Les traditions orales suggèrent plutôt, ajoute-t-il, « une volonté de trouver un équilibre » entre, d'une part, les maux mais aussi le pouvoir et la richesse résultant de la traite, et, d'autre part, les attraits et/ou la nécessité qu'avaient de se défendre les individus et groupes atteignant ainsi à l'hégémonie[54]. « Les seuls principes par lesquels les Africains s'opposaient à l'esclavage », écrit Patrick Manning, avaient pour cadre « l'étroit intérêt d'une famille, d'un groupe ethnique ou d'un État. À l'exception des peuples dont la loi n'envisageait pas le statut servile, il n'y eut pas d'opposition de principe à l'esclavage »[55]. Paul Lovejoy est tout aussi catégorique. « Alors que l'esclavage, le *pawnship* et d'autres formes d'oppression sociale étaient communs en Afrique, indique-t-il, il n'y a pas de preuves d'une opposition étendue à ces institutions. » Celle-ci « était largement confinée aux actions individuelles d'esclaves mécontents ». Et, « malgré des actes de résistance pouvant remonter à l'Afrique, les idées abolitionnistes ne semblent pas avoir été formulées parmi les esclaves avant qu'ils aient atteint les Amériques[56] ».

Dans les régions d'Afrique noire influencées par l'islam, le rapport à la traite n'a été souvent appréhendé qu'à travers celui de la nature des populations capturées : étaient-elles païennes, et dans ce cas la traite était permise, ou bien musulmanes, ce qui posait alors un problème de conscience ? Cette question a été posée à quelques reprises, notamment à propos des régions d'Afrique noire occidentale où les influences venues du Nord rendaient parfois les frontières assez floues entre non-musulmans et sociétés noires converties à l'islam. On se souvient du célèbre cas d'Ahmed Baba qui, en 1611, fut consulté par des habitants du Touat afin de donner son avis sur la traite, et qui le fit de manière assez ambiguë, dans son *Échelle pour s'élever à la condition juridique des Soudaniens réduits en esclavage*. Dans les faits, cependant, de nombreux accommodements existaient, et il suffisait de déclarer que telle population n'était pas convertie pour justifier des opérations de traite. Étudiant la traite dans l'Empire ottoman du XIXe siècle, Ehud Toledano écrit que, « accepté par la coutume, perpétué par la tradition et sanctionné par la religion, l'esclavage était partie intégrante de la société ottomane ». Il est, ajoute-t-il, difficile de savoir ce que pensait l'opinion publique musulmane sur la question. À sa connaissance, les intellectuels ne se seraient manifestés que par l'intermédiaire de trois grands textes (si l'on excepte ceux concernant l'esclavage des Circassiens et des femmes blanches). Ils émanent d'Ahmad Shafiq Bey *(L'Esclavage au point de vue musulman*, 1889), de Husayn Pacha, maire de Tunis (par une lettre adressée en octobre 1863 au consul américain de la ville, mais l'authenticité du texte arabe n'est pas sûre), et de l'historien marocain Ahmad al-Nasiri (dans son Histoire du Maghreb, *Kitab al-Istiqsa li-Akhbar Duwal al-Maghrib al-Aqsa*, 1881). Mais ces textes, tardifs (1863-1889), apparaissent

surtout comme des réponses au discours occidental, et donc comme des justifications de la traite et
de l'esclavage dans l'Empire ottoman[57]. Le dernier
document, sans doute le plus critique, ne fait que
renvoyer à d'anciens arguments, indiquant qu'il est
illégal d'asservir les Noirs convertis à l'islam. Toledano note d'ailleurs qu'« aucun mouvement abolitionniste effectif n'a jamais émergé dans l'Empire ».
La politique ottomane, ajoute-t-il, « peut être carac-
térisée comme une résistance continue — à la fois
passive et active, et selon des degrés d'intensité variés — aux pressions abolitionnistes britanniques ».
L'esclavage « était considéré comme allant de soi et
l'abolitionnisme [...] était une idée étrangère ; il venait d'Angleterre, n'était guère compris, et ne fit
que peu ou pas de convertis » [58].

Est-ce à dire que l'Afrique et l'Orient ne jouèrent
aucun rôle dans le processus abolitionniste ? Non,
bien évidemment. Que l'idéologie abolitionniste ait
été, avant tout et chronologiquement parlant, une
invention occidentale ne doit en effet nullement
conduire à mésestimer le rôle de l'Afrique et de
l'Orient. L'inexistence de mouvement abolitionniste
organisé dans le monde musulman n'y implique pas
l'absence de discussions sur le sujet. William Gervase Clarence-Smith prépare un ouvrage qui sera
sans nul doute appelé à compter dans l'historiographie. Il est consacré au rôle de l'islam dans ce
débat[59]. L'auteur y montre que la question de l'esclavage, de sa légalité et de sa signification morale
a incontestablement nourri de nombreuses discussions. Ce qui ne va pas sans soulever des interrogations, et notamment celle du rôle exercé par l'influence occidentale en la matière. Certains débats,
certains discours semblent en effet avoir été conçus

afin de répondre aux injonctions abolitionnistes venues du dehors[60]. Le rôle joué par l'Inde et l'Asie
méridionale dans ce mouvement pourrait ainsi être
mis en relation avec l'importance des liens unissant
cette région à l'Angleterre. Il faudrait aussi pouvoir
distinguer ce qui est simple réaction vis-à-vis de
l'Occident (réaction en faveur de l'abolition ou, au
contraire, raidissement en faveur de l'esclavage[61])
de ce qui est plus directement le fruit d'évolutions
internes, en rapport avec le courant islamique mo-
derniste, par exemple.

Par ailleurs, ce qui apparaît avec force, c'est l'importance et la fréquence des changements d'attitude
sur le sujet, ainsi que la persistance, souvent, de
nombreuses ambiguïtés, dans bien des discours apparemment en faveur de l'abolition. Ce constat soulève trois questions. Celle, tout d'abord, de la profondeur des positions « abolitionnistes » ainsi
observables (on n'a pas vu, en Occident, des abolitionnistes passer du côté des pro-esclavagistes). La
deuxième interrogation est relative au tollé assez
souvent suscité par les discours favorables au règlement de la question de l'esclavage (alors que, en
Occident, une fois le mouvement abolitionniste
lancé, les Églises n'ont jamais défendu l'institution
esclavagiste ; on a souvent temporisé, du côté de la
papauté, jusqu'en 1839, mais sans aller au-delà d'un
certain attentisme). Enfin, se profile la question des
motifs de ces évolutions et de ces ambiguïtés. À ce
niveau de l'analyse, il est peut-être difficile de différencier l'islam en tant que religion et/ou culture de
facteurs plus sociaux, économiques et politiques
qui renvoient à l'histoire du monde musulman des
XIXe et XXe siècles. L'islam imprègne toutes les dimensions de la vie de ce monde. Toute question im-

portante est donc, forcément, abordée d'une manière ou d'une autre à travers le prisme religieux. Comment, dès lors, ne pas confondre parfois le « contenant » (le caractère religieux de l'argumentation) avec le « contenu » (la question de l'esclavage) ? En d'autres termes, les motivations jouant en faveur de l'abolition sont-elles avant tout religieuses ou autres ? Dans de nombreux cas, on serait tenté de pencher en faveur de la seconde possibilité, tant on voit les élites utiliser tel ou tel levier (le Coran, la charia, les fatwas) en fonction de leurs intérêts du moment. Toutes ces questions (celles de la fréquence des changements de position, des ambiguïtés et du problème « contenu » / « contenant ») conduisent à questionner l'expression même d'« abolitionnisme ». De fait, les discussions, au XIXe siècle, portent essentiellement sur d'anciens problèmes qui se sont posés dès les débuts de la traite : celui des guerres justes ou non, de la légalité de disposer d'esclaves convertis à l'islam, ou encore de la place et du rôle des manumissions. Ce que le terme même d'abolition sous-entend, c'est-à-dire, comme on l'a vu pour l'Occident, la remise en cause totale du système esclavagiste, n'apparaît guère dans les exemples concernant le monde musulman ayant été portés à notre connaissance. En Occident, on s'est longtemps servi de textes sacrés, bien choisis, afin de légitimer traite et esclavage. Puis, le contexte ayant changé, on s'est appuyé sur certains de ces textes pour remettre en cause ces deux institutions. N'est-ce pas, en partie, ce qui s'est passé dans le monde musulman ? L'exemple catholique, cette manière que l'Occident a eue, pendant des siècles, de déplorer (avec beaucoup de casuistique et de contradictions) certains aspects de l'esclavage sans le rejeter n'est-elle pas, finalement, assez proche de la position de nombre de religieux musulmans du XIXe siècle ? Enfin, de teneur abolitionniste ou non, les discours sur la question paraissent très éclatés et divers dans un monde musulman dont l'unité n'est souvent qu'apparente. La question de l'abolition a été ressentie et traitée différemment par les musulmans africains, indiens, égyptiens, marocains ou encore tatars.

Les formes de résistance à la traite et à l'esclavage au sein de l'Afrique noire et du monde musulman restent ainsi, tout comme la question de l'abolition, encore à étudier. Mais il serait étonnant que la grande révolte (s'étendant dans la basse Mésopotamie entre 869 et 883) qui menaça au IXe siècle l'Empire abbasside puisse, à elle seule, toutes les résumer[62]. Des débats, trop peu développés, ont d'ailleurs concerné le rôle joué par les résistances à l'esclavage dans un certain nombre de djihads[63], eux-mêmes fortement pourvoyeurs en captifs (ce qui indique combien les choses sont complexes). Les révoltes à bord des navires négriers eurent quant à elles un impact certain sur le volume de la traite atlantique. Elles ont concerné un navire négrier sur dix. Il était rare qu'elles réussissent, comme cela fut le cas sur l'*Amistad*, en 1839, qui n'est d'ailleurs pas aussi représentatif que cela[64]. Mais, selon D. Richardson, la menace de ces révoltes aurait augmenté d'environ 18 % le coût des expéditions négrières, pour les Occidentaux, et de ce fait conduit à une réduction du nombre de captifs qui auraient pu être exportés sans le surcoût imposé pour faire face à d'éventuelles révoltes. En dernier ressort, Eltis estime que, au cours du seul XVIIIe siècle, cette forme de résistance permit à un demi-million d'Africains de ne pas être envoyés vers les Amériques[65]. De manière plus générale, on sait que l'élévation du coût de la traite atlantique, sur le temps long, a fait réfléchir, notamment dans les îles, où l'on a commencé, à la fin du XVIIIᵉ siècle, à encourager la reproduction des captifs sur place. La loi de l'offre et de la demande aurait donc joué, non pas seulement dans l'histoire de la traite, mais aussi dans celle de la longue chaîne de l'abolitionnisme. Les efforts en matière d'analyse statistique de la traite atlantique ont jusqu'ici été presque essentiellement concentrés sur la seule question de son volume global. Il serait sans aucun doute utile de les redéployer en partie en direction de l'étude des révoltes, même si le « qualitatif » est ici tout aussi important que le quantitatif. Pour l'heure notons, comme Lovejoy, que c'est d'abord aux Amériques, sous l'impulsion des esclaves eux-mêmes, que l'Afrique semble avoir joué son plus grand rôle dans le processus abolitionniste.

Le rôle des esclaves dans le processus abolitionniste

Selon Aristote, et à sa suite une grande majorité de planteurs, les esclaves étaient seulement des « outils animés », incapables de penser et d'élever leur esprit vers de nobles sentiments[66]. Ces mêmes planteurs furent pourtant continuellement en butte à la résistance de leurs esclaves, à leur combat quotidien pour obtenir des espaces de liberté et. parfois, pour se libérer totalement, par la révolte, la fuite ou la mort. Souvent occulté ou sous-estimé dans l'histoire du processus abolitionniste, le rôle des esclaves doit être réhabilité, sans toutefois conduire à des excès inverses. Leur influence ayant été trop longtemps négligée, on est en effet parfois tenté, aujourd'hui, de n'insister que sur cet aspect des choses. Ainsi une idée en vogue consiste-t-elle à mettre en avant les contradictions des abolitionnistes européens afin de mieux insister sur le rôle de l'esclave, considéré comme le principal, et parfois le seul, acteur de son émancipation. Quoi qu'il en soit, une chose est sûre : « Tandis que la dimension africaine a parfois été accentuée dans l'analyse de la résistance des esclaves aux Amériques, l'étude de la résistance est trop souvent dissociée de celle du mouvement abolitionniste ». Ces deux sujets, ajoute Lovejoy, « devraient être traités ensemble » [67]. Pour le moins, ils mériteraient d'être mieux corrélés.

Une analyse des causes les plus souvent mises en avant afin d'expliquer la résistance des esclaves aux Amériques permet de mettre en évidence une première série de liens entre l'Afrique, les esclaves et le processus abolitionniste. Ainsi Lovejoy a-t-il montré, grâce à une analyse très fine de biographies d'esclaves, l'importance jouée, dans l'organisation de révoltes au Brésil, par quelques musulmans qui avaient d'abord été prisonniers politiques dans la région de Sokoto, et qui, de ce fait, étaient déjà plus ou moins expérimentés en ce domaine. Aux déterminants politiques s'ajoutent les données ethniques. En Jamaïque, par exemple, « les esclaves akans sont identifiés à la rébellion et au marronnage ». Certains facteurs utiles à la compréhension des formes de résistance aux Amériques doivent donc être recherchés en Afrique même. C'est ce qu'indique la prise en considération des apports méthodologiques résultant de l'interprétation de nouvelles don-

nées, écrit Lovejoy[68]. Une question est ainsi soulevée, celle des raisons ayant permis à certaines
influences africaines de se convertir en capital de
résistance. Car discerner un facteur ayant pu entrer
dans la genèse du processus de résistance est une
chose, comprendre pourquoi et comment il a été effectivement mobilisé en est une autre. Il existe à ce
sujet deux grandes hypothèses, souvent opposées
mais en fait assez complémentaires.

Dans la première, représentée entre autres par
C. L. R. James et E. D. Genovese[69], on met l'accent
sur l'idée d'une radicalisation des formes de résistance des esclaves à la fin du XVIIIe siècle, laquelle
est perçue comme la conséquence de l'influence
exercée par la Révolution française et la révolte de
Saint-Domingue[70]. Du fait de leur progressive créo-
lisation, les esclaves auraient ainsi emprunté aux
doctrines révolutionnaires d'Europe et des Amériques des idées capables de légitimer, de structurer
et de mener à bien leur lutte contre le système esclavagiste. De plus, à partir des années 1770, les
conflits touchant le monde américain ont souvent
amené leurs différents protagonistes à mobiliser ou
à tenter de mobiliser les esclaves en faveur de leur
cause, en usant pour cela de promesses de libération. Un peu à la manière des leaders des mouvements de décolonisation des années 1950 et 1960
qui furent souvent formés à l'école occidentale et
surent utiliser à leur profit les valeurs défendues
par la Grande Alliance au cours de la Seconde
Guerre mondiale, c'est donc l'Occident qui aurait
fourni aux esclaves certaines de leurs armes idéologiques majeures. Sans refuser totalement cette idée,
d'autres historiens insistent sur une hypothèse différente. À l'instar de John Thornton, qui a montré

que la révolte de Saint-Domingue pouvait aussi s'expliquer en partie par l'héritage de la guerre civile au Congo, ils souhaitent revaloriser le poids des influences proprement africaines[71]. Des influences ensuite recombinées et devenues explosives à cause même de la nature du système de la plantation. Comme le note Lovejoy, ce sont en effet « le déracinement accompagnant le voyage océanique et l'humiliation des stéréotypes raciaux qui suivirent, aux Amériques », qui seraient à l'origine de la prise de conscience des esclaves. Dans ce cas de figure, les idées généreuses venues d'Occident auraient été moins importantes que la nature même du système esclavagiste américain dans la genèse de la résistance noire. C'est la dureté, et surtout la netteté et la nouveauté du caractère racial de l'exploitation esclavagiste qui auraient joué. L'abolitionnisme, du côté des esclaves, aurait ainsi été en bonne partie « une réponse noire à l'esclavage comme phénomène européen[72] ».

Les formes de résistance proprement dites ne sont pas directement liées à notre sujet. Il existe à leur propos une très importante littérature, mais elles y sont relativement bien ciblées. On différencie les formes de résistance dites « passives » — travail mal exécuté, sans empressement, empoisonnement du bétail… — et celles dites « actives » ou plus ouvertes, telles que la révolte et le marronnage, lequel conduisit à la constitution de groupes d'esclaves fugitifs dans les régions montagneuses et forestières des îles, et parfois de véritables sociétés marronnes, dans les vastes espaces de l'Amérique latine, au Brésil et en Guyane. On parle d'esclaves marrons dans les colonies françaises et anglaises, de cimarrons et de palenques dans les zones hispanophones, de quilombos et de mocambos au Brésil. La figure de l'esclave fugitif fut une donnée historique incontournable. Elle est à l'origine de l'un des lieux de mémoire les plus célèbres du système esclavagiste, que l'on retrouve dans le *Candide* de Voltaire *(Le Nègre de Surinam*, chapitre XIX), le *Georges* d'Alexandre Dumas (1843), le *Bug-Jargal* de Victor Hugo, et dans une bonne partie de la littérature antillaise contemporaine[73]. Résister, quel qu'en soit le moyen, nécessitait de se libérer au préalable du carcan idéologique imposé par le système esclavagiste. Il faut donc insister sur l'importance des efforts déployés ainsi par les esclaves et sur la diversité des cultures originales qu'ils ont su construire. La littérature a également magnifié d'autres formes de refus, plus spectaculaires et peu étudiées, comme la fuite, inutile et désespérée, conduisant à une mort inéluctable, synonyme d'ultime échappatoire au système esclavagiste[74]. Le rôle des femmes dans ces processus intéresse également de plus en plus les historiens[75]. Plus importante encore, pour les problématiques liées à l'abolitionnisme, est la question de la répercussion sur le système esclavagiste lui-même de ces formes si variées de résistance.

En de rares occasions, et notamment dans le cas de Saint-Domingue, des esclaves se libérèrent eux-mêmes de leurs chaînes. L'importance de la révolte de Saint-Domingue est grande. Goethe en a fait l'objet de romans, attestant ainsi du choc qu'elle provoqua. Avant la guerre civile américaine, elle a également fourni le modèle type de l'éclatement par la force du système esclavagiste. Pour la première fois, au lieu de fuir vers les forêts pour y devenir des marrons, conscients de leur supériorité numérique, les captifs se sont emparés des plantations et des villes, jetant les colons à la mer. Pour Eugene Genovese *(From Revolution to Rebellion)*, la révolte de Saint-Domingue fut à l'origine d'un changement d'attitude essentiel : désormais l'objectif d'une révolte n'était plus de s'opposer à tel ou tel système esclavagiste particulier, mais de détruire le système esclavagiste lui-même. L'impact de cette révolte, qui déboucha en 1804 sur la fondation de la première République noire, à Haïti, ne doit pas faire oublier d'autres importantes insurrections ou actes d'opposition. Au Brésil, au XVIIe siècle, profitant des rivalités entre Hollandais et Portugais, de nombreux esclaves fugitifs se sont ainsi regroupés non loin de Pernambouc, constituant un véritable État, connu sous le nom de Palmarès. Le phénomène, qui remonte sans doute aux années 1630, ne s'est achevé qu'en 1695, lorsque le dernier dirigeant d'un État ayant compté jusqu'à vingt mille habitants fut tué par les Portugais. Au Surinam, c'est une guerre particulièrement sanglante qui opposa d'autres esclaves fugitifs aux Hollandais, entre 1763 et 1773. Enfin, il faut noter l'épisode assez ambigu constitué par les fameux « nègres bleus » de la Jamaïque. Tout y commença avec l'alliance contre les Espagnols conclue entre certains esclaves et les Anglais, arrivés sous Cromwell. Victorieux, ces derniers firent bénéficier leurs alliés de certaines libertés et largesses, jusqu'à ce que les descendants de ces esclaves entrent en conflit direct avec les Anglais, vers 1730. Après un nouvel accord, conclu en 1739, les « nègres bleus », que les Anglais laissèrent tranquilles, devinrent pour eux une force d'appoint leur permettant de mater plus facilement les révoltes dans la région. Se rebellant à leur tour, en 1797, les « nègres bleus » n'obtinrent évidemment pas l'appui des autres esclaves. Écrasés, ils furent alors en bonne partie déportés vers le Sierra Leone.

En de nombreuses autres circonstances, c'est de manière plus indirecte que les esclaves jouèrent un rôle dans le processus abolitionniste. Les pressions exercées par eux contribuèrent en effet à fournir des arguments aux abolitionnistes occidentaux, ainsi qu'à réduire le taux de profit de l'économie de plantation. La peur d'une insurrection du type Saint-Domingue, le coût des mesures défensives pour les planteurs, l'« américanisation » croissante des esclaves, dans les régions où l'importation de nouveaux captifs par le biais de la traite n'était plus possible, s'inscrivent aussi parmi les facteurs ayant joué dans la progressive abolition de l'esclavage. Il ne faut pas oublier, également, l'importance que re-présenta la publication de leurs mémoires par quel-ques anciens esclaves. L'exemple le plus connu est celui d'Olaudah Equiano. Arrivé à la Barbade, il fut acheté par un officier anglais qui l'amena en Angle-terre comme serviteur, lui donnant le nom royal de Gustave Vasa. Equiano servit son maître pendant la guerre de Sept Ans, avant d'être vendu à un com-merçant à qui il racheta sa liberté, pour 40 livres. En 1767, Equiano était barbier à Londres. Il navi-gua ensuite vers la Nouvelle-Angleterre, le Nicara-gua et le Groenland, avant de rejoindre le mouve-ment abolitionniste et d'accompagner les premiers Noirs en partance pour Freetown, au Sierra Leone. En 1789, il publiait ses mémoires, en deux volu-mes : *The Interesting Narrative of the Life of Olaudah Equiano, or Gustavus Vassa, the African, Written by Himself*. Mais il y eut d'autres exemples[76]. Par leurs écrits, ces hommes ne contribuèrent pas seulement à rendre les arguments abolitionnistes plus concrets et sensibles, ils témoignèrent de la plus brillante des manières des capacités intellectuelles de populations que les planteurs considéraient comme à jamais abruties. Le rôle actif que jouèrent nombre de fugitifs au sein des mouvements abolitionnistes d'Amérique du Nord, au XIXᵉ siècle, ne doit pas, non plus, être sous-estimé. Il y a donc, on le voit, de la matière pour qui voudrait écrire une histoire à la fois globale et évolutive des formes de résistance nées au sein des populations d'esclaves.

Une telle histoire devrait également prendre en considération le rôle paradoxal de certaines de ces formes, comme on l'a vu, par exemple, avec les « nègres bleus » de la Jamaïque. Les accommodements parfois obtenus au quotidien, du fait de formes de résistance passive, ont aussi permis d'alléger le poids du système esclavagiste, de le rendre plus supportable, et, ainsi, de ralentir ou de contrecarrer l'émergence d'autres formes, plus dures, d'opposition. Pleinement conscients de cela, les planteurs avaient tout intérêt à laisser un peu de « jeu » dans le système, d'où le mélange de formes de contrôle pouvant être d'une grande cruauté et, parfois, d'un certain paternalisme aux implications et aux conséquences très complexes. Pour Eugene Genovese, le paternalisme « réduisait la possibilité », pour les esclaves, « de s'identifier les uns les autres comme une classe ». Mais il ajoute qu'il se développa également comme moyen d'arbitrage au sein de conflits nés dans la société esclavagiste, du fait des tensions entre race et classe, et qu'il fournit aux esclaves « leur plus puissante défense contre la déshumanisation implicite dans l'esclavage » [77]. « Comment des travailleurs, qui étaient relativement libres par rapport aux forces du marché, pouvaient-ils produire autant, ou pousser à une telle croissance économique, en particulier quand les historiens clament qu'ils étaient engagés dans de subtiles et quotidiennes formes de résistance ? » se demande de son côté David Brion Davis[78]. La réponse à cette question passe nécessairement par l'analyse des moyens avec lesquels les esclaves jouèrent un rôle, non seulement dans la contestation du système esclavagiste, mais aussi dans son maintien et sa reproduction. Aucun système coercitif ne peut fonctionner uniquement sur le mode répressif[79]. Comme G. Devereux l'a montré pour les hilotes spartiates de l'Antiquité, il n'est en effet de servitude réussie que la servitude en partie volontaire. Dans la réalité caribéenne comme dans la littérature consacrée à la région, si l'image de l'esclave empoisonneur voisine avec celle de l'esclave loyal défendant son maître en toutes circonstances, ce n'est pas un hasard. Et l'esclavage lui-même n'était pas toujours absent des communautés d'esclaves marrons. Selon Wim Klooster[80], à Curaçao, deux tiers des personnes impliquées dans la contrebande alimentant le commerce colonial hollandais étaient des esclaves, des mulâtres et des hommes libres de couleur. Dans la partie française de Saint-Domingue, à la veille de la Révolution, un quart des esclaves était possédé par des hommes libres de couleur. Ce qui en dit long sur la complexité des relations de solidarités et de clivages au sein des diverses populations de couleur des Amériques et entre elles.

Certains truismes ne doivent néanmoins pas être oubliés. En premier lieu, le cas, unique, de Saint-Domingue est loin de nous fournir matière à un modèle explicatif du processus abolitionniste. D'une part, car le succès de la révolte résida peut-être autant dans les difficultés à la réprimer (du fait des guerres révolutionnaires en Europe et de la situation en France métropolitaine) que dans la dynamique propre au mouvement insurrectionnel. D'autre part, du fait de l'important décalage chronologique entre la révolte en 1791 et ce qui constitue véritablement l'ère de l'émancipation des esclaves : en gros, il fallut attendre un demi-siècle pour que l'esclavage soit aboli dans les colonies britanniques (1833), et un siècle avant sa cessation au Brésil, en 1888.

Tentons, en second lieu, de prendre un peu de recul, et essayons de comparer l'esclavage aux Amériques avec ce que l'on sait des autres formes d'esclavage au cours de l'histoire. On s'aperçoit alors que de multiples révoltes et formes de résistance ont toujours été présentes et récurrentes, à toutes les époques. On s'aperçoit également que, quelle qu'ait été l'importance de ces mouvements, ils n'ont jamais permis de briser les anciennes formes de servitude. Malgré de nombreuses et parfois très dangereuses révoltes, Rome, par exemple, ne céda jamais. Nous savons également que la fin de l'esclavage antique et son remplacement par le servage doivent assez peu aux formes de résistance des esclaves, malgré ce qu'en dit Jean Bodin, dans ses *Six Livres de la République* (1576), et même si le rôle des mouvements qui agitèrent la Gaule et l'Espagne entre la fin du IIIe siècle et le Ve siècle de notre ère reste encore un sujet de discussion. Modifions nos perspectives et intéressons-nous aux cas français et britannique. L'abolition de l'esclavage dans les colonies anglaises a pour origine un long et complexe processus qui fut seulement en partie dynamisé par les révoltes de 1831 et 1832. Dans le cas français, la situation était totalement différente. Comme l'a montré Lawrence Jennings, le renforcement des forces de police et de l'armée, dans les Antilles françaises, ne laissait guère de possibilités aux esclaves pour se révolter. Et le processus qui conduisit à l'abolition de 1848 fut presque totalement le fruit de tractations politiques métropolitaines[81]. Des révoltes eurent lieu en Amérique du Nord (250 environ), l'une des toutes premières en Caroline du Sud, en 1526. Celle de 1822, menée dans le même État par Denmark Vesey, un affranchi devenu ouvrier charpentier, est bien connue, tout comme celle de Nat Turner, en 1831, près de Jérusalem, en Virginie. D'autres révoltes, comme celles des musulmans noirs, secouèrent aussi Bahia à plusieurs reprises, entre 1807 et 1837. La participation des Noirs (esclaves et libres), ainsi que des métis, à l'insurrection des Dix Ans, à Cuba (1868-1878), contribua à une abolition qui se fit ici en trois étapes, entre 1870 et 1886. Mais, comme au Brésil, dans les années 1880, et comme en de nombreuses autres occasions, ces révoltes jouèrent plus un rôle dans la cinétique du mouvement abolitionniste que dans ses origines et sa logique.

Après les philosophes et les « saints de Clapham », après la priorité accordée aux facteurs économiques, après la si riche moisson produite par l'analyse des contextes politiques et culturels de l'ère abolitionniste, le rôle des esclaves est aujourd'hui logiquement et justement mis en avant. Mais il faut demeurer prudent. En histoire, en effet, les *dei ex machina* se révèlent souvent plus encombrants que véritablement utiles.

La difficile éradication de la traite
en Afrique

Si la traite a persisté, malgré son interdiction, c'est, a-t-on noté plus haut, en grande partie à cause du décalage chronologique avec l'abolition de l'esclavage dans les colonies européennes, et donc à la permanence d'une importante demande en captifs. Mais c'est aussi parce que, du côté africain, l'offre en captifs demeura forte, et qu'elle ne fut nullement réduite du fait de l'essor du commerce légitime, comme les abolitionnistes l'avaient pensé[82]. Du côté de cette offre, et donc du lent processus d'extinction des traites africaines, on a coutume de mettre en avant l'action exclusive des puissances coloniales européennes, pour lesquelles la lutte contre la traite et l'esclavage constituait l'un des motifs officiels de la pénétration à l'intérieur du continent, comme on le déclara aux conférences de Bruxelles (1882) et de Berlin (1885).

Cela est loin d'être inexact. Partout la traite reflua avec la colonisation. Parfois même elle refleurit temporairement avec le départ des colonisateurs. Le concept même d'abolition était également, on l'a dit, étranger aux sociétés africaines, musulmanes ou non. Il ne faudrait cependant pas croire en ce domaine à une totale inertie du continent noir. Au XIXᵉ comme au début du XXᵉ siècle, dans une Afrique en pleine mutation, la traite était souvent au centre des préoccupations de nombre d'élites et de pouvoirs. D'une part, parce qu'elle représentait toujours en de nombreuses régions l'un des principaux commerces d'exportation. D'autre part, parce que l'esclavage interne y prit alors une ampleur considérable. L'évolution des mœurs (sur laquelle les historiens se sont peu penchés) et les mutations politiques et économiques apparaissent donc là aussi, comme en Occident, en toile de fond du processus tendant soit à faire disparaître la traite, soit à en retarder le déclin. En fonction des forces en présence, des variations régionales doivent être discernées.

Au Maghreb, la situation fut assez simplement réglée. Au sud du Sahara, les régions occidentales de l'Afrique noire se reconvertissaient peu à peu au commerce légitime. L'essor de plantations fonctionnant grâce au travail de masses paysannes libres, et parfois propriétaires de petites exploitations, devait à terme y ruiner la traite d'exportation vers le Nord. Celle-ci était en outre handicapée par le déclin du trafic caravanier. Dans ces conditions, l'établissement de la tutelle européenne mit assez rapidement fin à la traite. En Algérie, les arrivées de captifs soudanais ont peu à peu presque complètement cessé après 1848, l'année où la France décidait d'abolir l'esclavage dans ses colonies. Elles se sont seulement poursuivies un temps dans le Sud, au Mzab et à Ouargla, anciens centres de redistribution éloignés des contrôles administratifs. En Tunisie, l'établissement du protectorat français (1881) conduisit le Bey à déclarer l'esclavage illégal en 1890. Cela ne veut pas dire que la traite y disparut totalement, mais elle n'y survécut plus qu'à l'état de vestige. Au Maroc, les marchés d'esclaves publics furent fermés par les Français en 1912, pourtant l'éradication de l'esclavage ne fut pas totale avant la « pacification » du Sud en 1932.

C'est à partir des années 1840 que la Grande-Bretagne fit véritablement pression sur l'Empire ottoman afin que l'esclavage y soit aboli. Devenue très rapidement plus réaliste, elle s'attaqua ensuite sur-

tout à la traite. Les traités de 1839 et 1847 don-
naient aux navires anglais certaines possibilités
d'intervention, mais ne concernaient guère que la
traite dans le golfe Persique, laquelle n'était alors
pas très importante pour l'Empire ottoman. En
1857, le commerce des esclaves (non l'esclavage) fut
interdit dans l'Empire, à l'exception de la province
sacrée du Hedjaz. Cette exception est symptomati-
que de l'importance des problèmes internes suscités
par l'interdiction. Cœur du monde islamique, du
fait des pèlerinages à La Mecque, la province pouvait recevoir des captifs de sources extrêmement
variées. Ce qui fait dire à Erdem qu'il s'agissait
autant d'un entrepôt d'esclaves que d'un centre de
pèlerinage. La province était également essentielle
pour l'Empire d'un point de vue politique. Les Otto-
mans s'y maintenaient en jouant sur les factions tri-
bales. La traite y était « à la fois un commerce lucratif et un problème religieux explosif ». Les
autorités locales purent donc facilement y utiliser la
menace d'une prochaine abolition afin d'encourager l'insurrection contre le pouvoir central. Il en résulta la révolte d'Abd al-Muttalib, en 1855-1856, et,
pour calmer le jeu, la non-application de la décision
de 1857 dans la province. Les choses se décantant
lentement, une convention anglo-ottomane relative
à la suppression de la traite africaine fut conclue en
1880. Elle permettait à la Grande-Bretagne d'ins-
pecter les navires suspects se rendant dans l'Empire
ottoman et de les saisir en cas d'infraction. En
1890, la Sublime Porte signa la convention de
Bruxelles contre la traite des Noirs ; une convention
que les catholiques français, avec le cardinal Lavi-
gerie, et les Pères du Saint-Esprit, avaient contribué
à impulser. Mais l'occupation de l'Égypte par l'An-

gleterre, en 1882, fut plus efficace, car elle coupait l'Empire ottoman de l'une de ses principales sources d'approvisionnement en captifs. La traite, dès lors, perdit beaucoup de son importance, bien qu'elle se soit poursuivie dans la mer Rouge au moins jusqu'aux années 1920. Tout cela se fit sous la pression de l'Angleterre. Mais la lente extinction de la traite doit également, note Toledano, « être comprise dans son contexte national, c'est-à-dire comme partie des réformes introduites pendant le Tanzimat, 1839-1876, et la période post-Tanzimat ». L'abolition de l'esclavage dans l'Empire est aussi à mettre en rapport avec « une douce transition entre l'esclavage domestique et le service domestique libre » ou salarié[83]. Il n'en reste pas moins, comme le dit justement Erdem, que « l'esclavage, comme statut légal et institution, ne fut jamais aboli dans l'Empire ottoman. Toutes les [...] lois édictées par le gouvernement ottoman se rapportèrent à la suppression ou à l'abolition d'une branche particulière de la traite[84] ».

En Tripolitaine, les résistances furent plus manifestes qu'au Maghreb. Maîtres de la régence, les Turcs auraient dû logiquement appliquer leur décision de 1857 interdisant la traite dans l'ensemble de l'Empire, à l'exception de la province du Hedjaz. Mais cette décision fut longtemps symbolique, du fait des habitudes et des besoins en captifs de l'Empire, ainsi que de la bienveillance du gouverneur qui préféra fermer les yeux et continuer à percevoir les taxes sur les captifs transitant dans les territoires sous sa juridiction. La présence d'observateurs étrangers à Tripoli devait contribuer à y diminuer les arrivées. Mais les choses n'évoluaient guère dans le Fezzan, éloigné des regards occidentaux. Vers

1850, les esclaves y constituaient les deux tiers de la valeur totale des « produits » venant des régions occidentales d'Afrique noire. Aussi la traite reprit-elle lorsque les Italiens quittèrent la région, au début de la Première Guerre mondiale. Le trafic n'y cessa vraiment qu'avec leur retour, en 1929.

Dans la Cyrénaïque, il y avait bien quelques consuls étrangers, à Benghazi, mais ils étaient isolés et n'avaient guère d'influence sur les affaires locales. D'autant plus que l'abolitionnisme y était parfois perçu comme une sombre machination occidentale, notamment par la confrérie senousis. Fondée en 1837, particulièrement hostile à la pénétration étrangère, elle exportait vers l'Égypte et l'Empire ottoman les captifs qu'elle n'utilisait pas sur place. À cet obstacle s'ajoutait celui constitué par les élites islamisées de certains États situés plus au sud, notamment au Ouadaï ; des élites pour lesquelles la traite était l'un des moyens d'une toute récente affirmation. La traite se pratiqua donc ici sans grandes entraves jusqu'aux années 1890. Et il fallut attendre le début du xxᵉ siècle, avec la conquête française des zones d'approvisionnement en captifs, au Baguirmi et au Ouadaï, pour que la traite soit véritablement perturbée. En 1920, elle subsistait d'ailleurs encore dans la région de Koufra.

En Égypte, l'avènement d'Ismaïl Pacha, en 1863, inaugura une volonté de modernisation et de répression de la traite, laquelle fut mise en œuvre par Charles Gordon, qui bénéficia d'une relative indépendance par rapport aux forces locales. Une convention signée en 1877 donna aux Anglais le droit de visiter les navires égyptiens. L'occupation anglaise de 1882 entraîna la quasi-disparition de la traite sur le sol égyptien à la fin des années 1880.

Mais toute faille dans le système était aussitôt utilisée. Ainsi, en fuite du Darfour après l'occupation égyptienne, la troupe de Rabah envahit le Ouadaï, le Baguirmi et le Bornou, y créant un éphémère empire s'appuyant sur l'importation d'armes et le rapt de captifs. Au Soudan, d'où sortaient environ trente mille esclaves par an en 1867, la révolte mahdiste de 1885 conduisit à chasser les Égyptiens. Cette révolte s'explique en partie par l'exaspération des traitants d'esclaves. Le trafic clandestin dura dans ce secteur jusqu'à la conquête anglo-égyptienne de 1898.

En Afrique orientale, trois cas sont révélateurs de la toile de fond problématique soulevée par la fin de la traite et de l'esclavage. Le premier concerne Zanzibar. Allié aux Anglais depuis le début du siècle, le sultan Seyyid Saïd signa en 1822 un traité interdisant à ses sujets de convoyer des esclaves vers les nations chrétiennes et vers l'Inde (à l'est et au sud d'une ligne partant du cap Delgado, pour rejoindre la ville de Diu, sur la côte occidentale). La traite demeurait néanmoins libre sur toute la côte orientale de l'Afrique, l'Arabie et le golfe Persique. En 1845, toute exportation en dehors de Zanzibar et de ses possessions fut prohibée. Les importations n'étaient pas limitées. Fondée sur le système esclavagiste, l'économie de l'île était ainsi protégée. De plus, dans les années 1840-1880, les exportations des régions situées dans la partie ouest de l'océan Indien connurent un essor considérable. Elles nécessitaient, à la base, une forte main-d'œuvre d'esclaves. Progressive, la véritable abolition ne se fit qu'au fur et à mesure de l'affermissement de la puissance anglaise dans la région. Un traité conclu en 1873 avec le sultan de Zanzibar permit aux navi-

res britanniques de réduire considérablement le
trafic régional d'esclaves, à partir des années 1880.
Le deuxième exemple nous amène à Madagascar,
qui exportait traditionnellement des captifs. À partir du début des années 1820, l'empire des Merina
commença à en faire venir un nombre de plus en
plus important à partir de l'Afrique orientale. Plus
complexe encore fut le cas des régions de l'île non
dominées par l'empire, et notamment la côte ouest.
Elles envoyaient des Malgaches au-dehors tout en
faisant venir des esclaves d'Afrique de l'Est qui
étaient utilisés sur place ou bien renvoyés vers
l'Imerina et les îles françaises des Mascareignes.

En Éthiopie, troisième cas de figure, c'est avec
les débuts de l'installation italienne, en 1885, que
les premiers coups au trafic négrier furent portés.
L'accession au pouvoir de Ménélik II, le fondateur
de l'Éthiopie moderne, en 1889, modifia les données du problème. D'un côté, aspirant à faire reconnaître son État au niveau international, et désirant s'affranchir des grands propriétaires féodaux
qui vivaient en partie de la traite et de l'esclavage,
il avait tout intérêt à œuvrer en faveur de leur abolition. De l'autre, ayant encore besoin des marchands arabes (qui tenaient en main la traite) afin
de s'approvisionner en armes, il ne pouvait agir de
manière trop brutale. Il fallut donc attendre l'affermissement de son pouvoir, à la fin du siècle,
pour que la traite soit interdite. L'esclavage n'en
demeura pas moins légal, devant la force des habitudes. Au début du XXe siècle, le pays aurait
compté trois à quatre millions de captifs sur une
population de dix à douze millions d'habitants.
L'admission de l'Éthiopie à la Société des Nations,
en 1923, se fit moyennant son engagement d'abolir

toute forme de servitude ; ce qui ne put être réalisé
que très progressivement.

La manière dont les sociétés africaines ont réagi
face à l'abolition de la traite, puis de l'esclavage, a
suscité quelques études de grande valeur, notamment celles de Paul Lovejoy. Robin Law a également contribué à éclairer le processus en Afrique
occidentale[85]. Mais beaucoup de travaux restent à
faire dans ce domaine. De manière générale, comme
le remarque Joseph Miller, à l'échelle de l'Afrique
dans sa globalité, « ce n'est qu'avec le renforcement
considérable des forces de police, le développement
des économies monétaires et l'appauvrissement des
régions rurales », notamment pendant la Première
Guerre mondiale, « que l'esclavage commença à ré-
gresser » [86].

De la traite à la colonisation

Peu à peu abolie en Occident, la traite se poursuivit longtemps en Afrique noire. Afin de rendre son
application effective, les Européens, Britanniques à
leur tête, furent amenés à y intervenir. D'où une série de débats sur les liens possibles entre le mouvement abolitionniste, la répression de la traite et le
processus ayant conduit à la colonisation de l'Afrique. Y a-t-il eu ou non, entre ces phénomènes, des
liens de cause à effet ? L'abolition devait-elle ou non
forcément déboucher sur la colonisation ? Parmi les
multiples pistes empruntées par les historiens qui
ont tenté de répondre à ces questions, deux directions majeures peuvent être distinguées. La première
consiste en une approche culturelle. Il s'agit d'étudier le discours abolitionniste et de voir si l'on peut y

discerner des arguments repris ensuite pour légitimer le processus colonial. La seconde approche a eu pour effet de sonder les liens entre commerce légitime et colonisation, afin de voir en quoi un commerce qui était présenté par les abolitionnistes comme un moyen de se substituer à la traite a pu ou non constituer une incitation à la colonisation.

S'agissant du premier point, Ralph Austen et Woodruff Smith sont très clairs : « Les débats sur l'abolition de la traite, dans les années qui précédèrent 1807, furent à l'origine d'une série d'objectifs politiques et d'attitudes envers l'Afrique qui, renforcés au XIXe siècle, constituèrent une idéologie favorisant la détermination de la politique africaine britannique. Ce qui en ressortait était la notion d'une mission britannique envers les "peuples arriérés"[87]. » Deux idées différentes sont en fait ici avancées. La première est facilement vérifiable et se fonde sur un fait indéniable : à la fin du XVIIIe siècle, l'Afrique noire était un monde quasi inconnu pour les Européens et c'est à travers le débat sur l'abolition que se forgèrent à son sujet nombre d'images, ensuite promises à un bel avenir. Négriers et abolitionnistes partageaient une même idée : l'Afrique est en retard. D'accord sur le constat, ils s'opposaient à propos des causes de ce retard et des moyens d'y remédier. Pour les premiers, ce retard était « naturel », imputable aux Africains eux-mêmes, et il n'y avait donc pas grand-chose à faire. Pour les seconds, c'est la traite qui empêchait l'Afrique de marcher vers le progrès, et l'on pouvait tenter de la « régénérer ». L'idéologie abolitionniste fournit donc bien des arguments favorables à une plus grande implication de l'Europe dans les affaires africaines.

Mais cette idéologie a-t-elle « déterminé » la politique africaine britannique ? Faute d'études suffisamment nombreuses, il est aujourd'hui bien difficile de le savoir. D'ailleurs, établir que certains arguments, repris par la suite pour légitimer la colonisation, peuvent être localisés dans quelques textes abolitionnistes n'est pas suffisant pour conclure que la logique (si logique il y avait) œuvrant en matière de colonisation était la même que celle favorisant le mouvement abolitionniste. Détectés dans des publications issues d'époques différentes, les mêmes mots et expressions peuvent avoir été utilisés afin de défendre des projets totalement opposés. Dans le cas de l'expérience française, j'ai essayé de montrer[88] que, souvent, les projets des abolitionnistes les plus convaincus n'ont, au XVIIIe siècle, pas dépassé le cadre de l'établissement de quelques comptoirs sur la côte africaine. Il ne faut donc pas confondre, aujourd'hui, la volonté de nouer de nouvelles relations commerciales avec un vaste projet de domination politique en terre africaine. C'est seulement au tournant des années 1815-1840 que l'image d'un potentiel à exploiter en Afrique commença à l'emporter sur celle d'un continent barbare et répulsif. Peu à peu, au cours des années 1840-1880, l'idée d'une pénétration commerciale supplanta celle d'une colonisation agricole. Mais, avant le *scramble* (ou « course au clocher »), le commerce avec l'Afrique noire demeura toujours d'une très faible importance pour la France, aussi bien à l'échelle du pays qu'à celle de ses principaux ports. Finalement, seuls quelques négociants eurent, provisoirement, intérêt à ce que la France pénètre en Afrique noire, afin de défendre quelques situations de monopole. Enfin, plus que l'idéologie abolitionniste, c'est un discours emprunté aux Lumières et à la tradition républicaine qui servit d'alibi aux entreprises françaises de colonisation. Le cas de la France montre que l'idéologie abolitionniste joua un rôle bien faible dans l'engrenage colonial. L'abolitionnisme militant et la répression active de la traite portaient en eux des germes de colonisation (politique de la canonnière, doctrine des 3 C...), mais cela n'implique pas forcément l'existence de relations de cause à effet entre les deux phénomènes. La « soudure » technique, humaine et idéologique entre les deux époques reste encore largement à étudier.

Du côté des liens entre commerce légitime et colonisation, les choses sont plus simples, du moins dans le cas britannique qui a largement été étudié. Un élément semble en effet évident : l'instauration d'un commerce légitime a certainement contribué à aviver l'intérêt des puissances européennes envers l'Afrique noire. Cependant il ne faut pas oublier qu'un type de commerce analogue entre l'Europe et l'Afrique noire exista avant la phase d'essor de la traite atlantique, en gros entre 1450 et 1650. Agitée par les abolitionnistes à partir de la fin du XVIIIe siècle, l'idée n'était donc pas vraiment nouvelle. Ajoutons, comme le remarquent Austen et Smith, que, parmi les possibles produits de substitution à la traite suggérés par les abolitionnistes, celui qui devint le plus important article d'exportation de l'Afrique occidentale au XIXe siècle — l'huile de palme — était à peine mentionné. Le commerce légitime, écrivent-ils, fut surtout « un séduisant concept » destiné à contrecarrer les arguments pro-esclavagistes. Et c'est seulement « à cause de l'accroissement soudain de la demande anglaise en huile de palme,

après 1800 », que « le commerce légitime fonctionna vraiment ». « Nul ne comprit au départ que
[...] le commerce légitime conduirait plus tard le
gouvernement britannique à s'impliquer dans les
affaires africaines au nom de ses commerçants »[89].

Là où les débats sont plus vifs, c'est à propos des
effets que l'essor du commerce légitime eut en Afrique noire. En influant sur les guerres, sur les prix,
sur l'esclavage africain, il a pu, selon certains, contribuer à affaiblir l'Afrique noire[90], et, de ce fait, faciliter sa conquête par les Européens. Pour d'autres,
la transition entre traite et commerce légitime se fit
pour elle sans grands heurts.

Quoi qu'il en soit, le lien entre abolitionnisme et
colonisation ne peut qu'être assez indirect. Il se résume à une idée, celle du commerce légitime, reprise mais non inventée par les abolitionnistes, laquelle, sous l'effet de circonstances particulières, a
pu donner lieu à un commerce lucratif ; un commerce qui, plusieurs décennies plus tard, a figuré
parmi différents facteurs permissifs ou/et explicatifs de la colonisation de l'Afrique noire. Il est probable que trouver d'autres activités ou idéologies
ayant pu entretenir des liens aussi erratiques avec
la conquête coloniale ne serait pas très difficile.
C'est un ensemble de circonstances, pas forcément
prédictibles ni logiques, qui conduisit, en l'espace
d'un bon demi-siècle, du temps des croisières de répression de la traite à celui de la conquête coloniale.

LA TRAITE DANS L'HISTOIRE MONDIALE

La traite dans l'histoire
de l'Occident

Le rôle de la traite dans l'histoire de l'Occident a jusqu'ici été abordé à partir d'un angle d'approche essentiellement économique. La question principale à laquelle nombre de chercheurs ont essayé de répondre est en effet celle-ci : la traite a-t-elle joué un rôle dans le développement économique de l'Occident ? A-t-elle été un facteur déterminant et durable ou bien accessoire et passager de ce même développement ? La révolution industrielle étant généralement considérée comme *le* phénomène caractérisant ce développement, on s'est tout logiquement intéressé aux liens entre traite et industrialisation, notamment à propos de la Grande-Bretagne, sur laquelle se sont centrées la plupart des études, comme si le cas anglais pouvait, à lui seul, parler pour l'ensemble de l'Occident. À ce sujet, une interprétation a longtemps été influente, suscitant encore quelques adhésions. Elle reprend d'une autre manière ce qu'affirme la théorie moderne de l'échange inégal : à l'instar d'un Occident qui se nourrirait aujourd'hui de la subordination et de l'exploitation du tiers monde, la traite aurait été, dans le passé, la cause de tous les problèmes de l'Afrique et la source de l'essor industriel occidental.

Cette vision manichéenne de l'histoire est tout d'abord anachronique, car la théorie de l'échange inégal a été formée par les géographes et les économistes du XXe siècle. Mais là n'est pas le problème le plus important, des modèles modernes pouvant parfois être utiles dans l'approche des réalités passées. Il faut savoir, surtout, que cette vision des choses n'est pas exempte d'arrière-pensées idéologiques. À la fin du XVIIIe siècle et au cours des premières décennies du XIXe, abolitionnistes et négriers s'affrontent. Les premiers indiquent que la traite n'est guère utile à l'Occident (et qu'il serait donc facile de l'abandonner au profit d'un commerce légitime), tandis qu'elle est désastreuse pour l'Afrique noire. Les seconds clament au contraire que la traite et l'esclavage sont nécessaires à l'économie de nombreux États occidentaux et que, de toute manière, elle n'est que l'une des conséquences de problèmes internes à l'Afrique noire. Les arguments des uns et des autres ont ensuite été repris, triés et sélectionnés afin de renforcer et de justifier certaines théories. Le marxisme (ou plutôt, on le verra, une mauvaise lecture du *Capital*, de Karl Marx) a conduit à mettre l'accent sur le rôle supposé de la traite et de l'esclavage dans l'essor de l'Occident, reprenant ainsi, de manière surprenante, certains leitmotive des anciens négriers. Plus tard, le mouvement tiers-mondiste a incité quelques chercheurs à poursuivre dans cette voie. C'est surtout à cette époque que les arguments abolitionnistes relatifs aux effets désastreux de la traite sur l'Afrique noire furent associés à l'idée d'une traite ayant joué un rôle essentiel dans les progrès de l'Occident. La théorie moderne de l'échange inégal pouvait, dès lors, fournir un cadre conceptuel à l'ensemble.

À y regarder de plus près, ce type d'approche n'est pas seulement anachronique et idéologiquement daté, il est aussi dépassé. Intellectuellement, cette démarche se fonde en effet sur l'emboîtement d'une série de syllogismes. Comme dans tout exercice de ce type, on considère que si A donne B, et que B donne C, A ne peut que logiquement conduire à C, et seulement à C. Ainsi, défendant leur gagne-pain, les négriers français de la fin du XVIIIe siècle pouvaient dire : la traite est nécessaire aux colonies esclavagistes, celles-ci sont nécessaires au commerce colonial ; le commerce colonial étant nécessaire à l'économie nationale, la traite est une activité vitale pour la France. Ce raisonnement parfaitement linéaire (dont chacune des parties peut être soumise à critique) sera facilement renversé par un autre raisonnement de même nature. Sur le plan de la logique pure un syllogisme en valant un autre, on voit que s'enfermer dans ce genre d'analyse ne peut que mener à des conclusions sans cesse remises en cause. La multiplicité des facteurs entrant dans la configuration de tout fait d'histoire explique également pourquoi on ne peut se satisfaire d'une telle approche. Ajoutons enfin, pour achever de convaincre de la nécessité de sortir des syllogismes classiques, qu'un certain nombre d'éléments essentiels dans leur construction ont été complètement revisités au cours des dernières décennies. Il en va ainsi de la révolution industrielle, dont l'histoire a été totalement renouvelée depuis les années 1970. Un renouvellement qui a souvent été largement ignoré par les historiens de la traite (les historiens de l'économie et de la révolution industrielle n'étant généralement guère au courant des acquis en matière de recherches sur la traite[1]).

Tenter de se démarquer des préjugés idéologiques existant derrière toute construction historique, essayer de dépasser les vieux réflexes — quels qu'ils soient —, ne pas réduire l'Occident au seul cas britannique, ne pas limiter le rôle de la traite dans l'histoire de l'Occident à une étude centrée sur la seule variable économique (et donc prendre également en compte des aspects sociaux, politiques, culturels...), voilà un programme à la fois nécessaire et difficile à mettre en œuvre. Aussi n'ai-je nullement l'intention, dans ce chapitre, d'apporter des réponses toutes faites. Essayer de passer de visions manichéennes à l'idée d'un faisceau de relations complexes qu'il faut appréhender de manière différente selon le lieu et l'époque, bref, tenter de passer des syllogismes aux synergies, constituerait déjà, en soi, un réel progrès.

LA RENTABILITÉ DE LA TRAITE

Certains éléments du dossier ont suscité tellement d'études que l'on semble être arrivé, à leur sujet, à des conclusions acceptables par la majorité des historiens. Tel paraît être le cas, aujourd'hui, de la question de la rentabilité de la traite. On verra, néanmoins, que nombre de questions demeurent irrésolues, et que les avancées de la recherche ouvrent, en fait, de nouvelles « frontières », et posent de nouvelles questions.

La traite : un trafic à la rentabilité aléatoire

Sur le thème de la rentabilité du trafic négrier à l'époque de l'Ancien Régime, les chiffres les plus extravagants ont couru. Ils ont popularisé l'idée de bénéfices extraordinaires, dépassant souvent les 100 %, alors que, souhaitant montrer leur importance dans l'essor du capitalisme, Eric Williams lui-même ne les estimait guère au-delà de 30 % pour le XVIIIᵉ siècle[2]. Plus récemment, on assiste au retour du balancier. Les historiens minimisent ces profits, à tel point que l'on peut parfois se demander pourquoi la traite suscita l'intérêt des armateurs, souvent hommes d'affaires avisés.

Nous savons aujourd'hui que les actionnaires hollandais de la Middelburgsche Commercie Compagnie ne retirèrent qu'un profit moyen *annuel* de 2,1 %, entre 1730 et 1790. Abordant la question de la rentabilité de la traite hollandaise en général (entre 1600 et 1815), J. Postma indique qu'elle ne fut pas des meilleures au temps de la Compagnie des Indes, et que la traite libre connut elle aussi des pertes. Au total, dans 54 % des cas, les gains auraient été de l'ordre de 5 à 10 %. J. Meyer pense qu'ils se situent pour les Nantais, en France, entre 4 et 10 %, mais que les sociétés les plus chanceuses ne dépassent guère les 6 %. Selon D. Richardson, un revenu moyen annuel de 10,5 % aurait été obtenu par W. Davenport, l'un des principaux négriers de Liverpool, sur 74 expéditions entreprises entre 1757 et 1785. À Bristol, les profits des expéditions négrières auraient été de 7,6 % entre 1770 et 1792. Plus généralement, Anstey a d'abord estimé la rentabilité de la traite anglaise à 9,5 %, entre 1761 et 1807, puis à 10,2 % afin de prendre en compte une nouvelle estimation du nombre d'esclaves vendus dans les Antilles. De son côté, Stephen Behrendt estime les profits de la traite anglaise autour de 7,1-7,5 % entre 1785 et 1807. Malgré cette analyse à la baisse, la traite anglaise aurait été la mieux lotie de toutes les traites européennes[3].

Parmi les raisons expliquant ce différentiel, certaines sont sans doute à chercher du côté du coût des marchandises de traite et des frais d'équipage. En effet, l'Angleterre dispose d'une industrie plus susceptible de fournir l'Afrique en produits de traite que la France. Surtout, l'extension du commerce extérieur britannique procure aux négriers anglais une plus grande souplesse dans l'acquisition des produits de traite. « Cette disponibilité générale en fournitures, rendue possible par la puissance croissante de l'industrie et du commerce britanniques, élargissait les options pour les marchés régionaux africains. » À son tour, « la participation à de multiples marchés d'esclaves africains autorisait de la flexibilité dans la programmation », écrit Behrendt[4]. De plus, comme on l'a vu dans le chapitre III, les expéditions négrières anglaises mobilisent moins d'hommes d'équipage que les expéditions françaises. Parfois plus rapides, elles utilisent des navires de plus faible tonnage et plus spécialisés. Un autre type de raisons se trouve du côté de l'efficacité du système bancaire anglais (jointe au Colonial Debt Act de 1732[5]). Assurant une plus grande rotation des capitaux, et donc une meilleure rentrée des créances coloniales (notamment par des paiements en lettres de change tirées sur les banques de métropole), ce système bancaire permit en outre d'attirer plus facilement les capitaux vers la traite[6]. Le cas des Pinney, de Bristol, montre également l'importance des contrats liant généralement planteurs et armateurs anglais, contribuant ainsi à régulariser leurs relations[7].

Par défaut peut-être (car les négociants français demeurent en général moins spécialisés que leurs homologues britanniques[8]), les négociants français misent plus sur l'efficacité de leurs capitaines. Sur place, aux îles, ces derniers doivent donc s'occuper des retours des produits tropicaux et batailler avec les colons pour les convaincre de rembourser leurs dettes en activant au mieux le réseau des liens personnels et familiaux établis entre la métropole et les îles. Un système qui se révèle, au total, moins efficace pour assurer une rapide rotation du capital[9].

Séparées pour la clarté de l'exposé, l'efficacité technique de la traite anglaise et celle du système bancaire britannique se sont en fait mutuellement renforcées. À partir du milieu du XVIIIe siècle, et notamment après 1763 (du fait de l'investissement nécessaire à la mise en valeur des îles obtenues par l'Angleterre après la guerre de Sept Ans), le contrôle de la traite par les milieux bancaires britanniques s'accentue. Ce qui permet une plus grande spécialisation des navires et une meilleure rentrée des bénéfices[10]. Quoi qu'il en soit, du côté de la traite anglaise comme des autres, on est loin de profits spectaculaires.

En outre, Meyer[11] pour les Français et Unger pour les Hollandais mentionnent une baisse de la rentabilité au cours du temps. Importante au début du XVIIIe siècle, dans les premières années d'une traite intensive, elle aurait ensuite décliné. Alors que la relative standardisation des marchandises de traite et l'essor des manufactures tendaient à diminuer le coût des expéditions, d'autres facteurs

auraient joué en sens inverse : concurrence plus
acharnée, instabilité militaire plus grande perturbant le commerce maritime, difficultés croissantes
du système colonial ralentissant la rentrée des bénéfices, tendance à la sophistication d'un trafic (accroissement des tonnages, doublage des coques par
des plaques de cuivre...) disproportionnée par rapport à sa rentabilité potentielle, hiatus entre demande européenne en captifs et réponse africaine...
Ajoutons que la traite est évidemment connectée à
d'autres commerces, comme la droiture vers les îles
et le grand cabotage européen de redistribution des
produits coloniaux. Or ce grand capitalisme maritime et colonial est lui-même, au cours de la seconde moitié du XVIIIe siècle, dans une phase de restructurations. Son lancement à la fin du XVIIIe siècle
avait, dans une conjoncture très spéculative, pu générer des profits réellement élevés. Son épanouissement et sa croissance conduisent ensuite à une certaine forme de régularisation. Les taux de profit
moyens sont donc parfois à la baisse, tandis que
certains produits coloniaux voient leurs prix se réduire, du fait d'un élargissement de la consommation.

Tous ces phénomènes se répercutent forcément
en partie sur le trafic négrier, et sur son degré de
rentabilité. Mais, comme ils sont complexes et variables, leurs effets et les réponses des armateurs à
l'évolution de la conjoncture ne sont pas partout les
mêmes. Dans certains cas, par une sorte d'effet pervers, le système négrier a pu se gripper peu à peu.
Cela expliquerait pourquoi certains armateurs et
pays négriers ont eu tendance à se retirer du trafic
à la fin du XVIIIe siècle. C'est le cas du Danemark où
la multiplication des expéditions résulte, comme on

1 Dénombrement de captifs noirs en Égypte. Tombeau de Horemheb, XVIIIe dynastie, XIVe siècle av. J.-C. Musée archéologique de Bologne.

وكيلهُ يُنشدُ فَقَفَّا لَهُ البلاغا فَطَما المالِكُ سِنجَةً
فَقِلَ لَمَا يَكُن إِلَّا فَعِلَ قَلبُ البلدِ المِثلُ فَقِيدُ لَبِنِي نُخِذَانُ

3

2 Marché d'esclaves à Zabid, Yémen, vers 1230. Manuscrit des Maqamat de Al Hariri. Manuscrit arabe 5837, f° 105. Bibliothèque nationale de France, Paris.

3 Tippo Tip (1840-1905), devant sa maison, à Kisangani. Né à Zanzibar, trafiquant d'ivoire et d'esclaves, il se tailla un immense empire commercial et politique en Afrique centrale. Anglais, Allemands et Belges durent traiter avec lui.

2

4 Présentation d'une jeune esclave de Tombouctou à son maître, gravure, XIXᵉ siècle.

6

W. GENTZ

5 Une caravane de la traite trans-saharienne. Gravure du peintre orientaliste Karl-Wilhelm Gentz, 1881.

6 Esclaves actionnant une roue à eau sur les berges du Nil, gravure anglaise, vers 1865. Collection particulière.

7

8

9

7 Raid esclavagiste en Afrique centre-orientale. Gravure tirée de *The Cassel's History of England*, 1850.

8 Une caravane d'esclaves noirs en route pour Tete, Mozambique. Gravure de Josiah Wood Whymper, 1865. Collection particulière.

9 *Scene of the Coast of Africa*, Charles Edward Wagstaff, d'après *La traite des nègres* de François Auguste Biard (1835), gravure. Département de La Réunion, collection musée historique de Saint-Gilles-les-Hauts.

10 Joseph Mosneron-Dupin (1748-1833), armateur négrier nantais. Collection privée.

11 Entrepont. D'après Johann Moritz Rugendas, *Voyage pittoresque dans le Brésil* (1835). Musée des Beaux-Arts, Chartres.

12 Pont d'un navire négrier. D'après Prétextat Oursel, vers 1830. Musée des Beaux-Arts, Chartres.

11

13

14

15

13 Une plantation sucrière aux Antilles. « Sucrerie et affinage des sucres », planche extraite de l'*Encyclopédie* de Diderot et d'Alembert, 1751-1772.

14 *Le châtiment des quatre-piques dans les colonies*, de Marcel Verdier. Huile sur toile refusée par le jury du Salon de 1843 par peur qu'elle ne soulève la « haine populaire ». Collection Menil Foundation, Houston, Texas.

15 *The Family of Sir William Young* (1766), par Johann Zoffany. Ci-contre, détail. Walker Art Gallery, Liverpool.

GRANVILLE SHARP

ZACHARY MACAULAY

WILBERFORCE

T. F. BUXTON

T. CLARKSON

16 *Heroes of the slave trade abolition.* National Portrait Gallery, Londres.

17 La promesse d'un guerrier. Haut-relief du palais d'Abomey. Terre crue, seconde moitié du XIXᵉ siècle, Bénin.

17

18

18 *La rébellion d'un esclave sur un navire négrier* (1833), par Antoine Renard. Huile sur toile, musée du Nouveau Monde, La Rochelle.

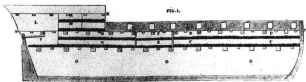

FIG.1.

Intérieur du Navire Négrier. Coupe verticale sur la longueur du Bâtiment.

FIG.III.   FIG.II.   FIG.VI.   FIG.VII.

Coupes verticales en travers le premier pont et des deux ponts.   Coupes horizontales suivant la longueur du Bâtiment du deux pont et . . .

DESSIN et COUPES
DU
NAVIRE NÉGRIER
le BROOKES.
Construit pour le trafic des
NOIRS,

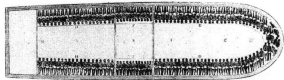

Coupe horizontale des plateformes du Bâtiment Négrier.

La Soute   La Soute

Coupe horizontale du Bâtiment Négrier.

DIMENSIONS ET PLANS DU NAVIRE NÉGRIER « LE BROOKES ».

	mètres	pieds	pou		mètres	pieds	pou
Longueur du franc tillac AA. *Fig. I et IV*	30 47	93	9	Plates-formes de la chambre des Femmes HH. *Fig. I et III*			
Largeur du même BB. *Fig. IV*	7 71	23	9	longueur	8 68	26	8
Profondeur de la Cale OOO	3 05	9	4	largeur	1 82	5	7
Hauteur des entreponts	1 72	5	3	Sainte Barbe II. *Fig. I et IV*			
Longueur de la chambre des Hommes CC	14 01	43	1	longueur	3 19	9	10
Plates-formes ou galeries de la chambre des Hommes (1) DD. *Fig. I et II* longueur	14 01	43	1	largeur	3 64	11	3
				Gaillard d'arrière KK. *Fig. I*			
largeur	1 82	5	7	longueur	10 20	31	4
Chambre des Garçons EE. *Fig. I et IV* longueur	4 18	12	10	largeur	5 93	18	3
largeur	7 61	23	5	Chambre du Capitaine LL. *Fig. I, VI et VII.* longueur	4 22	13	1
Plates-formes ou galeries de la chambre des Garçons FF. *Fig. I et III*	1 82	5	7	hauteur	1 87	5	9
				Le demi-pont M et MM. *Fig. I et VI* longueur	5 02	15	5
Chambre des Femmes GG. *Fig. I, III et IV.* longueur	8 68	26	8	hauteur	1 87	5	9
				Plates-formes du demi-pont longueur	5 02	15	5
largeur	7 16	22	1	largeur	1 82	5	7
				Second pont PP. *Fig. I.* long.	30 87	95	7

(1) Dans la plupart des Navires Négriers on pratique une galerie entre les ponts ou plates-formes DD. *Fig. I et II.*

19

19 Plan et dimensions du *Brookes* (1789). Wilberforce House, Hull.

20 *John Bull taking a clear view of the negro slavery question.* Lithographie de George Cruikshank, 1826, Wilberforce House, Hull.

21 Vue de la maison des esclaves de Gorée, Sénégal.

22 La porte du non-retour, Ouidah, Bénin.

l'a vu, du fait que l'on y a décidé, en 1792, d'abolir définitivement le trafic après une période transitoire de dix ans. En France, la dernière décennie précédant l'ouverture de la guerre maritime (1783-1792) est, avec plus de mille expéditions, celle d'un spectaculaire essor. Viles y a vu la conséquence peu artificielle du soutien de l'État[12]. Mais les primes favorisant la traite (primes au tonnage et à l'introduction de Noirs à Saint-Domingue — 1784 et 1786) ne sont alors accordées qu'à titre de compensation, afin de mieux faire accepter l'ouverture de brèches dans le système protectionniste colonial. En fait, c'est parce que la traite est particulièrement aléatoire que les armateurs français sont alors de plus en plus nombreux à y investir. Attirés par ce commerce, à une époque où les profits moyens des trafics plus traditionnels ont tendance à diminuer, ils souhaitent néanmoins s'assurer contre certains de ses risques. D'où l'utilisation de navires mieux construits et des investissements plus importants. Trop, peut-être, par rapport à la rentabilité, non extensible, du trafic. Deux choses évitent alors au système de s'enrayer trop vite : les primes de l'État (qui apparaissent comme un élément renforçant les stratégies des armateurs, et non comme l'élément essentiel à l'origine de ce choix) et la tendance à prospecter de nouveaux sites de traite. Après 1763, la traite française commence à quitter le golfe de Guinée pour s'intéresser aux régions du Congo et de l'Angola. Une dizaine d'années plus tard, elle s'intéresse au Mozambique et à l'Afrique orientale.

Sur la traite illégale, au XIXe siècle, les choses sont plus obscures. La demande en captifs toujours élevée, mais aussi les dangers de l'illégalité et l'abaissement du prix de certaines marchandises de traite produites par l'industrie ont pu faire augmenter les bénéfices potentiels d'un trafic négrier plus que jamais aléatoire. Les Brésiliens utilisent parfois des clippers — les voiliers les plus modernes de l'époque — et même quelques navires à vapeur. En France, à Nantes, 70 % des expéditions (305 au total entre 1814 et 1830) sont réalisées avec des navires neufs. Mais l'investissement est ici moins lourd qu'au XVIIIᵉ siècle, du fait d'un abaissement du tonnage moyen des navires (environ 140 tonneaux), d'une mise-hors (110 000 francs en moyenne) et de frais d'équipage moins élevés. Sans doute à cause de l'illégalité et de ses dangers, on préfère miser sur des campagnes moins coûteuses et plus courtes qu'auparavant (elles durent souvent de quatre à six mois et se prolongent rarement au-delà de huit), et, de ce fait, peut-être plus rentables. Le capital en revanche, comme par le passé, est essentiellement rassemblé sur place, grâce aux réseaux négociants, ce qui n'exclut pas certains appels en direction d'autres sites portuaires ou de Paris.

Il serait certainement intéressant d'estimer les profits que les Brésiliens et les Cubains, qui dominent alors la traite, arrivent à en retirer. Mais les négriers de ces régions étant parfois impliqués dans le système de la plantation, la clé du problème ne se situe ici pas seulement dans la rentabilité de la traite considérée de manière isolée. L'idéal serait plutôt, à une autre échelle, de pouvoir mesurer l'apport de plusieurs variables en partie indissociables : les profits tirés de la traite, ceux générés par l'exploitation de la main-d'œuvre servile et par l'exportation des denrées tropicales. Les choses diffèrent du côté européen et notamment français, où les armateurs expédient la plupart de leurs captifs dans des colonies étrangères ne battant pas leur pavillon. Le lien avec l'agriculture de plantation est donc moins fort. Et ce sont souvent les profits directement retirés de l'expédition négrière qui jouent un rôle déterminant. Combinant plusieurs variables (coût moyen d'armement d'un négrier, prix des captifs en Amérique, nombre moyen de captifs embarqués par navire...), j'ai tenté d'évaluer les résultats potentiels d'une expédition négrière vers 1827. Il en résulte qu'un négrier de Nantes pouvait au départ rêver d'un bénéfice moyen compris entre 66 % et 150 %. En considérant que l'essentiel des retours s'étale sur cinq ans, le rapport moyen annuel s'établirait entre 13 % et 30 %. Mais tout dépend, évidemment, des conditions de la traversée et de la capacité du navire à échapper aux croisières de répression... Nous sommes donc, plus que jamais, dans le domaine de l'aléatoire.

Ces pourcentages, et ceux mentionnés plus haut, pour le XVIIIᵉ siècle, sont parfois grossiers. Ils ont cependant l'avantage de fournir des ordres de grandeur précieux et assez concordants, lesquels indiquent que, raisonnables pour l'époque, et par rapport à des placements plus classiques, les taux de profit moyens de la traite étaient loin d'être mirifiques. On comprend dès lors Jean Mettas, qui, à la suite de Jean Meyer[13], émettait l'idée que le commerce en droiture vers les îles aurait généralement été plus profitable que la traite, laquelle, très rentable au lendemain des guerres (du fait d'une forte demande de la part des colons, suite à l'interruption des livraisons), aurait ensuite connu des problèmes. Tout n'est pas pour autant résolu. Comme l'a montré l'économiste Guillaume Daudin[14], la manière dont les historiens ont tenté d'estimer la rentabilité de la traite est souvent loin d'être mathématiquement juste. Des correctifs seront donc très certainement apportés, au cours des prochaines années, aux calculs effectués jusqu'ici. Cependant, l'idée de profits très moyens semble désormais définitivement acquise.

Dans une récente synthèse consacrée au cas anglais, Kenneth Morgan écrit qu'il « n'est désormais plus juste d'indiquer que les bénéfices de la traite étaient systématiquement élevés : les retours nets annuels de ce commerce étaient relativement modestes ». Il ajoute qu'il « n'y a pas *trend* clair pour les profits de la traite anglaise avant 1750 » et qu'il « est maintenant admis » que les calculs relatifs à ses hauts profits « ont été fondés sur des suppositions injustifiées, [...] en enflant le nombre total d'esclaves délivrés dans le Nouveau Monde par les transporteurs britanniques et en surestimant le prix de vente des esclaves ». Les « calculs les plus récents et les plus prudents sur les taux de profit dans la traite, fondés sur de méticuleuses recherches de première main [celles de Behrendt notamment], suggèrent qu'ils atteignirent 7,1 % entre 1785 et 1790, 7,2 % dans la période 1791-1800 et 7,5 % de 1801 à 1807[15] ». Après une étude quasi exhaustive des sources secondaires existantes, Daudin arrive à la conclusion que l'investissement dans la traite française avait, au mieux, seulement un rendement approximatif de 6 %. Cela équivaut à peu près à ce qu'un investisseur pouvait obtenir en souscrivant à un emprunt d'État, et ne dépasse que d'environ 0,4 % le rendement d'une banale rente privée. D'autres facteurs doivent, il est vrai, être pris en compte, comme l'importance du risque, la durée d'immobilisation des capitaux et leur plus ou moins grande liquidité. « Le commerce d'esclave, note-t-il, était un investissement plus liquide » et « plus court » que le crédit notarié, « sans être plus risqué ». Il « était moins risqué et plus court que l'achat de dette de l'État[16] ». Ajoutons que la pratique des archives privées montre que, au moins en France, les armateurs touchaient souvent une commission sur l'ensemble des opérations d'une expédition. Ce point semble avoir été négligé par les historiens. Il explique pourtant pourquoi les profits des armateurs étaient certainement supérieurs à ceux des simples investisseurs.

Cependant, si le calcul du taux de profit moyen est utile pour l'historien du XXe siècle, il n'était sans doute guère pertinent pour les négriers du passé, lesquels ne se sont pas engouffrés dans un trafic nécessitant d'importants capitaux dans le seul espoir de réaliser des profits à peine plus importants, en moyenne, que ceux qu'ils pouvaient retirer d'investissements plus classiques. Pour comprendre leurs motivations, il faut faire appel à une autre face de l'économie négrière. Une face à propos de laquelle il n'y a, cette fois-ci, aucun doute. Tous les travaux se rejoignent en effet pour indiquer une très grande irrégularité des profits, à l'origine de réussites spectaculaires comme de retentissantes faillites. Ainsi, par exemple, 18 des 67 expéditions de William Davenport sont déficitaires. De même, entre 1784 et 1786, au moment où Nantes connaît un essor remarquable de la traite, le bilan des expéditions oscille entre – 42 % et + 57 %[17].

Cela s'explique par l'existence de nombreux facteurs de dérèglement, dont certains ont déjà été indiqués. Les négriers doivent s'accommoder de la concurrence à laquelle se livrent les nations européennes sur les côtes d'Afrique, des révoltes et du taux de mortalité des Noirs embarqués, de l'imprévisibilité d'un trafic répondant certes à des cadres bien définis (comme l'assortiment des marchandises nécessaires à l'achat d'un captif), mais qu'il faut sans cesse adapter en fonction des circonstances. En aval, il faut prendre en compte les « queues », c'est-à-dire les rentrées tardives de capital du fait des avances consenties aux planteurs antillais. Sans oublier l'instabilité de la conjoncture politique et économique européenne, rendant parfois difficile l'écoulement des retours des produits coloniaux, à l'origine, pour les armateurs, des véritables profits monétaires. Un mémoire du commerce de Nantes, daté du 24 février 1767, nous indique que « le profit n'est pas déterminé seulement par la vente des Noirs. Il s'en fait souvent d'assez belles, mais le défaut d'exactitude des acheteurs dans les paiements, joint aux pertes sur les retours », limite le bénéfice. Celui-ci est « préparé par l'économie dans l'achat des marchandises en Europe, dans l'armement du vaisseau, par l'avantage d'une bonne traite à la côte [d'Afrique], par une bonne vente en Amérique, mais il ne réside réellement que dans la liquidation des retours en France[18] ». Les choses sont en partie différentes dans l'Angleterre de la seconde moitié du XVIIIe siècle, les profits de la traite tendant alors à être dissociés de ceux tirés de l'écoulement des denrées coloniales, du fait d'une plus grande spécialisation des navires.

Notons également que certaines réponses à ces difficultés ne sont parfois que des pis-aller. C'est notamment le cas lorsque des armateurs se font planteurs, procédant ainsi à ce que l'on appelle aujourd'hui en économie une forme d'intégration

verticale. Pensant faciliter ainsi le bouclage du circuit financier négrier, et donc accroître sa rentabilité, ces armateurs sont en fait poussés à côtoyer un
univers économique qu'ils connaissent peu et qui
est en partie imprévisible (une mauvaise récolte
pouvant succéder à une bonne). De plus, ils sont
souvent obligés de laisser leurs plantations aux
mains de gérants servant autant leurs intérêts particuliers que ceux de leurs mandants.

Tout cela indique très clairement que la traite se
présente d'abord comme une loterie. Ce qui attire
les armateurs, ce n'est donc pas l'idée de gagner, en
moyenne, quelques dixièmes d'intérêt de plus, par
rapport à de plus classiques investissements, c'est
l'espoir de faire parfois un « gros coup » et de réaliser ainsi de fortes plus-values. D'un autre côté, l'insertion de la traite au sein d'un système maritime et
colonial beaucoup plus vaste, dans lequel se trouvent de multiples formes de compensation des profits et des pertes, permet de comprendre sa longévité, malgré ses nombreux aléas. Les témoignages
du temps montrent qu'elle est, dans sa préparation,
sa réalisation, son dénouement et son esprit, l'expression de ce que l'on pourrait appeler un capitalisme aventureux[19]. Un capitalisme néanmoins intégré dans un système colonial dont la prospérité est
plus ou moins artificiellement soutenue par les politiques protectionnistes des nations coloniales.

Le moteur de l'accumulation : la répartition des risques

Apparemment, il ne semble guère possible, à
partir d'un trafic si aléatoire, de favoriser réelle-

ment l'accumulation du capital. Point sur lequel Philip Curtin insistait fort logiquement dans les dernières pages de *The Rise and Fall of the Plantation Complex*[20]. Mais si les armateurs sont des joueurs, et s'ils espèrent gagner gros, ils n'ont cependant aucune envie de perdre de trop fortes sommes. Dès le début se pose donc, pour eux, le problème de l'équilibre entre le désir de profiter des bénéfices de la loterie négrière et celui d'essayer d'en limiter les risques. D'où des stratégies variées, mais essentielles, permettant parfois de satisfaire ces deux objectifs à première vue irréconciliables.

Tout d'abord, une certaine organisation permet de débarrasser la traite d'une partie de son caractère aléatoire. Répondant à des normes et à des habitudes précises sur les côtes d'Afrique, au moment des opérations de troc, la traite se caractérise aussi à ses débuts, dans l'Europe du temps des compagnies à monopole, comme un commerce réglé et protégé. Ensuite, la victoire du commerce libre n'empêche pas le maintien des protections instaurées par les différents systèmes mercantilistes. Sans totalement interdire la concurrence étrangère (car il existe un commerce de contrebande dit « interlope »), ces protections permettent de la limiter fortement dans les colonies américaines. Enfin, en Europe, les négociants mettent eux-mêmes en place un important dispositif sécuritaire afin de limiter les risques. En premier lieu figure l'assurance, toujours souscrite, même malgré les contraintes du temps de la traite illégale[21]. Elle grève souvent le budget de l'armateur puisque les primes, comprises entre 8 et 10 %, dans la France du XVIIIe siècle, pouvaient atteindre 35 à 50 % en temps de guerre. Mais elle constitue aussi un moyen de diversification des activités, car de nombreux armateurs sont en même temps assureurs. La traite, de plus, est « commerce riche ». Vers 1780, la mise-hors nécessaire à l'armement d'un négrier français équivaut au prix d'un petit hôtel particulier parisien[22]. Généralement, elle est au moins trois fois supérieure à celle d'un bâtiment de même tonnage filant en droiture vers les îles[23]. De ce fait, l'investissement est fractionné en parts, elles-mêmes divisibles. Le nombre d'actionnaires peut donc être important, l'armateur n'en étant pas forcément le principal. Parfois étrangers (lorsque s'installent sur place des ressortissants d'autres nations), parfois issus des capitales ou grandes villes d'Europe (Paris, Londres…, ce qui pose un problème peu étudié, celui du financement de la traite par la banque et les réseaux du négoce international), les capitaux sont, au moins en France, le plus souvent réunis sur place, grâce à un réseau d'amis, de connaissances et de parents. Cela correspond au principe de la mobilisation « aristocratique » (car réalisée par un petit nombre de personnes) du capital décrite par Fernand Braudel à l'échelle du capitalisme maritime en général. La traite s'insère ainsi dans un « capitalisme relationnel » où famille et relations jouent un rôle essentiel[24].

Couronnant le tout, véritable moteur de l'accumulation capitalistique, est ce que l'on pourrait appeler la stratégie du risque calculé, ou réparti. Mise en évidence à Nantes, capitale de la traite française (mais valable ailleurs, car partie intégrante du capitalisme maritime en général), elle consiste à associer un commerce dont les profits sont relativement réguliers, sans être énormes (comme la droiture vers les îles ou la pêche à la morue), à un trafic spéculatif (comme la traite ou la course), parfois capable de rapporter gros.

Reconstituées grâce à des archives privées inédites, les affaires des Espivent de La Villeboisnet permettent d'illustrer cette stratégie. Entre 1764 et 1791, les Espivent sont intéressés dans 77 armements réalisés par d'autres négociants. Ils arment aussi pour leur propre compte 13 navires. Tout indique, au premier abord, l'importance de la « loterie » : traite et course représentent 39 campagnes sur 90, 77 % des navires armés par eux sont des négriers, et un tiers des expéditions sont réalisées au cours des trois premières années d'existence de la maison de commerce, ce qui implique un impressionnant roulement de fonds. Du tableau ci-dessous, trois phases se dégagent.

Année	Course Part.*	Traite		Saint-Domingue		Terre-Neuve Part.	Autres	Total
		Part.	Arm.**	Part.	Arm.			
1764	5	4	2 (2 × 1/8°)	3	1 (1/8°)	3	—	18
1765	1	—	1 (6/32°)	2	1 (1/8°)	3	—	8
1766	—	—	1	1	—	3	—	5
1767	—	—	—	2	—	3	—	5
1768	—	1	1	—	—	3	—	5
1769	1	1	—	—	—	—	—	2
1770	—	1	—	—	—	—	—	1
1771	—	—	—	1	—	—	—	1
1772	—	1	1	1	—	—	Veracruz	4
1774	—	1	—	—	—	—	—	1

Part. = participation.   **Arm.* = armement.

Année	Course Part.*	Traite		Saint-Domingue		Terre-Neuve-Part.	Autres	Total
		Part	Arm.**	Part.	Arm.			
1775	—	—	1	—	—	3	Inde	5
1776	—	—	—	—	—	—	Bourbon	1
1777	—	2	1	1	—	—	—	4
1778	—	—	—	1	—	—	—	1
1780	1	—	—	—	—	—	—	1
1781	1	—	—	1	—	—	—	2
1782	2	—	—	—	—	—	Cayenne	3
1783	—	2	—	1	—	—	Lisbonne	4
1784	—	1	—	4	—	—	Cayenne	6
1785	—	—	1	1	—	—	2 Cayenne	4
1786	—	—	—	1	—	—	—	1
1787	—	1	—	1	—	—	Cayenne Amérique du Nord	4
1788	—	1	1	—	—	—	—	2
1789	—	1	—	—	—	—	—	1
1791	—	1	—	—	—	—	—	1

Il convient d'ajouter *La Concorde* (1764), navire incendié (d'après le *Grand Livre*, papiers privés).

La première, entre 1764 et 1768, est capitale. Elle est fondée sur un commerce morutier relativement sûr que Nantais et Malouins connaissent au moins depuis le XVIᵉ siècle. Quinze expéditions de ce genre en trois ans permettent d'alimenter les prises de participation spéculatives des Espivent à la traite et à la course. Après 1768 (deuxième phase), la droiture vers Saint-Domingue devient pour eux le nouvel élément de stabilité. La loterie corsaire s'éclipse alors, remplacée par la traite qui devient ensuite pratiquement omniprésente. L'année 1780 (troisième phase) marque l'amorce d'une timide réorientation des trafics. Sur l'ensemble de la période, traite et course représentent 43,5 % des expéditions, droiture et commerce morutier 45,5 %. Globalement, risque et sécurité s'équilibrent :

Nombre d'opérations par secteur d'activité	Participations (85,5 %)	Armement (14,5 %)	Nombre total d'opérations	Pourcentage
Course	11	—	11	12
Traite	18	10	28	31,5
Saint-Domingue	21	2	23	25,5
Terre-Neuve	18	—	18	20
Autres	9	1	10	11
Total	77	13	90	100 %

Les modalités d'application de cette stratégie sont évidemment variables. Chacun l'adapte en fonction de ses capitaux, de ses relations ou de son tempérament. Les différences de parcours sont donc parfois notables. Tel armateur privilégie le risque au départ, alors qu'un autre n'aborde la traite qu'une fois sa prospérité assurée. Moyen de la réussite dans le premier cas, la traite ne constitue qu'un outil permettant de l'affiner dans le second. Mais l'essentiel est que de cette manière l'on puisse limiter les dangers de la loterie négrière tout en profitant parfois de la chance d'avoir « tiré un bon numéro ». C'est ainsi que des négociants se sont enrichis, que des dynasties marchandes se sont établies. L'élément spéculatif — ici la traite — a donc pu, parfois, jouer un rôle important. Non pas en tant qu'unique ou principal pilier de l'accumulation, mais, chez des négociants jouant simultanément sur plusieurs tableaux, comme un moyen parmi d'autres pour amorcer, accélérer ou affiner la spirale de l'enrichissement.

Traite et dynamique sociale

D'où une question majeure, demeurée pourtant très peu étudiée : celle des liens entre traite et dynamique sociale. Jusqu'ici, si l'on s'est beaucoup intéressé à la rentabilité de la traite, on s'est en effet très peu demandé qui étaient les négriers, pourquoi ils avaient investi dans la traite, et en quoi la traite avait pu contribuer à orienter leur vie, d'un point de vue économique, politique, culturel et aussi social. En fait, tout se passe comme si l'on avait sous-entendu que les profits tirés de la traite avaient pu être, comme par miracle, directement injectés dans l'économie des nations négrières, sans aucun intermédiaire ; ce qui en dit long sur la force de certains syllogismes. Or, mieux connaître les négriers n'est pas seulement utile pour insérer la traite dans le contexte culturel, politique et social de son époque, cela peut également aider à comprendre ce que sont devenus les profits tirés de la traite. Aucune étude sur le rôle de la traite dans l'essor économique de l'Occident ne peut donc, il me semble, court-circuiter cette étape essentielle.

Mais qui sont les négriers ? Vaste question dont la réponse variera en fonction des critères retenus. Si l'on pense à l'actionnaire, petit ou grand, participant au financement d'une campagne de traite ou bien au bénéficiaire de licences ibériques, force est de constater que l'éventail est très large : du colon au vice-roi de la Nouvelle-Espagne, en passant par des favoris, des jésuites, des veuves, des négociants, des amis ou parents d'armateurs. Si l'on songe aux exécutants, matelots et capitaines, les choses se précisent un peu, car adolescents, aventuriers en tout genre et spécialistes endurcis forment l'essentiel des contingents. Enfin, raisonner en termes de commanditaires, c'est voir se profiler la silhouette de l'armateur, seul type de personnage auquel on s'est, jusqu'ici, véritablement intéressé.

À Nantes, les pères d'armateurs négriers appartiennent à trois milieux différents. Formée de capitaines de navire, de chirurgiens, du petit monde de la terre ou de la mer, une « filière démocratique » d'accession au négoce constitue environ 18 % du milieu négrier du XVIIIᵉ siècle. Pour eux, la traite est avant tout conçue comme un moyen d'amorcer une ascension. Pour les fils de négociants, largement majoritaires avec 64 % du total, il s'agit d'amplifier et d'affiner une réussite déjà établie. Quant aux membres de la petite noblesse, leur ambition est de se refaire, de trouver un équilibre à leurs yeux plus satisfaisant entre une forte position sociale et un modeste niveau de fortune. À l'exception de la place occupée ici par la filière aristocratique (qui s'explique par le poids d'une noblesse particulière, celle de la Bretagne[25]), l'exemple vaut sans doute pour de nombreux autres sites français, voire européens. Parfois issu d'un petit monde laborieux commençant à émerger, l'armateur négrier est le plus souvent fils de marchand ou de négociant. Au total, quelles que soient l'époque et les origines sociales des négriers, tous aspirent à réussir grâce à la traite.

La plupart des adeptes de la stratégie du risque calculé réussissent, un peu ou beaucoup. Les autres, trop maladroits, trop ambitieux, ou trop englués dans le système des plantations antillaises (en 1792, le négoce nantais estime avoir perdu 93 millions de livres tournois à cause de l'abandon de Saint-Domingue), chutent plus ou moins rapidement, plus ou moins lourdement. Ils sont alors remplacés par de nouveaux aspirants négociants aux dents longues.

À Nantes où sont armés près de la moitié des négriers français du XVIIIe siècle, les étapes de l'enrichissement du négoce coïncident avec les phases de développement de la traite[26]. Entre 1690 et 1715, la cité commence à s'intéresser résolument au grand large et au commerce négrier. On assiste alors au triplement de la valeur moyenne des dots de l'élite négociante, qui passent de 10 000 à 30 000 livres tournois. Vers 1750, les grandes fortunes nantaises sont constituées. Ce moment correspond à l'apogée de la génération de ceux ayant lancé la traite. Enfin, entre 1768 et 1789, la surface financière du négoce local est multipliée par six, passant de 20 à 120 millions de livres. Cet accroissement spectaculaire est contemporain du second boom négrier local. De plus, la croissance gagne un milieu de plus en plus large, dans lequel s'intègrent un certain nombre de capitaines de navires. Salaires, avantages en nature et commissions permettent en effet à un « officier négrier, bon marin et bon commerçant », de « devenir riche après une vingtaine d'années et une dizaine de voyages », s'il « échappe aux naufrages, aux pirates, au scorbut et à la fièvre » et « s'il n'est pas massacré par les captifs » [27]. Le Gantois Van Alstein débute à quinze ans comme novice sans solde sur un négrier nantais. À sa mort, sa fortune se monte à 300 000 livres. Le cas n'est pas unique. Les armateurs ont tout intérêt à ce que les capitaines se sentent vraiment impliqués dans l'expédition. Ils incitent donc souvent ces derniers à prendre une part dans le financement de l'armement. Enfin, il n'est pas rare de voir d'anciens capitaines devenir à leur tour armateurs, après de nombreuses années d'efforts.

Tout cela ne doit cependant pas conduire à occulter un fait essentiel : l'extrême concentration de l'armement négrier. Selon Robert Stein, à Nantes, Bordeaux, La Rochelle, Le Havre et Saint-Malo, 550 familles arment au total 2 800 navires pour l'Afrique au xviiie siècle. Parmi elles, 22 (soit 4 % de l'ensemble) réalisent un quart de l'armement. Mieux, 11 familles (soit 2 %) arment 16 % des navires (soit 453). La large étendue des associés et l'émergence d'une élite managériale étaient, écrit David Richardson, les réponses rationnelles au caractère risqué du trafic négrier, et ce quel que soit le lieu[28].

Les membres de cette aristocratie négrière occupent souvent le haut du pavé. Au xviiie siècle, localement, dans les grands ports européens, ils fournissent en notables le négoce et ses institutions. Présents dans les sociétés ou cercles culturels, ils affichent leur réussite à travers les façades de leurs hôtels particuliers, leurs propriétés rurales et leur style de vie. Leur aisance, leur influence, leur prestige et leur capacité à mobiliser ainsi plusieurs types de « capitaux » (économiques, culturels, symboliques, politiques...) peuvent leur ouvrir les portes du pouvoir. La plupart des maires de la Restauration nantaise (1815-1830) ont été des négriers illégaux notoires. Par l'intermédiaire de parents, d'alliés, d'amis, ces hommes infiltrent parfois les sphères nationales du pouvoir, formant des lobbys en période de crise, en France entre 1789 et 1792, en Angleterre lors du vote des lois abolitionnistes. Au total, certaines cités, certains milieux ont ainsi parfois été sous leur emprise. Mais leur influence se dilue à mesure que l'on s'éloigne du lieu et de l'époque de leur émergence. Sachant exploiter les contradictions de leur temps, ils peuvent arriver à retarder l'application effective des mesures visant à interdire ou réprimer la traite. Mais en Europe les négriers ne constituent qu'une infime partie des acteurs du jeu économique. Aussi n'arrivent-ils à aucun moment à jouer, en tant que tels, un rôle majeur dans l'évolution des sociétés et des pouvoirs.

Il n'en va pas de même pour les deux autres continents impliqués dans le trafic. Dans l'Amérique coloniale, où les élites sont moins pluralistes et diversifiées qu'en Europe, où les pouvoirs sont plus concentrés, négriers et planteurs sont beaucoup plus puissants. Dans les années 1830, ils font tourner l'économie brésilienne, règnent localement en maîtres, et, comme l'a montré de Alencastro, l'État lui-même est en partie à leur service[29]. En Afrique, les négriers bénéficient de solides positions. Au XIXe siècle, les métis *lançados* n'hésitent pas à commanditer eux-mêmes des expéditions.

Partout, donc, la traite est facteur de dynamique sociale. Partout elle aide à la création, à l'enracinement et à la reproduction de pouvoirs. Mais ses effets varient en fonction de l'originalité même des sociétés globales dans lesquelles elle s'insère. En Amérique et en Afrique, la traite a pu constituer un important vecteur du changement. En Europe, iso-

lée parmi une multitude d'autres facteurs, elle ne
joua qu'un rôle localisé dans l'espace et passager
dans le temps.

DE LA DYNAMIQUE SOCIALE
AU DÉVELOPPEMENT ÉCONOMIQUE

Le cas de l'Europe du Nord-Ouest

C'est à propos de l'Angleterre, et de l'Europe du
Nord-Ouest en général, là où la révolution industrielle s'est affirmée de manière plus précoce et plus
nette qu'ailleurs, que s'est surtout posée la question
de l'impact économique de la traite en Occident.
Jusqu'à une date récente, trois points ont accaparé
l'essentiel des recherches : le problème du financement de la révolution industrielle par la traite ; celui de son soutien par les marchandises produites
pour la traite ; celui, enfin, de son rôle dans l'économie sucrière et, par là, dans la balance commerciale
des nations européennes. Cette approche, que l'on
peut qualifier de classique, s'est très souvent enfermée dans une série de syllogismes, empruntant à
une vision de l'histoire linéaire et mécaniciste. Sur
un plan purement factuel, cette méthode marque
également aujourd'hui le pas. Nombre d'historiens
estimant que la contribution directe de la traite à
l'essor de l'Occident a finalement été secondaire, le
débat tend en effet à s'orienter dans d'autres directions. Les analyses deviennent plus sophistiquées,
en ce sens qu'elles prennent en considération un
nombre plus important de variables. Le politique et

le culturel entrent désormais également en ligne de compte et, lorsque l'on fait appel à l'économie, on insiste de plus en plus sur des aspects non purement quantitatifs. La question des liens entre traite et développement en Europe du Nord-Ouest sera donc ici étudiée en deux temps. Je présenterai tout d'abord l'approche « classique », qui fait toujours l'objet de grandes discussions, pour analyser ensuite les directions vers lesquelles le débat est aujourd'hui réorienté.

L'APPROCHE « CLASSIQUE »

Karl Marx plaçait la traite *et* l'esclavage parmi une pluralité de sources importantes pour « l'accumulation primitive » du capital nécessaire à ses yeux au démarrage de la révolution industrielle. La découverte de l'or et de l'argent aux Amériques, les extorsions, la réduction en esclavage et la destruction de la population aborigène par le biais du travail forcé, les débuts de la conquête et du pillage des Indes orientales, la transformation de l'Afrique en un espace de chasse aux peaux noires, pour les besoins de la traite, marquèrent l'aube de la production capitaliste. C'est, en substance, en ces termes que Marx, dans *Le Capital*, situe le phénomène qui nous intéresse ici dans de plus larges perspectives. Cependant, parmi ces sources, on l'oublie souvent, Marx plaçait l'expropriation paysanne dans les pays d'Europe avant l'esclavage. Suite à une mauvaise lecture du *Capital*, on a parfois écrit, ou voulu faire croire, que la traite, *seule*, avait permis cette accumulation, et donc l'industrialisation. En 1944, dans son fameux *Capitalism and Slavery*, Eric Williams reliait capitalisme, traite et esclavage, indiquant que les profits obtenus « du commerce triangulaire *ou* du commerce colonial direct » (droiture) « fournirent l'*un* des principaux ruisseaux de cette accumulation du capital en Angleterre qui finança la révolution industrielle » [30]. Certains de ses successeurs reprirent l'idée en la déformant, affirmant que la traite, *à elle seule*, avait permis le financement du *take-off* britannique, premier point de l'approche classique.

Cette thèse a été à la fois nuancée, reformulée et relancée par un important ouvrage de Joseph Inikori[31]. L'accent, ici, n'est pas vraiment mis sur la question des taux de profit de la traite et de leur possible réinvestissement dans l'économie. Cela montre que, même chez les historiens qui, à l'instar d'Inikori, insistent sur le rôle de la traite et de l'esclavage dans le développement économique de l'Occident, le débat sur leur rôle en matière d'« accumulation primitive » n'est plus à l'ordre du jour. De plus, dépassant la question du seul *take-off* industriel britannique, Inikori étend le débat à l'ensemble du processus dit de « révolution industrielle ». Cela dit, sa thèse se présente sous la forme d'un syllogisme assez classique. Il peut se résumer de la sorte : 1) le commerce international a joué un rôle essentiel dans la révolution industrielle anglaise ; 2) ce commerce international était principalement un commerce colonial et atlantique ; 3) ce commerce colonial et atlantique était surtout alimenté par le travail des Africains, qui étaient consommateurs (en Afrique et aux Amériques) de produits européens et anglais, producteurs (aux Amériques) de denrées coloniales, ou bien « monnaie d'échange » (achat et revente d'esclaves). Comme tout syllogisme, celui-ci a l'avantage d'être d'une logique imparable, dès lors que l'on accepte toutes les propositions de l'auteur. Comme tout syllogisme, il présente également deux défauts majeurs. Le premier est qu'il sacrifie à une vision linéaire de l'histoire aujourd'hui heureusement dépassée, faisant fi des aléas, des retournements de conjoncture, de la multiplicité des facteurs du jeu historique (ici un seul élément — le commerce international — est présenté comme étant à l'origine du monde moderne), comme de la multiplicité des solutions qui s'offraient aux acteurs de ce jeu historique. Le second défaut est que ce syllogisme, comme tous les autres, n'est guère plus solide, dans son ensemble, que ne l'est le maillon le plus faible et le plus infime de la longue série de démonstrations enchaînées qui le sous-tend. Qu'un élément soit mis en doute, et l'ensemble du raisonnement s'effondre.

Or, de doutes, il en persiste beaucoup. Inikori se fonde assez largement sur la théorie économique du développement par substitution d'importations (ISI) : on commence d'abord par importer, puis une industrie indigène se développe, prenant en charge la production des marchandises précédemment venues du dehors. Cette théorie est appliquée par Inikori dans le cadre des régions anglaises, ce qui est intéressant. Mais il ne peut mettre en évidence qu'un ordre de succession : les régions du nord de l'Angleterre, ouvertes sur le commerce atlantique, et auparavant moins développées que celles du Sud agricole, sont entrées les premières dans l'ère industrielle. Or, en histoire, un ordre de succession chronologique ne saurait être confondu avec un facteur de causalité. Aussi Inikori est-il conduit, pour essayer de couper court à la critique, à imaginer un scénario qui, trop outrancier, n'est guère crédible : les diverses régions d'Angleterre auraient vécu en totale autarcie ; de ce fait, l'essor industriel de celles du Nord ne peut s'expliquer *que* par son ouverture sur l'Atlantique. Or, s'il est vrai que seule la révolution ferroviaire permit l'achèvement de l'unification économique du pays, il est tout aussi avéré que ce processus d'unification avait commencé bien avant le XIXe siècle (cabotage, routes, canaux).

D'autres éléments de la longue chaîne de causalités mise en évidence par Inikori pourraient tout aussi bien être passés au crible de la critique. C'est le cas de l'importance jugée déterminante du commerce colonial et qui, en bien des cas, ne l'est que par absence de comparaisons avec d'autres commerces (intra-nationaux ou bien intra-européens) et d'autres pays. Il suffit de penser aux flottes du sel et des grains expédiées dans l'Europe du Nord à partir de la France, au XVIIIe siècle, par exemple, pour que l'importance accordée aux produits coloniaux soit, de suite, largement nuancée. Une France qui n'a pas connu un processus de révolution industrielle à l'anglaise alors même que la valeur de son commerce colonial dépassait de loin, à la fin du XVIIIe siècle, celle du commerce colonial anglais. Preuve, s'il en fallait encore, qu'un élément unique ne peut être à l'origine d'un phénomène aussi complexe que celui du développement économique et industriel. Au total, il n'est donc pas possible de souscrire à la thèse principale de l'auteur.

Plusieurs décennies de travaux sur la révolution industrielle et l'industrialisation en Europe (comme sur la révolution agricole et démographique ou encore l'exode rural...) permettent en effet, aujourd'hui, d'infirmer son hypothèse. On sait dé-

sormais (notamment grâce à François Crouzet[32])
que, parmi les premiers capitalistes de l'ère industrielle, nombreux étaient ceux issus des strates
moyennes ou inférieures de la bourgeoisie, que les
capitaux nécessaires n'étaient pas énormes, qu'ils
pouvaient être aisément empruntés, et qu'en conclusion il n'était pas nécessaire de recourir au principe d'une « accumulation du capital » érigée en dé-
miurge des temps nouveaux afin d'expliquer les
débuts de l'industrialisation. On sait aussi que la
rentabilité de la traite n'a pas été extraordinaire,
que ce trafic n'a pu permettre la constitution de fortunes qu'allié à nombre d'autres activités, et que le
capital marchand n'a pas été massivement investi
dans l'industrie. On sait encore que l'apport du capital négrier dans la formation du revenu national
britannique dépassa rarement la barre de 1 %, atteignant seulement 1,7 % en 1770, et qu'en
moyenne la contribution de la traite à la formation
du capital anglais se situa, annuellement, autour de
0,11 %[33].

On sait enfin que les origines de la révolution industrielle sont lointaines (certains historiens les
font remonter au Moyen Âge) et globales. Ainsi, les
marchés intérieurs des pays européens[34] et la formation précoce d'un marché national unifié en
Grande-Bretagne (du fait des progrès des transports
et de la petite taille du pays) ont joué un rôle important. De même, une relative pénurie en main-
d'œuvre (malgré l'entrée dans la transition démographique) a pu pousser l'Angleterre à utiliser des
machines, alors que la France, plus peuplée et disposant d'ouvriers qualifiés en plus grand nombre,
entra plus tardivement dans la révolution machi-
niste. Les facteurs endogènes du développement

(essor des campagnes, du commerce intérieur...) ont donc joué un rôle non négligeable dans une révolution industrielle anglaise émergeant du temps long, et dont on ne pense plus, aujourd'hui, que le modèle ait pu être universel, chaque État étant entré dans le processus à son rythme et à sa manière. Afin de replacer la traite à sa juste place dans l'histoire du développement économique en général, rappelons qu'une multitude de tentatives auraient pu, en de nombreux lieux, conduire à un essor de l'industrie, et cela depuis l'Antiquité jusqu'à la révolution des moulins du Moyen Âge, lorsque la force du vent fut utilisée pour entraîner des machines. Aucune n'accoucha de l'ère industrielle. Ces tentatives avortées, en Europe comme ailleurs, s'expliquent par le fait que des blocages et des goulots d'étranglement viennent toujours contrarier les mutations de l'économie, petites ou grandes. Ce qui compte alors, pour passer outre les différents obstacles, c'est le niveau de développement atteint par l'*ensemble* de l'économie et de la société. « N'exploite pas le monde qui veut, écrivait Braudel, il y faut une puissance préalable lentement mûrie[35]. »

Que la traite n'ait pas été globalement à l'origine du financement et de l'essor industriel n'implique cependant pas la négation de tout rapport entre ces deux phénomènes. Rien n'empêche en effet que des négriers enrichis aient investi une partie de leurs bénéfices dans des manufactures, contribuant *localement* à leur essor. On sait d'ailleurs que certains manufacturiers poussaient à la traite, comme les fabricants d'armes du Limbourg et du pays de Liège, ou encore les producteurs de toiles peintes d'Anvers et de Bruxelles. Le problème est que les travaux permettant de dépasser le stade de la micro-monographie pour aborder celui de l'échelle régionale sont peu nombreux[36]. D'où l'intérêt d'un modèle comme celui de Nantes. Dans un continent où une partie des sources du développement moderne était déjà en place avant l'essor de la traite, où les conséquences de cette dernière ont été forcément diluées dans un vaste ensemble en mouvement, où rares ont été les ports à s'être « spécialisés » dans la traite sur la longue durée, cette cité fait presque figure d'exception. La traite y commence à la fin du XVIIe siècle pour y durer pratiquement un siècle et demi, suscitant l'armement d'au moins 1 756 navires entre 1703 et 1831[37]. Les négriers y constituent l'élite dominante jusqu'aux années 1840, et, en 1914 encore, certains de leurs descendants figurent parmi les plus grands capitalistes de la place.

Leur étude, ainsi que celle de leurs familles et de leurs lignages[38], montre que la traite permit la réussite et l'ascension de dynasties négociantes ayant littéralement écrasé la cité de leur influence économique, politique et culturelle. Elle montre aussi que ces hommes et ces familles se sont intéressés à de nombreuses autres activités, comme l'assurance, la banque, l'agriculture, la conserverie, la construction navale ou la métallurgie. Mais parce qu'ils sont restés des négociants diversifiant leurs investissements afin de jouer simultanément sur plusieurs tableaux, parce qu'ils ont idéalisé les derniers temps de l'Ancien Régime et essayé de les faire durer, parce que leur capacité d'adaptation leur permit de réussir sans trop se remettre en question, et parce que leur influence a longtemps contribué à freiner le renouvellement local des élites, les armateurs nantais et leurs familles n'ont été que des industriels d'occasion, aidant parfois à stériliser des instruments éco-

nomiques qu'ils avaient contribué à faire naître.
Cela explique pourquoi la cité a connu de remarquables phases de croissance économique, mais
sans un essor harmonieux et équilibré de différentes branches d'activité, sans un véritable développement, c'est-à-dire un progrès quantitatif et qualitatif
créateur de nouvelles synergies. Seul espace véritablement industrialisé de l'Ouest français, la région
nantaise demeura longtemps un ensemble aux
structures économiques fragiles et déséquilibrées.
Cette croissance sans vrai développement n'est pas
sans rappeler celle de certains pays du tiers monde
d'aujourd'hui, à l'image, par exemple, des limites
du « miracle » ivoirien des années 1960-1978. Cela
montre que les choses sont complexes, qu'elles ne
peuvent se résumer par des syllogismes, fussent-ils
brillants, qu'une prospérité certaine peut engendrer
des lendemains qui ne chantent pas, et que la manière dont l'argent de la traite a été utilisé peut en
définitive compter beaucoup plus que l'importance
des fortunes accumulées. Cette utilisation ne peut
être dissociée des négriers eux-mêmes, de mentalités et de stratégies pouvant réduire, annuler ou inverser l'effet positif induit par un réel activisme
économique. Or, à Nantes comme en Angleterre[39] et
comme ailleurs en Europe, de l'Ancien Régime au
tournant de la seconde moitié du XIXe siècle, l'industrie ne fut, pour le négociant-armateur, qu'une
activité subordonnée au négoce, dans laquelle il ne
souhaita jamais investir de manière réelle et durable.

Pierre Boulle s'est intéressé au deuxième point de
l'approche classique : le rôle du commerce négrier
comme marché de la production européenne[40]. Les
avantages théoriques ne sont en effet pas négligea-

bles. À la standardisation des produits de traite qui
sont en grande partie manufacturés (textiles, armes, barres de fer...) s'ajoutent l'importance du
marché ainsi qu'une « prime à l'article produit à
bon compte », les armateurs ayant tendance à embarquer les marchandises les moins chères. Vers
1750, l'assortiment des produits nécessaires à
l'achat d'un captif adulte, mâle et en bonne santé,
est estimé à 250 livres tournois, somme qu'il faut
multiplier, écrivait-il, par environ 55 000 chaque
année ; chiffre qu'il faudrait aujourd'hui réévaluer
autour de 76 000[41]. En Angleterre, qui réalise alors
50 % du trafic négrier, environ 43 % des toiles exportées en 1760 vont en Afrique. Mais l'Inde fournit
une partie de ces textiles, tandis que l'Amérique du
Nord et les Antilles offrent un débouché presque
aussi large, qui s'accentue au fur et à mesure de
l'américanisation du commerce britannique,
comme l'a montré François Crouzet. Au début du
siècle, la part de l'Afrique dans le commerce extérieur anglais n'est que de 2 %. Elle décline ensuite,
lorsque, après 1750, le marché intérieur devient le
principal débouché de l'industrie anglaise. Pour
P. Boulle, la traite n'a donc été « qu'un apport
parmi d'autres au développement » de l'Angleterre.

En France (20 à 25 % du trafic négrier atlantique
vers 1750), la traite conduisit à des poussées industrielles locales, à Nantes vers 1750, à Rouen et au
Havre après 1770. De grandes manufactures d'indiennes virent le jour, dont certaines employaient
plus de mille ouvriers. Les types de toiles, les cou-
leurs et les impressions étaient choisis en fonction
des goûts africains. Mais deux facteurs, note
Boulle, firent échouer ces expériences : leur isolement au sein du royaume, et leur extrême dépen-

dance à l'égard d'une conjoncture particulièrement troublée — guerre de Sept Ans pour Nantes, traité franco-anglais de 1786 pour Rouen et Le Havre, révolte de Saint-Domingue et guerres révolutionnaires pour tous ces ports. On pourrait ajouter que la généalogie des liens entre traite et manufactures ne correspond pas toujours à l'image que l'on s'en fait. Ainsi, si à Nantes traite et indiennage se développent en parallèle, à Rouen c'est l'inverse. Ici, c'est *après* le démarrage de l'indiennage que la cité s'est intéressée à la traite, en s'appuyant pour cela sur le port voisin du Havre. Il serait donc erroné d'y faire de la traite un quelconque préalable à l'industrialisation. Quant aux Provinces-Unies, elles devaient subir l'effet pervers ou boomerang de leur réussite commerciale : la masse et le bon marché des produits d'importation n'y favorisaient pas l'implantation d'industries nationales.

Abordons maintenant le troisième point de l'approche « classique », celui des rapports entre traite, commerce colonial, balances commerciales et développement économique. Le rôle de la traite dans le système de la plantation n'était pas forcément inéluctable. Au début, en Méditerranée, dans le Nouveau Monde, avec les travailleurs sous contrat au XVIIe et au XIXe siècle, les plantations coloniales ont pu fonctionner en l'absence d'une traite organisée sur une grande ampleur. Il en est allé de même dans les États-Unis du XIXe siècle et dans la région du Minas Gerais, au Brésil[42], à partir de la fin du XVIIIe siècle, deux parties du monde où, du fait de l'accroissement naturel des populations serviles, la traite ne fut pas nécessaire au maintien de l'économie de plantation. Entre le dernier tiers du XVIIe siècle et les années 1860, la traite joua néanmoins un rôle majeur dans l'extension du système de la grande plantation, dans l'essor des productions coloniales, ainsi que dans l'accroissement du commerce international de ces produits. Que ce grand commerce colonial fût profitable, qu'il permît une croissance spectaculaire du trafic maritime et qu'il fît vivre de nombreuses personnes est indéniable. En conclure que ces facteurs sont *la* cause du développement occidental reviendrait à un syllogisme réducteur et illusoire, celui utilisé par les négriers français de la fin du XVIIIᵉ siècle, qui, voulant légitimer un trafic attaqué par les abolitionnistes, clamèrent qu'il était indispensable au pays (la traite entraîne le commerce colonial, donc nourrit le commerce en général, donc est essentielle à la prospérité nationale)[43]. Il ne faut pas confondre facteur de croissance et instrument de développement ou, pour reprendre la distinction opérée par Douglas C. North, efficacités « allocative » et « adaptative » [44]. Ainsi que l'a montré Paul Bairoch dans un ouvrage consacré aux *Mythes et paradoxes de l'histoire économique* (1993), le commerce intra-européen a joué un rôle beaucoup plus important que le commerce colonial dans l'essor du Vieux Continent. Mieux nous comprenons les origines du développement économique européen et plus le rôle du commerce colonial semble devoir être revu à la baisse[45]. La traite, écrit Eltis, « constituait une part si infime du commerce atlantique des puissances européennes que, même en imaginant que les ressources employées dans la traite n'auraient pu être employées ailleurs, sa contribution à la croissance économique des puissances européennes aurait été insignifiante[46] ».

Dans le cas de la France, il suffit de constater que l'interruption de la traite (entre 1792 et 1802, puis entre 1803 et 1815) pour cause de guerre maritime n'a pas provoqué, loin s'en faut, la misère et la mort de cinq à six millions de personnes comme les négriers l'avaient annoncé. Ajoutons que, appliqué à la lettre, le syllogisme des négriers devrait nous conduire aujourd'hui à classer les États-Unis parmi les pays les plus pauvres de la planète, du fait de l'énorme déficit de leur balance commerciale. Notons également qu'un excédent de cette balance n'est pas, *forcément* ou *mécaniquement*, la preuve d'une bonne santé économique ; cela peut être tout simplement le reflet d'un faible dynamisme de la consommation intérieure. On pourrait multiplier les exemples afin de montrer le danger qu'il y a à convertir entre eux des termes (« marchandises », « commerce », « économie »…) renvoyant à des réalités différentes[47]. Le raisonnement ici incriminé renvoie à la doctrine mercantiliste, qui commençait déjà à être contestée à la fin du XVIIIe siècle. Il faut donc être prudent.

Le nombre d'ouvrages et d'articles consacrés au cas anglais est prodigieux. Morgan a réussi à en rendre compte de manière à la fois claire et relativement complète. Il tend à montrer que les marchés coloniaux se révélèrent un atout pour l'économie anglaise. Cependant, les données chiffrées qu'il mentionne indiquent que le rôle des Indes occidentales dans les exportations britanniques ne devint véritablement important que de manière tardive. Par ailleurs, le poids des treize colonies est à analyser avec précaution[48]. Il s'agit bien d'un monde colonial, par sa localisation géographique comme par de nombreux autres aspects. Mais le dynamisme de leur demande en produits britanniques s'explique largement par le fait que la population y est anglaise par ses origines, et de plus en plus anglicisée sur le plan de ses habitudes de consommation. Ces colonies constituent en quelque sorte une excroissance de la métropole, se rangeant dans ce que l'on appelle, pour le XIXᵉ siècle, les colonies de peuplement. Tout cela pour dire que toutes les colonies ne se ressemblent pas, et que l'addition de leurs différents commerces peut parfois conduire à des résultats artificiels. De manière plus générale, certains auteurs, comme Engerman et O'Brien, ont été tentés de voir dans la croissance du commerce colonial anglais la conséquence de l'efficacité croissante de son économie, et non l'inverse (« le commerce fut fils de l'industrie », et non l'inverse, écrivent également Thomas et McCloskey)[49]. À l'appui de cette hypothèse se trouve l'importance marginale de la traite pour l'économie anglaise. À l'époque de son apogée, note Eltis, les navires négriers représentent moins de 1,5 % des navires de la flotte britannique, et moins de 3 % de son tonnage. Il faut se méfier, ajoute-t-il, de toutes les estimations faussées dès le départ, faute d'analyses comparatives : « La taille et la complexité de l'économie anglaise au début du XIXᵉ siècle suggère l'insignifiance, et non l'importance du sucre. La croissance d'aucune économie complexe ne peut en effet, quel que soit le lieu, dépendre d'une seule industrie[50]. » Malgré leur productivité, le produit brut des colonies esclavagistes britanniques n'était guère plus élevé en 1700 que celui d'un petit comté anglais, et il correspondait à peine à celui d'un comté un peu plus riche en 1800. Autre argument, de taille : on se focalise parfois sur la croissance et l'efficacité de tel ou tel secteur du monde colonial en oubliant qu'une multitude d'autres secteurs de l'économie nationale étaient aussi dynamiques, voire plus. Selon les hypothèses les plus extrêmes et improbables, écrit Eltis, « le sucre aurait pu générer une épargne équivalente à 5 %, ou plus, de la formation du capital brut fixe. Barbara Solow a fait remarquer[51] que les seuls profits de la traite auraient pu former "0,5 % du revenu national, presque 8 % de l'investissement total et 39 % de l'investissement commercial et industriel" [...]. Mais ce qui était vrai pour la traite et le sucre l'était également pour une large gamme d'autres activités économiques au début de l'Angleterre industrielle ». Aussi, « en termes de profits bruts, ajoute-t-il, rien n'explique pourquoi la traite ou le commerce du sucre devraient être isolés[52] ».

Des comparaisons peuvent également être effectuées à une autre échelle, non plus entre la traite, le commerce colonial et d'autres activités domestiques, mais entre l'économie coloniale britannique et celle d'autres puissances européennes. On s'aperçoit alors très vite des limites du « miracle » britannique. Après 1714, l'économie de plantation connut un bien plus grand essor dans les Antilles françaises que dans les Antilles anglaises. Vers 1770, note Eltis, « les Antilles françaises produisaient 17 % de sucre en plus, neuf fois plus de café, et trente fois plus d'indigo que leur homologue britannique ». Aucune comparaison, non plus, entre l'importance de Cuba pour l'Espagne, au XIXe siècle, et celle des British West Indies pour la Grande-Bretagne au XVIIIe. « De telles comparaisons internationales font qu'il est difficile de comprendre pourquoi l'effort de recherche dévolu à l'établissement de liens causals entre esclavage et industrialisation continue de se focaliser sur l'Angleterre[53]. » La Grande-Bretagne aurait-elle pu connaître un important développement économique en l'absence de ses relations avec l'Afrique et avec l'Amérique ? Oui, conclut donc très nettement Eltis, estimant que les colonies anglaises n'auraient, à l'inverse, jamais pu se développer sans l'aide de la métropole.

Un phénomène est d'ailleurs assez curieux : alors que les historiens de la traite se focalisent sur son rôle dans l'essor économique de l'Angleterre, ceux ayant travaillé sur l'industrialisation et l'économie anglaise en général s'y intéressent à peine. Aussi, rompant avec les explications univoques du passé, l'une des tendances actuellement les plus prometteuses vise, non pas à isoler, mais à réinsérer traite et commerce colonial dans l'ensemble de l'économie anglaise. Il est nécessaire, écrit Richardson, de relier « les stimuli internes et externes aux changements structuraux », insistant « sur l'essentiel entrelacement et sur le renforcement mutuel des forces internes et externes de changement qui apparurent dans l'Angleterre du XVIIIe siècle »[54]. Plus que tel ou tel facteur pris isolément, c'est la « multiplicité de ses marchés et l'intégration de ses secteurs économiques » qui fournirent à l'industrie anglaise les moyens de soutenir son développement, notait fort justement P. Boulle, dès 1975[55]. C'est sa possibilité de jouer, en fonction des circonstances, sur les relations économiques avec telle ou telle région du monde[56]. C'est sa capacité, pour ce faire, à entretenir une flotte importante, et donc à ponctionner le contribuable anglais. Comparé à celui de la France et d'autres États européens, l'effort fiscal britannique fut en effet considérable.

Prenons un autre cas, celui du Danemark, le premier État européen à abolir la traite. On constate que, au cours de la seconde moitié du XVIIIe siècle,

80 à 90 % de la valeur de ses exportations industrielles étaient produites par ses raffineries. Sur le sucre se bâtirent de grandes fortunes, comme celle des Schlimmelmann, qui fournirent au pays un chancelier de l'Échiquier et un ministre des Finances. Mais, important pour la balance commerciale, le sucre l'était beaucoup moins pour l'économie danoise en général, écrit Green-Pedersen[57]. Partout, particulièrement fragile car dérivée du commerce, l'industrie de la raffinerie connut de nombreux aléas. En France, et notamment à Bordeaux (porte de l'Hexagone en matière de produits coloniaux), une bonne partie des sucres était réexportée vers les pays du Nord et de la Baltique, par l'intermédiaire d'un grand cabotage international dominé par les Hollandais et les hommes de la Hanse.

Il est vrai que l'importance du commerce colonial dans le commerce total de certaines nations européennes s'est considérablement accentuée au cours du XVIIIe siècle. Mais ce processus de « colonisation » de l'économie n'a pas toujours eu que des effets positifs. Dans le cas de la France, on constate d'abord que la croissance du commerce colonial, apparemment folle au cours du XVIIIe siècle, est à nuancer. Si l'on compare les taux de croissance du commerce extérieur avec ceux d'autres secteurs de l'économie, on s'aperçoit que le commerce extérieur brille surtout entre 1716-1736 et 1748. Malgré les apparences, la croissance du commerce extérieur français à la fin du XVIIIe siècle est en effet à la fois beaucoup plus modérée et beaucoup plus artificielle. Elle s'explique notamment par l'envolée du prix des produits coloniaux, à une époque où les autres prix ont tendance à fléchir. De plus, une grande partie des produits coloniaux est réexportée en Europe sans avoir été transformée. La part de ces réexportations dans la valeur totale du commerce extérieur était de 17,7 % en 1716. Elle atteint 33 % en 1787. La « colonisation » de l'économie française conduit ainsi à un trafic peu « productif ». Elle draine des énergies et des capitaux et impose aux économies domestiques de hauts coûts d'importation pour les produits exotiques, du fait des prix concédés aux planteurs, par le biais de l'exclusif. Elle profite surtout aux négociants, aux intermédiaires en tout genre et à l'État, grâce à une fiscalité très élaborée frappant la production et la consommation de sucre tout au long de la filière[58]. On comprend alors l'interrogation d'Adam Smith, en 1776, dans *Wealth of Nations*. Étant donné l'importance des investissements opérés dans les îles, et donc de l'argent détourné des métropoles européennes, il en arrivait à se demander si les colonies d'Amérique n'étaient pas finalement préjudiciables à un essor économique raisonné. « On ne voit pas que la culture de la Martinique a pour rançon les landes de Bordeaux, la culture de Saint-Domingue les déserts de la Bretagne, la richesse de la Guadeloupe la misère de la Sologne », écrivait son compatriote Arthur Young en 1788[59]. Sans compter les sommes fabuleuses absorbées par l'effort de guerre, notamment par celle d'Amérique, qui contribua à aggraver le déficit du budget de l'État, favorisant ainsi la réunion des États généraux et les débuts d'une Révolution qui allait en partie freiner l'essor économique du pays.

On pourra sans doute discuter longtemps, sans jamais pouvoir apporter une réponse véritablement définitive à la question de l'utilité économique du système de développement constitué par la traite et

le grand commerce colonial. Par rapport aux sociétés et aux économies globales d'Europe, ce système
était en effet à la fois réticulaire et périphérique.
Réticulaire en raison de l'existence de réseaux de
croissance autour des principaux ports. Périphérique par le fait que l'économie coloniale reliait de
lointains territoires à de grandes cités portuaires et
commerciales, îlots de prospérité au sein de vastes
régions demeurant en France largement introver-
ties. Le problème est rendu encore plus difficile car
un même trafic a pu avoir des conséquences différentes, selon le lieu et l'époque. Certains ports,
comme La Rochelle, ne se sont vraiment lancés
dans la traite qu'afin de compenser, au xviiie siècle,
la perte d'autres marchés, notamment canadiens.
S'y engouffrant alors de manière trop rapide et dé-
mesurée, cette cité ne se remit ensuite jamais vraiment des désastres de Saint-Domingue. Inversement, Bordeaux ne s'intéressa à la traite qu'après
avoir assuré les bases de son essor maritime et
commercial, et ne fut nullement handicapée par la
fin de la traite négrière.

Globalement, à la décharge du système, on peut
insister sur son écroulement rapide, en France,
après 1792. Le poids des dettes coloniales (qui furent pour une part dans la rébellion des Brésiliens
contre la Compagnie hollandaise des Indes, ainsi
que dans la guerre d'Indépendance américaine),
mais également celui des créances consenties en
Afrique soulignent aussi le caractère artificiel et fragile du type de développement induit. On peut voir
dans ce système l'une des raisons du mal développement de certaines régions, comme dans le cas du
Sud-Ouest étudié par Crouzet. Tout en inclinant
personnellement vers ce type d'interprétation (que

j'ai développée à propos de la basse Loire), je serais néanmoins partisan d'ajouter, de l'autre côté de la balance, le rôle du grand commerce colonial dans l'affirmation de valeurs et d'élites nouvelles, lesquelles, à la fin du XVIIIe siècle, contribuèrent pour une part à l'ère des révolutions politiques, économiques, culturelles et sociales. Le fait que celles-ci se soient développées de part et d'autre de l'Atlantique — à la fois vaste « machine à rêves » et colonne vertébrale du grand commerce colonial — n'est sans doute pas l'effet d'un pur hasard. Comme l'indique également David Brion Davis, « depuis Florence et Gênes au temps de la Renaissance jusqu'à l'Angleterre du XVIIIe siècle », la période d'implication maximale de chaque région avec le commerce des esclaves africains « coïncida avec un temps de créativité culturelle pour le moins vaguement associé avec puissance économique et politique[60] ». Mais c'est aborder une question échappant largement au domaine du quantifiable.

NOUVEAUX DÉBATS

Ce qui nous amène à un point guère développé dans les travaux des historiens avant ces dernières années, celui de l'apport idéologique et « technique » de la traite au capitalisme. Sans mimer la célèbre formule de Max Weber sur la possible existence de rapports entre le protestantisme et « l'esprit du capitalisme », il apparaît que de nombreux points contribuant à définir le capitalisme sont à l'œuvre derrière les pratiques négrières, qu'elles soient occidentales, arabes ou encore africaines. Il en va ainsi du processus de « marchandisation du monde », c'est-à-dire, pour Immanuel

Wallerstein, de la tendance à transformer toute chose en objet commercial[61]. Qu'y a-t-il, en la matière, de plus significatif que la transformation d'êtres humains en biens meubles ? Même remarque pour la « passion du jeu », c'est-à-dire le goût du risque, composante essentielle du capitalisme selon Joseph Schumpeter mais également Werner Sombart[62] ; une passion qui a trouvé dans la loterie négrière une magnifique occasion pour se révéler. Le trafic négrier est également un parfait représentant de ce fameux « commerce à longue distance » qui a intrigué tant d'historiens. Un commerce réservé à quelques négociants aux reins solides, et donc à un capitalisme de rang relativement élevé. Un capitalisme qui, en outre, en raison de son éloignement par rapport aux marchés réglementés de l'Europe (songeons par exemple aux contraintes du régime des corporations sous l'Ancien Régime), peut être plus libre, et donc plus « sauvage » ; ce qui explique pourquoi Braudel y percevait les origines du « contre-marché » créateur des hauts profits dont devait se nourrir le capitalisme naissant. Faut-il alors faire du trafic négrier la branche supérieure du commerce, comme l'affirmaient les négriers eux-mêmes, et chercher en lui certains des ressorts de « l'esprit du capitalisme » ?

L'hypothèse semble tenter de plus en plus les historiens désireux de voir dans la traite et le commerce colonial l'un des principaux leviers du capitalisme occidental. Le rôle direct de la traite dans l'essor de l'Occident semblant désormais assez faible, certains historiens marxistes semblent évoluer vers ce nouveau type d'analyse. La tendance est encore incertaine dans *The Making of the New World Slavery* de Robin Blackburn (l'auteur termine en effet par un chapitre des plus classiques et peu convaincant — « New World Slavery, Primitive Accumulation and British Industrialization »)[63]. Mais le sous-titre de l'ouvrage *(From the Baroque to the Modern, 1492-1800)* suggère de toutes nouvelles pistes, approfondies, comme on l'a vu, dans *Africans and the Industrial Revolution in England*[64]. Sous-entendre que la traite et le commerce colonial ont pu jouer un rôle dans l'avènement de la « modernité », considérée dans un sens très large, c'est en effet prendre de réelles distances vis-à-vis des vieilles théories sur l'accumulation primitive. Parmi les travaux récents, l'étude de K. Morgan, à propos de l'Angleterre, est peut-être celle allant le plus dans ce sens. Morgan note que « les lettres de change furent largement utilisées dans la traite à partir des années 1670 » et que « les assurances maritimes bénéficièrent également des progrès de la guerre et du commerce international ». Il ajoute que le « commerce atlantique aida aussi à impulser une révolution bancaire miniature dans les avant-ports ». Le rôle des facteurs et des commissionnaires prit plus d'importance. Après 1783, « les marchands des deux côtés de l'Atlantique apprirent rapidement à transférer leurs produits entre les divers marchés » existants, ce qui fut à l'origine d' « une amélioration de la communication commerciale ». Enfin, la « croissance et la complexité du commerce atlantique conduisirent à un autre et significatif développement commercial, à savoir un accroissement de la taille et du type des maisons de commerce anglaises[65] ».

Tout cela est exact et il est à souhaiter que des recherches plus nombreuses explorent ce côté des choses. Il serait cependant exagéré de faire de la

traite et du commerce colonial *le* ressort principal
de « l'esprit du capitalisme ». Comme le remarque
Morgan, « la sophistication croissante de la finance
et du commerce *accompagna*[66] l'accroissement de la
taille et de la complexité du commerce atlantique[67] ».
Plutôt que d'illusoires relations de causalité simple,
ce sont donc des interactions entre ces phénomènes
qu'il importe de mettre au jour, tout en sachant
qu'en matière de commerce maritime les innovations sont peu nombreuses, que les progrès procè-
dent autant par adaptations successives que par
brusques révolutions, et que ces adaptations suivent l'essor des commerces plus qu'elles ne les sus-
citent. Le désir d'entreprendre, la concentration des
capitaux ou les techniques commerciales servant la
traite n'ont pas été inventés par elle. D'autres activités maritimes (comme la pêche hauturière qui fut
véritablement à l'origine du grand capitalisme maritime) ont contribué tout aussi largement, sinon
plus, au succès de ces techniques, dont certaines remontent au moins à la fin du Moyen Âge[68]. Si le
commerce colonial et la traite peuvent se développer, c'est à l'origine parce qu'un processus cumulatif, enraciné dans le temps long, a rendu possible ce
développement. À propos de l'Angleterre, Eltis rappelle que l'expansion outre-mer fut précédée par de
profonds changements en métropole, et se demande
pourquoi, « malgré l'évidence chronologique, les
scientifiques ont généralement plus recherché [en
direction des] effets de l'expansion outre-mer sur
les performances économiques européennes que
l'inverse[69] ».

De manière plus générale, le commerce en Méditerranée, le grand cabotage européen et la pêche
hauturière ont permis à l'Europe de forger ses tech-

niques maritimes et commerciales, bien avant la
découverte du Nouveau Monde. En France, le commerce colonial a également pu constituer un piège :
les négociants se sont habitués à un commerce plus
ou moins protégé, par le biais du mercantilisme, et
cela explique en partie leur incapacité à relever les
défis du commerce concurrentiel à l'époque des
grandes mutations de l'économie maritime, au
cours du XIXᵉ siècle, lorsque la vapeur a remplacé la
voile, lorsque des lignes régulières se sont mises en
place, et que le volume des marchandises transpor-
tées par voie de mer a augmenté de manière
spectaculaire[70]. L'effet le plus souvent pervers induit par l'existence de « niches » coloniales a également été mis en évidence par Pieter Emmer, à propos des Pays-Bas, et, à l'échelle de l'espace
atlantique, par Joseph Miller[71].

D'un autre côté, rassemblant, expérimentant ou
diffusant nombre d'aspects propres au commerce
maritime de l'époque, accentuant certains de ses
caractères (comme l'irrégularité des profits), la
traite en reflète assez bien les contradictions (allant
du troc jusqu'aux formes les plus élaborées du crédit), ainsi que le niveau général. Aussi, en tant
qu'instrument d'analyse et de comparaison, son étude
peut rendre d'utiles services à l'historien. À la fois
violente, inhumaine et réglée, on serait tenté de l'interpréter comme la rationalisation et l'institutionnalisation, en temps de paix, d'un type d'économie
dont le but initial était d'accélérer de manière expé-
ditive l'acquisition des richesses. Elle constituerait
ainsi l'une des nombreuses buttes témoins de la
progressive sophistication du commerce, et témoigne-
rait d'une phase plus barbare que les autres, dans le

long processus de « civilisation des mœurs » décrit par Norbert Elias[72].

Un second thème pourrait être porteur de recherches futures, après celui de la place de la traite dans l'essor du capitalisme, celui de son importance dans la progressive structuration de l'économie-monde. À l'évidence, il s'agit là d'un phénomène particulièrement complexe, du fait de la multitude des facteurs entrant en ligne de compte, comme de la longue chaîne des interactions et rétroactions en jeu. À moins de se cantonner dans une vision linéaire de l'histoire, le rôle d'un élément isolé, même particulièrement important, comme la traite, n'a pu, à lui seul, avoir été déterminant. Mais il serait intéressant de le mesurer.

Abordant cette question, on notera, afin de poser les éléments du décor, que, jusqu'au tournant de la seconde moitié du XIXe siècle, le commerce maritime vit au rythme d'un « négoce international » dont le profit est fondé sur les différences de prix, et donc sur la non-homogénéité d'un marché international en construction. Vient ensuite le temps des « commerces extérieurs », lorsque la capacité exportatrice d'un pays devient plus directement liée à sa capacité de production, ainsi qu'au niveau technique et organisationnel de son système productif. Chronologiquement parlant, l'histoire de la traite atlantique s'intègre au sein de la première phase. Elle reflète les avantages et les contradictions de ce temps du « négoce international ». Trois faits, parmi d'autres, sont également significatifs. La traite s'achève au moment où l'on entre dans le temps des commerces extérieurs. Sur le plan des idées, les diplomates britanniques relient en partie la lutte pour l'abolition à celle en faveur du libre-échange. Ils pensent, par exemple, que la poursuite de la traite illégale pourrait contribuer à un renouveau de la piraterie dans l'Atlantique Sud et gêner ainsi le commerce. Au niveau des États, la traite s'est largement développée dans le cadre d'économies nationales protégées par le système de l'exclusif. Tout cela montre que, globalement, la traite renvoie plus à l'archéologie du système-monde actuel qu'à sa logique combinatoire. Du côté de l'Afrique noire, même si les Africains déportés ont contribué à mettre en place certains éléments du système-monde actuel (notamment sur le plan démographique et culturel, du fait de la diaspora noire), la traite n'a en effet guère contribué à l'y faire entrer. Avant la colonisation, l'Afrique noire reste un monde en grande partie fermé à l'extérieur, non pas du fait de l'absence de contacts, mais à cause de la monopolisation de ces contacts par certaines élites, et de la capacité du continent noir à ne conserver de l'extérieur que ce qui peut conforter sa propre dynamique.

Le décor planté, de nombreux points mériteraient d'être analysés à la lumière de la traite des Noirs, celui des rapports entre monde musulman et Afrique noire, ou encore celui de la constitution d'une aire géographique, économique et culturelle originale dans la partie occidentale de l'océan Indien. Mais il faut pour cela changer d'échelle, quitter le système-monde planétaire pour s'intéresser à des ensembles plus petits, plus proches des « économies-mondes » de Braudel. La traite, écrit ainsi Miller, doit être en premier lieu replacée au sein d'un « marché économique intégré » à l'échelle de l'Atlantique. La traite et l'esclavage étaient donc tout autant des « conséquences » que des causes de la croissance économique. Pour lui, le rôle moteur de ce système résidait dans la capacité de l'Europe à financer les différentes formes du commerce colonial[73]. Cette capacité, jointe au fonctionnement même du système de la plantation, économe en liquidités[74], aurait permis aux régions peu riches en capital d'entrer dans le circuit. C'est le cas, note Miller, du Portugal et de l'Afrique noire. Aussi conclut-il : « institutions marginales à la marge du système atlantique », la traite et l'esclavage « contribuèrent à la spécialisation fonctionnelle au sein d'un système atlantique capitaliste de plus en plus défini en termes de liquidités » [75]. Cette analyse en grande partie « monétariste » pourra être nuancée. Il ne faut pas oublier, en effet, que l'un des moteurs de la croissance du commerce colonial réside dans la hausse du pouvoir d'achat des consommateurs européens et dans la baisse du prix du sucre, grâce à l'augmentation de la productivité du système colonial et au travail des esclaves. Les facteurs en présence sont donc nombreux et interactifs. De plus, la « spécialisation fonctionnelle » au sein du système atlantique ne fut pas d'une efficacité égale pour tous. Tardant à se développer, le Portugal demeura en effet à la périphérie du système européen. Inversement, souvent délaissés par la recherche, les pays du Nord et de la Baltique ont peut-être profité plus qu'on ne l'imagine du commerce colonial. Non pas directement, mais indirectement, ce commerce ayant contribué à leur intégration au sein du système-monde européen[76]. La voie ouverte par Miller n'en reste pas moins particulièrement stimulante et prometteuse.

Pour conclure, à propos de l'Europe du Nord-Ouest, on peut dire qu'isoler la traite, en faire un élément indépendant de progrès économique, voire la principale cause de ce développement, n'est sans doute pas la meilleure des solutions. Dans cette partie du continent, elle ne fut qu'un facteur parmi d'autres, bien que plus immoral, dans un processus de développement qui ne peut s'expliquer que par une multitude de facteurs, économiques, sociaux, culturels et politiques.

Le cas de l'Europe du Sud et des Amériques

À cause de l'importance toujours grande de la « question noire » aux États-Unis, mais aussi, sans doute, de la prédominance des travaux anglo-saxons en matière d'histoire négrière, ce sont les États-Unis et les Indes occidentales britanniques qui ont surtout attiré l'attention des historiens. Les pays ibériques et l'Amérique latine ont suscité moins de travaux. Or le Portugal et l'Espagne sont les premières nations européennes à s'être lancées dans la traite atlantique. Ce sont encore elles qui dominent la traite au moment où elle devient illégale, au XIXe siècle, à une époque où le système de la plantation esclavagiste est en plein essor à Cuba (officiellement colonie espagnole jusqu'en 1898) et au Brésil (indépendant depuis 1822). L'Amérique continentale britannique, qui englobe les États-Unis, reçoit 361 100 esclaves noirs pendant l'ensemble de la période de la traite atlantique. En même temps, 3 902 000 captifs sont déportés vers le Brésil et 791 900 vers les Antilles espagnoles. Quant au Portugal, il arrive, de loin, en tête des nations négrières occidentales, avec 5 074 900 captifs transportés, soit, à lui seul, 45,9 % de ceux impliqués dans la traite atlantique[77]. On comprend, dans ces conditions, que la question de l'impact de la traite en Occident ne puisse se résumer (en dehors du cas de l'Europe du Nord-Ouest déjà étudié) à une analyse du sud des États-Unis et des Antilles anglaises. Deux points seront ici distingués. Le premier réside dans une appréhension globale de ce que fut le système de la plantation esclavagiste en Europe du Sud, dans les îles de l'Atlantique ainsi que dans le Nouveau Monde. Trop peu de travaux ont en effet été consacrés à l'étude de ce système économique dans sa globalité, domaine de recherche à impulser dans les années à venir. Changeant d'échelle, nous nous intéresserons ensuite à une nécessaire analyse régionale de cette forme d'économie particulière que fut le système de la plantation esclavagiste.

PLANTATION, CAPITALISME ET INDUSTRIALISATION

Le sucre fut la principale des plantes cultivées par les esclaves. « Entre 60 et 70 % de tous les Africains qui survécurent à la traversée de l'Atlantique, écrit Robert William Fogel, finirent dans l'une ou l'autre des [...] colonies sucrières[78]. »

Dans les marges coloniales, que l'on pourrait qualifier de « barbares », il y a de la place pour qu'émergent des mondes différents et variés, au sein desquels les esclaves et les hommes libres de couleur jouissent parfois d'une certaine autonomie économique[79]. Fruit de la rencontre entre des forces qui lui sont en partie extérieures, dont certaines sont plus ou moins stables (comme les politiques mercantilistes européennes) et d'autres évoluent sans cesse (les marchés, par exemple), le monde de la plantation n'a guère de marge de manœuvre. Sa réponse aux sollicitations de la conjoncture est souvent la même : soit la plantation se déplace, occupant de nouvelles aires géographiques, soit elle fait appel à des techniques plus modernes. Ainsi, au XIXe siècle, Cubains et Brésiliens savent lutter avec les moyens de leur temps, en mobilisant les ressources du chemin de fer afin de maintenir la rentabilité de leurs entreprises. Cependant, lorsque l'originelle combinaison entre formes industrielles (le moulin) et agricoles évolue au profit des premières (au temps où apparaissent les fameuses grandes « usines-centrales » et les machines utilisées pour la récolte), la plantation, sous sa forme esclavagiste, est pratiquement moribonde. Non pas pour des raisons internes, car elle reste parfaitement rentable et efficace, mais du fait de la pression exercée par les abolitionnistes.

Ce constat effectué[80], celui d'un monde de la plantation né ailleurs, ayant grandi aux Amériques, capable de s'adapter sans changer radicalement, mais finalement condamné par l'essor de l'économie moderne, trois questions, au moins, se posent. La première est celle de l'efficacité économique du système de la plantation. C'est peut-être la question à laquelle il est aujourd'hui le plus facile de répondre. Comme l'ont abondamment montré Drescher pour les colonies britanniques, ainsi que Fogel et Engerman pour le sud des États-Unis, le système était en effet économiquement viable et efficace, capable, en outre, d'améliorer sa productivité[81].

La deuxième question à avoir été soulevée l'a été de manière plus intermittente et discrète. Elle a suscité plus de réponses toutes faites que de véritables études de fond. Il s'agit des liens entre système de la plantation et univers industriel. La concentration de la main-d'œuvre servile sur les exploitations, le nécessaire recours à des opérations à caractère industriel, et surtout la discipline à laquelle les esclaves étaient soumis dans les champs poussent parfois les historiens à établir des parallèles avec le monde de l'usine, tel qu'il apparaît avec la révolution industrielle. Du simple parallèle, on passe ensuite parfois à l'idée d'une relation de cause à effet, le monde de la plantation ayant pu constituer une sorte de laboratoire au sein duquel des techniques ensuite utilisées dans les usines auraient été mises au point. « La discipline industrielle, si difficile à importer dans les usines de l'Angleterre libre et de la libre Nouvelle-Angleterre, écrit l'ancien prix Nobel d'économie Fogel, fut accomplie sur les plantations de sucre plus d'un siècle auparavant – en partie parce que la production de sucre se prêtait à une division en minutes du temps de travail, en partie parce que l'invention du système [de travail] en équipe fournit un puissant instrument pour la supervision et le contrôle du travail, en partie du fait de l'extraordinaire degré de contrainte que les planteurs étaient autorisés à faire supporter à la main-d'œuvre noire servile [...]. Le système d'équipe se développa d'abord sur les grandes plantations sucrières et se diffusa ensuite pour le riz, le café, le coton, et, dans une moindre mesure, le tabac. » Il « permit l'essor d'une division du travail élaborée[82] ». D'où l'expression « usines aux champs » *(factories in the fields)* de plus en plus souvent employée pour qualifier les plantations de sucre du Nouveau Monde.

C'est peut-être aller un peu vite. D'une part, car une ressemblance ne renvoie pas forcément à une similitude. D'autre part, car aucun argument n'a véritablement été avancé afin de montrer comment, concrètement, le modèle du travail en équipe aurait pu influencer les capitalistes de l'ère industrielle. Des membres de l'élite bourgeoise ont parfois comparé la situation du planteur au milieu de ses esclaves avec celle du patron menacé par la multitude de ses ouvriers, notamment au moment des premières grandes manifestations de la colère ouvrière[83]. Mais il s'agit de discours ponctuels, générés par la peur et la haine sociale. Ils n'indiquent nullement que le monde de l'usine a été conçu sur le modèle ou à partir de l'expérience acquise dans le système de la plantation esclavagiste. D'ailleurs, à la lecture des travaux portant sur les débuts du monde manufacturier[84], on retire plus l'impression d'un système progressivement mis en place et expérimenté que celle d'un corps d'idées venues d'ailleurs pour être subitement appliquées dans le cadre de l'usine. Il semble, de plus, que le travail en équipe et le travail à la tâche n'aient guère été inventés dans le Nouveau Monde. Comme l'indique David Turley, « les descriptions romaines du mode de fonctionnement de la villa esclavagiste du Ier siècle de notre ère correspondent de manière frappante, dans leurs grandes lignes, à ce que nous savons de la grande propriété sucrière des Indes occidentales au XVIIIe siècle et à la plantation américaine de coton du XIXe siècle ». Les travailleurs « étaient divisés en ouvriers non qualifiés, artisans qualifiés, opérateurs sur machines et esclaves en charge de groupes formés par leurs compagnons, ou bien d'une position de surveillance plus générale. Le travail au champ était habituellement effectué par des équipes », en fonction d'une fourchette horaire donnée ou bien d'une tâche particulière à réaliser[85]. Ajoutons que la logique des planteurs[86] ne semble pas avoir été toujours la même que celle à l'œuvre à l'époque des débuts de l'industrialisation. « C'est le produit par travailleur et non le nombre d'heures que les planteurs cherchaient à maximiser », écrit Fogel. « Les études récentes sur la routine du travail dans les plantations de coton américaines ont révélé que la moyenne de travail hebdomadaire, pendant le printemps, l'été et l'automne, tournait autour de 58 heures, bien en deçà des 72 heures dont on pense qu'elles prévalaient dans les fabriques textiles anglaises pendant le premier quart du XIXᵉ siècle, et également en deçà des 60 heures hebdomadaires des fermiers de l'agriculture commerciale des États-Unis pendant le premier quart du XXᵉ siècle[87]. »

Enfin, les liens potentiels entre systèmes de la plantation, capitalisme et révolution industrielle ne doivent pas conduire à l'occultation des rapports, peut-être plus étroits, entre système esclavagiste et féodalisme. Deux types de « féodalisme » se rencontrent au sein du monde de la plantation[88]. L'un, hérité du passé, le « féodalisme du dessus », est officiellement condamné et menacé par les structures capitalistes de la plantation. L'autre, le « féodalisme du dessous », grandit dans les sociétés coloniales du fait de l'importance des pouvoirs dévolus aux planteurs au sein de sociétés avant tout rurales dans lesquelles ils semblent constituer autant de « seigneurs » d'Ancien Régime. Voilà pourquoi, paradoxalement, le monde de la plantation devint peu à peu, et en même temps, de plus en plus capitaliste et de plus en plus féodal. Quant au vieux Sud des États-Unis, selon Elizabeth Fox-Genovese et Eugene D. Genovese, il se développa en tant que société non capitaliste, comme enfant bâtard du capi-

tal marchand et comme monde de plus en plus an-
tagoniste à l'univers bourgeois qui l'avait enfanté[89].
On le voit, de nombreuses études comparatives,
dans le temps comme dans l'espace, seront nécessaires avant de pouvoir espérer répondre véritablement à la question des liens entre la plantation et le
système industriel, bourgeois et capitaliste.

Troisième question : le système de la plantation
a-t-il, historiquement, constitué une utile voie de
développement pour les régions où il fut implanté ?
Dans son introduction à *Slavery and the Rise of the
Atlantic System*, Barbara Solow répond de manière
positive à cette question, en estimant que, du fait de
la quasi-disparition de ses premiers occupants, aucun
phénomène de croissance économique n'aurait été
possible en Amérique sans l'apport de la main-
d'œuvre africaine[90]. Il est également vrai que le système du travail en équipe dans les plantations esclavagistes se révéla le plus à même de favoriser
une croissance économique rapide. Cependant,
comme le note Clarence-Smith, nombre d'arguments avancés par les autres contributeurs à cet
ouvrage vont dans le sens opposé. Ils mettent en
avant les problèmes de l'économie de plantation,
l'efficacité de la main-d'œuvre blanche sous contrat
et du travail libre en général (pêche, fourrures,
bois...), ou encore le fait que la croissance de la population de l'Amérique du Nord anglaise ait été
due, au XVIIIe siècle, plus à l'accroissement naturel
qu'à l'immigration. Clarence-Smith ajoute que le
mode de développement emprunté, à savoir la
grande plantation, n'était pas le seul possible. Une
économie fondée sur de petits propriétaires se serait développée moins vite, mais aurait pu être plus
rentable sur la longue durée. Il est même possible

de penser, ajoute-t-il, que « l'esclavage dans le Nouveau Monde eut plus à voir avec les intérêts micro-économiques à court terme de planteurs politiquement influents qu'avec aucune condition macro-économique de la croissance économique[91] ».

On ne peut qu'être tenté d'adhérer à cette hypothèse, en ajoutant néanmoins deux remarques. La première est que la manière dont les planteurs ont perçu leurs intérêts fut considérablement appuyée par les politiques mercantilistes des États européens de l'époque. La seconde est que, concrètement, toute analyse globale doit forcément être nuancée par des études plus localisées. De plus, bon (peut-être) ou mauvais (sans doute plus certainement) sur le long terme, ce mode de production a été choisi. Il nous importe donc maintenant d'en analyser le contenu, à l'échelle régionale.

CONFIGURATIONS RÉGIONALES

La première destination des captifs africains fut la péninsule Ibérique. Vers 1551, les esclaves représentent 10 % des 100 000 habitants de Lisbonne. Tous ne sont pas africains, mais une bonne part sans doute. Au niveau national, les captifs atteignent alors entre 2,5 et 3 % de la population. Vingt ans plus tard, 40 000 esclaves travaillaient dans les plantations méridionales du pays ou à Madère. Leur importance s'atténua ensuite très largement, avec la reprise démographique en Europe, à une époque où, pourtant, l'Afrique devenait pour elle l'unique source de captifs. Quant au rôle que jouèrent plus tard ces esclaves et les îles de l'Atlantique dans l'économie portugaise, on n'en sait pas grand-chose. La traite par l'Atlantique prenant son essor, à partir du dernier tiers du XVIIᵉ siècle, les historiens ont préféré s'intéresser à l'impact de la traite et du commerce colonial.

Cet impact a notamment été éclairé par la thèse d'Alencastro[92]. Au début de l'époque moderne, nous rappelle-t-il, du fait de la *sisa*, impôt frappant l'achat et la vente de toutes sortes de biens et de marchandises, les recettes fiscales de l'État portugais se fondent plus sur la circulation des biens que sur la production. Le premier effet des grandes découvertes et de l'essor des échanges qui en résulta fut donc de permettre à l'État d'augmenter ses recettes sans ponctionner l'aristocratie. Ainsi, vers 1520, les recettes fiscales de l'outre-mer dépassent déjà d'un tiers celles de la métropole[93]. À un État faible, les colonies rendent ainsi le service d'éviter une confrontation avec les élites traditionnelles du pays. Mais elles facilitent aussi la fuite des éléments économiques les plus dynamiques. En effet, note de Alencastro, parce qu'elle est souvent d'origine juive, ce qui, socialement, la prive dans son propre pays de possibilités d'ascension, la bourgeoisie marchande portugaise n'a pas vraiment la possibilité de détourner ses capitaux de l'accumulation marchande en achetant des titres, des terres ou des offices avec les profits tirés du commerce. Aussi est-elle tentée de quitter le Portugal, pour s'installer dans les colonies.

À une autre échelle, les négociations entre Londres et Lisbonne réduisent l'autonomie portugaise (traités de 1642, 1654, 1661). Les retombées politiques de cet « assujettissement économique » sont positives. « L'alliance luso-britannique entraîne la cessation du conflit luso-espagnol, consolide la souveraineté portugaise en Europe, et offre de nouvel-

les bases juridiques et diplomatiques à la domination portugaise, au Brésil, en Angola et à São
Tomé. » Le système ainsi mis en place ne fait ensuite que s'accentuer avec le temps, favorisant les
progrès d'un commerce « quadrangulaire » entre
l'Angleterre, le Portugal, le Brésil et l'Afrique. « Dé-
ficitaire dans ses échanges avec les pays européens,
et en particulier avec l'Angleterre, le Portugal ponc-
tionne ses colonies, et en particulier le Brésil », lequel « pressurise l'Angola ». De ce fait, écrit de
Alencastro, « le commerce d'esclaves entre le Brésil
et l'Angola se présente comme l'axe central de l'en-
châssement de l'économie portugaise dans l'économie anglaise ». En résumé, « contournant le pouvoir des ordres métropolitains, l'État portugais tire
ses revenus du commerce extérieur, stimulant de la
sorte son expansion maritime. Celle-ci lui assure
des colonies et des gages territoriaux dans l'outre-
mer ; lesquels, cédés ou entrouverts au commerce
anglais, parfont l'alliance luso-britannique. Ainsi
garantie, l'indépendance du Portugal légitime à son
tour la monarchie, permettant à l'appareil étatique
lusitanien de coiffer les institutions et les structures
métropolitaines et coloniales ».

Certaines de ces conclusions pourront être con-
testées ou nuancées, et elles ne sont pas forcément
applicables aux États de l'Europe du Nord-Ouest,
comme l'Angleterre, la France et les Provinces-
Unies. Mais on ne peut que se laisser séduire par
un type d'analyse fondé sur la mise en relation
d'éléments divers, rompant avec les discours univoques classiques. En outre, on pourra en tirer une
conclusion importante : la traite servit plus l'indépendance et les intérêts *politiques* de la monarchie
portugaise que l'économie nationale, en partie sa-

crifiée à ces mêmes intérêts. L'exemple permet ainsi d'appréhender tout ce que les analyses fondées sur la seule dimension économique et « capitalistique » des choses ont souvent tendance à évacuer. Quoi qu'il en soit, l'occupation napoléonienne du Portugal et l'installation de la cour portugaise à Rio de Janeiro, en 1808, contribuèrent à perturber ce système. On ne sait pas grand-chose du rôle de la traite dans l'économie portugaise au XIXᵉ siècle, à une époque où les Portugais (avec le Brésil) dominent pourtant le trafic atlantique, sinon qu'une partie des capitaux semble avoir été détournée vers le Brésil, plaque tournante de la traite « portugaise ». L'indépendance du Brésil, en 1822, puis les premières mesures visant à réprimer la traite brésilienne incitent certains négriers à quitter le Brésil. L'expulsion des principaux négriers de Bahia et de Rio aurait en quelques années rapporté au Portugal d'après 1850 entre 5 et 12 millions de livres sterling. Des recherches ont abouti, d'autres sont en cours, afin d'analyser le rôle qu'a pu jouer ce capital. On sait qu'il fut investi en biens somptuaires, en achat de titres de noblesse et dans de nombreux secteurs économiques. Il reste à savoir quelles furent les mentalités, les stratégies et les conséquences réelles de ces investissements, dans une péninsule Ibérique où la révolution industrielle fut tardive, lente, incomplète, et en grande partie financée par les revenus de l'agriculture.

En Espagne, laissée à d'autres mains par le système de l'*asiento*, la traite alimenta plus la fringale en produits de luxe, et donc le déficit commercial, que la production intérieure. Aussi, après l'artificiel siècle d'or (XVIᵉ siècle) y succède une période de décadence. Il faut attendre la seconde moitié du

XVIIIᵉ siècle et les encouragements portés à la traite nationale pour que les choses évoluent. Selon Clarence-Smith, le capital négrier joua alors, et jusqu'aux années 1880, un « rôle d'appoint considérable[94] ». Les Espagnols l'auraient essentiellement réinvesti à Cuba, mais aussi en Catalogne. En Amérique espagnole continentale[95], le rôle des Africains ne fut pas négligeable, tant sur le plan démographique que social. Certes, on ne compte pas plus de 345 000 Noirs dans toute l'Amérique espagnole vers 1650. Mais leur nombre croît ensuite assez rapidement (ils forment 10 % de la population mexicaine en 1810), ainsi que celui de la population mulâtre libre. D'où la formation d'un groupe intermédiaire entre Indiens et Blancs, celui des *castas*, composé de populations aux origines mêlées. D'où également la formation de sociétés créoles multiraciales, notamment au Mexique et au Pérou. En revanche, le rôle économique de la main-d'œuvre africaine ne semble pas avoir été déterminant. Là où les Indiens furent plus nombreux à survivre, au Mexique ou au Pérou, les captifs noirs renforcèrent le secteur de l'artisanat urbain et de la domesticité. Dans les régions plus basses ou côtières, où les Amérindiens furent véritablement décimés, le rôle des Africains fut plus important. Cependant, le type de la plantation esclavagiste se développa lentement, ne prenant véritablement forme qu'à partir de la seconde moitié du XVIIIᵉ siècle : sucre, indigo, cacao, riz, coton, au Guatemala, en Colombie, au Venezuela, en Équateur. Son déclin fut précoce. La dépression toucha ce secteur dès la fin du siècle, ainsi que les mines. Les guerres d'indépendance achevèrent ensuite de ruiner les aires de plantation, tandis que, favorisée par le processus révolutionnaire, l'idéologie libérale sapait les bases du système esclavagiste. Dès les années 1820, toujours légal, l'esclavage était ainsi, de fait, devenu obsolète. Et, dans de nombreuses régions, la majorité de la population de couleur était composée d'hommes libres.

Il en alla tout autrement dans le monde colonial insulaire. L'idée d'une implantation durable par le biais de petites exploitations fut rapidement exclue, comme sur le continent. Mais ici, à la différence de l'Amérique continentale, il n'y avait ni mines ni paysannerie dépendante. La mise en valeur y a donc rapidement pris une autre forme qui devint quasi exclusive : celle d'une économie de plantation approvisionnant l'Europe en produits tropicaux. Les Indiens disparaissant complètement, il ne fut pas possible, pour les Africains, de constituer un groupe intermédiaire entre indigènes et Blancs. La diversité des tâches fut peu marquée, et l'élaboration d'une société multiraciale moins évidente que sur le continent. Les Anglais commencèrent par la mise en valeur de la Barbade, vers 1650. La Jamaïque prit ensuite son essor, devenant en 1700 le premier producteur mondial de sucre. Les Français ne furent pas en reste. La Martinique d'abord, puis Saint-Domingue se développèrent. Cette dernière domina la production de café du Nouveau Monde jusqu'en 1790. Produisant alors plus du tiers de tout le sucre des Indes occidentales, elle fut également, après 1750, la première île sucrière. Le phénomène faisant tache d'huile, vers 1780 l'ensemble des îles de la région était mis en valeur. À cette époque, Français et Anglais y utilisaient plus d'un million d'esclaves, et seulement 47 000 hommes libres de couleur. Les colonies espagnoles des Caraïbes rassemblaient alors environ 167 000 esclaves, les colonies hollandaises 78 000, et les danoises 28 000.

Profitant du déclin de Saint-Domingue, après 1791, Cuba se développa plus tardivement. Seulement 44 000 esclaves étaient présents dans l'île en 1774. Entre 1790 et 1819, les exportations de sucre augmentèrent de 147 %, les importations de captifs de 578 %. En 1861, l'île comptait 399 000 esclaves. La production de café, à laquelle 50 000 esclaves étaient affectés, concurrença alors celle de Rio. L'île prit aussi la tête pour la production de sucre de canne qui employait 150 000 captifs. Dès les années 1840, une alternative avait été trouvée à une traite devenue de plus en plus difficile : l'introduction de *coolies* chinois et d'Indiens du Yucatán. À Cuba, la traite fut à la fois la plus précoce (1511) et la plus durable de toute l'Amérique (1865).

Au Brésil portugais, l'exploitation débuta dès la seconde moitié du xvie siècle, ce qui en fit la première colonie agricole exclusive du Nouveau Monde. À la fin du siècle, le nombre des esclaves y était compris entre 13 000 et 15 000. Mais les Portugais s'intéressant plus au commerce asiatique « d'Inde en Inde », leur politique au Brésil était celle d'une semi-liberté. Cela facilita l'intervention de négociants flamands et hollandais qui détrônèrent assez rapidement les Portugais. Entre 1621 et 1654, les Provinces-Unies disposaient du nord-est du Brésil (sucre), de l'Angola, de l'île Fernando Poo et de la côte de la Mine, où les Hollandais pouvaient s'approvisionner en captifs. Bénéficiant d'une situation de quasi-monopole, ils devenaient les premiers négriers du monde. On connaît la suite : le retour des Portugais au Brésil après 1650-1654, un vigoureux essor de ce pays à partir des guerres napoléoniennes. La culture du café se développa sur une grande échelle dans les années 1820, et s'affirma au cours de la décennie suivante. À partir de la loi de 1831, la traite y revêtit la forme d'une économie souterraine à l'échelle internationale, dont certains aspects ne sont pas sans rappeler les rouages de l'actuel trafic mondial de la drogue. Rio figurait alors au point de jonction entre des flux sud-sud dominés par la traite brésilienne et ibérique et des flux nord-sud consistant dans l'échange de produits tropicaux contre des produits industriels, notamment britanniques. La ville était ainsi la plaque tournante du plus vaste circuit d'échanges de l'Atlantique Sud. L'esclavage était alors essentiel au système de la plantation, fondement de l'économie brésilienne. Sur le plan politique, comme le note Alencastro[96], la déterritorialisation du marché du travail rendue possible par la traite joua également un rôle fondamental parmi les éléments moteurs de l'unité nationale brésilienne. L'utilisation de la main-d'œuvre servile noire permettait en effet de neutraliser les écarts de productivité intra-sectoriels (notamment entre la canne à sucre et le café) et les écarts de productivité inter-sectoriels (entre la ville et la campagne), limitant ainsi le heurt entre des intérêts conflictuels, auxquels le pouvoir politique ne pouvait (ou ne voulait) répondre. Ce n'est donc pas un hasard si ce sont les mutations structurelles de l'économie rurale qui conduisirent finalement les planteurs à s'accorder avec l'État pour mettre fin au système de la plantation esclavagiste.

Restent les États-Unis, anciennes treize colonies, où le premier navire négrier aborda en 1619. Un climat plus tempéré que dans les îles, des capitaux moins importants expliquent pourquoi l'on privilé-

gia d'abord en Virginie la culture intensive du tabac. En 1790, 92 % des Noirs étaient déjà concentrés dans le Sud. Ils constituaient alors environ
20 % de la population totale du pays (en 1700,
27 800 Noirs et 251 000 Blancs peuplaient le territoire des treize colonies, ils étaient respectivement
460 000 et 2 148 000 en 1770). Le coton l'emporta
ensuite, avant de connaître un bond considérable
dans les années 1820. Entre cette période et le début de la guerre de Sécession, la population servile
fut multipliée par trois, essentiellement par accroissement naturel, et plus d'un million d'esclaves américains migrèrent vers les États cotonniers. La question de l'utilité du système esclavagiste sudiste a
suscité, et continue de susciter une énorme littérature. Pour les uns, la société sudiste était non capitaliste, inefficace et incapable de rentabilité. Pour
les autres, elle serait un modèle d'économie orientée vers le marché ; en conséquence, le système esclavagiste y aurait été profitable et la région « capitaliste ».

De nombreux débats ont concerné la question
des rapports entre planteurs et esprit du capitalisme, thème à propos duquel on s'accorde désormais à dire que le planteur pouvait à la fois être
intéressé par le gain et s'opposer aux valeurs démo-
cratiques modernes que d'aucuns lient à l'essor du
capitalisme. Quant à la rentabilité proprement dite
du système, elle dépend de nombreux facteurs.
Maîtres en économétrie, Fogel et Engerman ont
soulevé des polémiques considérables en indiquant
que l'esclave était économiquement plus efficace
que l'ouvrier libre du Nord, contredisant ainsi les
thèses de Marx et de Weber sur l'incompatibilité
entre main-d'œuvre servile et capitalisme. D'autres

continuent de penser l'inverse. Mark M. Smith distingue fort judicieusement ce qui a trait à la rentabilité de la plantation (micro-économie) et ce qui renvoie à celle de l'esclavage en tant que système régional (macro-économie)[97]. On ne sera pas surpris d'apprendre que les plantations étaient profitables pour leurs propriétaires, avec un retour sur investissement de l'ordre d'environ 10 % l'an, sinon pourquoi le système aurait-il duré aussi longtemps ? On appréciera la sobriété et la finesse des analyses de Smith. Brossant un tableau complet des diverses théories et arguments, l'auteur conclut finalement que, profitable pour les planteurs, le système esclavagiste le fut sans doute beaucoup moins pour le Sud en général. Rien de bien différent chez Kolchin qui constate que, d'un côté, l'économie de l'esclavage était particulièrement dynamique dans les années 1850, ne montrant guère de signes d'essoufflement, mais que, de l'autre, bien qu'impressionnante, la croissance économique du Sud reposait sur l'augmentation de la production et de l'exportation d'un petit nombre de produits, ainsi que sur l'extension des terres cultivées. Aussi, à la veille de la guerre de Sécession, le Sud faisait-il figure aux observateurs extérieurs de région arriérée et rétrograde. Il est certain, note également Greenberg, que le Sud était « sous-développé économiquement », par rapport au Nord.

Loin de clore le débat, cette remarque l'entraîne sur d'autres voies, en suggérant que, rentabilité ou non, « les intérêts des planteurs étaient peut-être en conflit avec les besoins économiques du reste de la communauté » sudiste[98], d'autant plus que, dans l'ensemble du Sud, les propriétaires d'esclaves étaient minoritaires au sein de la population blanche. Que la plus-value acquise par les planteurs grâce au système esclavagiste ait été ou non importante, reste à savoir l'usage qu'ils en firent, ainsi que les retombées de cet usage sur l'économie régionale. Et Kolchin de conclure, à propos du système de la plantation : « une extraordinaire *success story* en termes de croissance économique, [qui] laissa le Sud sérieusement sous-développé, à la fois économiquement et socialement[99] ». Mais tout cela peut également être analysé à une autre échelle. Se fondant sur le travail de Douglas Cecil North (*The Economic Growth of the United States, 1790-1860*, paru en 1961), Joseph Inikori[100] notait en effet que l'exportation du coton brut fut particulièrement utile à l'essor des États-Unis, et que la spécialisation agricole des États sudistes incita l'Ouest à lui fournir des denrées alimentaires, tandis que le Nord pouvait compter sur son approvisionnement en produits manufacturés[101]. En d'autres termes, la voie choisie par le Sud aurait contribué à renforcer la spécialisation régionale, atout de l'économie américaine. Les choses, on le voit, sont loin d'être simples.

À la fin de son ouvrage, Mark Smith montre clairement que la plupart des théories relatives au système esclavagiste du Vieux Sud empruntent à un même cadre de référence — marxiste —, qui, du fait de sa malléabilité même (Marx ayant surtout étudié l'esclavage dans une optique transformiste, afin d'expliquer la montée du système capitaliste, il n'est pas toujours très clair sur l'esclavage proprement dit), permet aisément d'entretenir les controverses. La matrice étant commune, Smith pense que, sans mettre fin aux controverses, les historiens progresseront forcément vers un consensus sur certains points importants[102]. En effet, comme il l'indique fort bien dès la première page de son ouvrage, la question majeure figurant derrière la plupart des débats historiographiques est celle du degré de différence entre le Vieux Sud esclavagiste d'avant 1860 et le « capitalisme démocratique moderne ». La question renvoie aux origines et à la définition même de la société américaine d'aujourd'hui. On peut donc parier que les débats sont loin d'être clos.

Au total, en Amérique coloniale la traite eut parfois un rôle essentiel, du fait de la nature des modèles de développement choisis pour la mise en valeur. Mais celle-ci ne se traduisit pas forcément par un réel développement. Il suffit de regarder la situation actuelle de nombre d'États ayant jadis joué un rôle important dans le système de la plantation pour s'en convaincre. Deux cas semblent cependant devoir être ici distingués : celui de certaines anciennes îles sucrières (comme Haïti), aujourd'hui souvent en grandes difficultés, et celui des États ou régions de l'Amérique continentale (Brésil, ou vieux sud des États-Unis) qui s'en sont mieux sortis, pour de multiples raisons. Dans les premières, des économies longtemps cantonnées dans un rôle d'approvisionnement des métropoles en produits primaires, déséquilibrées, dépendantes de l'extérieur et rongées par des sociétés profondément inégalitaires, y furent la rançon du modèle de développement colonial. Est-ce un hasard si l'État aujourd'hui le plus riche de la planète fut aussi celui qui sut, au prix d'une douloureuse guerre civile, en faire disparaître les vestiges les plus visibles, sinon les plus profonds ?

La traite dans l'histoire
de l'Afrique et du monde
musulman

Le titre de ce chapitre pourrait faire croire à une bien grande ambition, alors que nous touchons ici à la partie la plus sensible, la plus controversée et la plus obscure de notre tentative d'approche du phénomène négrier. Mais est-il encore possible, aujourd'hui, d'étudier la traite des Noirs sans essayer de la remettre en perspective à travers l'histoire même du vaste continent africain ? Récemment réapparue dans la région de la Corne de l'Afrique, la traite a fait partie de l'histoire africaine pendant plus de mille ans. Plus ou moins importante, selon le lieu ou l'époque, elle a sans doute concerné de larges parts du continent. Entre elle et lui des relations n'ont donc pas manqué de s'établir. Afin de les mettre en valeur, je partirai d'une analyse relativement classique, ayant contribué à focaliser l'essentiel des débats et des recherches, depuis la naissance du mouvement abolitionniste, à la fin du XVIIIe siècle, jusqu'à nos jours : celle des *effets* du trafic négrier. Elle consiste à essayer de mesurer les conséquences de la traite en Afrique. J'insisterai sur la richesse de ses apports, mais aussi sur ses limites et ses présupposés, lesquels fonctionnent parfois à notre insu. J'aborderai ensuite une voie complé-

mentaire de la première, centrée sur l'étude des interactions réciproques entre les systèmes-mondes
d'Afrique noire et ceux de l'extérieur, à l'époque de
la traite négrière ; d'une part, car il me semble que
ce n'est que par une sorte de dialectique du dedans
et du dehors que l'on peut espérer mieux comprendre quels ont pu être le rôle et la place de la traite
dans l'histoire africaine ; d'autre part, afin de restituer à l'Afrique noire le rôle d'acteur qui fut le sien
dans ce long processus. Un domaine de recherche
encore trop peu défriché sera enfin abordé, celui de
la place et du rôle de la traite dans l'histoire du
monde musulman ; une histoire qui, on l'a vu, a
pendant très longtemps été partagée par la plupart
des régions d'Afrique noire situées entre la limite
sud du Sahara et le nord de la forêt dense.

DES « EFFETS » DE LA TRAITE
NÉGRIÈRE...

Trois domaines sont généralement abordés à propos des conséquences de la traite en Afrique noire :
ils concernent ses effets démographiques, politiques, sociaux et économiques. Le plus souvent, ils
sont étudiés pour mesurer leur rôle dans le développement du continent noir, qu'il soit perçu comme
positif, parfois, ou négatif, le plus souvent.

La mesure de la ponction démographique et la question de ses incidences

Comme on l'a vu, Curtin est le premier à s'être véritablement intéressé, dans une étude pionnière et toujours indispensable *(The Atlantic Slave Trade. A Census)*, à l'analyse statistique de la ponction démographique opérée par la traite occidentale. De l'écart parfois énorme entre les données souvent fantaisistes dont on disposait auparavant et les résultats de ce travail est alors née une expression, celle du « jeu des nombres » *(numbers game)*. Ce « jeu » a depuis suscité passions, analyses et contre-expertises. Mais les ordres de grandeur dont nous disposons maintenant sont généralement admis, à peu près définitifs, et corroborés par une vérification d'ordre technique, celle du nombre et de la capacité de l'ensemble des navires transporteurs au cours des âges. Selon Eltis[1], 9 599 000 Africains auraient été débarqués dans les différentes régions approvisionnées par la traite atlantique, entre 1519 et 1867. Compte tenu de la mortalité au cours du *middle passage* 11 062 000 personnes auraient, durant cette période, été déportées d'Afrique. À cela, il faut ajouter les 17 millions de personnes déportées par l'ensemble des traites orientales. On arrive ainsi à un total d'environ 28 millions de personnes pour les traites d'exportation.

Il y a, face à ces chiffres, au moins trois manières complémentaires d'aborder la question de l'impact démographique de la traite en Afrique noire. La plus fréquente et la première à avoir été utilisée revient à mettre en rapport ces données chiffrées avec celles dont on dispose à propos de la taille et de l'évolution démographique des populations d'Afrique noire. C'est ce que j'appellerai ici l'approche globalisante. La deuxième emprunte à la première, en ce sens qu'elle ne conduit nullement à abandonner la question de l'impact global de la traite en matière démographique. Cependant elle s'en distingue très nettement : par ses méthodes (qui parfois peuvent faire appel à la simulation par ordinateur et qui, souvent, renvoient à la constitution de modèles démographiques abstraits) et par une approche plus différenciée de l'impact démographique de la traite. Revigorée au cours des trois dernières décennies, elle met l'accent sur les effets de la traite en matière de répartition de la population par sexe, par âge, par région et par type de sociétés. Bien que présente en filigrane dans un certain nombre de travaux, la troisième manière d'aborder la question est encore très peu développée de manière spécifique. Le postulat de départ est qu'il n'y a aucune raison de traiter les populations d'Afrique noire comme des unités abstraites, déconnectées de leur environnement écologique, social, culturel, économique ou encore politique et que, par conséquent, la question de l'impact démographique de la traite négrière ne peut être entièrement résolue sans un recours à une démarche plus systémique.

L'APPROCHE GLOBALISANTE

Dans la première approche, que l'on pourrait qualifier de globalisante, l'ampleur de la ponction n'est pas seule en cause. Son impact dépend du rythme du prélèvement et de la taille des populations africaines d'alors. Concernant la traite atlantique, le prélèvement atteint un maximum au cours du XVIIIe siècle : 55,1 % des captifs déportés l'ont été entre 1701 et 1800 (6 098 200), 2,4 % entre 1519 et 1600 (266 100), 11,3 % entre 1601 et 1700 (1 253 300), 31,1 % entre 1801 et 1867 (3 446 800). Le pic, situé entre 1751 et 1800, équivaut en moyenne à 76 000 départs par an[2]. Par rapport à une population estimée à environ 79,4 millions d'habitants pour l'Afrique subsaharienne vers 1750[3], le prélèvement annuel serait à peu près de 0,095 %. Il serait aussi bien inférieur au taux d'accroissement naturel, estimé approximativement à 1 %. À ce moment crucial, la saignée aurait ainsi eu des effets limités. Ceux-ci auraient été encore plus réduits aux autres périodes. Le conditionnel est de mise, car si les flux de la traite occidentale sont maintenant assez bien connus, nombre d'incertitudes persistent à propos de la taille de la population africaine et de son rythme global d'expansion. Cependant, en 1969, prenant l'exemple des États hautement organisés de la Côte-de-l'Or, Fage remarquait[4] qu'entre 1650 et 1810, malgré l'élévation de la demande occidentale en captifs et celle de leur prix, le cap des 10 000 déportations par an n'avait jamais été véritablement franchi[5], comme s'il existait pour ces États un niveau d'exportation qu'il ne fallait pas dépasser afin que la traite puisse continuer à favoriser les aristocraties en place. Preuve que celles-ci surent longtemps imposer à leurs partenaires commerciaux occidentaux leurs propres rythmes de livraison des captifs.

À propos des régions du Congo et de l'Angola, qui fournirent à la traite occidentale près de la moitié de ses esclaves, Miller a émis l'hypothèse que l'effet de la traite sur la démographie fut moindre que celui des sécheresses, des épidémies et des famines. Dans la seule aire centre-occidentale occupée aujourd'hui par l'Angola, on a inventorié près de cent soixante-dix sécheresses ou épidémies, entre 1550 et 1830. Dans bien des cas les périodes de sécheresse majeures correspondent ici à des mutations sociales et politiques. La signification de ces coïncidences reste à étudier (s'agit-il de liens directs de cause à effet, ou bien ces catastrophes déclenchent-elles des forces déjà en germe... ?). Ce qui est sûr, c'est que les réponses doivent différer selon le temps et le lieu. Comme l'a montré Miller, les hauts niveaux d'exportation de captifs, entre 1785 et 1795, en Angola, correspondent à une période de sécheresse. Allant dans le même sens, Philip Curtin a écrit que, « si terrible qu'elle fut, si la traite est interprétée exactement, elle doit être perçue à la lumière des autres désastres humains. La guerre, sur les autres continents, était aussi terrible ». Deux historiens, surtout, Manning et Lovejoy, contestent l'idée selon laquelle ces phénomènes naturels auraient eu en matière démographique une influence plus importante que celle de la traite. Retournant l'argument, ils indiquent que la traite a pu affecter la production et donc contribuer à aggraver certaines famines. Ce à quoi David Geggus répond : « alors que la famine tuait probablement au moins autant de femmes que d'hommes, le système atlantique a pu aider à préserver la vie des femmes en enlevant les hommes confrontés à la famine. Paradoxalement, cela a donc pu protéger la capacité reproductive de certaines populations africaines », sans que l'on puisse dire dans quelle proportion. De ce fait, « la vente d'esclaves aux Européens fonctionna, dans une certaine mesure, comme un mécanisme adaptatif aux désastres naturels ». Sans aller aussi loin, Manning et Lovejoy ne peuvent que reconnaî-tre l'importance des phénomènes naturels, et nuancent parfois leur vision des choses. « Une série d'importantes sécheresses fut enregistrée au XVIIIe siècle, de l'ouest à l'est de la savane », écrit ainsi Manning, avant d'ajouter : « il est possible que ces phénomènes naturels furent plus influents dans la détermination des modes de l'organisation économique et sociale que ne le fut la traite pendant cette période », la plus importante pour la traite occidentale, rappelons-le. De son côté, listant les facteurs ayant influencé la mise en place d'un mode de production esclavagiste en Afrique occidentale, Lovejoy indique, dans l'ordre, la désintégration du Songhaï, l'essor de la traite par l'Atlantique, la sévérité de la grande sécheresse du milieu du XVIIIe siècle, le mouvement des djihads, et enfin l'essor d'une agriculture d'exportation[6].

En d'autres occasions, ce sont les prisonniers de guerre récalcitrants dont les chefs africains se débarrassaient en les vendant à l'exportation[7]. Enfin, ce que l'on a vu à propos des modes de régulation des traites négrières (dans le troisième chapitre) indique que chaque région d'Afrique noire semble avoir répondu à sa manière, selon ses propres logiques, aux demandes extérieures en captifs. L'une de ces régions surtout, la Sénégambie, paraît avoir eu plus de difficultés que les autres à le faire. Étudiant les révoltes à bord des navires négriers, David Richardson a en effet souligné leur taux anormalement élevé dans la région, par rapport au reste de l'Afrique. Il explique cette différence par l'instabilité politique de la région, que d'autres auteurs (Walter Rodney et Boubacar Barry, notamment) ont attribué aux effets de la traite[8]. Voici pour les faits, ou ce qui peut s'y apparenter.

L'interprétation que l'on peut en faire varie ensuite considérablement, en fonction des paramètres complémentaires utilisés par les divers observateurs. Tout d'abord, on peut ou non tenir compte des naissances perdues du fait de l'exode de populations jeunes, bien que la nature polygame des sociétés africaines ait sans doute eu pour effet de réduire considérablement cet éventuel déficit des naissances.

Comme les femmes sont moins touchées par la traite occidentale, et comme elles sont déjà en partie concentrées entre les mains de dignitaires qui, eux, ne sont pas déportés, leur capacité procréatrice globale n'est en effet pas véritablement menacée. Ce que confirme Patrick Manning, lorsqu'il écrit que « les études modernes sur la polygamie suggèrent que la fertilité est pratiquement inchangée dans les ménages comprenant au moins quatre ou cinq co-épouses[9] ». Un recensement concernant la population de l'Angola sous domination portugaise, en 1777-1778, fait état d'un *sex ratio* très favorable aux femmes. Dans cette zone essentielle pour la traite atlantique, les femmes en âge de procréer sont donc nombreuses. Joseph Miller[10] indique qu'elles ont un enfant tous les trois ans. Le taux d'accroissement net annuel de la population, de l'ordre de 2,6 %, lui permettrait de doubler en trente ans. Notons cependant que ces données nous renseignent sans doute plus sur la (bonne) santé démographique des peuples négriers que sur celle des populations plus ponctionnées par la traite que prédatrices. De plus, le rapport hommes/femmes au sein des traites orientales a sans doute été quelque peu différent (avec des variations, les études sur la question étant controversées) de celui connu par la traite occidentale. D'où des effets sur le potentiel reproductif des populations forcément variables selon le lieu et le temps.

On peut ensuite s'intéresser ou non aux décès directement ou non imputables à la traite : lors des opérations de capture, lors du trajet de l'hinterland à la côte, ou bien parmi les captifs attendant d'être embarqués sur les navires négriers. Aujourd'hui, certains auteurs pensent que cela amènerait à multiplier par deux au moins voire par cinq, les effets démographiques de la traite ; problème qui faisait déjà l'objet de vives discussions à l'époque des abolitionnistes. Pour procéder à ce type de calcul il faut admettre que la traite est la cause principale, voire unique, de tous les conflits internes à l'Afrique, ce qui est loin d'être le cas. Il faut aussi dissocier le trafic négrier des autres opérations commerciales dans lesquelles il était intégré. Lors du trajet vers la côte ou bien vers les « ports » du Sahel, les captifs étaient utilisés comme porteurs. Ils pouvaient aussi être vendus en cours de route, approvisionnant ainsi les réseaux internes de l'esclavage africain. Parfois ils étaient intégrés à la caravane. Entre le moment où un homme était capturé et celui de sa vente à l'exportation, il pouvait se passer quelques mois, voire quelques années. Pendant ce temps, il était tantôt une marchandise, tantôt un producteur, tantôt un porteur. C'est le cas de Olaudah Equiano, du Niger, qui fut kidnappé à onze ans et vendu plusieurs fois avant de parvenir à la côte, en 1756. Capturé en 1810, Ali Eisami, du Bornou, passa de main en main avant d'arriver à Porto Novo, huit ans plus tard[11].

Imaginons néanmoins que l'on dissocie les réseaux des traites d'exportation des autres activités au sein desquelles ils étaient intégrés, ce qui conduit à ramener presque toute l'histoire de l'Afrique noire à celle de la traite. Multiplions alors par deux à cinq fois l'ensemble du prélèvement humain opéré par les différentes traites négrières d'exportation. Catherine Coquery-Vidrovitch, qui n'est nullement « minimaliste » en la matière, note que la traite aurait pu ainsi « localement certainement ralentir la croissance, parfois l'annuler totalement, en tout cas, introduire une grande irrégularité dans le mouvement démographique »[12]... Même dans ce cas (une croissance, au pis, ralentie localement), nous sommes loin des scénarios catastrophistes parfois déployés. Il faut aussi noter que les coefficients multiplicateurs de quatre à cinq renvoient aux estimations de Livingstone relatives à la traite orientale de la seconde moitié du XIXe siècle — parfois dévastatrice, mais qui n'est pas à l'image de toutes les opérations de traite —, lesquelles, pour de nombreux historiens, ont été grossièrement exagérées afin de mieux stigmatiser les méfaits de cette traite orientale. Ce qui faisait écrire à Hubert Deschamps qu'en « enflant cette somme et en calculant au plus juste la population noire totale, on aurait vite fait de rejoindre l'une et l'autre, et de vider le continent d'un seul coup, ce qui ne s'est pas produit ». « La plus grande partie de l'Afrique intérieure, ajoutait-il, a échappé à toute traite » jusqu'au XIXe siècle, au moment de l'essor de la traite orientale, tandis que les « régions de grande forêt ou de quasi-désert (Sahara, Côte d'Ivoire, sud du Cameroun, nord du Gabon, Namib, pays somali et Afar) n'ont été que faiblement atteintes ». Les grands espaces de traite « ont été les savanes boisées de la côte du Vent, de la côte des Esclaves, du Congo et de l'Angola », mais les pays « Ibo, Yorouba Efik, les plus touchés par la traite, sont restés des pays de densité exceptionnellement forte », ce qui fait qu'en définitive « la dépopulation n'est restée visible que dans certaines régions limitées »[13]...

Dans un débat manquant souvent de données précises, Miller a l'avantage de présenter de précieuses informations pour la région de l'Angola. Les pertes y auraient été de 10 % lors des opérations de capture, de 25 % au cours du transport vers la côte (ce qui est énorme, comparé à la mortalité moyenne sur les navires négriers, mais pourrait s'expliquer par l'éloignement des sites de production des captifs)[14], de 10 à 15 % lorsque les captifs étaient disposés dans les barracons, en attente des navires négriers venant les chercher. Au nombre des déportés, il faudrait donc au total ajouter 45 à 50 % de pertes. Ce que l'on sait des opérations de razzia, rapides afin d'éviter la riposte, ou bien des guerres africaines, souvent économes en vies humaines (avant le XIXe siècle), laisse penser que les 10 % de mortalité induits par les phénomènes de capture sont crédibles, tout comme ceux, déjà énormes, provoqués par les opérations de transport. Il est impossible de tirer de cette étude des conclusions généralisables, car l'Afrique est vaste et diverse. Il suffit de prendre un exemple pour s'en convaincre, celui de la mortalité au cours du transport. On estime qu'elle dépendait en bonne partie de la distance et du temps nécessaire pour rejoindre le lieu d'exportation. En Afrique de l'Ouest et en Afrique orientale, les captifs pris sur la côte pouvaient marcher environ deux cents kilomètres avant d'être embarqués. En Angola et au Loango, ils pouvaient parcourir jusqu'à cinq cents kilomètres. Ceux destinés à la traite orientale pouvaient effectuer trois cents à mille kilomètres, seulement pour rejoindre les « ports » du Sahel, avant d'entreprendre la traversée du Sahara (parfois encore mille cinq cents kilomètres). Aussi, comme l'écrit Manning, il est clair que « les niveaux de mortalité parmi les captifs variaient nettement d'une région à l'autre de l'Afrique[15] ». L'étude de Miller montre cependant que, même avec des pertes très importantes, on est loin d'aboutir à une multiplication par deux du nombre des victimes.

Admettons que la réalité se situe entre ces deux estimations, l'une (celle de Miller) fondée sur des données fiables mais ponctuelles, l'autre sur une généralisation théorique (des pertes multipliées par deux). Dans ce cas, le déficit démographique imputable directement ou non aux différentes traites d'exportation se situerait, pour l'ensemble du continent noir, et sur au moins mille trois cents ans (VIIe-XIXe siècle), entre 40,6 (28 plus 45 %) et 56 millions de personnes (28 x 2). C'est loin d'être un bilan définitif[16]. Simplement une estimation à discuter, en gardant à l'esprit le fait que, derrière l'abstraction du calcul, se cachent des hommes, des femmes et des enfants.

Si le débat est loin d'être clos, c'est qu'en fait tout dépend du lieu et du temps. Nous en prendrons pour preuve un exemple : plus de 40 % de tous les captifs jamais déportés par la traite occidentale ont été exportés à partir de la Côte-de-l'Or, de la baie du Bénin et de celle du Biafra. Aujourd'hui, dans ces anciennes zones de traite intensive, se trouvent des régions figurant parmi les plus densément peuplées d'Afrique noire. On peut en déduire que la traite n'a pas eu d'effets profonds et durables ou bien penser que ces populations, qui étaient à la fois ponctionnées et prédatrices, réagirent par un accroissement continu de la natalité, comme l'ont fait dans l'histoire de nombreux groupes humains, après une violente crise. Le problème, cependant, est que la durée de cette réaction nataliste est toujours assez brève et qu'elle n'apparaît pas forcément comme le résultat d'une action volontariste[17]. L'appliquer au cas africain conduirait à penser que des populations entières, sur la longue durée, auraient délibérément fait le calcul d'élever des enfants destinés à leur être ensuite enlevés. Ce n'est peut-être pas impossible, mais on a du mal à l'imaginer. Dans de telles conditions, des réactions malthusiennes auraient en effet tout autant pu être possibles. Ainsi, au XIXe siècle, certains critiques de l'ordre capitaliste et bourgeois incitaient les prolétaires à avoir moins d'enfants, afin qu'ils ne périssent pas sous les balles de l'armée que l'on envoyait réprimer les révoltes ouvrières.

La tendance qui se manifeste dès le XVIIIe siècle au sein de la traite occidentale, et qui consiste à ponctionner des sites de traite situés plus au sud et à l'est de l'Afrique, interroge sur la capacité de l'Afrique à répondre à une demande extérieure de plus en plus croissante en captifs. Il en va de même pour la durée de rotation de certaines expéditions négrières, dont l'allongement est perceptible. Ces phénomènes fournissent ainsi un autre angle d'approche à la question de la ponction démographique opérée par la traite négrière. Traduisent-ils des difficultés (épisodiques ou chroniques ?) ralentissant la fourniture des captifs ? Reflètent-ils la volonté, de la part des États négriers africains, de résister à la pression de la demande extérieure, et donc de continuer à réguler les flux ? S'agit-il des conséquences de la concurrence régnant entre les puissances négrières européennes (et) ou bien encore des conséquences d'une évolution des termes du marché esclavagiste africain ? De nombreux auteurs s'accordent à constater ce tournant de la seconde moitié du XVIIIe siècle, qui correspond notamment à une rapide augmentation du prix des captifs. Certains y voient la preuve, tardive (puisque la traite occidentale n'a alors plus que quelques décades devant elle), de l'importance de la ponction démographique : exsangue, l'Afrique ne pourrait alors plus satisfaire à la demande. D'autres insistent sur le fait que les captifs commençaient à être utilisés plus massivement en Afrique même, et que l'augmentation conjointe de la demande dans le Nouveau Monde et en Afrique noire suffirait à expliquer l'augmentation de leur prix.

Des interrogations semblables existent pour le XIXe siècle. Une certaine « déréglementation » introduite par l'illégalité du trafic ainsi que le processus de déstructuration de certains États négriers ont alors pu contribuer à alourdir la ponction, localement et pour un temps. Mais il est bien difficile d'en établir la mesure, ce qui contribue à alimenter le débat sur l'éventualité d'une rupture de « l'élasticité » de l'offre africaine en captifs. Ainsi, comment interpréter le fait que les jeunes et les femmes composaient 76 % des captifs introduits à La Havane entre 1790 et 1820 ? Est-ce dû à l'incapacité africaine de fournir de nouveaux adultes ou bien à une nouvelle demande de la part de planteurs désireux d'encourager sur place la reproduction des captifs, et de préparer ainsi les lendemains de la traite (ce qui expliquerait pourquoi, dès 1843, la part du croît naturel prit une importance décisive dans l'augmentation de la population servile cubaine) ?

L'APPROCHE PAR MODÉLISATION

Plusieurs historiens se sont élevés contre ce que Manning a appelé « le modèle cumulatif rudimentaire ». Selon lui, l'approche globalisante que l'on vient de présenter est en effet beaucoup trop simple pour rendre compte des conséquences démographiques de la traite. Il lui préfère une approche par modélisation. Pour cela, il ne peut se fonder, comme les autres historiens, que sur de rares données relatives à la démographie de l'Afrique subsaharienne précoloniale, sur une évaluation des taux démographiques africains à partir de ce que l'on sait des populations humaines en général, et surtout sur la méthode qui consiste à extrapoler dans le passé les tendances observables au XXe siècle. Combinant analyses empiriques et simulations informatiques, il est arrivé à la conclusion qu'un flux d'exportation d'esclaves même modeste, portant annuellement en moyenne sur deux personnes pour mille (dont un tiers seulement de femmes), a pu stopper et même inverser l'accroissement de la population. Sans la traite, affirme-t-il, la population de l'Afrique noire aurait dû croître selon un rythme compris entre 0,3 et 0,5 % par an. Elle aurait ainsi été comprise, en 1850, entre 70 et 100 millions d'habitants, et non réduite à 50 millions, selon ses estimations. S'appuyant sur ce qu'il présente comme une évaluation optimiste de l'espérance de vie et du taux de natalité des populations d'Afrique noire, Manning précise les choses, à l'échelle régionale. Il indique que la population côtière de l'Afrique occidentale (du Sénégal à l'Angola) diminua entre 1730 et 1850 de manière plus lente et progressive que précipitée, que celle de l'Afrique orientale (du Mozambique au Kenya) connut le même phénomène vers le milieu du XIXᵉ siècle, et qu'ailleurs, dans la région des savanes (du Sénégal au Nil, en incluant l'Éthiopie et la Corne de l'Afrique), la traite suffit à ralentir la croissance démographique sans l'arrêter. En d'autres termes, la traite occidentale aurait eu de graves effets, et la traite orientale des conséquences plus modérées[18], le tout contribuant à modifier la hiérarchie démographique régionale : « En 1700 la côte occidentale avait grossièrement une population de 25 millions, tandis que la savane et la Corne de l'Afrique avaient une population inférieure à 20 millions. Vers 1850, néanmoins, la population de la côte occidentale avait décliné jusqu'à environ 20 millions, tandis que la population de la savane et de la Corne de l'Afrique avait crû au-delà de 25 millions[19]. » On note malgré tout dans ce sombre tableau l'indication, tout d'abord, selon laquelle « certaines régions de l'Afrique tropicale ne furent quasiment pas affectées par la traite d'exportation : les hauts pays de l'Est africain, les régions de l'Ouganda et du Burundi, des portions du Cameroun, et une bonne partie de la Zambie et du Zimbabwe. La croissance de leur population, pendant les XVIIIᵉ et XIXᵉ siècles, a donc pu compenser les pertes dans les autres régions ». Manning remarque ensuite que, « à partir de 1850, les exportations d'esclaves déclinèrent et que la population commença à nouveau à croître [...] », ce qui voudrait dire que, « en un sens, le retour de la croissance nous rappelle que les populations peuvent récupérer »[20]. Au total, hésitant quelque peu entre la thèse du déclin et celle d'une stagnation démographique, Manning se montre plus nuancé que Joseph Inikori, ardent défenseur de l'idée d'un déclin de la population totale africaine imputable à la traite[21].

Cette dernière affirmation est contredite par l'étude récente de Dennis Cordell[22]. Les documents qu'il nous présente indiquent en effet que la population de l'Afrique subsaharienne augmenta de manière relativement régulière jusqu'à son entrée dans la phase de transition démographique[23], au XXe siècle, et que cet accroissement fut réel dans chacune des quatre grandes régions géographiques définies. En revanche, on note un ralentissement du taux de croissance au cours du XVIIIe siècle. Reste que le modèle présenté par Manning est intéressant, au moins d'un point de vue heuristique. Comme il le dit lui-même, passer par la simulation informatique permet en effet, en faisant varier toutes les données entrées dans l'ordinateur, de mieux identifier les variables ayant le plus d'incidence. Quatre facteurs ont ainsi été mis en évidence : les taux africains de natalité et de mortalité, la répartition par sexe de la population de captifs, la proportion de captifs déportés à l'étranger. Un autre avantage de la méthode de Manning, sur lequel je reviendrai plus loin, est qu'elle a conduit à revigorer les analyses procédant par modélisation, et permis de mieux comprendre, au moins sur un plan théorique, l'écart démographique potentiel entre les sociétés négrières et les sociétés ponctionnées par la traite.

Allant parfois dans le sens de Manning, mais s'en éloignant nettement en d'autres occasions (notamment en s'opposant à la thèse du déclin de la population africaine)[24], John Thornton a contribué à attirer l'attention des historiens sur les conséquences démographiques de la traite en matière de *sex ratio* et de répartition du travail en Afrique noire. Pour lui, « le principal impact de la traite ne fut pas autant la réduction du nombre total de personnes demeurées en Afrique que les altérations fondamentales du ratio entre populations travaillant et populations dépendantes, ou entre travail masculin et travail féminin ». D'un côté, comme les femmes conservèrent leur fertilité habituelle et que les enfants de moins de quinze ans risquaient peu d'être vendus au-dehors comme esclaves, les tâches incombant aux mères ne diminuèrent nullement à l'époque de la traite. D'un autre côté, le nombre des hommes diminuant (il envisage, dans son modèle démographique, une réduction du nombre d'hommes de l'ordre de 20 %), le rôle productif des femmes augmenta. D'où, au total, une plus grande exploitation de celles-ci et un travail consacré surtout à des tâches de subsistance. Par exemple, ajoute-t-il, « en Afrique centrale, les femmes travaillaient la terre, mais les hommes s'occupaient du gros défrichage des champs, abattant les arbres et arrachant les racines. Sans ce défrichage, les femmes auraient eu moins de surface à planter, ou bien à déplacer leurs champs moins souvent » dans le cadre d'une agriculture itinérante ; deux choses qui « tendraient à réduire la production »[25]. Le système aurait également conduit à encourager la pratique ancienne de la polygamie. À la décharge de ce modèle on pourra noter qu'il est, comme tout modèle, trop général pour être applicable à l'ensemble de l'Afrique et que, élaboré en fonction de la ponction présumée exercée par la traite occidentale, il ne prend guère en compte les traites orientales et internes. À ce propos se pose notamment une question essentielle, celle de la fertilité des femmes esclaves en Afrique. Claude Meillassoux et Robert Harms pensent que l'esclavage a contribué à la réduire, en partie parce que les enfants nés appartenaient aux maîtres et non aux parents[26]. Manning semble le croire aussi[27]. Cela nous rappelle qu'il n'y a pas que des traites d'exportation, et que la question de l'impact démographique de la traite ne peut, par conséquent, pas se limiter à celui de leur rôle.

APPROCHE GLOBALISANTE OU PAR MODÉLISATION ? LES ENJEUX

On l'aura compris, la question essentielle plus ou moins sous-entendue derrière les débats relatifs à l'incidence démographique de la traite est celle-ci : par ses effets la traite constitue-t-elle ou non l'un des facteurs du mal développement dans lequel l'Afrique noire se trouve aujourd'hui ? La controverse est ancienne. On peut la faire remonter à 1966, lorsque l'historien guyanais Walter Rodney publia un article dans lequel il affirmait que l'essor de l'esclavage marchand en Afrique noire était la conséquence de la traite atlantique[28], avant de publier son fameux *How Europe Underdeveloped Africa* en 1972. Des idées auxquelles Curtin, Fage, et d'autres historiens répliquèrent alors. Quelle que soit l'approche, globalisante ou par modélisation, cette question cardinale est toujours présente, contribuant parfois à fausser le débat. Car il est tentant et facile d'accuser tel historien utilisant la première méthode de vouloir minimiser les effets de la traite, et tel autre de souhaiter les amplifier en utilisant la seconde méthode. C'est à la fois dommage et un peu vain, car la science n'apportera sans doute jamais de réponse définitive à ce genre de question.

On peut, il est vrai, essayer d'imaginer ce qu'aurait été la physionomie de la population de l'Afrique noire sans les traites d'exportation (les seules à être généralement prises en compte). Le nombre des personnes déportées (que l'on connaît plus ou moins), un taux de natalité potentiel (que l'on peut essayer de définir), et la prise en compte d'un effet d'accumulation, avec les générations, permettent alors, avec une simple calculette, d'arriver à un résultat mathématique, au chiffre que la population africaine *aurait dû atteindre si...* On peut aussi tenter de chercher des réponses à partir de données démographiques concernant le XXe siècle auxquelles on fait subir un traitement régressif. Ce qui conduit parfois à trouver, pour le XVIe siècle africain, des densités de population farfelues, supérieures à celles de l'Asie méridionale favorisée par le riz et la mousson... L'historien en général, notamment de ce côté de l'Atlantique, est sceptique face aux tentatives de simulation historique dont l'intérêt scientifique ne peut que demeurer théorique (que serait devenue la Révolution française sans Napoléon ? l'économie des États-Unis sans les chemins de fer transcontinentaux ?...). Et c'est justement (quoique de manière un peu brutale) que Clarence-Smith écrivait, en 1994 : « Il est grand temps pour les historiens de l'Afrique d'admettre qu'ils ont peu à dire sur l'impact démographique de la traite, simplement parce que leurs sources ne les autorisent pas à en dire beaucoup[29]. » Mais oublions un instant ces réticences. La taille de la population africaine ainsi reconstituée (les tailles, devrions-nous dire, car les variables utilisables sont nombreuses) serait loin de tout résoudre. Et cela pour une raison essentielle : l'absence de corrélations avec les crises qui, au cours de l'ancien régime démographique, gommaient les effets d'une natalité trop expansive. Reconstituer une population de manière mathématique permet donc de définir l'un des multiples possibles du « devenir passé » d'un groupe humain, et rien de plus. Que l'Afrique ait horriblement souffert de la traite est une évidence, mais que sa population ait décliné est, on l'a vu, sans doute improbable, et il est objectivement impossible de dire ce que celle-ci serait devenue sans la traite.

De manière générale, la nature des liens entre démographie et développement économique est d'ailleurs loin d'être clairement établie. Il est plus ou moins admis qu'il existe un « seuil » ou niveau de densité qu'il est nécessaire de dépasser afin qu'une vie sociale, économique et politique puisse se structurer et se développer. Mais ce seuil, que personne ne peut vraiment définir dans l'absolu, est variable selon l'époque, le lieu et le niveau technique d'une société. De plus, si le nombre des hommes est une richesse, il est aussi parfois un handicap.

On juge par ailleurs trop souvent les choses à l'aune des voies de développement censées avoir été empruntées par l'Europe. On a cru un temps que la révolution démographique y avait précédé la révolution industrielle, et y avait constitué un préalable indispensable. Aussi s'est-on parfois empressé de conclure que la traite, par la ponction opérée sur la population africaine, avait empêché une révolution industrielle en Afrique noire, oubliant qu'elle aurait sans doute été bien improbable dans des régions ignorant la roue. On sait également aujourd'hui, grâce à plusieurs décennies de travaux sur la révolution industrielle, la démographie et les modalités du développement économique occidental, qu'il n'y a pas eu en Europe occidentale de lien de causalité linéaire entre accroissement démographique et progrès économique, les rapports ayant été à la fois de causes et d'effets. Ils se sont enchevêtrés et ont évolué différemment, selon le temps et le lieu. Ainsi la peste noire dévasta l'Ouest européen au Moyen Âge. Se rallumant périodiquement après son introduction, en 1348, elle provoqua, selon les lieux et les groupes sociaux, une perte comprise entre un huitième et les deux tiers de la population, sans être pour cela à l'origine d'un sous-développement économique durable. Il en fut de même des effets catastrophiques de la guerre de Trente Ans (1618-1648), notamment dans les pays de langue allemande où les pertes furent parfois de l'ordre de 66 à 70 % de la population.

L'histoire ne se résumant pas à une série de syllogismes, voir dans les effets démographiques de la traite l'une des raisons essentielles du mal développement africain serait donc doublement hypothétique. D'une part, parce que « accroissement de la population » ne rime pas forcément avec « révolution démographique » et, d'autre part, parce qu'il n'est plus vraiment sérieux, aujourd'hui, de faire de cette dernière un « préalable » (le terme lui-même apparaît maintenant dépassé) à la révolution industrielle. Ce type de discours n'était pas rare dans les années 1960. Il postulait que toutes les sociétés devaient se développer à la manière de l'Occident, en passant par les phases que l'on croyait alors avoir été déterminantes pour lui. Il est, aujourd'hui, sur un plan purement factuel, complètement dépassé.

On peut, il est vrai, noter qu'un trop faible nombre d'habitants, et donc de consommateurs, n'est pas favorable au progrès du commerce, et par là même de la production. Avec 86 millions d'habitants en 1800 (72,3 en 1700), selon Cordell, la population de l'Afrique subsaharienne n'était qu'un peu plus de trois fois supérieure à celle de la France en 1789. Cependant, comparée à l'Europe dans son ensemble (environ 120 millions d'habitants en 1700, mais presque 190 en 1800[30]), la différence n'était pas insurmontable. De plus, croissance et nombre d'habitants ne sont pas nécessairement totalement liés. La première dépend également des niveaux de vie, des modes, des facilités de paiement et de multiples autres facteurs. Ainsi, à la fin de l'Ancien Régime, les marchés pouvaient-ils se trouver face à des problèmes pour croître, même en France, pays alors le plus peuplé d'Europe, Russie mise à part. L'exemple de Caen, ville où une activité semblait devoir décliner lorsqu'une autre décollait, est bien connu. Selon Braudel (pour lequel cet exemple reflétait une tendance dominante au sein de l'économie française), tout se passait « comme si les disponibilités de la ville, non pas tellement en capitaux qu'en débouchés des produits finis et en accès aux matières premières et surtout en main-d'œuvre, étaient trop mesurées pour permettre l'épanouissement simultané de plusieurs activités industrielles[31] », comme si l'économie globale était encore incapable de supporter un processus de croissance réellement diversifié. Inversement, moins peuplée que la France, l'Angleterre réagit mieux à l'appel de la croissance en entrant dans la phase de *take-off* ou décollage industriel, notamment grâce à un marché national plus rapidement unifié. Aussi, malgré la théorie intéressante défendue par Boserup, selon lequel des densités de population plus fortes ou en augmentation encouragent la mise en place d'un système de production plus intensif[32], la taille des marchés n'explique pas tout. Les rythmes et les types de consommation, ainsi que d'autres facteurs, sont tout aussi importants. Si la population était le *deus ex machina* capable d'expliquer les changements en matière de commerce et de production, c'est la Chine qui aurait dû être le premier État à s'industrialiser et qui, aujourd'hui, devrait être le pays le plus avancé au monde[33].

On peut d'ailleurs se demander si tout peut être réduit à l'établissement de bilans chiffrés, forcément plus ou moins hypothétiques, et qui ont tendance à évacuer trois aspects qualitatifs non négligeables. Le premier concerne l'influence sur les mentalités (en Afrique, en terre d'Islam et en Occident) que n'a pas manqué d'avoir un trafic tendant à assimiler tout Africain à un captif potentiel. Le deuxième renvoie à un modèle démographique élaboré par Manning. Celui-ci montre que les opérations de traite ont pu contribuer à accroître l'écart entre peuples effectuant les razzias et peuples razziés, du fait des transferts de population opérés au bénéfice des premiers puisqu'une partie des captifs restait sur place, sans être vendue à l'exportation. Dans le détail, les populations courtières de la côte auraient eu tendance à augmenter faiblement (+ 0,7 %), tandis que celles des peuples razziés auraient diminué d'environ 3,3 % par an. Dans l'arrière-pays sahélo-soudanien, les populations razziées auraient été plus touchées (- 4,9 %), et les négriers y auraient progressé au rythme de + 2,2 % par an[34]. La distinction entre négriers et razziés est parfois formelle, car un même groupe a souvent connu les deux situations, parfois simultanément. Plus généralement, l'existence de régions « réservoirs » de l'intérieur demande à être démontrée, car il est difficile de croire que des peuples entiers se sont, sur la longue durée, cantonnés dans le rôle de proies faciles. Ce modèle peut donc être discuté[35]. Mais il indique l'une des voies à suivre en montrant que l'impact démographique de la traite put être localement très différent (idée qui fait désormais l'objet d'un assez large consensus), et c'est sans doute en multipliant et en confrontant des modèles de ce type que la recherche pourra progresser. Le modèle de Manning conforte d'ailleurs ce que Fage (que Manning critique) nous apprenait, en 1969, lorsqu'il écrivait que la traite avait sans doute renforcé la puissance naissante (économique, démographique...) des États africains les mieux structurés aux dépens des sociétés lignagères et des entités politiques moins solides[36]. Maintenant, considérer que cela fut ou non positif dans le développement de l'Afrique sur la longue durée est une autre histoire.

Le troisième aspect qualitatif à prendre en compte (la liste n'est pas exhaustive) réside dans le fait que la variable démographique ne peut être totalement dissociée d'autres facteurs, que la traite n'est certainement pas le seul élément à peser sur l'évolution démographique du continent noir, et donc qu'essayer de mesurer son rôle ne peut se faire en isolant totalement cette variable.

L'APPROCHE SYSTÉMIQUE

Ce qui nous amène à la troisième approche, systémique, dont je parlai en introduction de cette partie consacrée à la traite et à ses incidences sur la démographie. En Afrique noire précoloniale, et bien avant l'essor de la traite atlantique, tout un ensemble de données se sont en effet coalisées pour favoriser le développement de multiples formes d'asservissement, et, inversement, pour conduire à un moindre intérêt pour le travail salarié : la surabondance des terres par rapport à la main-d'œuvre disponible, l'utilisation d'outils rudimentaires (houe, absence de roue...), signe plutôt d'une adaptation aux conditions africaines que d'un « retard technologique[37] », la faible valeur ajoutée du travail agricole, et par conséquent un relatif désintérêt pour la propriété foncière. La possibilité d'user facilement d'une main-d'œuvre servile, ainsi que celle d'introduire de nouveaux individus dans un groupe donné, par razzia ou intégration, expliquent à leur tour pourquoi il n'y a pas toujours, dans ce type de système, d'incitation à l'augmentation de la population par croît naturel[38].

Cette faible incitation est renforcée par l'importance des catastrophes naturelles, car sécheresses et épidémies (dont on a vu l'importance) rappellent régulièrement aux sociétés africaines la difficulté de nourrir un surcroît de population, tandis que les fortes densités favorisent la propagation des maladies infectieuses. On entre alors dans une sorte de cercle vicieux, non malthusien, mais non incitatif à la croissance de la population. D'autres facteurs, culturels, sociaux et politiques, ont également pu jouer sur la taille des groupes humains en Afrique noire. Ainsi, du fait de l'importance des structures familiales et lignagères, et plus généralement de la parenté, l'accroissement du nombre d'individus au sein d'un groupe donné conduisait souvent, d'abord à son fractionnement en une série de « noyaux parentaux » larges, puis à de multiples formes de déplacement et de migration de population, c'est-à-dire de rupture avec le noyau initial. D'où l'importance extrême des migrations dans l'histoire africaine, et la lenteur de l'accroissement démographique au sein de groupes donnés[39].

Finalement, face à un défi commun à toutes les sociétés confrontées à l'ancien régime démographique, à savoir trouver un moyen d'ajuster le rapport entre niveau de population et niveau de ressources, l'Afrique noire aurait opté pour une réponse originale par rapport à celle de l'Europe moderne fondée, comme on le sait, sur la pratique du mariage tardif et le respect des interdits sexuels instaurés par une morale religieuse assez fortement intériorisée. Une réponse peu propice à l'avènement rapide de la transition démographique, mais plus efficace, sur le court terme, car permettant d'épouser plus facilement les variations de la conjoncture : dès lors qu'un groupe humain ou qu'un État était suffisamment influent ou bien souhaitait accroître son influence, il lui suffisait de s'adjoindre des populations extérieures. Les transferts (par conquêtes, razzias, etc.) étaient facilités par l'existence de formes de parentés fictives ou symboliques permettant toutes sortes de regroupements, adoptions ou intégrations. Le contrôle des femmes pubères, qui constituait un enjeu de pouvoir essentiel en Afrique noire, était aussi un moyen très efficace pour réguler le croît naturel en fonction des stratégies élaborées par les élites. D'ailleurs, les femmes constituaient également une importante source de main-d'œuvre pour les travaux agricoles, ce qui accentuait l'intérêt d'en contrôler le nombre.

Le système venant d'être présenté relie ancien régime démographique, stratégies démographiques, enjeux de pouvoir, potentiel agricole, forces productives et politiques (guerres...). Il peut, sans aucun doute, être amendé et critiqué, car d'autres variables pourraient également entrer en ligne de compte, et le tout être reconfiguré de manière différente. S'il me semble utile d'en présenter ici les grandes lignes, c'est qu'il indique qu'aucune lecture univoque et linéaire des faits ne peut s'avérer pertinente, que les facteurs externes (en l'occurrence la demande en esclaves venue d'Occident et d'Orient) se sont forcément conjugués avec des facteurs internes dont l'importance ne doit pas être sous-estimée. On voit ainsi qu'une donnée (en l'occurrence celle de la ponction démographique exercée par la traite) n'est véritablement pertinente que lorsque, corrélée avec d'autres, elle s'intègre dans un système ou modèle explicatif plus étendu. Encore une fois, c'est peut-être en créant et en confrontant des modèles explicatifs suffisamment larges, et donc systémiques, que l'on pourra progresser.

Le rôle de la traite dans l'instabilité politique et militaire africaine

Il en est de même des rapports entre traite, guerre et politique en Afrique noire, thème à propos duquel deux images ont été en partie révisées au cours des dernières décennies. La première est celle de liens qui seraient uniquement de cause à effet entre traite et instabilité politique, ou, énoncé plus directement, de guerres qui n'auraient été entreprises que pour se procurer des esclaves à vendre à l'exportation. La seconde est celle du rôle longtemps déterminant qui a été attribué aux fusils importés par le biais de la traite occidentale. Ces deux images se combinaient parfaitement, conduisant à l'idée du fameux cycle de l'esclave et du fusil *(gun-slave cycle)*, lequel a été ensuite complété par le cycle du cheval et de l'esclave *(horse-slave cycle)*, afin de tenir compte de l'usage militaire des chevaux importés par le biais de la traite orientale[40]. Dans un cas comme dans l'autre, la guerre et l'instabilité politique africaine étaient uniquement perçues comme la conséquence de l'influence exercée par les traites d'exportation. Comme si, incapables de résister à l'appât du gain, les négriers africains avaient volontairement mis leur continent à feu et à sang ; bref, comme si toute l'histoire politique et militaire africaine pouvait se résumer à une gigantesque manipulation opérée du dehors. Faisant des Africains des êtres profondément naïfs, cette vision des choses empruntait évidemment à l'idéologie raciste occidentale. Curieusement, elle fut reprise et développée sous l'influence du mouvement tiersmondiste.

TRAITE ET GUERRES AFRICAINES

Que la traite et les fusils de traite aient pu transformer la guerre est une chose. Qu'ils aient été responsables de tous les conflits en est une autre, tout à fait erronée. Pour mieux comprendre les rapports entre traite et guerre africaine, peut-être est-il bon, tout d'abord, de différencier deux phénomènes.

Le premier renvoie à l'établissement de sociétés fortement structurées se renforçant au détriment de celles moins solidement organisées. Un processus qui fut évidemment à l'origine de nombreux conflits, produisant des esclaves, comme on a pu le voir au cours du premier chapitre. Ce processus fut la résultante de phénomènes largement internes, propres à l'Afrique noire et aux liens qu'elle entretenait depuis longtemps avec le monde musulman. En Afrique occidentale, Daaku et Terray[41], entre autres, ont ainsi largement montré que les États de la Côte-de-l'Or, ainsi que ceux de l'intérieur de cette région, se sont mis en place selon une logique à la fois ancienne et interne, car les sociétés africaines étaient suffisamment complexes pour accoucher de structures étatiques, sans incitation extérieure déterminante. Le cas du Mali est à cet égard éclairant. C'est de là que démarra, au début du XIVe siècle, une première phase d'expansion, lorsque les marchands soninkés et dioulas s'enfoncèrent vers le sud à la recherche de l'or dont le Mali avait besoin, tant pour sa consommation intérieure que pour ses échanges avec les régions de l'Afrique du Nord. Une seconde phase s'ouvrit à la fin du siècle, provoquée sans doute par les difficultés que rencontrait alors le Mali. Quoi qu'il en soit, de l'arrivée de minorités de guerriers, marabouts et marchands venus du nord, résulta, plus au sud, la naissance d'États d'un type nouveau. Ceux-ci se caractérisaient par une congruence entre société civile et structure militaire. Leurs élites se nourrissaient du commerce au loin, de la guerre, et des revenus tirés du travail esclavagiste. Les régions comprises entre le désert au nord, la côte à l'ouest, et la forêt au sud, furent ainsi impliquées dans un processus d'unification de leur champ économique et de transformation de leurs structures politiques et sociales. Le tout près de trois siècles avant l'essor de la traite occidentale. Héritier d'une longue histoire, l'État ne peut donc être ici réduit à une « machine à produire des esclaves » pour l'exportation, exception faite, peut-être, de l'éphémère Akwamu.

Le second phénomène concerne le rôle des négriers du dehors, notamment occidentaux, arrivés en Afrique noire à une époque où des logiques internes avaient déjà conduit à la multiplication de guerres « d'établissement » puis « d'équilibre des puissances », selon la formulation de Terray. La question qui se pose ici est de savoir s'ils ont contribué ou non à accentuer et à modifier les logiques à l'œuvre derrière les conflits militaires. On sait qu'à partir de la seconde moitié du XVIIᵉ siècle, oubliant leur prudence originelle, les Européens n'hésitèrent parfois pas à pousser les Africains les uns contre les autres, afin d'étendre ou de conserver leurs parts de marché. Mais ils avaient surtout besoin de stabilité pour leur commerce, et ils préféraient de loin traiter avec des États suffisamment solides, capables d'assurer localement le calme dont les affaires ont besoin. Globalement, il semble donc que les conflits de l'Afrique noire précoloniale répondaient surtout à une logique interne, propre au fonctionnement des sociétés locales[42]. Deux souverains interrogés par des Européens dont les opinions sur la traite étaient opposées (Abson et Dalzel pour Kpengla, roi du Dahomey, 1774-1789, Dupuis pour Osei Bonsu, roi ashanti, 1801-1824) répondirent que leurs guerres avaient essentiellement des buts politiques. Même remarque du côté de Curtin qui note que le profit, pour les négriers noirs, n'a jamais été la cause nécessaire et suffisante des guerres africaines. Aux guerres d'État et de lignages s'ajoutait l'existence d'un banditisme tendant à réapparaître chaque fois qu'il y avait vacance du pouvoir. Ce fut notamment le cas dans le royaume de Segou, où la *tegereya* (banditisme) était clairement différenciée de la *keleya* (guerre régulière). Le commerce négrier apparaît ainsi plus comme un sous-produit que comme une cause de la guerre. D'ailleurs, signe évident de son autonomie, la guerre persista et s'amplifia même alors que la traite occidentale disparaissait, au milieu du XIXᵉ siècle.

En fait, des données quasi structurelles conduisaient à la « production » de captifs (guerres, disettes...). Mais les sociétés locales les utilisaient rarement sur place (en raison de la facilité qu'il y aurait eue à retourner chez soi, et de l'utilisation tardive de contingents *massifs* d'esclaves dans les circuits de production internes). Dans ces conditions, sur le plan militaire, l'accroissement de la demande extérieure en captifs n'a pas modifié radicalement les choses. Mais il a sans doute changé le climat dans lequel étaient prises les décisions politiques et militaires dans certaines régions d'Afrique. L'accroissement du prix des captifs, à l'exportation, permettant en outre de supporter des coûts de transport plus importants, les captifs produits assez loin à l'intérieur des terres ont pu trouver un nouveau débouché dans la traite atlantique. À son tour, cette dilatation de l'aire d'approvisionnement en captifs a pu donner la possibilité à l'Afrique de répondre à une demande extérieure grandissante, sans intensification du processus guerrier.

En 1975, dans son *Economic Change in Precolonial Africa*[43], Curtin opposait les guerres africaines entreprises pour des raisons politiques et celles plus en rapport avec des motifs économiques, notamment la traite. Cette dichotomie, intéressante sur un plan théorique, est aujourd'hui généralement remise en cause. Il apparaît en effet que les deux facteurs furent souvent liés, de manière fluctuante, en fonction du lieu et de l'époque. Cependant, globalement, selon Thornton, si « l'augmentation de la guerre et de l'instabilité politique dans certaines régions peut bien y avoir contribué à l'accroissement de la traite », on « ne peut aisément désigner la demande en esclaves comme la cause de l'instabilité », car « ce que l'on sait de la politique africaine fournit beaucoup plus de causes internes »[44]. Spécialement consacré à la guerre en Afrique noire, son dernier ouvrage s'inscrit dans la droite ligne de ses précédents travaux. L'auteur y défend l'idée selon laquelle les Africains furent les principaux acteurs de leur destin, tout en contribuant à façonner le monde atlantique et américain. Ainsi qu'il l'écrit justement, tout comme il est nécessaire de connaître l'histoire sociale de l'Europe pour comprendre l'émigration vers les Amériques d'une partie de ses classes inférieures et moyennes, la compréhension des migrations africaines passe par la connaissance de l'histoire politique, diplomatique, « et par-dessus tout militaire » de l'Afrique. Or, indique-t-il, cette histoire militaire a été le plus souvent réduite à une série de modèles, un peu théoriques et souvent trop manichéens, ce qui explique que, pour lui, elle est « encore dans son enfance ». La guerre en Afrique est généralement abordée à partir d'une problématique « développementaliste » en étant jugée à l'aune de la fameuse « révolution militaire » que connut l'Occident à partir de la fin du Moyen Âge. Elle est souvent uniquement perçue comme une série de rapines et de raids, fruits d'une logique extérieure, qu'il s'agisse du cycle du fusil et de l'esclave ou bien du plus récent cycle du cheval et de l'esclave.

D'où le choix délibéré, chez l'auteur, de parler d'« État » et non de « tribu », de « soldat » et non de « guerrier », d'« unité » et non de « bande ». Après avoir défini son « Afrique atlantique » (laquelle rassemble environ cent cinquante unités politiques souveraines vers 1600) et l'avoir découpée en quatre vastes « régions militaires et diplomatiques » (haute Guinée, basse Guinée, Angola, Afrique centre-occidentale), Thornton insiste sur le fait que la guerre y était avant tout l'affaire du pouvoir politique (« dans toute l'Afrique atlantique, la guerre fut presque exclusivement l'affaire de l'État »). Il découpe néanmoins son ouvrage en cinq chapitres principaux, surtout définis par des facteurs géographiques (zones de savane, rivières de Gambie et de la Sierra Leone, forêt, Côte-de-l'Or...). Chaque chapitre est découpé en un certain nombre de rubriques communes (contexte politique, armes et tactiques, opérations, organisation...) et d'autres plus fluctuantes (fortifications, logistique...), ce qui facilite les comparaisons et justifie les conclusions générales de l'auteur. La première est qu'il faut juger les armées africaines sur leurs résultats (« les armées sont efficaces si elles l'emportent ») et non sur leur degré de conformité avec le modèle de la révolution militaire occidentale[45]. Or, efficaces, ces armées le furent souvent. La seconde conclusion, la principale vers laquelle l'auteur souhaitait arriver[46], est relative aux liens entre influences occidentales et guerres africaines. À ce propos, Thornton répudie les modèles classiques (guerres politiques *versus* conflits économiques) pour montrer que, dans la réalité, l'imbrication des motivations était grande. Il reconnaît que les Européens influencèrent en partie les règles de la guerre[47] mais indique que « l'impact européen sur l'Afrique durant cette période a probablement été exagéré par de nombreux chercheurs » et qu'il « n'est pas aussi important qu'on pourrait le penser [...] même en Angola ». « Il n'y a pas que le folklore largement répandu à propos de la capture directe d'Africains par des fusiliers marins européens qui soit [...] mensonger. » Les idées connexes selon lesquelles les Européens étaient capables d'exercer « un contrôle sur des produits technologiques clés (spécialement les fusils), afin de forcer des Africains ne le souhaitant pas à faire la guerre pour leur compte sont également outrancières ». Les « économies africaines étaient trop vastes et complexes pour être sérieusement affectées par les modifications du commerce extérieur », ajoute-t-il. Il n'en reste pas moins que « l'importance stratégique des munitions importées en de nombreuses régions rendait les dirigeants africains très désireux d'établir de bonnes relations avec les marchands et de maintenir toutes formes de commerce avec eux. Ce n'est pas le cycle esclaves/fusils dans sa forme originelle, mais c'est *néanmoins une influence d'une certaine importance*[48] ». Accepter ce constat n'empêche pas que la traite ait pu contribuer à gauchir certains conflits, et de ce fait apparaître comme un facteur aggravant au sein d'une logique interne de l'instabilité politico-militaire. Néanmoins, cela contribue à reconsidérer le vieux débat relatif au rôle des armes à feu occidentales dans les conflits internes à l'Afrique noire.

ARMES À FEU ET CONFLITS INTERNES

Que les armes aient été apportées par les Européens ou bien par les musulmans, on sait que leur nombre devint très important, notamment au XIXe siècle, puisque près de vingt millions d'armes à feu auraient été expédiées en Afrique noire entre 1865 et 1907. Il put de la sorte parfois s'instaurer localement une sorte de course à l'armement. Cependant, les choses doivent être relativisées pour les périodes plus anciennes, notamment en ce qui concerne les importations africaines de poudre et d'armes à feu par le biais de la traite occidentale. Selon les calculs de David Eltis et de Lawrence Jennings, qui se situent dans une bonne moyenne par rapport à d'autres estimations, soit plus fortes (Inikori et Richards[49]), soit plus faibles (Marion Johnson[50]), l'Afrique subsaharienne aurait importé en moyenne moins de 15 à 20 000 fusils par an dans les années 1680. Ce chiffre se serait élevé à environ 190 000 un siècle plus tard, à 140 000 dans les années 1820 et à près de 200 000 vers 1860. Afin de rapporter ces chiffres à ceux de la population de l'Afrique occidentale, Eltis et Jennings ont utilisé les estimations de Patrick Manning. Celles-ci postulent une population de 23 millions d'habitants en 1680, de 22,5 en 1780, de 20,3 en 1820 et de 20,6 en 1860 ; des chiffres faibles par rapport à ceux établis récemment par Cordell (25,8 millions en 1700, 27,8 en 1790 et 30 millions en 1800). La valeur des importations de fusils et de poudre par habitant calculée par Eltis et Jennings est donc sans aucun doute supérieure à ce qu'elle fut effectivement. Selon eux, elle aurait été de 0,008 livre sterling par an dans les années 1780, de 0,009 vers 1820 et de 0,016 en

1860. À cette date, les États-Unis produisaient pour
0,037 livre d'armes par habitant. Comme ils n'en exportaient guère, et que la production africaine de
poudre et d'armes à feu était négligeable, il est clair
que l'Afrique occidentale importait alors relativement peu d'armes et de poudre, à une époque,
pourtant, où la valeur de ces importations par habitant était à son plus haut niveau depuis 1680. Eltis
et Jennings peuvent donc conclure que « ceux re-
vendiquant un impact majeur pour les armes [à feu
occidentales] devront [désormais] fonder leur raisonnement sur des bases autres que celles dépendant seulement du volume des importations ». Il est
vrai, ajoutent-ils, que « les fusils étaient susceptibles d'être géographiquement fortement concentrés », ce qui fait que « leur effet local a bien pu être
considérable ». Cependant, « si cela fut le cas », cela
veut dire qu'ailleurs, c'est-à-dire « en de vastes aires
géographiques, leur impact doit avoir été faible[51] ».

Mais plus que la présence d'armes, ce qui importe est l'utilisation qui en était faite. En Europe,
l'usage des armes à feu s'expliqua d'abord par la nécessité de percer les armures. Celles-ci n'étaient
guère essentielles en Afrique noire et, de ce fait, disposer d'armes à forte puissance de pénétration était
moins important. Par ailleurs, la technique du combat rapproché, largement utilisée en Afrique noire,
rendait plus utile l'usage des armes blanches. Les
fusils, dès lors, ne pouvaient jouer un vrai rôle que
lors de la phase d'ouverture des combats. En Europe, cette phase était savamment orchestrée. Des
troupes compactes, afin de mieux se protéger contre l'action de la cavalerie, marchaient en rase campagne, rangées en ordre de bataille, contre un feu
ennemi lui-même régulé par les cadences de tir des

canons et l'ordonnancement des lignes de tir des fusiliers. Se déroulant dans des environnements bien différents (savane, forêt...), souvent impropres à l'action massive de la cavalerie, les tactiques africaines empruntaient à une tout autre logique, sans rapport avec celle des batailles rangées. Aussi le rôle des fusils était-il limité, même dans la phase d'ouverture des combats. Au palais d'Abomey, qui fut la capitale de l'un des plus grands royaumes négriers d'Afrique occidentale, on peut toujours voir un haut-relief datant du XIXe siècle, époque à laquelle les fusils étaient ici véritablement nombreux. Participant d'un art officiel, il nous rappelle la promesse faite au roi, par l'un de ses guerriers, de placer son fusil dans la bouche de l'ennemi avant de faire feu. Même à cette époque, l'idéal du combat rapproché restait donc puissant. Dans ce contexte, les armes à feu ne pouvaient jouer qu'un rôle secondaire ou symbolique.

Les flèches empoisonnées rendant fatale toute blessure étaient bien plus dangereuses que les balles de fusil. Tout cela explique sans doute pourquoi les fusils de traite étaient souvent mal utilisés. Non du fait de leur mauvaise qualité (car loin d'être les pétoires que l'on décrit parfois, ils correspondaient souvent à de bons fusils de chasse européens ou bien à de classiques fusils de guerre), ni à cause de la maladresse de leurs utilisateurs, mais tout simplement parce que, n'étant guère utiles, il n'était pas nécessaire de se former spécialement à leur usage. Certaines armes étaient de ce fait trop chargées ou mal nettoyées, et la poudre était parfois vendue par les soldats afin d'acheter des vivres. Il est vrai que l'efficacité de ces armes pouvait ne pas être seulement militaire, mais aussi psychologique, en comparaison avec les armes traditionnelles. Ce qui est sûr, c'est que l'avantage fut variable, et que le pouvoir de différenciation entre les peuples établi par la possession des armes a dépendu de leur plus ou moins grande abondance. Or, les États négriers en contrôlant la diffusion, leur utilisation fut souvent limitée, jusqu'au XIXe siècle, aux régions proches des côtes. En Afrique occidentale, les djihads de la première moitié de ce siècle en firent peu usage, et ce que l'on sait des victimes des corps expéditionnaires européens de la fin du XIXe siècle montre que les flèches empoisonnées étaient au moins aussi meurtrières que les fusils.

« Médiocrement efficaces à la guerre, écrit C. Coquery-Vidrovitch, [les fusils] jouèrent certainement un rôle plus novateur dans la chasse (notamment celle de l'ivoire, dans la cuvette congolaise) et la protection des cultures : à ce titre, il serait peut-être judicieux de mettre en parallèle l'expansion des fusils et celle des plantes américaines. Ils étaient surtout utilisés pour leur bruit dans la célébration des fêtes [...] ou, à la rigueur, à des fins défensives ou d'intimidation, plus utiles pour effrayer des gens que pour les capturer[52]. » Il en alla sans doute autrement au XIXe siècle, en Afrique centrale et orientale, où les fusils jouèrent un rôle important pour la pénétration des traitants venus du dehors (Arabes, Swahilis...), comme pour l'équilibre des pouvoirs. Une comparaison avec le Japon est d'ailleurs instructive. Introduites par les Européens, les armes à feu y furent très vite contrefaites. Produites localement en grandes quantités, elles favorisèrent au XVIe siècle non pas l'émiettement mais l'unification politique de l'archipel. S'intéresser aux armes à feu est donc utile. Mais ce qui l'est sans

doute plus encore, c'est analyser la manière dont elles ont été employées et comment elles se sont insérées au sein de sociétés originales (type d'analyse
que l'on pourrait également faire pour les alcools
importés, en les mettant en parallèle avec, par
exemple, la consommation africaine en alcool et vin
de palme[53]). D'où la pertinence limitée de l'expression « cycle du fusil et de l'esclave » — laquelle,
d'ailleurs, pourrait peut-être être plus efficacement
remplacée par celle du « cycle du fer et de l'esclave », si l'on en croit Walter Hawthorne[54]. La formulation de cette théorie, écrit Paul Lovejoy, revient à soutenir « que les fusils étaient vendus aux
Africains afin d'encourager les réductions en esclavage ». Bien que « quelques Européens aient pu
comprendre la connexion entre les ventes de fusils
et les ventes d'esclaves, il serait faux d'attribuer la
traite à de telles manipulations. La corrélation entre la quantité de fusils importés et le volume de la
traite reflète plus sûrement les choix politiques et
économiques des dirigeants et des marchands africains, qui agirent au mieux de leurs intérêts »[55].

Intérêt, présupposés et limites du discours sur les « effets » du trafic négrier

On le voit, les problèmes abordés par l'analyse
des « effets » du trafic négrier sont vastes et émi-
nemment controversés. Cela a d'heureuses conséquences. La vivacité des débats ayant incité à multiplier les recherches, on a beaucoup appris sur les
rythmes de la traite atlantique et sur les civilisations de l'Afrique noire précoloniale. Il faut cependant insister sur les origines, les présupposés et les

limites de cette vision des choses, née avec le combat abolitionniste du siècle dernier, enracinée ensuite par des sentiments ambigus (la mauvaise conscience de l'homme blanc et le désir de se « déculpabiliser »), par les méfaits du racisme (provoquant, par réaction, un rejet et une diabolisation des influences extérieures), par la décolonisation et la poussée du mouvement tiers-mondiste. Le problème réside dans le fait que les études menées dans cette direction semblent aujourd'hui marquer le pas, et que cette focalisation sur les seuls effets du trafic négrier a conduit à occulter d'autres voies de recherche.

Concernant les idées, presque rien n'a en effet été véritablement inventé depuis le XIXe siècle, époque à laquelle les abolitionnistes faisaient de la traite la cause de tous les malheurs de l'Afrique, tandis que leurs détracteurs n'y voyaient que la conséquence de son « anarchie ». Les arguments sont devenus plus précis, des nuances se sont heureusement installées, mais l'impossibilité matérielle qu'il y a à prendre en compte, de manière sûre et objective, l'ensemble des phénomènes (positifs et négatifs) pouvant se compenser, s'annuler, se juxtaposer, et cela à des échelles différentes, conduit plus à aviver la critique et à fortifier les oppositions qu'à de véritables avancées. Antécédents idéologiques, primat de l'interprétation faute, la plupart du temps, de données objectives en nombre suffisant mènent ainsi, dans un domaine où le manichéisme est souvent souverain, à toutes les confusions, à tous les procès d'intention. Sans compter que se greffent sur cela de nombreux problèmes dépassant de loin le cadre des recherches historiques, comme celui des rapports douloureux entre histoire et mémoires de l'esclavage, ou encore celui du débat sur les « réparations » réclamées à l'Occident par un certain nombre d'élites africaines, généralement issues des régions mêmes où les puissances africaines négrières furent les plus actives dans le passé[56].

Sur le plan des faits, le débat sur les conséquences de la traite en Afrique noire n'aura sans doute jamais de fin. Certaines conséquences ont pu s'ajouter à d'autres (conséquences démographiques et militaires, par exemple) ou bien se compenser, voire s'annuler. Surtout, tout dépend de l'époque et du lieu. Des sociétés africaines se sont renforcées grâce à la traite (pensons à la royauté d'Abomey dont l'aire d'expansion coïncide à peu près avec l'actuel Bénin), d'autres se sont considérablement affaiblies. Aussi, malgré beaucoup de bonne volonté, les historiens ne pourront-ils sans doute jamais établir un bilan global, en termes de profits et de pertes, pour l'Afrique. Mais le plus important est ailleurs. Il réside dans le fait que le discours sur les « effets » du trafic fonctionne généralement comme si, dépourvu d'histoire propre, le continent noir n'avait été qu'un réceptacle à des influences extérieures, comme si l'on pouvait isoler un phénomène (la traite) sans contribuer à lui faire perdre sa signification d'ensemble. C'est sur un monde en pleine évolution, excellant à emprunter à l'extérieur ce qui lui est utile tout en conservant l'essentiel de ses structures propres, que se sont greffées traite et influences venues du dehors. Empruntons donc maintenant d'autres chemins, complémentaires à ceux que nous venons de survoler.

... AU RÔLE ET À LA PLACE DE LA TRAITE
DANS L'HISTOIRE AFRICAINE

Comme on l'a vu au cours du premier chapitre, la traite faisait partie intégrante des logiques à l'œuvre derrière l'organisation fonctionnelle des sociétés d'Afrique noire. C'est pour cela que les traites d'exportation purent prendre une assez grande ampleur, parce que existaient sur place, depuis assez longtemps des structures permettant de les alimenter. Mais quel fut ensuite le rôle de la traite ? Se contenta-t-elle d'accompagner les évolutions en cours ou bien contribua-t-elle à les infléchir vers d'autres directions ? Poser cette question c'est, en d'autres termes, se demander quel rôle joua la traite dans la dynamique évolutive des sociétés d'Afrique noire. Afin de tenter d'y apporter quelques éléments de réponse, je distinguerai trois points. Le premier a trait aux rapports que l'on peut établir entre la traite et la dynamique évolutive des économies de l'Afrique noire précoloniale ; le deuxième aux rapports entre traite et esclavage interne ; le dernier à la dynamique d'ensemble qu'il est possible de reconstituer, au sujet des liens entre traite et mondes africains.

Traite et dynamique économique

Le commerce de la traite a été l'un des biais essentiels par lequel certaines régions d'Afrique parmi les plus dynamiques ont été reliées à l'extérieur ; des régions souvent périphériques, à la différence des espaces plus reculés, soit désertiques, soit dominés par la grande forêt équatoriale. La littérature traitant des relations entre traite et dynamique économique en Afrique noire précoloniale est donc foisonnante. Le thème, cependant, est souvent abordé au sein d'études générales, et trop peu souvent pour lui-même. D'où une production éclatée. À cela s'ajoute un angle d'approche assez manichéen : tantôt on insiste sur les impulsions qui ont pu résulter de la traite, en matière économique, tantôt, au contraire, on met en avant toute une série d'effets négatifs susceptibles d'avoir préparé l'entrée de l'Afrique noire dans le cercle vicieux de la dépendance. Je tenterai ici d'aborder le sujet à partir de deux questions : celle, tout d'abord, des produits échangés par l'intermédiaire de la traite négrière, celle, ensuite, des liens entre traite et système de production proprement dit.

TRAITE, ÉCHANGES ET OUTILS ÉCONOMIQUES

Curtin, Gemery et Hogendorn, entre autres, ont insisté sur certaines retombées économiques positives à propos des relations entretenues, par le biais de la traite, entre l'Afrique (notamment occidentale) et l'Occident. Ces retombées (auxquelles il faudrait ajouter celles suscitées par les contacts avec l'Afrique du Nord et l'Asie) auraient résulté, sinon en invention, du moins dans une plus large diffusion du crédit, des instruments monétaires et de l'esprit d'entreprise. Les arguments en faveur de cette hypothèse sont nombreux. On sait que les avances en marchandises européennes étaient pratiquées dans les criques nigériennes et de Sénégambie dès le XVIIIe siècle. On a également vu que, dès le XVIe siècle, Léon l'Africain relatait de telles avances (en chevaux) faites par les marchands d'Afrique du Nord. Ajoutons que de nombreux produits importés dans le cadre de la traite atlantique pouvaient servir en Afrique d'étalons monétaires. C'est évidemment le cas des cauris *(cyproea moneta)*, des coquilles de gastéropodes dont, au XVIIIe siècle, 74 tonnes étaient annuellement introduites par les Hollandais, et 50 par les Anglais, tandis que Français, Danois et Hambourgeois transportaient une dizaine de milliards de coquilles. Les textiles dits « guinées » étaient aussi utilisés localement comme monnaie, tout comme les barres de fer, casseroles, bracelets (appelés « manilles ») ou fils de cuivre et de laiton, la poudre d'or et les dollars en argent (les thalers de Marie-Thérèse, ou encore les dollars américains, espagnols et d'Amérique latine de valeur approximativement égale) amenés par les Occidentaux.

Même si les débats sont loin d'être clos, on peut cependant douter de l'importance déterminante de ces apports. Les cauris étaient en usage au Bénin au moins dès 1515. Et plusieurs siècles d'échanges à travers le Sahara avaient, bien avant l'arrivée des Européens, contribué à la diffusion des instruments du négoce. Il est donc improbable que l'usage de monnaies ait été introduit en Afrique noire par la traite négrière. Quant à l'habileté commerciale des Africains, il ne fait guère de doute qu'elle est très ancienne, et les Portugais furent, à leurs dépens, les premiers Occidentaux à s'en rendre compte, dès le XVe siècle.

En revanche, on peut se demander si la traite n'a pas eu pour résultat une augmentation de la masse monétaire en circulation en Afrique noire. Comme l'écrit Manning, au total, les « importations de monnaies » figurent en très bonne place dans la liste des produits importés. Dans la baie du Bénin, au XVIIIe siècle, les cauris représentèrent parfois un tiers de la valeur totale des importations. « Plus généralement, les importations de monnaies peuvent être estimées à 10 ou 15 % de la valeur des importations africaines[57]. » Selon Marion Johnson et Jan Hogendorn[58], à la fin du XVIIIe siècle, la valeur des cauris importés dans la baie du Bénin et les régions limitrophes, habitées par environ huit millions d'habitants, a pu atteindre 2 millions de livres sterling. L'usage des cauris fut en effet très répandu en Afrique noire, tout comme celui des thalers de Marie-Thérèse, parfois jusqu'à la seconde moitié du XXe siècle. Entre-temps, les monnaies coloniales avaient connu un grand essor. Comme l'indique Manning, c'est « seulement après la Seconde Guerre mondiale que les banques centrales modernes prirent le contrôle des réserves monétaires ». Jusqu'à cette période, l'approvisionnement en cash dépendit donc largement de l'extérieur, et par conséquent du quasi unique commerce reliant l'Afrique noire au reste du monde : la traite des Noirs. On peut le regretter et y voir un signe de dépendance. Mais il est clair que ces arrivées massives de cash purent contribuer à stimuler l'ensemble de l'économie. Selon Manning, « les réserves en monnaie augmentant, les transactions en liquide devinrent plus faciles, une plus grande proportion de la production fut orientée vers le marché, les produits et les services s'écoulèrent d'une manière plus fluide et à travers un espace plus vaste qu'auparavant. Les XVIe, XVIIe et XVIIIe siècles, le long de la côte occidentale, et le XIXe siècle, sur la côte orientale, furent des périodes d'expansion considérable [en matière] de fourniture de capitaux et d'activités commerçantes ». Et cela peut être perçu, « dans l'ensemble, comme un résultat direct de la traite »[59].

Ce résultat put néanmoins être atténué. D'une part, par le fait que des barrières sociales et culturelles purent s'opposer à la diffusion massive de ces instruments monétaires plus nombreux (thésaurisation ou bien destruction de biens, comme on l'a vu, au cours du premier chapitre). D'autre part, parce que la traite s'apparente à une économie du vol, à une « redistribution de richesse déjà créée plutôt qu'à une création de nouvelle richesse », écrit Manning[60]. L'essentiel se situe donc sans doute ailleurs, dans les modalités de redistribution de cette richesse captée. Une redistribution qui permit l'enrichissement de certaines élites (monarques, « grands », marchands) et d'une partie des hommes du commun[61]. Cet enrichissement favorisa-t-il la dynamique sociale ou bien les pouvoirs établis ? Voilà une question qui mériterait l'attention des historiens. Quoi qu'il en soit, à l'instar de ce qui se passa en Occident (voir le chapitre VI), on peut penser qu'il profita plus à certains individus qu'à la société dans son ensemble[62].

On sait que l'agriculture africaine n'utilisait à l'époque précoloniale qu'un assez faible appareillage technique, et qu'elle progressait surtout par l'adjonction de plantes et d'animaux. Aussi s'est-on beaucoup intéressé au rôle que joua la traite dans l'introduction de ces plantes et animaux, véritables « outils » économiques. Le maïs, le manioc, l'arachide, la patate douce, le tabac et des piments vinrent d'Amérique. La banane, le taro, le cocotier et la canne à sucre furent introduits par la navigation indonésienne. Le riz asiatique et le zébu ont été importés par les musulmans. Juhé-Beaulaton a ainsi montré que le maïs se répandit tout au long de la Côte-de-l'Or et de la côte des Esclaves, dès le début du XVIIe siècle, qu'il domina vite les cultures (en dehors des embouchures de rivières où il cédait la place au riz), se substitua au sorgho dès le XVIIIe, et devint, au sud du Bénin, la céréale de base de l'alimentation. Les modalités favorables à la rapide diffusion du maïs auraient été à la fois botaniques et économiques : rendements supérieurs aux plantes locales permettant de dégager des surplus commercialisables, et demande européenne[63]. Ajoutons que les plantes importées, comme le maïs et le manioc, étaient plus faciles à stocker, notamment par rapport aux ignames. Dans les régions de la cuvette congolaise, la situation fut différente, car si la diffusion du manioc, plante facile à cultiver, permit d'augmenter rapidement la capacité à soutenir un essor démographique, cet avantage a pu être à terme inversé, du fait des incidences négatives de la moindre capacité nutritive de la plante nouvelle. Au total, de multiples « révolutions agricoles » auraient pu naître suite à l'adoption des plantes nouvelles.

Mais les effets induits par leur propagation ont souvent été lents à se manifester, et cela en partie à cause de la force des habitudes alimentaires ; des habitudes d'autant plus grandes que les plantes autochtones pouvaient être chargées de valeurs symboliques et religieuses. Ainsi le maïs n'a atteint qu'après 1830 le nord du bassin du Congo, n'est devenu qu'après 1900 la culture zandé principale, et, inconnu au Kenya jusque vers 1880, ne prit qu'assez récemment une réelle importance en Afrique centrale (Ouganda, Rwanda, Burundi). Parfois importants, les changements ont donc été le plus souvent ponctuels et localisés. Ne remettant pas brutalement en cause les grands équilibres continentaux, ils ont tendu à épouser les évolutions internes en cours. À propos des régions du golfe de Guinée, Emmanuel Terray note ainsi que, du fait du rôle persistant de l'igname, du mil (et de la banane dans les régions forestières), la diffusion pourtant rapide des plantes nouvellement introduites ne conduisit pas forcément à une révolution agricole. Facilitant les « soudures » (lorsque les stocks étaient épuisés et que l'on attendait la nouvelle récolte) et permettant une diversification de la diète, elles ont pu contribuer, écrit-il, à une expansion démographique dont on trouve de nombreux indices, mais qui était déjà inscrite dans un processus interne de développement[64].

Cette vision des choses relativement nuancée est sans doute plus proche de la réalité que nombre de jugements souvent trop manichéens. Elle pourrait être étendue à d'autres domaines et à d'autres régions. En effet, de manière générale, s'il est difficile de penser que le commerce, le crédit, l'esprit d'entreprise ou bien encore l'agriculture africaine ont pu changer radicalement de nature sous le seul effet des contacts établis avec l'extérieur par le biais de la traite, il est sans doute tout aussi exagéré d'émettre des jugements trop pessimistes à propos des conséquences de l'importation des produits de traite occidentaux, de parler d'un déclin de la fabrication des textiles, par exemple, du fait de l'introduction de tissus indiens ou européens. Car on ne peut pas, comme le font parfois des auteurs, insister en même temps sur la ruine présumée de certains secteurs locaux de l'artisanat et souligner que la diffusion des produits de traite fut en fait assez limitée à l'intérieur du continent.

Se fondant sur une analyse de la valeur par tête des produits importés en Afrique occidentale du temps de la traite atlantique, Eltis et Jennings concluent que, « à l'exception de quelques régions côtières, il est difficile de croire qu'aucune importante industrie interne fut menacée par les importations d'outre-mer ». Pour eux, en effet, vers 1860, les « produits européens commençaient seulement à avoir un impact en Afrique »[65]. Clapperton et Barth, ajoutent-ils, n'ont-ils pas admiré, à Kano, un travail du cuir et des cotonnades en pleine expansion ? Dans le cas où les produits européens auraient pu entrer en concurrence avec les productions africaines, rien n'indique d'ailleurs que cela n'aurait pas pu être compensé par des progrès dans d'autres domaines, car rien n'est jamais statique en économie. De plus, la concurrence (qui n'est pas une mauvaise chose en soi) n'a pu s'exercer qu'au travers des différents filtres établis par les structures politiques, sociales, économiques et culturelles de l'Afrique noire précoloniale. De ce fait, les retombées de la traite n'ont pu que favoriser ou freiner des logiques de production et d'échanges dont la cinétique relevait plus fondamentalement de conditions internes. Elles ont également pu (et l'on retrouve ici une idée annoncée à propos de l'évolution démographique et des structures politiques) renforcer certaines zones, souvent les mieux structurées, contribuant à accroître les écarts entre les différentes régions d'Afrique noire.

Par ailleurs se pose la question du rôle d'impulsion que la traite n'a pu manquer d'avoir en matière de structures commerciales. Il est vrai que la relative autonomie des sphères économiques en Afrique (économie de subsistance, sphère de la redistribution, économie de marché) était plus grande qu'en Europe. Selon Meillassoux, les barrières entre ces sphères étaient renforcées par la structure lignagère. Devons-nous alors conclure, comme le fait Catherine Coquery-Vidrovitch, que le commerce à longue distance se contenta de traverser l'Afrique noire sans réellement la fertiliser[66] ? Oui, probablement, dans le sens où les transformations prirent souvent beaucoup de temps avant de s'affirmer. Mais également non, du fait de la multitude des formes prises par les économies marchandes locales, grâce à la présence d'un commerce à longue distance dont la durée et l'intensité ne purent qu'avoir de significatifs effets. Les exemples ne manquent pas. En certaines régions de la côte occidentale d'Afrique, les Européens faisaient des stocks de nourriture avant d'entamer la traversée de l'Atlantique. Pour David Northrup, l'une des principales conséquences du commerce atlantique pour le sud du Nigeria fut ainsi de stimuler indirectement son agriculture. On pourrait aussi mentionner l'exemple des Yao, un peuple d'agriculteurs et de chasseurs d'éléphants d'Afrique orientale dont la vie fut transformée par l'expansion du commerce de l'ivoire. Peu à peu, les femmes commencèrent à remplacer les hommes aux champs. Ceux-ci purent alors quitter leurs exploitations pendant de longues périodes. Et dès le milieu du XVIIIe siècle, ils conduisaient des caravanes d'esclaves chargés d'ivoire en direction de Kilwa. Toutes les études régionales et locales témoignent de la concomitance de nombreux changements avec l'essor du commerce : expansion économique, spécialisation professionnelle, extension de l'usage de monnaies, renforcement de certaines élites — et parfois création de nouvelles élites —, essor de communautés marchandes et de groupes d'entrepreneurs (les Kamba, Nyamwezi, Yao, Bisa, Cokwe et Thonga, pour ne citer que ceux d'Afrique centrale et orientale), changements politiques. Aussi la principale question n'est pas de savoir si les choses évoluèrent, mais comment et pourquoi elles le firent. De nombreux travaux insistent à ce propos sur le fait que l'expansion du commerce se solda plus par « une intensification des activités commerciales existantes » que par l'émergence de « manières complètement différentes de commercer »[67], soulignant ainsi l'importante capacité adaptative des populations africaines aux stimuli internes et externes. Néanmoins, les mêmes auteurs ajoutent que ces changements de nature surtout quantitative conduisirent aussi à des évolutions qualitatives. Un point mis en évidence par Northrup pour le sud du Nigeria me semble à ce sujet très intéressant : ne conduisant pas à « de brusques changements dans l'économie de la région, écrit-il, les Européens fournirent des opportunités afin d'étendre le volume du commerce[68] » ; un volume dont l'importance a été présentée par de nombreux auteurs comme l'un des principaux obstacles au changement économique en Afrique subsaharienne[69]. Ayant souvent passé les deux premières étapes de l'évolution commerciale décrite par Meillassoux, avant que de puissants stimuli externes ne se manifestent, certaines des régions les plus avancées d'Afrique évoluaient ainsi vers la troisième étape, à la jointure entre le XVIIIe et le XIXe siècle[70].

· De nombreux phénomènes contribuaient à réduire ou à annuler les résultats généralement attendus par les historiens, suite à un processus d'accumulation du capital. Le fait, notamment, que certaines « fortunes » (monétaires ou non) étaient thésaurisées ou détruites. La différence avec l'Europe, en matière de droits de propriété et d'héritage, rendait également plus difficile l'émergence de compagnies dotées d'un capital fixe. La concentration du pouvoir marchand dans les mains de groupes ethniques (souvent unis par des affinités religieuses particulières) permettait à des courtiers d'exercer leur influence en des régions parfois lointaines, ce qui pouvait conduire à l'existence de « castes » marchandes, rendant ainsi moins facile l'affirmation de capitalistes *locaux* suffisamment enrichis et puissants pour prendre le pouvoir.

Or le fait que des groupes de courtiers « transrégionaux » n'étaient pas nécessairement intéressés par l'exercice du pouvoir à l'échelle locale n'est pas sans importance. C'est peut-être l'une des raisons pour lesquelles la situation de solidarité conflictuelle entre élites marchandes et élites guerrières dura si longtemps, du moins, comme me le fait remarquer Paul Lovejoy, dans les régions qui n'étaient pas en phase d'unification (politique, militaire et religieuse), du fait de l'influence exercée par les élites islamisées. Enfin, le commerce à longue distance pouvait détourner certaines élites des activités productives, dans l'agriculture ou l'artisanat (ce qui conduit à nuancer l'accès à la troisième phase de l'essor du commerce à longue distance définie par Meillassoux). Pour toutes ces raisons, en Afrique noire, le commerce à longue distance affecta sans doute plus les conditions dans lesquelles le changement pouvait s'effectuer que la nature de ce changement. En d'autres termes, il eut vraisemblablement moins d'influence sur la nature du changement que sur sa chronologie et ses modalités.

Reste un vieux cliché, celui relatif à l'idée selon laquelle les opérations commerciales liées à la traite négrière entreraient dans le cadre de ce que l'on appelle aujourd'hui l'« échange inégal ». Forgée au XXe siècle et surtout utilisée afin de rendre compte des rapports Nord/Sud, l'expression n'est pas seulement anachronique. Elle est aussi complètement inappropriée. Par « échange inégal » on entend en effet généralement deux choses, et tout d'abord l'idée d'un échange obligé ou contraint, d'une soumission d'un partenaire commercial (ici l'Africain) aux exigences d'un autre (occidental ou oriental). Ce qui dans le cas présent est une vue de l'esprit puisque, comme on l'a dit, l'essentiel des esclaves passés dans les traites d'exportation ont été vendus de leur plein gré, par des négriers africains qui considéraient que l'affaire était pour eux suffisamment rentable. Appliqué à la traite négrière, le concept d'échange inégal renvoie également à l'idée d'une tromperie, des hommes ayant été échangés contre des produits de faible valeur. Il est bien sûr évident qu'aucune marchandise ne vaudra jamais la vie d'un seul homme, mais si on analyse la traite selon les termes habituels des échanges commerciaux, suivant en cela la manière dont leurs acteurs la voyaient, on s'aperçoit immédiatement qu'aucun partenaire commercial n'était lésé. Du côté occidental, on a vu qu'armer un navire négrier revenait relativement cher, que les profits que l'on pouvait en retirer étaient aléatoires, mais que, globalement, ce commerce avait pu contribuer à enrichir certains milieux marchands, et que l'affaire était profitable pour nombre de planteurs.

En Afrique noire, on a vu que guerre et traite figuraient parmi les principaux moyens, pour les élites en place (à la fois mercantiles et guerrières), de se reproduire et de se renforcer, et qu'un certain nombre d'intermédiaires en profitèrent également, que ces activités permettaient aussi à certaines sociétés de voir leur population s'accroître (aux dépens de celle d'autres sociétés), que les esclaves qui n'étaient pas vendus à l'exportation étaient parfois utilisés comme producteurs au sein des sociétés africaines, et que, loin de constituer un simple équivalent du vol ou du brigandage, l'esclavage était en fait une institution de grande importance, clairement intégrée au sein des sociétés de l'Afrique noire précoloniale. Les captifs qui étaient vendus pour être exportés l'étaient généralement avec profit, représentant de ce fait une source d'accumulation de richesses[71]. Curtin nous dit ainsi, entre autres exemples, que, en Gambie, dans les années 1680, le prix d'un esclave sur la côte correspondait à la valeur de six années de subsistance pour son vendeur africain, et à quatre pour celui qui avait initialement « produit » l'esclave, à l'intérieur du pays[72]. Curtin montre également que les termes de l'échange sont devenus progressivement plus avantageux pour les vendeurs africains. À Luanda, centre important de la traite angolaise, et l'un des principaux sites de la traite atlantique, le prix des captifs vendus aux Européens quadrupla entre 1700 et 1820.

Dans leur étude sur le commerce entre l'Afrique et le monde atlantique à l'époque précoloniale, Eltis et Jennings sont arrivés à une estimation, en livres sterling courantes, du montant des exportations et importations en provenance d'Afrique occidentale :

Année de référence	Valeur totale des exportations	Valeur totale des importations	Taux de couverture arrondi des exportations par les importations
1680	6,5	1,7	26 %
1780	31,7	18,5	58 %
1820	27,7	10,6	38 %
1860	51,8	41,3	79 %

On voit clairement que, malgré le décrochage des années 1820 et la baisse du coût des produits manufacturés exportés en Afrique, du fait des progrès de l'industrie, les termes de l'échange n'ont fait que se renforcer pour les Africains. Le taux de couverture des exportations par les importations que j'ai calculé à partir des données fournies par Eltis et Jennings n'a d'ailleurs qu'une valeur indicative car, du côté africain, la valeur en livres sterling des produits importés n'avait pas grand intérêt. Ce qui comptait était la valeur d'usage de ces derniers, laquelle était souvent très forte, qu'il s'agisse d'équivalents monétaires ou bien de produits de prestige. Au final, obtenant quasiment toujours un plus grand nombre de ces marchandises pour une quantité donnée d'esclaves exportés, les interlocuteurs africains de la traite atlantique avaient tout lieu d'être satisfaits. Les profits tirés de la traite étaient importants. Il serait très intéressant que des travaux puissent dans l'avenir mieux être consacrés à la manière dont ils ont pu être distribués et utilisés en Afrique noire.

Si l'on prend encore plus de recul, et que l'on s'intéresse à la composition des « produits » échangés, on s'aperçoit que les exportations ouest-africaines ont presque toujours été dépendantes d'un nombre réduit d'items. Jusqu'au tournant du XVIIIe siècle, l'or était essentiel, et, vers 1680, les esclaves ne représentaient encore qu'à peine la moitié de la valeur des exportations africaines dans le monde atlantique. Ce n'est qu'entre 1690 et 1840 que les exportations d'esclaves devinrent à leur tour essentielles, approchant sans doute 90 % de la valeur totale des exportations africaines dans les années 1780. Enfin, entre 1840 et 1850, les produits de l'agriculture africaine commencèrent à surpasser en valeur les exportations d'esclaves, lesquelles ne devaient guère s'élever qu'à moins de 2 % du total vers 1860. Les exportations de gomme sénégalaise virent leur importance croître à partir de la seconde moitié du XVIIIe siècle, avant d'être supplantées par celles de l'huile de palme, dans les années 1830. Dans les années 1860, huile de palme et huile d'arachide constituaient les trois quarts de la valeur de toutes les exportations d'Afrique occidentale. Mais ni cette domination de quelques produits, ni la part des produits primaires ne sont vraiment originales. « À l'exception de la vente d'êtres humains, écrivent Eltis et Jennings, cet échange de produits primaires ne distinguait pas le commerce africain du reste du commerce atlantique de l'ère préindustrielle. » Même chose du côté des importations, puisque, « à l'exception des grains, au début du XVIIIe siècle », les « exportations anglaises vers l'Afrique n'étaient pas vraiment différentes des exportations anglaises en général ». Aussi « les historiens devraient-ils peut-être se concentrer sur ce qui rapprochait le commerce africain de l'époque préindustrielle de celui des autres grandes régions [du monde], plutôt que de le singulariser — au moins en ce qui concerne les importations »[73].

Traite et modes de production : le problème de l'esclavage interne et de son évolution

C'est cette constante dialectique du dedans et du dehors, conjuguée de manière différente selon le lieu et le temps, que l'on retrouve à l'œuvre derrière les transformations de l'esclavage africain analysées avec soin par Lovejoy. Avec elles on aborde ici non pas la question des outils de production et d'échange, mais bien celle des modes de production eux-mêmes. La question centrale est en effet celle du rôle que le système esclavagiste joua dans le système productif de l'Afrique noire précoloniale.

DÉBATS THÉORIQUES

Un premier débat oppose, à ce sujet, les défenseurs de l'idée selon laquelle l'esclavage interne évolua avec le temps, acquérant progressivement une importance réelle, et ceux qui, réfutant la thèse transformiste, estiment que l'esclavage ne joua jamais un rôle majeur en Afrique noire. Il me semble que les arguments en faveur de la thèse transformiste sont de loin les plus percutants. Selon Lovejoy, l'esclavage s'est peu à peu développé en Afrique noire. Ce développement, qui se serait effectué en trois temps (1350-1600, 1600-1800, 1800-1900), se serait accéléré à partir de la seconde moitié du XVIIIe siècle. Traversant le Sahel en 1795, le voyageur écossais Mungo Park notait que les trois quarts de la population étaient réduits en servitude.

En 1985, l'historien Manning estimait que 10 % de la population africaine, c'est-à-dire six à sept millions de personnes, étaient en situation d'esclavage entre 1750 et 1850. Une proportion qui augmenta ensuite considérablement, puisque, selon Lovejoy, il est bien possible que plus de 50 % de la population totale de l'Afrique noire ait été réduite en esclavage à la fin du XIXe siècle. Selon Martin Klein, il y aurait eu entre trois et trois millions et demi d'esclaves en Afrique occidentale française, vers 1905-1913. Hogendorn et Lovejoy ont également calculé que probablement un quart de la population du califat de Sokoto, estimée à environ dix millions d'habitants en 1900, était constituée d'esclaves. Ce qui fait dire à Lovejoy que « le califat de Sokoto a bien pu constituer la deuxième des trois plus grandes sociétés esclavagistes de l'histoire moderne. Seuls les États-Unis en 1860 (et peut-être également le Brésil) ont eu plus d'esclaves que n'en avait le califat en 1900[74] ». En 1900 il y avait ainsi en Afrique occidentale plus d'esclaves que l'ensemble des Amériques n'en eut jamais, à aucun moment de son histoire[75]. En de nombreuses régions d'Afrique noire, un « mode de production esclavagiste », écrit-il, tendait alors à devenir dominant. Cette évolution aurait été ensuite stoppée par la colonisation européenne.

Au-delà des estimations chiffrées relatives au nombre d'esclaves, qui semblent corroborer assez nettement l'idée d'une progression de l'institution, apparaît un second problème, encore plus âprement discuté : celui du rôle productif joué par les esclaves. Fut-il important ou secondaire, et se renforça-t-il ou non avec les progrès de l'esclavage ? Comme assez souvent en matière d'histoire négrière, la réponse que les historiens sont tentés d'apporter à la question est définie à partir de l'idée qu'ils se font d'autres problèmes. Ainsi, pensant que la traite occidentale eut finalement peu de répercussions en Afrique noire, Eltis estime que l'esclavage interne n'y connut un essor et une réelle importance qu'assez tardivement, à partir de la seconde moitié du XIXᵉ siècle, alors que la traite par l'Atlantique vivait ses derniers jours. Inversement, insistant sur l'ampleur des transformations imputables aux différentes traites (internes et d'exportation), Lovejoy insiste sur le rôle productif qu'auraient rempli assez vite les esclaves en Afrique noire[76]. De son côté, minimisant le rôle des traites internes par rapport à celui des traites d'exportation, Manning reconnaît que l'institution esclavagiste était largement répandue en Afrique noire, mais il en fait principalement une conséquence des traites d'exportation, et il tend à en réduire la portée économique[77] (de manière cependant un peu abrupte car écrire que « la valeur des marchandises produites par les esclaves, dans les sociétés africaines », même durant le XIXᵉ siècle, « constitua rarement la majorité de la production totale » n'est pas en soi la preuve de la non-importance de l'esclavage. Un facteur de production peut en effet avoir une importance significative sans pour cela être quasi unique). Ces querelles sont parfois masquées ou détournées par des discussions apparemment plus techniques, relatives au vocabulaire à employer afin de parler de l'esclavage africain, ce qui contribue à rendre les choses encore plus obscures au non-initié.

Constatant la grande diversité des statuts et des appellations renvoyant à des situations d'esclavage en Afrique noire précoloniale, certains historiens estiment que l'on ne peut comparer ces formes d'esclavage avec celles connues dans le reste du monde, notamment aux Amériques. En d'autres termes, de nombreux « esclaves » africains n'auraient été en fait que des dépendants, plus ou moins intégrés à la famille large et au lignage. Il s'agirait en quelque sorte d'un « esclavage domestique », dont la fonction productive aurait été très limitée. C'est notamment la thèse développée par les anthropologues Igor Kopytoff et Suzanne Miers[78]. Cependant « l'esclavage est une forme de propriété », écrit Lovejoy, avant d'ajouter : « Comme le montre clairement Meillassoux, l'esclavage est l'antithèse de la parenté, et c'est précisément parce que les esclaves ne sont pas des parents, et qu'ils ne peuvent pas le devenir, qu'ils ont de la valeur[79]. » Certains historiens n'hésitent donc pas à parler de « mode de production esclavagiste », indiquant par là que les esclaves, quelles que soient leurs réelles conditions de vie, ont pu remplir un rôle majeur dans le système productif. Chacune de ces deux manières d'appréhender les choses peut être critiquable.

Prenons la notion d'esclavage « domestique ». Intégré ou non à la famille large, l'esclave était en Afrique susceptible d'être vendu, voire exécuté lors des funérailles de son maître, et donc considéré comme la chose de celui-ci. Quels que soient son statut et ses conditions de vie réelles (forcément variables dans le temps et dans l'espace, comme dans les sociétés esclavagistes des autres régions du monde), il était donc privé de liberté. L'autre problème du concept d'esclavage domestique est que, élaboré à partir de quelques exemples, il a été ensuite appliqué à l'ensemble des sociétés d'Afrique noire, afin de définir une sorte d'« essence » de l'esclavage africain. Ce concept fonctionne comme si une situation pouvait être immuable, comme si l'esclavage n'était pas aussi « le produit sans cesse renouvelé du conflit résultant des pressions exercées par les propriétaires d'esclaves, ceux n'en possédant pas, et les esclaves eux-mêmes[80] ».

Cette vision immuable des choses que sous-tend l'expression d'« esclavage africain domestique » s'explique en partie par la volonté de démarquer l'Afrique du modèle américain. En effet, comme le rappelle Michael Laccohee Bush[81], ce sont des conceptions héritées du discours abolitionniste du XIXe siècle (ou bien nées en réaction contre lui), à propos du système esclavagiste du Nouveau Monde, qui ont, jusqu'à ce jour, contribué à façonner l'image que l'on se fait des différentes formes de servitude en général. Un certain misérabilisme est donc de mise[82], ainsi que la tendance à mesurer la dureté des multiples formes de servitude à l'aune de *l'image* que l'on se fait de l'esclavage aux Amériques. Une image déformée et contaminant d'autant plus facilement le discours savant que peu de passerelles permettent véritablement de comparer les divers modes d'esclavages. L'analyse de la littérature existant sur le sujet montre en effet, très clairement, que les spécialistes de l'esclavage dans le Nouveau Monde sont généralement peu informés des problématiques de l'esclavage en Afrique, et *vice versa*. Aussi, facilement comparées à un esclavage américain présenté sous les traits d'un épouvantail, les formes d'oppression en usage dans les autres parties du monde sont-elles souvent considérées comme ayant été plus douces, et/ou ayant joué un rôle moins important sur le plan économique[83]. On voit ainsi qu'opposer un « esclavage domestique » africain qui serait « familial », « doux » et non productif à un « esclavage marchand », « capitaliste » et coercitif, celui du Nouveau Monde, est finalement assez critiquable.

Comme l'écrit fort bien Janet Ewald, « le raisonnement selon lequel, dans l'esclavage africain, maîtres et esclaves partageaient un même univers culturel, se révèle incapable de prendre en compte la relation entre pouvoir et idéologie présente dans *toutes* les formes d'esclavage ». Les maîtres exerçant leur pouvoir sur les esclaves, si les premiers « percevaient idéologiquement l'esclavage en termes de parenté, il n'est pas surprenant » que les seconds « se soient inspirés de cette idéologie et aient tenté de faire que ses principes servent leurs propres fins[84] ». En d'autres termes, ce que l'on appelle « esclavage domestique » correspondrait en fait moins à une forme d'utilisation particulière du travail servile qu'à un type d'idéologie capable de garantir les maîtres contre les débordements des esclaves[85]. Il serait donc dangereux, pour l'historien, de prendre pour argent comptant le discours relatif à la « douceur » de cet esclavage, car cela reviendrait en partie à valider non pas une réalité, mais l'idéologie autour de laquelle les relations maîtres/esclaves étaient organisées[86]. De ce point de vue, la notion d'esclavage doux ou domestique, en Afrique noire comme en terre d'Islam, pourrait être rapprochée de l'idéologie paternaliste mise en avant par nombre de planteurs du Nouveau Monde. Une idéologie destinée à réduire les résistances des esclaves au système oppressif qui leur était imposé, mais qui fut également utilisée par eux afin d'obtenir des accommodements au système. On notera, en outre, que la similitude entre certains discours émanant de planteurs occidentaux et d'élites musulmanes défendant l'institution esclavagiste est parfois troublante[87]. Appelons donc un chat un chat. Quelle que soit l'idéologie amenée à légitimer l'esclavage, l'homme privé de liberté et réduit à n'être que la chose de son maître est bien un esclave[88], et ceux que, de nos jours, on appelle parfois « esclaves domestiques » ne vivent pas forcément mieux que certains esclaves du passé[89]. Dans une rubrique intitulée « appeler esclave un esclave », Cooper note très justement que, « si l'on regarde ce vieux terme "occidental" — esclavage — d'après ce qu'il a signifié au cours de l'histoire européenne et américaine, sa pertinence vis-à-vis de l'Afrique devient évidente. Le mot "esclave" [...] renvoie à [...] l'étranger amené par force dans une société ». C'est bien cela en effet, beaucoup plus que la nature des conditions de vie, qui différencie l'esclave du serf.

En ce qui concerne le « mode de production esclavagiste », ce qui pose problème est sa définition même. Celle-ci est composée d'une partie très clairement formulée : un mode de production esclavagiste existe, écrit Lovejoy, « lorsque la structure sociale et économique d'une société donnée inclut un système intégré de réduction en esclavage, de traite, et d'usage domestique des esclaves ». Jusqu'ici il n'y a pas de problème, si ce n'est que le système décrit (un système intégré liant traite, esclavage et usage économique des esclaves) serait applicable à nombre de sociétés, y compris les sociétés lignagères où l'esclavage dit « domestique » était dominant. D'où la seconde partie, déterminante, dans la définition d'un « mode de production esclavagiste ». Dans un tel système, note Lovejoy, « les esclaves devaient être employés dans la production [...]. L'esclavage n'avait pas à être le trait principal des relations sociales dans une société pour qu'un mode de production esclavagiste existe [...]. Néanmoins, lorsque l'esclavage prédominait dans un secteur ou plus de l'économie, la formation sociale — c'est-à-dire la combinaison des structures économiques et sociales de production — incluait un mode de production esclavagiste »[90]. L'esclavage doit donc « prédominer ». D'autres historiens disent qu'il doit devenir une institution « significative » ou « dominante » en matière de production[91]. Le premier problème qui se pose est celui des seuils : que doit-on entendre par « institution qui prédomine », est « significative » ou « dominante » ? Le second, plus important, est que des fonctions non productives (tel le prestige) existent dans les sociétés esclavagistes, tandis que nombre de sociétés où l'esclavage n'est qualifié que de « domestique » voient ces esclaves jouer un rôle majeur dans la production, comme en maintes régions de l'Afrique noire précoloniale. En effet, comme l'a écrit Jack Goody, là où la production était essentiellement le fait des unités familiales et lignagères, un esclavage dit « domestique » assurait un rôle essentiel dans la production[92]. Après tout, l'Europe pouvait se passer de sucre et de cacao, mais l'Afrique noire pouvait difficilement être privée des fruits de son agriculture (vivrière ou commerciale), fussent-ils produits dans un cadre familial. On a encore trop souvent tendance à considérer comme « capitaliste » et « productif » tout ce qui se rapporte à l'Occident (et donc à l'esclavage dans le Nouveau Monde) et comme archaïque et peu rentable tout ce qui se rapporte aux autres civilisations.

Notons, pour conclure, que les limites du concept d'esclavage domestique contribuent à affaiblir celui de « mode de production esclavagiste ». Ce dernier est en effet généralement perçu comme la forme évoluée du premier, comme si, peu à peu, l'Afrique noire précoloniale était passée d'un mode de production domestique et lignager à un mode de production esclavagiste.

L'ESCLAVE COMME INSTRUMENT DE PUISSANCE ET DE RICHESSE

Résumons-nous : qu'il ait ou non changé de nature, l'esclavage semble avoir réellement progressé en Afrique noire, au moins d'un point de vue purement quantitatif, celui du nombre de personnes réduites à l'état de servitude. La question qui vient alors immédiatement à l'esprit est celle des raisons de cette progressive extension. Comme d'habitude, les facteurs explicatifs sont à la fois internes, c'est-à-dire propres à l'histoire de l'Afrique noire, et externes[93], ce qui soulève le problème de la nature de la combinaison établie entre ces deux tendances. Du côté des facteurs externes, on pense bien sûr aux traites d'exportation, dont l'essor aurait pu pousser les élites africaines à adopter sur une plus grande échelle le type de l'esclavage marchand, par une sorte de mimétisme. On peut cependant rester sceptique face à ce type d'interprétation (même si le modèle fourni par l'esclavage en pays musulman n'a sans doute pas été sans effet dans les régions d'Afrique noire influencées par l'islam). Et cela pour au moins deux raisons. La première est que, même limité, l'esclavage existait depuis longtemps en Afrique noire, et que celle-ci n'avait en la matière nullement besoin d'exemples venus du dehors. La seconde est que l'on se lasse généralement très vite d'imiter quelque chose si cela ne nous est pas utile. Ce qu'il faut donc, afin de comprendre la logique à l'œuvre derrière la progression de l'esclavage en Afrique noire, c'est examiner en quoi cette progression pouvait être utile et rentable pour une certaine élite locale.

Selon Meillassoux, dans son *Anthropologie de l'esclavage*, l'esclavage présente plusieurs avantages, notamment par rapport au servage. Il épargne à la « classe esclavagiste la présence et l'encadrement d'une population serve » nombreuse, qui doit assurer sa propre reproduction et ne peut dès lors se restreindre aux seuls travailleurs productifs. Les « révoltes de serfs sont une constante de l'histoire féodale ; il y a peu de révoltes d'esclaves ». De plus, l'esclavage permet « un accroissement non différé de la production, par l'apport immédiat de travailleurs actifs », car la guerre et le commerce conduisent à un rythme d'acquisition des effectifs plus souple et plus rapide que la croissance démographique. Enfin, « la production peut augmenter indépendamment de la productivité du travail, par le seul fait de la multiplication des producteurs ». Ajoutons que le coût d'acquisition des captifs est peu important, car, lors des guerres, l'aristocratie a pour habitude de mobiliser « une paysannerie combattante fournissant elle-même sa pitance, ses armes et sa vie ». L'esclave représente ainsi un faible investissement, ce qui explique qu'il peut être immolé pour le prestige. La formation d'une classe d'esclaves étant fortement contrecarrée (l'esclave est un « étranger », il est renouvelé par achat ou capture, plus que par croît démographique[94]), les dangers apparaissent réduits. On le voit, nombre de raisons objectives militaient donc en faveur de l'essor de l'esclavage en Afrique noire.

Ajoutons, à la suite de Manning, que, perçue en termes purement économiques, la « valeur » d'un homme, dans les sociétés rurales anciennes, dépendait en bonne part du degré de productivité d'un travailleur agricole. Or cette productivité était assez faible en Afrique noire, pour des raisons à la fois techniques et écologiques. De surcroît, le coût d'acquisition d'un esclave était relativement réduit car, ne prenant pas en charge son entretien et son éducation (assumés par sa société d'origine), le capteur n'avait qu'à assurer le prix de la capture et celui du transport. Enfin, à la différence des travailleurs libres, toujours susceptibles de migrer, l'esclave pouvait demeurer sur place, à la disposition de son maître. Tout cela explique pourquoi les élites africaines préférèrent très tôt contrôler les hommes plutôt que la terre. Comme l'écrivait Fage, « de faibles densités de population, en relation avec la quantité disponible de terres », poussèrent « les hommes ambitieux disposant d'autorité à désirer augmenter la taille et la productivité de leurs sociétés, et ainsi leur propre richesse et pouvoir, en incorporant des personnes supplémentaires à leur service. Ce stimulus pouvait opérer dès le niveau supérieur des familles larges », mais, avec l'extension des objectifs économiques et politiques, de « plus larges unités » d'esclaves ou de dépendants furent formées[95].

Cela permet de comprendre pourquoi l'esclavage fut important en Afrique noire[96], et ce dès le Moyen Âge. « L'esclavage était déjà fondamental à l'ordre social, politique et économique de zones situées au

nord de la savane, en Éthiopie et sur la côte est africaine, depuis plusieurs siècles avant 1600 », écrit
Lovejoy. Ici, « l'asservissement était une activité organisée, sanctionnée par la loi et la coutume. Les esclaves étaient un article principal du commerce, secteur
du transport inclus, et ils étaient importants dans la
sphère domestique, non seulement à titre de concubines, de servants, de soldats et d'administrateurs[97],
mais aussi à celui d'ouvriers ordinaires ». En dehors
du commerce et de la production, ils jouaient un rôle
dans l'exercice des pouvoirs, sociaux et politiques.
Cela expliquerait pourquoi « les développements indigènes furent plus importants que les influences
externes dans la consolidation d'un mode de production fondé sur l'esclavage ». Au total, ce serait
donc « l'institutionnalisation du processus d'asservissement » qui aurait permis tout à la fois « d'exporter des esclaves et de les utiliser à des fins domestiques »[98].

La variété des rôles effectivement remplis par les
esclaves indique bien qu'il est nécessaire de considérer l'esclavage comme un système historique
évolutif et non comme une donnée stable et quasi
immuable, comme dans le concept d'esclavage domestique. Comme le rappelle Frederick Cooper, la
manière d'utiliser les esclaves noirs, ainsi que la nature des rapports maîtres/esclaves, évoluèrent très
nettement dans le Nouveau Monde, entre la première phase de mise en valeur et le moment où le
système de la grande plantation se mit véritablement en place. En Afrique noire, en fonction du
lieu et du temps, les esclaves travaillant dans l'agriculture purent l'être dans des structures ressemblant au monde de la plantation, dans des unités
communales de production, ou bien encore dans

des villages d'esclaves semi-autonomes auxquels on demandait un surplus agricole (et non un surplus de travail). « Si les efforts d'une élite afin de contrôler l'accès à la richesse et au pouvoir sont perçus comme une totalité », alors il n'y a aucune raison d'en limiter *a priori* les contours et de les appréhender en fonction de ce que fut le système accompli de la plantation dans le Nouveau Monde. Il faut plutôt, comme l'indique Cooper, considérer « les moyens par lesquels les élites utilisèrent les esclaves » en fonction « des options et des contraintes présentées par les situations historiques particulières »[99]. Des esclaves furent ainsi des subordonnés et des hommes de confiance — du fait de leur absence de filiation et d'attaches. D'autres constituèrent des unités servant à chasser, combattre ou intimider. De puissants royaumes, comme ceux du Yoruba et des Ashanti, utilisèrent de nombreux esclaves comme soldats. Plus généralement, beaucoup, sinon la majorité, furent employés dans l'agriculture, depuis les villages d'esclaves du Songhaï, au XVIe siècle, et du Fouta-Djallon, au XVIIIe siècle, jusqu'aux exploitations des grands dignitaires du Sokoto, au XIXe siècle. L'introduction d'esclaves dans des villes spéciales, ou bien la création de villages d'esclaves colons permirent parfois de contrôler plus facilement des territoires frontaliers ou nouvellement soumis, un procédé que Kano pratiqua au XVe siècle, tout comme l'Adamaoua au XIXe siècle. En raison de l'absence de moyens de transports adéquats (animaux de trait, chariots...), les esclaves jouaient également un rôle essentiel en tant que porteurs pour la plupart des commerces internes à l'Afrique noire.

Cette diversité des fonctions (et le fait qu'elles n'étaient pas toutes directement liées à des tâches

productives) ne doit nullement être interprétée
comme un signe du faible rôle de l'esclavage, bien
au contraire. Cette malléabilité, cette capacité à
épouser les besoins variés et fluctuants des sociétés
témoigne en effet de l'importance et de l'utilité de
l'institution esclavagiste en Afrique noire. Les esclaves y étaient si importants qu'ils pouvaient même
être parfois perçus comme des formes de monnaie.

Là où les choses deviennent plus compliquées,
c'est-à-dire discutées, c'est à propos des mutations
probables de l'esclavage africain au XIXe siècle. La
fermeture des marchés américains, avec la fin de la
traite atlantique, s'est produite alors que les guerres
productrices de captifs tendaient à s'intensifier encore en Afrique occidentale. L'augmentation de l'offre en captifs et la limitation de la demande extérieure firent diminuer le prix des esclaves. Ce prix
plus faible et la présence sur place de forts contingents de captifs inemployés auraient alors incité à
leur mise au travail productif sur une plus grande
échelle. Pour certains historiens, ces facteurs externes ont été déterminants et c'est la demande européenne en produits tropicaux africains ainsi que le
déclin de la traite occidentale qui auraient conduit
les élites africaines à étendre l'institution esclavagiste. Mais les choses ne sont pas claires. Défenseur
de cette idée, dans nombre de publications, Lovejoy
a en effet écrit par ailleurs que, bien qu'essentiels,
les facteurs externes n'ont fait que renforcer des
tendances internes[100], et que des facteurs politiques
(comme les progrès de la centralisation en Afrique
occidentale au cours de la seconde moitié du
XIXe siècle) ont également pu faciliter l'affirmation
de ce mode de production[101]. De son côté, Eltis remarque que les exportations africaines en produits

tropicaux ne devinrent véritablement importantes qu'à partir des années 1860, et que, par conséquent, elles ne jouèrent sans doute qu'un rôle limité dans les mutations de l'esclavage africain. En outre, il note que, si la demande interne en captifs avait été si forte, elle aurait dû contrecarrer la baisse du prix des esclaves résultant de la fin de la traite par l'Atlantique. Ce qui l'amène à penser, finalement, que les transformations qui purent s'opérer dans la manière d'utiliser les esclaves en Afrique noire doivent s'expliquer par des causes internes, peut-être par l'augmentation de l'offre en captifs, due à la sécheresse, à la pression démographique, aux djihads, à l'écroulement de l'État d'Oyo et aux guerres civiles des Yoruba qui en résultèrent.

Quoi qu'il en soit, le XIXᵉ siècle ne vit pas apparaître le rôle des esclaves dans la production, car ce rôle était important depuis très longtemps, même dans le cadre de sociétés lignagères. Ce qui changea, et ce qui peut alors justifier l'expression « mode de production esclavagiste », c'est qu'un plus grand nombre d'esclaves fut affecté à la production de biens destinés à être commercialisés. En d'autres termes, l'esclavage devint alors plus directement lié à une économie de type marchand[102]. Le phénomène se manifesta d'abord dans la région de la Côte-de-l'Or, sans doute dès les années 1810. Il ne semble guère avoir débuté avant les années 1830 dans la baie du Biafra. Une décennie plus tard, il concernait la baie du Bénin. Au tournant du milieu du XIXᵉ siècle, une bonne partie des régions côtières de l'Afrique occidentale était ainsi impliquée. Les esclaves travaillaient dans l'agriculture, afin de produire des ignames et du kola, mais aussi, et surtout, de l'huile de palme qui était exportée en Europe, à une époque où le commerce dit « légitime » commençait à supplanter celui des esclaves. L'essor fut rapide au cours des décennies suivantes.

Selon Manning, le système n'aurait pas pu continuer à se développer pendant très longtemps. D'une part, parce qu'il n'était désormais plus guère possible de légitimer l'esclavage par le recours à l'ancienne idéologie fondée sur les liens familiaux et que, prenant conscience de leur commune identité, les esclaves furent plus nombreux à se révolter. D'autre part, pour se prémunir contre ces nouveaux dangers, les maîtres durent lâcher un peu de lest. Rien, cependant, n'empêchait qu'un système un peu différent se perpétue pendant un temps. Ce que Manning présente comme une réforme contraire au système (celle consistant, à Zanzibar, à allouer aux esclaves une petite parcelle de terrain et à leur permettre de se marier) ne conduisait en effet qu'à le rapprocher un peu plus de celui qui fut très longtemps en vigueur dans le Nouveau Monde[103]. On peut donc douter de l'importance des limites internes au système. Ce qui est sûr, en revanche, c'est qu'il ne pouvait demeurer intact avec la colonisation, dont l'une des justifications était en effet, comme on le sait, de mettre un terme à l'esclavage africain. Ce qui ne se fit que lentement, et non sans contradictions, le travail forcé sous l'autorité des administrateurs coloniaux remplaçant l'esclavage proprement dit.

Traite et dynamique évolutive des sociétés d'Afrique noire

Ce que l'on a vu des rapports entre traite et économie (premier point abordé), puis de ceux pouvant être établis entre la traite et les transformations de l'esclavage africain (second point), permet d'éclairer la question des relations entre la traite et la dynamique évolutive des sociétés d'Afrique noire précoloniale. À ces éclairages successifs et fragmentaires doit s'ajouter une analyse plus globale, transversale et diachronique. Les données et débats que l'on a passés en revue s'insèrent en effet dans un tout. Un tout qu'il nous faut maintenant essayer de présenter succinctement, en privilégiant, pour cela, deux temps.

Le premier correspond à celui de l'essor de la traite, entre autres, dans les États sahéliens médiévaux. Comme l'a notamment montré Jean-Pierre Olivier de Sardan[104], dans les empires du Mali, du Songhaï et du Bornou, une économie esclavagiste existait déjà sous la forme de villages d'esclaves, lesquels étaient peut-être aussi utilisés dans l'artisanat. La désintégration du Songhaï, dans les années 1590, ouvrit la porte à une ère de profonds déséquilibres sur le plan politique. Et l'on peut considérer, à la suite de Lovejoy, que la plupart des conflits qui troublèrent ensuite l'Afrique occidentale jusqu'au milieu du XIXᵉ siècle s'expliquent en bonne partie par la recherche d'un nouvel équilibre, dans une région fortement influencée par l'islam[105]. À la fin du XVIIᵉ siècle, en Afrique occidentale, de nouveaux États ont pris la place des sociétés lignagères. À leur tête, d'étroites aristocraties militaires se sont alliées aux marchands dont elles avaient besoin,

tout en les maintenant en position de subordonnés.
Elles tiraient leurs revenus du butin fait à la guerre
et des esclaves travaillant sur leurs domaines. Pour
subsister, ces États avaient besoin de conquérir et
d'exploiter de nouveaux territoires. D'où des conflits entre puissances à la recherche d'une position
dominante, à l'instar, note Emmanuel Terray, des
conflits européens des XVIIe et XVIIIe siècles. Succé-
dant aux « guerres d'établissement », ces puissances
connurent des apogées soudains et des déclins rapides. La suprématie du Denkyira s'étala entre 1659
et 1701, celle de l'Akwamu entre 1677 et 1730. La
parade fut trouvée au XVIIIe siècle par Osei Tutu,
souverain ashanti. Par une politique relativement
généreuse d'intégration en faveur des populations
soumises, il procura à l'État une assise plus large.
Liant jusque-là État et nouveaux paysans, les rapports tributaires furent introduits dans la sphère
des relations entre États. Ils faisaient place au
pillage. À la fin du siècle, l'essentiel du monde akan
était ainsi inséré dans des réseaux tributaires dominés par le roi ashanti et ses ministres. Les raids esclavagistes furent alors relégués à la périphérie du
monde akan et confiés à ses vassaux. Le système
fonctionnait grâce à un savant équilibre entre rapports esclavagistes et tributaires. Rébellions et incitations au soulèvement (moyen de « produire » des
captifs) expliquent que la guerre demeura néanmoins habituelle. Elle jouait dans la formation
sociale, écrit Terray, « un rôle équivalent à celui
de la concurrence dans le mode de production
capitaliste[106] ».

Ce modèle d'exercice du pouvoir lié à un mode
d'exploitation des zones voisines conduisait, on le
voit, à une division territoriale opposant trois types
d'ensembles : des « centres » épargnés et capables

de se développer (tant que la fortune leur souriait), des « périphéries » plus ou moins soumises à un mode d'exploitation tributaire, et d'autres périphéries plus éloignées, sur lesquelles tout était plus ou moins permis. Les frontières entre ces différents cercles recoupaient souvent des frontières ethniques, elles-mêmes recoupant des réalités politiques[107]. Les antagonismes interethniques se sont donc accentués. À terme, le système aurait peut-être pu aboutir à la formation d'ensembles ethniques ou pluriethniques homogènes, du fait de plusieurs moyens capables de se cumuler : prise d'avantages décisifs de la part d'une ethnie, élimination ou assimilation d'autres groupes, au fur et à mesure de l'expansion territoriale de l'État dominant. Mais l'histoire en décida souvent autrement[108].

Quoi qu'il en soit, la traite était le résultat d'un choix. Elle apparaissait, selon Fage[109], comme « un à-côté », un moyen parmi d'autres pour accroître la puissance et la richesse des élites en place. Mobilisant quantité d'acteurs, individuels ou collectifs (négociants, corporations marchandes...), elle était contrôlée par l'État. Instrument au service du pouvoir en place, elle le renforça en favorisant l'importation de produits dont la valeur était à la fois militaire (les fusils), sociale et symbolique (produits de luxe thésaurisés ou bien distribués), et économique (équivalents monétaires). Finalement, son action semble avoir été contradictoire. Avec les autres secteurs du commerce à longue distance, comme celui du kola, elle contribua à l'essor d'autorités territoriales unitaires aux dépens des sociétés moins fortement structurées. Elle favorisa de la sorte tout un groupe de négociants et d'intermédiaires, ainsi que l'extension de l'économie marchande. D'un autre côté, confortant les militaires au pouvoir, la traite retarda l'avènement de la société marchande, avec les mutations sociales et politiques qui lui étaient liées. Ralentissant la marche du changement, elle accentua en sourdine certaines contradictions du système en place. Sa décomposition n'en fut ensuite que plus rapide, lorsque le contexte changea.

Nous arrivons ainsi au second temps, celui où la traite occidentale fut progressivement abolie. On insiste généralement, à ce propos, sur l'idée selon laquelle cette abolition se solda par un manque à gagner, par l'accroissement du nombre des captifs invendus, et par la montée des tensions. Elle aurait ainsi provoqué la chute d'États puissants, ouvrant la porte aux entreprises coloniales. Mais c'est oublier deux choses.

La première, une remarquable capacité d'adaptation, permit de fructueuses reconversions en direction du commerce légitime de produits agricoles (huile de palme, bois, arachide...)[110]. Sous la férule de leurs chefs (notamment Opoubo de Bonny, 1792-1830), les États négriers du golfe du Niger se transformèrent en « rivières de l'huile » dès les années 1840. Au Dahomey, le roi Ghézo (1818-1858) laissa toutes facilités au négociant marseillais Régis, qui s'établit en 1843, puis obtint, en 1851, et jusqu'en 1890, un monopole virtuel pour l'exportation d'huile de palme. Grâce à l'or, ainsi qu'à l'ordre établi en 1831 par le traité négocié avec la Grande-Bretagne, le royaume ashanti vit le volume de son commerce quintupler au cours des années 1840. Partout, la « soudure » se fit généralement sans heurts majeurs, mais de manière fort différente selon les sociétés[111]. Dans un premier temps, les captifs furent utilisés dans les plantations. Puis les paysans libres intervinrent directement dans la production. À terme, le renforcement de leur importance devait saper les bases des anciens États. Mais nombre de grandes familles réussirent à conserver une forte influence, pratiquement jusqu'à nos jours, comme au Bénin. Ajoutons que l'autorité du souverain devenait de plus en plus nécessaire, pour assurer l'ordre indispensable à la bonne marche des affaires.

Le second point sur lequel il faut insister est que ces transformations, contemporaines de la fin de la traite atlantique, ne firent souvent qu'accentuer des évolutions en cours. C'est le cas, pour reprendre un exemple précédemment mis en perspective, du monde akan et ashanti. La fin de la traite y rendit seulement plus manifeste une crise inévitable, inscrite dans les structures mêmes du régime. L'équilibre entre modes tributaire et esclavagiste était à bout de souffle. Les tributaires ne pouvaient s'accroître à l'infini, les guerres esclavagistes devenaient coûteuses et difficiles. L'État, qui ne pouvait se nourrir que par une expansion continue, avait trouvé ses limites géographiques dès le début du XIXe siècle. Ivor Wilks[112] montre que, face à ce problème, les élites du pays se scindèrent en deux groupes : celui des « impérialistes » (pour lesquels l'État n'était qu'un instrument de conquête et d'exploitation des territoires soumis) et celui des « mercantilistes » (souhaitant, avec l'aide des marchands et du kola, dynamiser le commerce d'État). Ils se succédèrent au pouvoir sans que jamais l'un n'arrive à remplacer définitivement l'autre. La décision (pour un temps) vint finalement du dehors, avec l'intrusion des Européens sur le littoral et la pénétration de Samori en pays abron.

Cet affrontement bipolaire (constamment renouvelé mais jamais totalement résolu), qui, sur le long terme, paraît avoir été l'un des principaux traits caractéristiques des sociétés d'Afrique noire précoloniale[113], s'est également manifesté dans les régions situées plus au nord, à la limite du Sahara. Là, dès le XVIIe siècle, sous l'influence d'un islam intégré dans le jeu des luttes internes, les marabouts s'étaient déjà posés comme de possibles élites de remplacement. Au siècle suivant, la région devint la terre d'élection des djihads (Fouta-Djalon, Fouta-Toro). L'abolition de la traite et les menaces de colonisation apportèrent un nouveau coup de pouce extérieur aux antagonismes en place. Entre 1857 et 1865, sous la direction d'El-Hadj Omar, naquirent une série d'États le long du moyen Niger et de la boucle du fleuve. Les Toucouleurs s'y emparèrent du pouvoir et s'installèrent dans les régions animistes de l'Est. La loi islamique permettant le partage des terres entre héritiers, la propriété privée du sol et l'agriculture commerciale purent se développer. Simultanément fut justifié l'asservissement des infidèles, ce qui accrut la force de travail servile potentiellement disponible. Comme naguère les militaires profitant de la traite, les marchands surent allier foi et intérêt. Les razzias elles-mêmes subirent une évolution[114], montrant par là qu'elles s'inséraient dans des systèmes sociaux, politiques, et des affrontements entre élites. Jadis les militaires y voyaient le moyen de renforcer les hiérarchies sociales et politiques tout en résorbant, par la destruction, le surplus des richesses qui aurait pu permettre l'émergence de contre-pouvoirs mercantiles. Ritualisées, déplaçant des nobles indisciplinés et leur cortège de serviteurs, elles n'étaient pas d'une efficacité à toute épreuve. Au milieu du XIXᵉ siècle, les élites tournées vers le commerce en firent des instruments d'enrichissement individuel. Entrepris sur de vastes échelles, les raids alimentèrent alors également l'armée, favorisant l'incorporation de milliers de fantassins et détrônant ainsi l'ancienne cavalerie noble. La portée de l'événement est grande. On serait tenté de la rapprocher de la « révolution hoplitique » contemporaine de la fin de l'hégémonie aristocratique en Grèce ancienne, s'il n'y avait anachronisme, et si les conséquences n'avaient pas été tout autres. En Afrique occidentale la démocratie n'accoucha pas de la mutation. La colonisation s'installa et, après des résistances, les élites en place s'allièrent aux nouveaux pouvoirs afin de conserver leur influence. Bel indice de filiation entre des « élites anciennes et modernes disposées à collaborer dans l'exploitation des dominés de toujours[115] ».

Changeons d'horizon, quittons le modèle que nous livre l'Afrique occidentale pour nous intéresser à la partie orientale du continent. La côte était fragilisée depuis le XVIᵉ siècle par l'affrontement entre Portugais et musulmans, l'intérieur moins structuré. Il existait donc une zone de disparités et de faiblesses pouvant favoriser des entreprises nouvelles. À partir du milieu du XIXᵉ siècle, les formes du pouvoir y furent bouleversées. Personnages hors du commun par leur fortune (fondée sur le commerce) ou leur culture (métissée, swahilie, arabe), de puissants négriers s'imposèrent grâce aux fusils de traite, érigeant des entités politiques et commerciales, et pénétrant largement à l'intérieur du continent, y semant la dévastation. Ce fut le cas des sultans esclavagistes du Soudan central et oriental rayonnant à partir de Khartoum, de Msiri au Katanga, de Tippo-Tib dans le haut Congo, ou bien encore de Mirambo qui régna sur des territoires compris entre l'ouest des Grands Lacs et la côte zanzibarite. À partir de 1858, et grâce à une armée permanente d'aventuriers avides de butin, ce dernier érigea en vingt ans un État commercial prospère, tenant la route allant de Tabora au lac Tanganyika et exigeant des droits de passage. Il fallut attendre 1895 pour que la colonisation allemande mette fin à son expérience. « Symbole d'une quadruple synthèse, à la fois chef traditionnel, leader guerrier, bâtisseur d'État, et modernisateur ouvert aux nouveautés, depuis l'art militaire ngoni jusqu'au commerce zanzibarite et aux innovations technologiques[116] » (comme le fusil), Mirambo fut le reflet vivant de cette dialectique du dedans et du dehors dont la traite ne représente que l'un des éléments, et qui, sans cesse, s'est renouvelée en Afrique.

Des choses comparables pourraient être formulées à propos de Madagascar, où la traite s'intégrait dans la logique interne d'un système lignager se reproduisant toujours, quelles qu'en soient les bases, comme le montre Cabanes[117]. Le cas des empires de l'intérieur est également éclairant. Celui de Luanda, entre Katanga et Angola, dont l'apogée se situe aux XVIIe et XVIIIe siècles, fut fondé sur le contrôle de produits faisant l'objet d'un commerce à longue distance : le sel de la région de Kolwezi, les mines de cuivre et le sel du Shaba, le commerce avec le bas Zambèze. Vers 1750 (grâce aux fusils européens ?), le royaume Luanda de Kazembe s'en détacha. Ce dernier devait ensuite prospérer, du fait de ses relations avec les comptoirs portugais du Zambèze inférieur. Partout, influences extérieures et traite se sont ainsi mêlées, au sein d'évolutions originales dont les ressorts étaient souvent d'origine interne.

Finalement, c'est à une relecture d'ensemble de l'histoire africaine que nous invite l'étude de la traite négrière. En ne s'intéressant qu'à ses effets, on en oublie qu'elle n'est, heureusement, que l'un des nombreux éléments ayant contribué à construire la vaste histoire du continent noir. Une histoire dans laquelle, comme partout ailleurs, les élites locales ont souvent eu la meilleure part. Dire cela, c'est penser que l'analyse affinée de la traite comme catalyseur ou frein de la dynamique politique et sociale africaine serait peut-être en mesure de renouveler la quête, classique et importante, mais en partie illusoire, d'un bilan global de la traite qui serait mesurable en termes de profits et de pertes. C'est aussi refuser l'idée selon laquelle toute transformation n'a pu s'opérer que par la médiation de l'Occident ou du monde musulman. C'est enfin croire que les Africains ne furent pas seulement des victimes, des collaborateurs ou des opposants aux influences venues de l'extérieur, mais aussi des acteurs de leur propre histoire. Cela revient à dire, comme le remarquent Bazin et Terray, que ces influences (introduction des armes à feu, développement du trafic des esclaves...) n'agirent que « réfractées par rapport à la logique immanente[118] » des systèmes africains, qu'elles pesèrent plus sur les rythmes du changement et sur leurs modalités que sur la nature des voies qu'il emprunta. De nombreux indices permettent de penser que l'Afrique noire a su intégrer les influences venues du dehors, et les récupérer afin de renforcer les évolutions internes en cours. À l'échelle de systèmes-mondes planétaires évoluant selon des cinétiques différentes, cela ne fut sans doute pas anodin. Mais il me semble illusoire d'y rechercher la conséquence d'un plan prémédité. Et il est probable que, contrariant les logiques empruntées par les diverses sociétés d'Afrique noire, et de ce fait limitant leurs chances d'arriver à de nouveaux équilibres qui leur auraient été propres, la colonisation a plus pesé sur leur destin que ne le fit la traite négrière.

L'essor de la traite s'est inséré en effet dans la logique de l'organisation fonctionnelle des sociétés de l'Afrique noire précoloniale. Elle a conduit au renforcement des États et des sociétés qui étaient déjà les plus structurés, et à celui des structures négociantes en place. Au XIXᵉ siècle, toutes ces logiques semblaient arriver à leur terme, au moins dans l'Afrique occidentale des djihads : progrès dans l'unification politique et culturelle de la région, établissement de liens plus symbiotiques entre guerriers et marchands, entre esclaves et système productif. Une bonne partie des régions depuis longtemps influencées par le monde musulman, des côtes de l'Atlantique jusqu'à Zanzibar, tendaient alors à achever un cycle de développement.

LA TRAITE DANS L'HISTOIRE DU MONDE MUSULMAN

Le fait qu'une bonne partie de l'Afrique noire ait été partie intégrante de l'aire d'influence musulmane est un phénomène qui soulève la question de la place et du rôle de la traite dans l'histoire du monde musulman. La longue durée des traites orientales, le nombre des captifs déportés, l'intrusion parfois directe au sein du monde noir, un rôle initial essentiel dans l'« invention » du phénomène donnent un relief tout particulier à ces traites. Dès lors on ne peut que s'interroger sur ses raisons et sur le profit qu'a pu en retirer le monde musulman. Interrogations sans grands résultats puisque aucune grande synthèse ne s'est véritablement attachée à y répondre de manière directe, et que le débat ne semble même pas avoir vraiment été lancé, alors que, depuis des décennies, toute une pléiade d'études a tenté d'aborder la question du rôle de la traite par l'Atlantique dans l'essor de l'Occident. Aussi les données dont on dispose ne permettent-elles souvent, dans le meilleur des cas, que d'établir une typologie des fonctions exercées par les esclaves noirs au sein du monde musulman. L'idéal serait de pouvoir dépasser ce constat statique afin d'aboutir à l'étude de leur rôle dans la dynamique évolutive du monde musulman. Ensuite, à cette dimension interne du problème devrait pouvoir s'en ajouter une seconde, consacrée au rôle de la traite dans la dynamique expansive musulmane. Mais nous sommes aujourd'hui loin du compte ; je me contenterai donc ici de brèves incursions dans ces domaines, à partir de la documentation fragmentaire dont nous disposons.

Le rôle des captifs noirs dans le monde musulman

Passons sur l'idée selon laquelle l'esclavage en terre d'islam aurait été relativement doux. S'expliquant par une réaction logique aux violentes atta-

ques de certains abolitionnistes occidentaux du
XIXᵉ siècle contre un esclavage oriental synonyme à
leurs yeux d'archaïsme et de perversité, cette idée
d'un esclavage doux se fonde plus sur la réelle fréquence des manumissions que sur une analyse con-
crète des conditions de vie des esclaves, qui furent
extrêmement variables. Que les fonctions qu'ils
remplirent aient été différentes de celles des esclaves du Nouveau Monde n'enlève rien à leur statut
d'hommes privés de liberté. Comme l'indique Orlando Patterson[119], même un eunuque devenu le
confident de son maître reste un esclave, peut-être
même l'un des esclaves le plus profondément soumis. Il serait sans intérêt de vouloir classer les différents systèmes esclavagistes sur une hypothétique
échelle de Richter de l'oppression. L'image d'une
société musulmane totalement dépourvue de discri-
mination et de préjugés raciaux est tout aussi illusoire que celle d'un monde soumis au « despotisme
oriental ». Beaucoup plus utile serait d'étudier, de
manière comparative, comment les diverses sociétés esclavagistes ont tenté de masquer et de désa-
morcer les tensions naissant inévitablement en leur
sein. Pour l'heure, notons ici, à l'instar de ce qui a
été vu à propos du concept d'esclavage domestique
pour l'Afrique noire précoloniale, que l'importance
du rôle joué par les esclaves dans une société donnée doit être mesurée à l'aune des caractéristiques
de cette même société, et non à partir d'un modèle
de référence qui serait celui du système de la
grande plantation américaine.

Une autre image doit d'emblée être corrigée, celle
de traites orientales à finalités surtout érotiques
(concubines, eunuques, que l'on trouvait également
dans l'esclavage chinois, qui étaient rares parmi les

Arabes, et plus communs chez les Turcs et les Perses). Il y a à cela au moins deux raisons. La première est que le rapport entre captifs et captives a changé, selon les époques et les lieux de destination, et qu'il n'est pas impossible que, globalement, il ait pu s'équilibrer, voire pencher en faveur des hommes. La seconde raison est que les fonctions remplies par ces derniers ont été multiples, leurs rôles variables. Serviteurs, ils ont aussi parfois été d'importants acteurs de la vie économique et politique ; des acteurs dont les pouvoirs ou l'influence, plus ou moins éphémères, ne doivent pas être négligés.

Léon l'Africain nous apprend qu'au XVIᵉ siècle, à Fez, au Maroc, le service des thermes était essentiellement assuré par des « négresses », et que leur possession était si courante que même des familles modestes avaient l'habitude d'en faire figurer parmi leurs cadeaux de mariage. Il semble cependant que les femmes originaires d'Afrique noire occidentale aient surtout eu en Afrique du Nord la réputation d'être de bonnes cuisinières. Il en allait différemment des Nubiennes et des Abyssines, depuis longtemps recherchées comme concubines. Les princes d'Égypte désirent tous en posséder, écrivait Edrisi, géographe arabe du XIIᵉ siècle, attestant par là le fait qu'elles alimentaient un commerce de luxe réservé à des catégories aisées. Il en était de même des eunuques, dont les principaux « centres de fabrication » se situaient dans le Haoussa, le Bornou et la haute Égypte. Assignés à la garde des harems ou bien hommes de confiance, du fait de leur évidente absence de liens familiaux, ils étaient quatre mille à cinq mille dans l'Empire abbasside du Xᵉ siècle. Les procédés employés pour la castration

étant assez rudimentaires, la mortalité était élevée,
et le prix d'un eunuque pouvait atteindre celui de
douze autres esclaves.

Les hommes (mais aussi les femmes, parfois) furent très tôt utilisés à des fins productives, notamment dans l'agriculture. Il est vrai que le phénomène prit rarement l'ampleur et la visibilité qui
furent celles du système de la plantation dans les
îles de la Caraïbe à l'époque moderne, lorsque de
grandes masses de captifs furent concentrées sur de
faibles espaces et assignées, sinon exclusivement,
du moins principalement, aux travaux agricoles. De
plus, note Toledano[120], des barrières légales et coutumières existaient, dans l'Empire ottoman, à l'emploi d'esclaves dans les travaux agricoles. Le phénomène y aurait donc été, selon lui, très marginal
après le XVe siècle, avant d'être réintroduit sur une
large échelle du fait de la migration forcée des Circassiens du Caucase, au début des années 1860. Cependant, comme l'indique Lewis, « à l'exception des
travaux du bâtiment, l'exploitation économique des
esclaves avait surtout lieu à la campagne, loin des
villes, et on n'a guère de documents là-dessus,
comme presque sur tout ce qui touche à la vie rurale », jusqu'au XVIe siècle. L'exploitation des archives disponibles pour les périodes suivantes n'étant
guère systématique, « l'idée couramment admise
sur le caractère avant tout domestique et militaire
de l'esclavage en Islam pourrait donc refléter les insuffisances de notre documentation, plutôt que la
réalité » [121].

D'ailleurs, disséminés dans le temps et dans l'espace, de multiples exemples nous indiquent que la
chose ne fut pas sans importance dans le monde
musulman. Dans les grands domaines mésopota-

miens du début de l'ère musulmane, les esclaves noirs étaient employés à enlever la couche de natron recouvrant les terres, afin de les rendre cultivables. Parqués sur place, ils étaient nourris de dattes et de semoule, et dirigés par des chefs de corvée affranchis. Ils furent essentiels dans la région du bas Iraq, entre la jonction du Tigre et de l'Euphrate et le golfe Persique. Cette zone était au IXe siècle un immense marais, que les Abbassides tentèrent de drainer, de dessaler et de transformer en zone de culture. Les Zandj d'Afrique orientale constituèrent là « des troupeaux d'hommes machines employés aux terrassements du marais, travaillant dans l'eau, la vase et le sel, par chantiers de milliers d'hommes, peu nourris, fort battus, épuisés, impaludés, mourant comme des mouches[122] ». Un poète de la cour du calife appartenant à la secte égalitariste des kharidjites décida de mener une vie errante dans le désert, avec un esclave noir. En 877, se présentant comme le descendant d'Ali, il leva l'étendard de la révolte, soulevant les Zandj. En 879, la grande ville de Bassora était prise. S'étant déclaré mahdi (l'envoyé de Dieu censé venir à la fin des temps afin de rétablir la justice et la foi sur terre), Ali menaçait Bagdad et La Mecque. La contre-offensive fut déclenchée dix ans plus tard. L'ensemble des conflits aurait provoqué entre 500 000 et 2 500 000 victimes. Au XIe siècle, un voyageur arabe estimait encore le nombre des esclaves noirs à 30 000 dans une région correspondant à l'actuel Bahreïn.

À certaines époques, et en certains lieux, le rôle des captifs noirs fut également essentiel dans l'agriculture de plantation proprement dite, mais les travaux comparatifs, avec l'agriculture du Nouveau Monde, sont encore trop peu nombreux[123]. Au xvie siècle, le Maroc fit fructifier ses plantations de canne à sucre (lesquelles constituaient alors un tiers des revenus du pays et fournissaient son principal article d'exportation à destination de l'Europe) grâce à des esclaves noirs. En 1591, c'est en partie pour se procurer les captifs nécessaires à leur entretien qu'il étendit (de manière éphémère) sa domination directe sur la boucle du Niger. Entre 1790 et 1870, soit avant que la production d'arachide ne la supplantât, la gomme représentait une partie essentielle du commerce sénégalais. Ce commerce profitait aux Européens, mais également aux Maures, la valeur d'échange d'une tonne de gomme arabique passant de 32 à 70 pièces de guinée d'environ 16,5 mètres sur 1, entre 1788 et 1838. Or la matière première était produite par des esclaves provenant de razzias effectuées en pays noir. Le rôle des esclaves noirs fut également déterminant dans l'essor économique des îles de Zanzibar et Pemba, ainsi que dans la formation, sur le continent, de ce que certains auteurs ont appelé leur « empire commercial ». François Renault a montré qu'en dépit de l'absence d'un contrôle politique unifié de la région les commerçants de Zanzibar ont su établir un « système bien structuré ». Il s'appuyait sur une série de villes d'importance variée (dont la plus grande, Kasongo, abritait 20 000 habitants en 1889), sur un réseau de postes tenus par de petites garnisons, et sur un certain nombre de délégués installés dans les villages, qui étaient soumis et devaient livrer des otages[124]. Dominé par des Arabes et des Swahilis islamisés venus de la côte, ce qui était avant tout un « système esclavagiste » fonctionnait principalement pour l'ivoire. Les esclaves (dont la mortalité globale, toutes activités confondues, était d'environ 20 %

par an) servaient à le transporter, ou bien à assurer le fonctionnement du réseau commercial et de production qui lui était indispensable (domestiques et ouvriers agricoles travaillant dans les zones résidentielles de l'intérieur, par exemple). Parfois, ils servaient même de monnaie d'échange, certains étant cédés ou troqués contre des marchandises ou des services (passage du lac Tanganyika notamment). Outre l'ivoire (dont les exportations à partir de Zanzibar sont multipliées par deux entre 1840 et 1850), Zanzibar et Pemba détenaient sur la production du clou de girofle un quasi-monopole mondial (leurs exportations passant de 382 000 à 1 260 000 dollars entre 1859 et 1881). Leurs plantations, qui étaient importantes, même en fonction de standards américains, fonctionnaient grâce au travail des esclaves noirs. Ceux-ci étaient répartis en équipes (comme dans le *gang labour system)* et leur taux de mortalité annuel variait entre 20 et 30 % Dans la région, ce travail entraînait aussi la production du mil, du sésame, de la noix de coco, les plantations de sucre de Pangani et celles productrices de céréales sur la côte du Kenya. D'où la renaissance économique de certaines cités, comme Malindi qui retrouva sa prospérité en tant que centre d'exportation de grains. Le copal et le colza étaient surtout exportés vers l'ouest, écrit Clarence-Smith, tandis que « les céréales, le sucre et le coton étaient consommés à l'intérieur de l'espace économique des régions de l'ouest de l'océan Indien et de la vallée du Nil[125] ». En Égypte, où le travail servile n'a jamais été une constante de l'économie agricole, du fait de l'abondante population rurale, les esclaves noirs ne jouèrent un rôle dans l'agriculture qu'au milieu du XIXe siècle, quand, la guerre de Sécession aidant, l'Égypte accrut sa production de coton.

À ces exemples du rôle ponctuellement exercé par les esclaves noirs dans les travaux agricoles des pays islamiques il faut ajouter les plantations de dattes du golfe Persique, qui sont connues pour avoir presque toujours employé des esclaves[126]. Surtout, il faut noter une activité dont les effets se firent durablement sentir, car elle se traduisit par l'édification d'infrastructures indispensables à toute agriculture de région chaude. Dans les zones sahariennes d'Afrique du Nord, ainsi que dans les espaces sahéliens du Sud, les esclaves furent employés à la construction et à l'entretien des systèmes d'irrigation, et notamment des foggaras, galeries en grande partie souterraines servant à capter l'eau d'irrigation par gravité. La longueur de leur réseau, dans les seules oasis du Touat (Sahara algérien), est estimée à 2 500 kilomètres. Les esclaves travaillaient aussi à la mise en valeur des terres, à l'entretien des palmiers, à la cueillette des dattes. Sans eux, nombre d'oasis n'auraient pas fonctionné, et le désert aurait constitué une barrière impénétrable entre l'Afrique tropicale et le monde méditerranéen. Leur rôle se renforça considérablement au XIXᵉ siècle, dans toutes les régions sahéliennes, comme le reflète l'augmentation importante du taux de rétention sur place des esclaves qui étaient destinés à traverser le Sahara. En forçant un peu l'image, Manning écrit d'ailleurs assez joliment que, puisque les esclaves contribuèrent grandement à l'entretien comme à l'essor de l'agriculture d'oasis (ainsi qu'à l'exploitation des carrières de sel du désert), « les montagnes et oasis du Sahara [...] peuvent être vues comme des équivalents des îles de l'Atlantique, avec leurs plantations[127] ».

De manière générale, l'usage des esclaves dans

l'agriculture de l'Empire ottoman aurait certainement été encore beaucoup plus important si des
restrictions ne s'y étaient opposées. Y. Hakan Erdem indique que, à l'exception des terres appartenant à l'État, de nombreuses fermes pouvaient être
confisquées et que, par conséquent, investir dans
l'achat d'une importante main-d'œuvre servile pour
leur entretien aurait été risqué, d'autant plus,
ajoute-t-il, que leur prix fut considérable à partir de
la fin du xve siècle. Tourner cet obstacle et fonctionner à un moindre coût expliquent sans doute pourquoi de nombreux esclaves furent en fait utilisés à
des fins agricoles au sein de petites unités productives. Malgré leur apparence de fermes familiales, il y
a d'évidentes preuves, écrit-il, que les esclaves
étaient individuellement acquis pour être exclusivement employés dans des travaux à l'extérieur,
parmi lesquels ceux dépendant de l'agriculture[128]. Il
s'agissait donc bien d'un usage productif, dont l'importance était d'autant plus grande que les petites
et moyennes exploitations agricoles étaient la
norme. Dans le nord de l'Éthiopie, du fait que les
hommes libres pouvaient exercer des droits sur la
terre qu'ils exploitaient, les esclaves jouèrent un rôle
non négligeable dans l'agriculture. Inversement,
pour les Bédouins de Mésopotamie, cultiver le sol
était une activité pouvant rendre un homme libre,
aussi n'avait-on aucun avantage à la laisser exercer
par des esclaves[129]. Ce sont donc les conditions locales qui présidaient à l'utilisation des esclaves
noirs, et non une putative répulsion à les faire travailler dans l'agriculture.

L'extraction minière (les pierres précieuses de
l'ancienne Nubie, et son or qui joua un rôle essentiel dans l'essor commercial de l'empire musulman

jusqu'au XIIe siècle, ou bien encore le sel de Teghazza et Taoudeni au Sahara...) et la pêche des
perles dans les régions de la mer Rouge (en 1900,
environ la moitié de la valeur de la production
mondiale provenait de la région du golfe Persique)
ont également fonctionné à l'aide de captifs noirs.
Ajoutons que, porteurs, ces derniers pouvaient aussi
assurer l'escorte des caravanes et la garde des marchandises, et qu'à ces divers titres ils remplissaient
un grand rôle dans certains circuits du commerce à
longue distance. Du fait de l'attention portée au
modèle américain, l'importance des captifs dans les
activités urbaines et maritimes du monde musulman a également souvent été négligée. De nombreux témoignages indiquent pourtant la présence,
parfois en grand nombre, d'esclaves ou d'anciens
esclaves parmi les marins embarqués sur les navires à voiles de l'océan Indien et de la mer Rouge.
Dans les villes, le transport, la construction, l'artisanat et les métiers de la domesticité employèrent
une quantité de captifs, selon des modalités variables, en fonction du lieu et du temps. Selon Erdem,
à Bursa, aux XIVe et XVe siècles, leur place était majeure dans l'artisanat de la soie.

Une dernière fonction des esclaves noirs mérite
toute notre attention : celle de guerriers qui intervinrent dans les luttes internes de l'empire, ainsi
que dans sa dynamique expansive. De manière temporaire, avant même les débuts de l'islam, des Abyssins arbitraient parfois les conflits opposant les
tribus de La Mecque aux Bédouins voisins. Ils constituaient également les gardes permanentes de petits dynastes ou émirs de la péninsule Arabique. Un
millier aurait, dès le VIIe siècle, participé à la conquête de l'Égypte. L'apogée de leur rôle semble se

situer au Moyen Âge, à un moment où presque tous les États musulmans comptaient des soldats noirs dans leurs armées. Mais on en rencontre aussi à d'autres époques, les fluctuations temporelles et régionales paraissant s'expliquer par un phénomène qui s'est répété de manière plus ou moins identique : à savoir la tendance à incorporer des soldats lorsqu'un nouveau pouvoir souhaite se renforcer ou bien qu'une querelle d'influence se précise ; puis, ces troupes devenant menaçantes, la tendance à réduire leur nombre et à les mettre à l'écart pendant un certain temps. Cette dernière attitude se manifesta parfois après coup, une fois que le pouvoir eut tremblé devant la menace des troupes noires. Une dynastie qui régna pendant un siècle et demi fut ainsi fondée au Yémen occidental, au XIe siècle, à la suite du coup d'État d'un esclave affranchi. En Égypte, en 1169, les troupes noires s'insurgèrent afin de défendre l'autorité du calife menacée par Saladin, son vizir. Cependant, abandonnées par le calife, elles furent pourchassées par Saladin, qui, la place étant libre, devint sultan deux ans plus tard. Relégués à des fonctions de serviteur ou de garçon d'écurie, les captifs noirs furent ensuite éloignés des armes pendant plusieurs siècles, pratiquement jusqu'à Méhémet-Ali, dans les années 1820. En Tunisie, la dynastie des Zirides se dota d'une force noire lorsqu'elle voulut s'affranchir des Fatimides du Caire. Au Maroc, où les troupes noires étaient présentes dès le XIe siècle, il fallut attendre le sultan Ismaïl (1672-1727) pour qu'une puissante force armée soit constituée. En position d'arbitre lors de la crise de succession s'ouvrant avec la mort du souverain, elle vit son rôle se réduire peu à peu à celui d'une garde personnelle. En Inde, où leur plus

grande influence se situa entre les xve et xviie siècles, dans la région du Gujerat, le nombre des Noirs
dans l'armée du Bengale leur ouvrit les portes du
pouvoir (1487-1493). Ils jouèrent également un rôle
décisif dans les conflits internes du sultanat brah-
manique (xive-xve siècle). À la différence de ses prédécesseurs, l'Empire ottoman de l'époque moderne
fonda son système militaire sur l'institution d'un
tribut en enfants qui lui permit d'organiser, et surtout d'éduquer, une armée composée de fidèles ja-
nissaires.

Le rôle de la traite dans la dynamique expansive musulmane

Si l'on admet qu'une expansion est capable de
prendre plusieurs formes ne se réduisant pas seulement à l'établissement d'une domination politique
directe, alors on peut sans conteste accepter l'idée
que la traite fut l'un des éléments de la dynamique
expansive musulmane, entendue dans un sens large
(civilisation, commerce, formations politiques). Sur
le plan culturel, politique ou religieux, l'influence
de l'islam l'emporta pendant longtemps, en de nombreuses régions d'Afrique noire, sur celle de l'Occident. Cette imprégnation resta parfois en partie su-
perficielle, et fut le plus souvent intégrée par les
sociétés africaines au sein de dynamiques qui leur
étaient propres. Cela ne veut pas dire pour autant
qu'elle fut négligeable. Terray montre comment, à
partir de l'empire du Mali, nombre de modèles,
fruit de la rencontre entre les deux « africanités »
(blanche et noire), se sont répandus jusqu'à la Côte-
de-l'Or dès les xive et xve siècles[130]. On pourrait

mentionner les conquêtes musulmanes, qu'il s'agisse du Ghana au XIe siècle, ou de la boucle du Niger au XVIe, ou bien encore l'étroitesse des liens établis entre le monde musulman, les grands États médiévaux et la traite ; les traites, devrait-on dire — occidentale, orientale et interne —, chacune s'ajoutant aux autres pour renforcer la complexité générale. Il en est de même des échanges commerciaux établis entre les deux parties de l'Afrique pendant les treize siècles séparant les débuts de la conquête musulmane de la fin de la traite. Le trafic négrier fut l'un des éléments essentiels de ces échanges. Il permit, pendant de longues périodes, l'augmentation de la circulation de l'or en Afrique du Nord, ainsi que la pénétration commerciale des traitants arabes. À leur tour, ceux-ci jouèrent aussi un rôle dans la propagation du trafic, puisque l'on trouve des captifs noirs dans une bonne partie des régions d'Asie plus ou moins insérées dans leurs réseaux commerciaux.

En fait, deux grandes questions restent en suspens. La première revient à expliquer les raisons d'un constat assez surprenant : à la différence des mondes américains où la traite donna lieu à la naissance de communautés noires nombreuses et originales, toujours présentes aujourd'hui, le monde musulman n'en a guère connu. Une forte mortalité (et par conséquent l'absence de descendance), de nombreux mariages mixtes en Asie occidentale (et donc un mélange et une dispersion des populations restantes) ne suffisent sans doute pas à expliquer totalement ce phénomène, car la mortalité sur les plantations américaines n'y a pas conduit. Parmi d'autres facteurs explicatifs, peut-être convient-il de noter l'évidente absence de descendance des eunuques, l'absence d'encouragement à la reproduction des esclaves de la part de leurs propriétaires (dans la traite orientale, la fertilité des femmes esclaves semble avoir été plus faible que celle des personnes libres, note Manning), et la très forte mortalité parmi leurs enfants[131]. Il est un fait établi que jamais la population d'esclaves noirs ne put se reproduire suffisamment à l'époque de l'empire musulman, ce qui rendait nécessaire la constante arrivée de nouveaux esclaves. La pratique de la manumission, le peu d'extension du système de la grande plantation et la large diffusion de la propriété des esclaves ainsi que leur éparpillement au sein du monde musulman (à la différence des Caraïbes, par exemple) n'ont, ensuite, pu que contribuer à la dispersion des esclaves survivants et de leur descendance au sein de la population. Par ailleurs, on sous-estime assez largement la proportion réelle de descendants d'esclaves noirs. Il serait utile de reconstituer des séries démographiques indiquant l'origine ethnique des populations habitant dans les pays musulmans. Ce qui est sûr, c'est la présence physique de populations d'origine noire dans les oasis du Sahara et dans les confins méridionaux des pays du Maghreb. Notons également que l'importance numérique actuelle des populations d'origine noire dans certaines parties des Amériques s'explique largement par des facteurs postérieurs à l'histoire des traites négrières. Aux États-Unis, où les arrivées d'esclaves ne furent pas massives, et où elles cessèrent dès le début du XXᵉ siècle, la force de la minorité noire s'explique surtout par la tendance à l'endogamie et par une forte natalité, depuis la guerre de Sécession.

Des rapports parfois encore très conflictuels entre populations d'origines différentes (voir le cas des Hassanis, en Mauritanie) laissent aussi penser que les traces aujourd'hui visibles des anciens flux de traite sont plus importantes qu'on ne l'imagine souvent. C'est ce thème de l'« identité » au sein des populations noires déportées du fait de la traite que Behnaz Mirzai a analysé[132], à partir d'une région dont on parle peu, l'Iran, s'intéressant à une période relativement contemporaine, comprise entre la seconde moitié du XIXe siècle et le début du XXe. L'auteur montre tout d'abord qu'il n'est pas possible d'apporter un corps de réponses univoques à la question des modes d'intégration des communautés noires en Iran. Bien que les régions où celles-ci figurent soient géographiquement bien délimitées, tout dépend en fait de circonstances historiques et locales, voire de données ethniques. Selon que l'on est à la campagne ou à la ville, par exemple, les possibilités d'emplois ne sont pas les mêmes, or elles influent évidemment sur la manière dont les descendants d'esclaves ont pu s'adapter. On pourrait sans grand risque étendre cette remarque à l'ensemble du monde musulman, dans le passé. Les conditions de vie des esclaves y furent parfois très difficiles, parfois plus douces, les possibilités d'intégration importantes ou quasi nulles. En d'autres termes, simplifier aboutirait à caricaturer (ce qui, d'ailleurs, est aussi valable pour le Nouveau Monde : les Caraïbes ne sont pas le vieux sud des États-Unis, ni l'Amérique hispanique ou le Brésil). Ensuite, Mirzai indique que, malgré l'existence de réelles opportunités en matière d'intégration, nombre de communautés noires en terre d'Iran ont conservé une réelle identité culturelle. Est-ce le fait de résistances de la part de ces communautés, ou bien de réticen-

ces de la part des sociétés « d'accueil » ? L'auteur ne
tranche pas vraiment entre ces deux possibilités. Il
montre, au contraire, qu'elles doivent toutes deux
être prises en considération. Au total, c'est une réalité complexe qui nous est ainsi livrée, celle d'un
monde où les descendants d'esclaves peuvent trouver leur place, tout en restant différents et en étant
parfois plus ou moins conduits ou obligés à le rester. Plus généralement, malgré l'islamisation et l'absence de ghettos de type nord-américain, le Noir
(ou l'homme d'origine noire) reste encore aujour-
d'hui un citoyen souvent particulier dans le monde
musulman. Hubert Deschamps insistait sur la « hiérarchie du mépris » au Tchad, « mépris des Arabes
blancs du Nord pour les Arabes noirs du Centre,
mépris de ceux-ci pour les Noirs islamisés du Baguirmi, mépris des Baguirmiens pour les Noirs
païens du Sud, ancien réservoir des captifs » [133]. On
déplorait encore, il y a seulement quelques années,
une traite d'enfants au Nigeria. Les incidents relatifs à l'esclavage étaient alors fréquents en Mauritanie, où l'institution fut à nouveau interdite en 1980.
Sans parler du renouveau de la traite au Soudan,
après 1985[134].

La seconde interrogation est la suivante : les captifs noirs furent-ils de simples adjuvants au sein du
monde musulman, ou bien jouèrent-ils un rôle important dans son essor et dans son évolution ? Seules des études plus poussées pourraient permettre
d'apporter des éléments de réponse, forcément variables et nuancés selon les époques, les régions ou
les thèmes abordés (économie, guerre…). Dans
cette optique, trois moments seraient sans doute à
privilégier : les VIIᵉ-XIIᵉ, XVᵉ-XVIᵉ (surtout pour le Maroc, l'Empire ottoman utilisant alors essentielle-

ment des esclaves femmes) et XIXe siècles. Ils correspondent à des époques pendant lesquelles les flux
de traite furent importants, le rôle économique et
militaire des captifs noirs non négligeable, et l'empire musulman en période de croissance et d'expansion, au-dedans comme au-dehors. On a vu que le
rôle des esclaves noirs fut souvent ponctuel, dans le
temps comme dans l'espace, mais qu'il fut néanmoins en ces occasions très important (Mésopotamie, Sahel, Zanzibar...)

Il faut aussi noter que, chaque fois qu'une région
du monde musulman a eu besoin de captifs, elle a
su s'en procurer, quelles que fussent les raisons de
cette demande et les fonctions assignées à ces captifs (soldats, ouvriers agricoles, artisans...). C'est
sans doute cette souplesse, en partie liée à la variété
des fonctions remplies par les esclaves, qui constitua la contribution la plus positive de la traite des
Noirs à l'économie du monde musulman. En limitant les crises périodiques de main-d'œuvre[135], elle
lui permit de toujours pouvoir se développer à son
propre rythme, ce qui est un atout considérable. Je
rejoins en effet l'analyse de Janet J. Ewald, selon
laquelle « la caractéristique essentielle de l'esclavage » réside plus dans « le contrôle de la main-
d'œuvre » que dans celui « d'une forme particulière » de travail. Dans le monde musulman, le contrôle exercé par les maîtres « leur permettait de déplacer rapidement les travailleurs d'une tâche à une
autre. Selon les besoins, les esclaves pouvaient être
porteurs, dockers, serviteurs, travailleurs agricoles,
tisserands ou pêcheurs de perles. La main-d'œuvre
servile était une main-d'œuvre *mobile* ». « Et la mobilité jouait une importance particulière [...] dans
les endroits où les autres travailleurs ne pouvaient

pas facilement en être délogés de leurs activités »[136].
On le voit, les traites orientales méritent certainement beaucoup plus que les quelques lignes qui
leur sont généralement consacrées dans la plupart
des histoires générales de l'Afrique.

CONCLUSION

Cet essai n'a pas pour objectif de mettre fin à des débats dont certains, faute de données, sont appelés à durer aussi longtemps qu'ils pourront trouver des protagonistes. Sur nombre de points abordés il n'est d'ailleurs ni possible ni souhaitable d'apporter de réelles conclusions. L'histoire des traites négrières est un gigantesque chantier, sans doute l'un des plus prometteurs qui soit donné à ceux s'intéressant à l'histoire globale et mondiale *(world history)*. C'est pour cela que j'ai souhaité accorder dans ce livre une grande place aux évolutions historiographiques. C'est en effet seulement en sachant d'où l'on vient, comment les mêmes problèmes ont été diversement posés et abordés, que l'on peut être à même de se situer soi-même et, par conséquent, de progresser dans sa réflexion. Il faut donc considérer l'ouvrage qui s'achève comme une invitation à revisiter des horizons plus ou moins bien connus, grâce à la présentation ici de données fondamentales et admises, là d'hypothèses ou d'interrogations. Car la fonction de l'historien ne se limite pas au résumé des informations les plus consensuelles. Elle prend corps, se renouvelle et se justifie par des problématiques, par la confrontation de réflexions individuelles et collectives qui refusent l'*a priori*.

Ce que nous connaissons maintenant le moins
mal, ce sont les modalités de l'échange sur les côtes
d'Afrique, les conditions de la traversée de l'Atlantique, le « jeu des nombres » et la dimension statistique des traites occidentales. Certes, dans ce domaine, de vastes zones demeurent obscurcies par la
brume. C'est le cas notamment des débuts de ce trafic, c'est-à-dire des périodes comprises entre le XVe
et le dernier tiers du XVIIe siècle, mais aussi de sa
fin, au tournant de la seconde moitié du XIXe siècle.
Cependant, les véritables lacunes se situent ailleurs.
Elles incitent à explorer des mondes beaucoup plus
inconnus et riches d'enseignements potentiels : ceux
des traites orientales et internes à l'Afrique. Cela nécessite à la fois de nouveaux travaux et la relecture
sous un angle différent des données jusque-là accumulées. Il faut aussi éviter d'aborder ces traites non
européennes à partir de schémas culturels issus des
travaux portant sur la traite atlantique, et tenter
ainsi de sortir d'un certain européocentrisme. Des déportations terrestres peuvent paraître moins spectaculaires que de vastes périples sur l'océan, mais elles
sont tout aussi barbares. Des modes d'utilisation de
l'esclavage ne prenant pas la forme de l'économie
de plantation américaine ne sont pas forcément dé-
nués de tout intérêt et de toute portée. Et des logiques de développement n'empruntant pas uniquement à une pensée mercantile sont tout aussi dignes
d'être étudiées, comprises et mises en perspective,
que celles ayant conduit au triomphe du capitalisme. Pour l'Occident comme pour l'Afrique, la
traite semble avoir été plus le reflet de dynamiques
évolutives internes que leur cause. Cela n'enlève cependant rien à l'intérêt de son histoire. Par la pluralité de ses dimensions, par sa position, à l'intersec-

tion (sur la longue durée) d'une bonne partie des systèmes-mondes planétaires, elle devrait naturellement trouver une place de choix dans une histoire mondiale évolutive et comparée.

Mais, avant tout, peut-être convient-il que l'histoire de la traite s'émancipe véritablement d'un certain manichéisme, ainsi que de syllogismes en tout genre, toujours forcément réducteurs. C'est d'ailleurs ce qu'elle tend à faire depuis quelques années. Comme on a pu le voir, au cours des différents chapitres de ce livre, les analyses anciennes fondées sur une vision analytique, linéaire et purement cumulative de l'histoire sont partout plus ou moins battues en brèche. Le débat sur le rôle de la traite dans l'histoire de l'Occident a d'abord été entièrement accaparé par des études sur le taux de profit de la traite, à une époque où l'on pensait pouvoir déterminer en quoi la traite avait pu ou non être *le* facteur capable d'expliquer à lui seul l'histoire de l'économie occidentale. Ce débat tend aujourd'hui à se complexifier. On s'intéresse moins aux profits eux-mêmes qu'à l'usage qui a pu en être fait, et au rôle d'entraînement possible d'un trafic négrier réinséré au sein d'économies occidentales complexes et changeantes. La même évolution, dans la démarche, pourrait être relevée à propos de la question de l'impact démographique de la traite en Afrique noire précoloniale. L'approche purement cumulative y a déjà fait place à une analyse témoignant d'une attitude moins frileuse qu'auparavant vis-à-vis de la modélisation, et elle pourrait donner lieu à des études plus systémiques. Comme le dit justement Freeman Dyson, « la compréhension des différentes parties d'un système composite est impossible sans la compréhension du comportement du système dans son ensemble[1] ». Créer des modèles, élaborer des systèmes d'interprétation et les soumettre à un débat critique, voilà l'un des moyens d'approcher le tableau d'ensemble, le *big picture*, cher à David Brion Davis. Un moyen de mettre en relation les multiples thématiques propres à l'histoire plus que millénaire de la traite négrière, de mieux relier ses diverses dimensions, locales, régionales et interrégionales, comme le souhaite Patrick Manning[2].

Les grandes questions que l'on se pose au sujet de l'histoire des traites négrières n'ont peut-être pas beaucoup évolué, depuis l'époque où le mouvement abolitionniste s'affirmait. En revanche, on le voit, les approches deviennent beaucoup plus complexes. Et cela pour deux raisons. La première est qu'elles prennent en compte de plus en plus de données factuelles, ce qui permet de relancer mais aussi d'affiner les débats. Grâce au quantitatif, aux travaux préparatoires à l'édition d'un nouveau *Census*, par exemple, des questions nouvelles sont apparues. L'analyse de la traite atlantique ne se pratique désormais plus à l'échelle des relations entre trois continents, mais à celle des liens qui se sont établis entre diverses régions de ces ensembles si variés. De la même manière, ce que l'on sait désormais du taux de mortalité à bord des navires négriers, ou bien de la fréquence des révoltes à bord, nous invite à rechercher en Afrique même de possibles facteurs explicatifs. Ce qui nous conduit à l'un des plus grands apports de la recherche de ces dernières décennies, reconnu par l'ensemble des historiens, toutes écoles confondues : le fait que l'Afrique noire n'a pas été seulement une victime de la traite, elle a été l'un de ses principaux acteurs.

Le second motif permettant de rendre compte de

la complexification croissante des recherches réside dans la multiplication des variables prises en compte. Cela est particulièrement clair pour l'histoire de l'abolitionnisme, qui ne fut d'abord perçue qu'au travers du rôle joué par quelques philanthropes, et qui s'est progressivement ouverte à l'histoire économique, politique et culturelle. Mais cela est vrai de toutes les questions relatives à l'histoire des traites négrières. D'une manière ou d'une autre, et cela quels que soient les objectifs et les conclusions (parfois opposés) de leurs auteurs, nombre d'historiens de la traite s'intéressent aujourd'hui de plus en plus à ses dimensions culturelles[3]. Ce faisant, elle rejoint une direction empruntée par d'autres domaines de la recherche historique. Ce qui est loin d'être négligeable. Ce dont cette histoire souffre en effet encore trop souvent, c'est de son isolement par rapport aux autres secteurs de la recherche en histoire (une histoire de la traite atlantique mal reliée à l'histoire maritime en général, une histoire des rapports entre traite et industrialisation parfois ignorante de l'histoire de l'industrialisation en général, etc.).

Poursuivant dans cette direction, l'histoire de la traite et de l'esclavage devrait naturellement s'ouvrir à une autre voie, aujourd'hui à peine explorée mais particulièrement utile : celle des systèmes de représentations culturelles de la traite, de l'esclavage et de l'abolitionnisme. L'histoire des représentations, c'est d'abord, d'une manière classique mais essentielle, celle de leur genèse, de la manière dont elles ont influencé les sociétés passées et dont elles imprègnent encore parfois les nôtres. Dans ce cadre entrent, par exemple, les travaux de Benjamin Braude sur le mythe de la malédiction de Cham ou bien ceux de Ralph Austen sur les rapports entre histoire orale et mémoire africaine de la traite. Il y a aussi une seconde manière d'appréhender l'histoire des représentations. Tout en partageant ses méthodes avec la première, elle n'est pas comme elle destinée à mieux nous faire comprendre les sociétés passées ou présentes. Elle vise à mieux aborder la discipline historique d'aujourd'hui afin d'essayer de la rendre plus opératoire encore pour demain. Et cela en retrouvant et en analysant les clichés ayant pu se nicher dans les différentes strates d'un domaine historiographique donné. Comme on l'a vu au cours de cet essai, l'histoire de la traite et de l'esclavage est toujours assez largement constituée autour de notions nées au XIXe siècle, au moment du combat abolitionniste, tandis que l'esclavage en Afrique précoloniale qui est encore parfois perçu et analysé à l'aune d'une image déformée des types de servitude présents dans le Nouveau Monde à l'époque moderne. Une histoire renouvelée des représentations de la traite ainsi qu'un essor des études comparatives permettraient peut-être de nous défaire plus facilement de ce genre de réductionnisme. De nouvelles frontières se dessinent ici pour la recherche[4].

Appendices

Appendices

OUVRAGES CITÉS

The African Slave Trade from the Fifteenth to the Nineteenth Century, Paris, Unesco, 1979.

AL-NASIRI, Ahmad, *Kitab al-Istiqsa li-Akhbar Duwal al-Maghrib al-Aqsa (Histoire du Maghreb)*, 1881.

ALENCASTRO, Luis Felipe de, « Colons et colonisation, Brésil/Angola », communication (non publiée) au séminaire de recherche de l'université de Lorient, 2002.

ALENCASTRO, Luis Felipe de, *Le Commerce des vivants. Traite d'esclaves et pax lusitania dans l'Atlantique Sud*, thèse, université de Paris X, 1986 ; trad. port. *O trato dos viventes. Formação do Brasil no Atlântico Sud, seculos XVI e XVII*, São Paulo, Companhia das lettras, 2000.

ALENCASTRO, Luis Felipe de, « The Apprenticeship of Colonization », dans P. Manning (éd.), *Slave Trades, 1500-1800. Globalisation of Forced Labour*, Aldershot, Ashgate, 1996.

ALENCASTRO, Luis Felipe de, « La traite négrière et l'unité nationale brésilienne », *Revue française d'histoire d'outre-mer*, t. LXVI, n° 244-245, 1979, p. 395-419.

ALLEN, Richard B., « Maroonage and its Legacy in Mauritius and in the Colonial Plantation World », dans O. Pétré-Grenouilleau (éd.), *Traites et esclavages : vieilles questions, nouvelles perspectives ?*, numéro spécial de la *Revue française d'histoire d'outre-mer*, décembre 2002, p. 131-152.

ALVEREY, L. A., « Comercio exterior y formación de capital financiero : el tráfico de negros hispano-cubano, 1821-1868 », *Anuario de Estudios Americanos*, 51, 1994, p. 75-92.

ANDERSEN, Dan, « Denmark-Norway, Africa, and the Caribbean, 1660-1807 : Modernisation Financed by Slaves and Sugar ? », dans P. C. Emmer et O. Pétré-Grenouilleau (éd.), *A Deus Ex Machina Revisited. Atlantic Colonial Trade and European Economic Development*, Brill Academic Publishers, 2006, p. 291-315.

ANDREWS, George Reid, LEVINE, Robert M., SCOTT, Rebecca J., DRESCHER, Seymour, MATTOS DE CASTRO, Hebe Maria, *The Abolition of Slavery and the Aftermath of Emancipation in Brazil*, Durham, Duke University Press, 1988.

ANSTEY, Roger, et HAIR, Paul Edward Hedley (éd.), *Liverpool, the African Slave Trade and Abolition*, Historic Society of Lancashire and Cheshire, « Occasional Series », vol. 2, 1976.

ANSTEY, Roger, *The Atlantic Slave Trade and British Abolition, 1760-1810*, Londres, MacMillan, 1975.

ANSTEY, Roger, « The Volume and Profitability of the British Slave Trade, 1761-1807 », dans S. L. Engerman et E. D. Genovese (éd.), *Race and Slavery in the Western Hemisphere. Quantitative Studies*, Princeton, Princeton University Press, 1975.

AUBIN, Catherine, « Croissance économique et violence dans la zone soudanaise, XVIᵉ-XIXᵉ siècle », dans J. Bazin et E. Terray (dir.), *Guerres de lignages et guerres d'États en Afrique*, Paris, Éditions des Archives contemporaines, 1982, p. 423-496.

AUGUSTIN, saint, *La Cité de Dieu contre les Païens (De Civitate Dei contra paganos)*.

AUSTEN, Ralph A., « The Slave Trade as History and Memory : Confrontations of Slaving Voyage Documents and Communal Traditions », *The William and Mary Quarterly*, janvier 2001.

AUSTEN, Ralph A., et DERRICK, Jonathan, *Middlemen of the Cameroons Rivers. The Duala and their Hinterland c. 1600-c. 1960*, Cambridge, Cambridge University Press, 1999.

AUSTEN, Ralph A., « The Mediterranean Islamic Slave Trade out of Africa : a Tentative Census », *in* E. Savage (éd.), *The Human Commodity. Perspectives on the Trans-Saharan Slave Trade*, numéro spécial de *Slavery and Abolition*, 13, 1, avril 1992, p. 214-248.

AUSTEN, Ralph A., « How Unique Is the New World Plantation ?

Estate Agriculture in Three Slave Economies », dans S. Daget (éd.), *De la traite à l'esclavage*, Actes du colloque international sur la traite des Noirs, Nantes, 1985, Nantes/Centre de recherche sur l'histoire du monde atlantique, Paris/Société française d'histoire d'outre-mer, t. I, 1988, p. 55-71.

AUSTEN, Ralph A., *African Economic History. Internal Development and External Dependency*, Londres, James Currey, Portsmouth, Heinemann, 1987.

AUSTEN, Ralph A., et SMITH, Woodruff D., « Images of Africa and British Slave-Trade Abolition. The Transition to an Imperialist Ideology, 1787-1807 », *African Historical Studies*, II, 1, 1969, p. 69-83.

BABA, Ahmed, *Échelle pour s'élever à la condition juridique des Soudaniens réduits en esclavage*, 1611.

BAIROCH, Paul, *Mythes et paradoxes de l'histoire économique*, Paris, La Découverte, 1994.

BALLONG-WEN-MEWUDA, J.-B., *São Jorge da Mina, 1482-1637*, Lisbonne-Paris, Éditions de l'École des hautes études en sciences sociales, 1993.

BARRY, Boubacar, *Senegambia and the Atlantic Slave Trade*, Cambridge, Cambridge University Press, 1998.

BAXTER, Richard, *Christian Directory*, 1673.

BAZIN, Jean, et TERRAY, Emmanuel (dir.), *Guerres de lignages et guerres d'États en Afrique*, Paris, Éditions des Archives contemporaines, 1982.

BECKLES, Hilary M., *White Servitude and Black Slavery in Barbados, 1627-1715*, Knoxville, University of Tennessee Press, 1989.

BEHN, Aphra, *Oroonoko, or the History of The Royal Slave*, 1688.

BEHRENDT, Stephen D., « Markets, Transaction Cycles and Profits : Merchant Decision Making in the British Slave Trade », *New Perspectives on the Transatlantic Slave Trade*, numéro spécial de *The William and Mary Quarterly*, IIIe série, vol. LVII, janvier 2001, p. 171-202.

BEHRENDT, Stephen D., RICHARDSON, David, KLEIN, Herbert S., ELTIS, David, *The Trans-Atlantic Slave Trade. A Database on CD-Rom*, Cambridge, Cambridge University Press, 2000.

BEHRENDT, Stephen D., *The British Slave Trade, 1785-1807*.

Volume, Profitability and Mortality, thèse, University of Wisconsin, 1993.

BELLON DE SAINT-QUENTIN, Jean, *Dissertation sur la traite et le commerce des nègres*, Paris, 1764.

BENDER, Thomas (éd.), *The Antislavery Debate. Capitalism and Abolitionism in Historical Interpretation*, Berkeley, University of California Press, 1992.

BENEZET, Anthony, *Some Historical Account of Guinea, Its Situation, Produce, And the General Disposition of Its Inhabitants. An Inquiry into the Rise And Progress of the Slave Trade, Its Nature And Lamentable Effects*, 1771.

BÉNOT, Yves, *La Modernité de l'esclavage. Essai sur la servitude au cœur du capitalisme*, Paris, La Découverte, 2003.

BÉNOT, Yves, *La Révolution française et la fin des colonies*, Paris, Maspero, 1987.

BERGAD, Laird W., *Slavery and the Demographic and Economic History of Minas Gerais, Brazil, 1720-1788*, Cambridge, Cambridge University Press, 1999.

BERNARDINI, Paolo (éd.), *Jews and the Expansion of Europe to the West, 1450-1825*, New York, Berghahn Books, 1999.

BERTHOUD, Arnaud, *Essais de philosophie économique*, Lille, Presses universitaires du Septentrion, 2002.

BETHELL, Leslie, *Abolition of the Brazilian Slave Trade*, Cambridge, Cambridge University Press, 1970.

BIOT, Édouard, *De l'abolition de l'esclavage ancien en Occident*, Paris, 1840.

BIRMINGHAM, David, *Trade and Empire in the Atlantic, 1460-1600*, Londres, Routledge, 2000.

BIRMINGHAM, David, et GRAY, Richard (éd.), *Pre-Colonial African Trade. Essays on Trade in Central and Eastern Africa before 1900*, Oxford, Oxford University Press, 1970.

BLACKBURN, Robin, *The Making of the New World Slavery. From the Baroque to the Modern, 1492-1800*, Londres, Verso, 1997.

BLACKBURN, Robin, *The Overthrow of Colonial Slavery, 1776-1848*, Londres, Verso, 1988.

BODIN, Jean, *Six Livres de la République*, 1576.

BOHANNAN, Paul, et DALTON, George (éd.), *Markets in Africa*, Evanston, Northwestern University Press, 1962.

BOLT, Catherine, et DRESCHER, Seymour, *Anti-Slavery, Religion and Reform. Essays in Memory of Roger Anstey*, Folkestone et Hamden, W. Dawson, 1980.

BONIN, Hubert, et CAHEN, Michel (éd.), *Négoce blanc en Afrique noire. L'évolution du commerce à longue distance en Afrique noire du XVIIIe au XXe siècle*, Paris, Publications de la Société française d'histoire d'outre-mer, 2001.

BOSERUP, Ester, *Population and Technological Change. A Study of Long-Term Trends*, Chicago, University of Wisconsin Press, 1981.

BOUDRIOT, Jean, « Le navire négrier au XVIIIe siècle », dans S. Daget (éd.), *De la traite à l'esclavage*, Actes du colloque international sur la traite des Noirs, Nantes, 1985, Nantes/Centre de recherche sur l'histoire du monde atlantique, Paris/Société française d'histoire d'outre-mer, t. II, 1988, p. 159-168.

BOUDRIOT, Jean, *Le Navire négrier au XVIIIe siècle*, Paris, Centre de documentation historique de la Marine, 1987.

BOUDRIOT, Jean, *Traite et navire négrier au XVIIIe siècle. L'Aurore*, Paris, Éditions Ancre, 1984.

BOULÈGUE, Jean, *Les Luso-Africains de Sénégambie, XVIe-XIXe siècle*, Lisbonne, I.I.C.T., Paris, Centre de recherches africaines, 1989.

BOULLE, Pierre, « In Defense of Slavery : Eighteenth-Century Opposition to Abolition and the Origins of a Racist Ideology in France », dans F. Krantz (éd.), *History from Below : Studies in Popular Protest and Popular Ideology*, Oxford, Blackwell, 1988, p. 220-246.

BOULLE, Pierre, « Marchandises de traite et développement industriel dans la France et l'Angleterre du XVIIIe siècle », *Revue française d'histoire d'outre-mer*, 226-227, 1975, p. 309-330.

BOULLE, Pierre, « Slave Trade, Commercial Organization and Industrial Growth in Eighteenth Century Nantes », *Revue française d'histoire d'outre-mer*, 214, 1972, p. 70-112.

BRAUDE, Benjamin, « The Sons of Noah and the Construction of Ethnic and Geographical Identities in the Medieval and Early Modern Periods », *The William and Mary Quarterly*, IIIe série, vol. LIX, 1, janvier 1997, p. 103-142.

BRAUDEL, Fernand, *Grammaire des civilisations*, Paris, Flammarion, 1993.

BRAUDEL, Fernand, *La Dynamique du capitalisme*, Paris, Flammarion, 1985.

BRAUDEL, Fernand, *Civilisation matérielle, économie et capitalisme, XVᵉ-XVIIIᵉ siècle*, Paris, Armand Colin, 1979 ; rééd. Le Livre de Poche, coll. « Références », Librairie générale française, 1993.

BUCHET, Christian, MEYER, Jean, POUSSOU, Jean-Pierre (éd.), *La Puissance maritime*, Paris, Presses de l'université Paris-Sorbonne, 2004.

BURNARD, Trevor, « Who bought slaves in early America ? Purchasers of slaves from the Royal African Company in Jamaica, 1674-1708 », *Slavery and Abolition*, 2, 1996, p. 68-92.

BUSH, Michael Laccohee, *Servitude in Modern Times*, Cambridge, Polity Press, 2000.

BUXTON, T. F., *The African Slave Trade and its Remedy*, 1839.

CABANES, Robert, « Guerre lignagère et guerre de traite sur la côte nord-est de Madagascar aux XVIIᵉ et XVIIIᵉ siècles », dans J. Bazin et E. Terray, *Guerres de lignages et guerres d'États en Afrique*, Paris, Éditions des Archives contemporaines, 1982.

CAHEN, Michel, et BONIN, Hubert (éd.), *Négoce blanc en Afrique noire. L'évolution du commerce à longue distance en Afrique noire du XVIIIᵉ au XXᵉ siècle*, Paris, Société française d'histoire d'outre-mer, 2001.

CAMPBELL, Gwyn, « The Adoption of Autarky in Imperial Madagascar, 1820-1835 », *Journal of African History*, 28, 3, 1987.

Captius i esclaus a l'Antiguitat i al Mon Modern, colloque du Groupe international de recherches sur l'esclavage dans l'Antiquité, Naples, 1997.

CÉLIMÈNE, Fred, et LEGRIS, André (éd.), *L'Économie de l'esclavage colonial*, Paris, Éditions du Centre national de la recherche scientifique, 2002.

CHAMOISEAU, Patrick, *L'Esclave vieil homme et le Molosse*, Paris, Gallimard, 1997.

CLARENCE-SMITH, William Gervase, *Cocoa Pioneer Fronts Since 1800 : the Role of Smallholders. Planters and Merchants*, Londres, Routledge, 1996.

CLARENCE-SMITH, William Gervase, « The Dynamics of the African Slave Trade », *Africa*, 64, 2, 1994.

CLARENCE-SMITH, William Gervase (éd.), *The Economics of the Indian Ocean Slave Trade in the Nineteenth Century*, Londres, Frank Cass, 1989.

CLARENCE-SMITH, William Gervase, « La traite portugaise et espagnole en Afrique au XIXᵉ siècle », dans S. Daget (éd.), *De la traite à l'esclavage*, Actes du colloque international sur la traite des Noirs, Nantes, 1985, Nantes/Centre de recherche sur l'histoire du monde atlantique, Paris/Société française d'histoire d'outre-mer, t. II, 1988, p. 425-434.

CLARENCE-SMITH, William Gervase, *The Third Portuguese Empire, 1825-1975. A Study in Economic Imperialism*, Manchester University Press, 1985.

CLARKSON, Thomas, *The History of the Rise, Progress and Accomplishment of the Abolition of the African Slave Trade by the British Parliament* (Londres, 1808), Londres, Frank Cass, 1968.

CLARKSON, Thomas, *Essay on the Impolicy of the Slave Trade*, 1788.

Code noir ou Recueil d'édits, Déclarations et Arrêts concernant les Esclaves Nègres de l'Amérique avec un Recueil de Règlements, concernant la police des Îles Françaises de l'Amérique et les Engagés, 1685.

COHN, Raymond L., « Mortality in Transport », dans S. Drescher et S. L. Engerman (éd.), *A Historical Guide to World Slavery*, Oxford, Oxford University Press, 1998.

CONDORCET, Marie Jean Antoine Nicolas de Caritat, marquis de, *Réflexions sur l'esclavage des nègres*, 1781.

COOK, Noble David, *Born to Die. Disease and New World Conquest, 1492-1650*, Cambridge, Cambridge University Press, 1998.

COOPER, Frederick, « The Problem of Slavery in African Studies », *Journal of African History*, 20, 1, 1979, p. 103-125.

COOPER, Frederick, *Plantation Slavery on the East Coast of Africa*, New Haven, Yale University Press, 1977.

COQUERY-VIDROVITCH, Catherine, « Le commerce transsaharien au XIXᵉ siècle vu d'Afrique noire », dans H. Bonin et M. Cahen (éd.), *Négoce blanc en Afrique noire. L'évolution du commerce à longue distance en Afrique noire du XVIIIᵉ au*

XXe siècle, Paris, Société française d'histoire d'outre-mer, 2001, p. 323-333.

COQUERY-VIDROVITCH, Catherine, *Histoire des villes d'Afrique noire. Des origines à la colonisation*, Paris, Albin Michel, 1993.

COQUERY-VIDROVITCH, Catherine, et MONIOT, Henri, *L'Afrique noire de 1800 à nos jours*, Paris, Presses universitaires de France, 1992.

COQUERY-VIDROVITCH, Catherine, « Traite négrière et démographie. Les effets de la traite atlantique : un essai de bilan des acquis actuels de la recherche », dans S. Daget (éd.), *De la traite à l'esclavage*, Actes du colloque international sur la traite des Noirs, Nantes, 1985, Nantes/Centre de recherche sur l'histoire du monde atlantique, Paris/Société française d'histoire d'outre-mer, t. II, 1988, p. 57-69.

COQUERY-VIDROVITCH, Catherine, *Afrique noire, permanences et ruptures*, Paris, L'Harmattan, 1985.

CORDELL, Dennis, « Population and Demographic Dynamics in Sub-Saharan Africa in the Second Millenium », article inédit, séminaire sur l'histoire de la population mondiale, Florence, juin 2001.

CORDELL, Dennis, et GREGORY, Joel W. (éd.), *African Population and Capitalism : Historical Perspectives*, Madison, University of Wisconsin Press, 1994.

CORDELL, Dennis, *Dar al-Kuti and the Last Years of the Trans-Saharan Slave Trade*, Madison, University of Wisconsin Press, 1985.

COUPLAND, Reginald, *The British Anti-Slavery Movement*, Londres, Longmans, 1933.

COUPLAND, Reginald, *Wilberforce. A Narrative*, Londres, Collins, 1923.

COURLEY, Malcom, et MANNIX, Daniel Pratt, *Black Cargoes. History of the Atlantic Slave Trade, 1518-1565*, New York, Viking Press, 1962.

COX, J. W., et JWAIDEH, A., « The Black Slaves of Turkish Arabia during the 19th Century », dans W. G. Clarence-Smith (éd.), *The Economics of the Indian Ocean Slave Trade in the Nineteenth Century*, Londres, Frank Cass, 1989.

CROUZET, François, « Britain's Exports and their Markets, 1701-1913 », dans P. C. Emmer et O. Pétré-Grenouilleau (éd.), *A Deus Ex Machina Revisited. Atlantic Colonial Trade and European Economic Development*, Brill Academic Publishers, 2006, p. 181-197.

CROUZET, François (éd.), *Capital Formation in the Industrial Revolution*, Londres, Methuen, 1972.

CURTIN, Philip D., *The Rise and Fall of the Plantation Complex. Essays in Atlantic History*, Cambridge, Cambridge University Press, 1990 ; 2ᵉ éd. 1998.

CURTIN, Philip D., *Economic Change in Precolonial Africa. Senegambia in the Era of the Slave Trade*, Madison, University of Wisconsin Press, 1975.

CURTIN, Philip D., *The Atlantic Slave Trade. A Census*, Madison, Wisconsin University Press, 1969.

CURTIN, Philip D., *Africa Remembered. Narratives of West Africans from the Era of the Slave Trade*, Madison, Wisconsin University Press, 1967.

CURTO, Jose C., *Enslaving Spirits. The Portuguese-Brazilian Alcohol Trade at Luanda and its Hinterland, c. 1550-1830*, Leyde et Boston, Brill Academic Publishers, 2004.

DAAKU, Kwame Yeboa, *Trade and Politics on the Gold Coast, 1600-1720*, Oxford, Oxford University Press, 1971.

DAGET, Serge, *Les Croisières françaises de répression de la traite des Noirs sur les côtes occidentales de l'Afrique, 1817-1850*, thèse d'État, université de Paris I, 1987 ; Paris, Karthala, 1997.

DAGET, Serge, *La Traite des Noirs. Bastilles négrières et vélléités abolitionnistes*, Rennes, Éditions Ouest-France, 1990.

DAGET, Serge (éd.), *De la traite à l'esclavage*, Actes du colloque international sur la traite des Noirs, Nantes, 1985, Nantes/Centre de recherche sur l'histoire du monde atlantique, Paris/Société française d'histoire d'outre-mer, 1988.

DAGET, Serge, *Répertoire des expéditions négrières françaises à la traite illégale, 1814-1850*, Nantes, Centre de recherche sur l'histoire du monde atlantique, 1988.

DAGET, Serge, et RENAULT, François, *Les Traites négrières en Afrique*, Paris, Karthala, 1985.

DALTON, George, et BOHANNAN, Paul (éd.), *Markets in Africa*, Evanston, Northwestern University Press, 1962.

DAUDIN, Guillaume, « Comment calculer les profits de la

traite ? », dans O. Pétré-Grenouilleau (éd.), *Traites et escla-vages : vieilles questions, nouvelles perspectives ?*, numéro spécial de *Revue française d'histoire d'outre-mer*, décembre 2002, p. 43-62.

DAVIES, K. G., « The Leaving and the Dead : White Mortality in West Africa », dans S. L. Engerman et E. D. Genovese (éd.), *Race and Slavery in the Western Hemisphere. Quantitative Studies*, Princeton, Princeton University Press, 1975.

DAVIS, David Brion, « Looking at Slavery from Broader Perspectives », *American Historical Review*, avril 2000, p. 452-466.

DAVIS, David Brion, *Slavery and Human Progress*, New York, Oxford University Press, 1984.

DAVIS, David Brion, *The Problem of Slavery in the Age of Revolution, 1770-1823*, Ithaca, New York, 1975.

DAVIS, David Brion, *The Problem of Slavery in Western Culture*, Ithaca, New York, Cornell University Press, 1966.

DAVIS, David Brion, « The Emergence of Immediatism in British and American Anti-Slavery Thought », *The Mississippi Valley Historical Review*, 49, 2, 1962, p. 209-230.

DEBIEN, Gabriel, *Les Colons de Saint-Domingue et la Révolution. Essai sur le club Massiac*, Paris, Armand Colin, 1953.

DEBIEN, Gabriel, « Les engagés pour les Antilles, 1634-1715 », *Revue d'histoire des colonies*, 1951.

DEFOE, Daniel, *The Life and Strange Surprizing Adventures of Robinson Crusoe, of York, Mariner*, 1719.

La Dernière Traite. Fragments d'histoire en hommage à Serge Daget, éd. Hubert Gerbeau et Eric Saugera, Paris, Société française d'histoire d'outre-mer, 1994.

DERRICK, Jonathan, et AUSTEN, Ralph, *Middlemen of the Cameroons Rivers. The Duala and their Hinterland c. 1600-c. 1960*, Cambridge, Cambridge University Press, 1999.

DESANGES, Jehan, « L'Afrique noire et le monde méditerranéen dans l'Antiquité », *Revue française d'histoire d'outre-mer*, 228, 1975, p. 391-414.

DESCHAMPS, Hubert, *Histoire de la traite des Noirs de l'Antiquité à nos jours*, Paris, Fayard, 1970.

DEVEAU, Jean-Michel, *La Traite rochelaise*, Paris, Karthala, 1990.

Dictionnaire des cas de conscience décidés suivant les principes de la morale, les usages de la discipline ecclésiastique et des canonistes et la jurisprudence du royaume, par messieurs de Lamet et Fromageau, docteurs de la Maison et Société de Sorbonne, t. I, Paris, J.-B. Coignard Fils, Imprimerie du roi, 1733 (article « Esclavage »).

DIÈNE, Doudou (éd.), *La Chaîne et le Lien. Une vision de la traite négrière*, Paris, Unesco, 1998.

DOMAR, Evsey D., « The Causes of Slavery or Serfdom : An Hypothesis », *Journal of Economic History*, 30, 1970, p. 18-32.

DONNAN, Elizabeth (éd.), *Documents Illustrative of the History of the Slave Trade to America*, Washington, Carnegie Institute, 4 vol., 1930-1935.

DORIGNY, Marcel (éd.), *Les Abolitions de l'esclavage*, Paris, Presses universitaires de Vincennes, Unesco, 1995.

DORIGNY, Marcel, et GAINOT, Bernard (éd.), *La Société des amis des Noirs*, Paris, Unesco/Edicef, 1998.

DOVONOU, Florent, « Les formes actuelles de négoce en Afrique », dans H. Bonin (éd.), *Négoce blanc en Afrique noire*, Paris, Publications de la Société française d'histoire d'outre-mer, 2001, p. 97-112.

DRESCHER, Seymour, « White Atlantic ? The Choice for African Slave Labor in the Plantation Americas », dans D. Eltis (éd.), *Slavery in the Development of the Americas*, Cambridge, Cambridge University Press, 2006.

DRESCHER, Seymour, *The Mighty Experiment*, New York, Oxford University Press, 2002.

DRESCHER, Seymour, ENGERMAN, Stanley L., PAQUETTE, Robert (éd.), *Slavery*, New York, Oxford University Press, 2001.

DRESCHER, Seymour, « Abolitionist Expectations : Britain », *Slavery and Abolition*, août 2000, p. 41-66.

DRESCHER, Seymour, *From Slavery to Freedom. Comparative Studies in the Rise and Fall of Atlantic Slavery*, Londres, MacMillan, 1999.

DRESCHER, Seymour, « Jews and New Christians in the Atlantic Slave Trade », dans P. Bernardini (éd.), *Jews and the Expansion of Europe to the West, 1450-1825*, New York, Berghahn Books, 1999, p. 439-470.

DRESCHER, Seymour, et ENGERMAN, Stanley L., *A Historical Guide to World Slavery*, Oxford, Oxford University Press, 1998.

DRESCHER, Seymour, « Moral Issues », dans S. Drescher et

S. L. Engerman, *A Historical Guide to World Slavery*, Oxford, Oxford University Press, 1998, p. 282-290.

DRESCHER, Seymour, « Review Essay. *The Antislavery Debate* », *History and Theory*, 32, 1993, p. 311-329.

DRESCHER, Seymour, « The Ending of the Slave Trade and the Evolution of European Scientific Racism », *Social Science History*, 3, 1990, p. 415-450.

DRESCHER, Seymour, « People and Parliament : the Rhetoric of the British Slave Trade », *Journal of Interdisciplinary History*, printemps 1990, p. 561-580.

DRESCHER, Seymour, MATTOS DE CASTRO, Hebe Maria, ANDREWS, George Reid, LEVINE, Robert M., SCOTT, Rebecca J., *The Abolition of Slavery and the Aftermath of Emancipation in Brazil*, Durham, Duke University Press, 1988.

DRESCHER, Seymour, « Paradigms Tossed : Capitalism and the Political Sources of Abolition », dans B. L. Solow et S. L. Engerman (éd.), *British Capitalism and Caribbean Slavery : the Legacy of Eric Williams*, Cambridge, Cambridge University Press, 1987, p. 191-208.

DRESCHER, Seymour, et BOLT, Catherine, *Anti-Slavery, Religion and Reform. Essays in Memory of Roger Anstey*, Folkestone et Hamden, W. Dawson, 1980.

DRESCHER, Seymour, *Econocide, Economic Development and the Abolition of the British Slave Trade*, Pittsburgh, Pittsburgh University Press, 1977.

DUBOIS, William Edward Burghardt, *The Suppression of the African Slave Trade to the United States of America, 1638-1870*, New York, Longmans Green, 1896 ; nouv. éd. Baton Rouge, J. H. Franklin, 1969.

DUBY, Georges, *Les Trois Ordres ou l'Imaginaire du féodalisme*, Paris, Flammarion, 1973.

DUMAS, Alexandre, *Georges*, 1843.

DUTERTRE, P. Jean-Baptiste, *Histoire des Antilles*, 1671.

DYSON, Freeman, « The Scientist as Rebel », *New York Review of Books*, 25 mai 1995.

EHRARD, Jean, « L'esclavage devant la conscience nationale des Lumières françaises : indifférence, gêne, révolte », dans M. Dorigny (éd.), *Les Abolitions de l'esclavage*, Paris, Presses universitaires de Vincennes, Unesco, 1995, p. 143-152.

ELIAS, Norbert, *La Dynamique de l'Occident*, Paris, Calmann-Lévy, 1976.

ELIAS, Norbert, *La Civilisation des mœurs*, Paris, Calmann-Lévy, 1973.

ELTIS, David (éd.), *Slavery in the Development of the Americas*, Cambridge, Cambridge University Press, 2006.

ELTIS, David, « African and European Relations in the Last Century of Transatlantic Slave Trade », dans O. Pétré-Grenouilleau (éd.), *From Slave Trade to Empire. Europe and the Colonization of Black Africa, 1780s-1880s*, Londres, Routledge, 2004, p. 21-46.

ELTIS, David, « The Volume and Structure of the Transatlantic Slave Trade : a Reassessment », *The William and Mary Quarterly*, janvier 2001, p. 17-46.

ELTIS, David, *The Rise of African Slavery in the Americas*, Cambridge, Cambridge University Press, 2000.

ELTIS, David, BEHRENDT, Stephen D., RICHARDSON, David, KLEIN, Herbert S., *The Trans-Atlantic Slave Trade. A Database on CD-Rom*, Cambridge, Cambrige University Press, 2000.

ELTIS, David, « Europeans and the Rise and Fall of African Slavery in the America : An Interpretation », *American Historical Review*, 98, décembre 1993, p. 1399-1423.

ELTIS, David, « The African Role in the Ending of the Transatlantic Slave Trade », dans S. Daget (éd.), *De la traite à l'esclavage*, Actes du colloque international sur la traite des Noirs, Nantes, 1985, Nantes/Centre de recherche sur l'histoire du monde atlantique, Paris/Société française d'histoire d'outre-mer, t. II, 1988, p. 503-520.

ELTIS, David, et JENNINGS, Lawrence, « Trade between Western Africa and the Atlantic World in the Pre-Colonial Era », *American Historical Review*, 1988, p. 936-959.

ELTIS, David, *Economic Growth and the Ending of the Transatlantic Slave Trade*, New York, Oxford University Press, 1987.

EMMER, Pieter Cornelis, et PÉTRÉ-GRENOUILLEAU, Olivier (éd.), *A Deus Ex Machina Revisited. Atlantic Colonial Trade and European Economic Development, XVIIth-XIXth Centuries*, Brill Academic Publishers, 2006.

EMMER, Pieter Cornelis, *De Nederlandse slavenhandel, 1500-1850*, Amsterdam, De Arbeiderspers, 2000, 2ᵉ éd. 2003 ; trad. fr. Mireille Cohendy, *Les Pays-Bas et la traite des*

Noirs, Paris, Karthala, 2005 ; trad. amér. Chris Emery, *The Dutch Slave Trade 1500-1850*, New York, Berghahn Books, 2006.

EMMER, Pieter Cornelis, « Mythe et réalité : la migration des Indiens dans la Caraïbe de 1839 à 1917 », dans O. Pétré-Grenouilleau (éd.), *Traites et esclavages : vieilles questions, nouvelles perspectives ?*, numéro spécial de *Revue française d'histoire d'outre-mer*, décembre 2002, p. 111-129.

EMMER, Pieter Cornelis, *The Dutch in the Atlantic Economy 1580-1880. Trade, Slavery and Emancipation*, Aldershot, Ashgate, 1998.

EMMER, Pieter Cornelis (éd.), *Colonialism and Migration. Indentured Labour before and after Slavery*, Dordrecht, Martinus Nijhoff, 1986.

ENGERMAN, Stanley L., PAQUETTE, Robert, DRESCHER, Seymour (éd.), *Slavery*, New York, Oxford University Press, 2001.

ENGERMAN, Stanley L., HAINES, R., SHLOMOWITZ, R., KLEIN, H. S., « Transoceanic Mortality : the Slave Trade in Comparative Perspective », *The William and Mary Quarterly*, janvier 2001.

ENGERMAN, Stanley L., et DRESCHER, Seymour, *A Historical Guide to World Slavery*, Oxford, Oxford University Press, 1998.

ENGERMAN, Stanley L., et PAQUETTE, Robert L. (éd.), *The Lesser Antilles in the Age of European Expansion*, Gainesville, University Press of Florida, 1996.

ENGERMAN, Stanley L., et SOKOLOFF, K. « Factors Endowments, Institutions and Differential Paths of Growth among New World Economies », National Bureau of Economic Research, Inc., Historical Paper, 1994.

ENGERMAN, Stanley L., et INIKORI, Joseph E. (éd.), *The Atlantic Slave Trade. Effects on Economics, Societies and Peoples in Africa, the Americas, and Europe*, Durham, Londres, Duke University Press, 1992.

ENGERMAN, Stanley L., et O'BRIEN, Patrick, « Exports and the Growth of the British Economy from the Glorious Revolution to the Peace of Amiens », dans B. L. Solow (éd.), *Slavery and the Rise of the Atlantic System*, Cambridge, Cambridge University Press, 1991.

ENGERMAN, Stanley L., et SOLOW, Barbara Lewis (éd.), *British Capitalism and Caribbean Slavery. The Legacy of Eric Williams*, Cambridge, Cambridge University Press, 1987.

ENGERMAN, Stanley L., « Contract Labour in Sugar and Technology in the Nineteenth Century », *Journal of Economic History*, 43, 1983.

ENGERMAN, Stanley L., et GENOVESE, Eugene D. (éd.), *Race and Slavery in the Western Hemisphere. Quantitative Studies*, Princeton, Princeton University Press, 1975.

ENGERMAN, Stanley L., et FOGEL, Robert William, *Time on the Cross. The Economics of American Negro Slavery*, Boston, Little Brown, 1974.

ENGERMAN, Stanley L., « The Slave Trade and British Capital Formation in the Eighteenth Century. A Comment on the William Thesis », *Business History Review*, 1972, p. 430-433.

EQUIANO, Olaudah, *The Interesting Narrative of the Life of Olaudah Equiano, or Gustavus Vassa the African, Written by Himself* (1789), éd. Paul Edwards, Londres, Dawson, 1967 ; trad. fr. *La Véridique histoire d'Olaudah Equiano, Africain esclave aux Caraïbes, homme libre, par lui-même*, Paris, Éditions caribéennes, 1987.

ERDEM, Yusuf Hakan, *Slavery in the Ottoman Empire and its Demise, 1800-1909*, Londres, MacMillan, New York, St. Martin's Press, 1996.

ESQUER, Gabriel (éd.), *L'Anticolonialisme au XVIIIᵉ siècle. Histoire philosophique et politique des établissements et du commerce des Européens dans les deux Indes, par l'abbé Raynal*, Paris, Presses universitaires de France, 1951.

ETEMAD, Bouda, *De l'utilité des empires. Colonisation et prospérité de l'Europe, XVIᵉ-XXᵉ siècle*, Paris, Armand Colin, 2005.

EVANS, E., et RICHARDSON, D., « Hunting for Rents : the Economics of Slaving in Pre-Colonial Africa », *Economic History Review*, 4, 1995, p. 665-686.

EWALD, Janet J., « Slavery in Africa and the Slave Trades from Africa », *American Historical Review*, avril 1992, p. 465-485.

EWALD, Janet J., *Traders and Slaves : State Formation and Economic. Transformation in the Greater Nile Valley, 1700-1885*, Madison, University of Wisconsin Press, 1990.

FAGE, John Donnely, « Slaves and Society in Western Africa c. 1445-c. 1700 », *Journal of African History*, 21, 1980, p. 289-310.

FAGE, John Donnely, « Traite et esclavage dans le contexte historique de l'Afrique occidentale », dans *Journal of African History*, 3, 1969, p. 393-404, et S. Mintz (éd.), *Esclave = facteur de production*, Paris, Dunod, 1981.

FAGE, John Donnely, *A History of West Africa*, Cambridge, Cambridge University Press, 1959.

FALL, Yoro K., *L'Afrique à la naissance de la cartographie moderne, XIVe-XVe siècle : les cartes majorquines*, Paris, Karthala, 1982.

FASSEUR, Cornelis, *The Politics of Colonial Exploitation. Java, the Dutch and the Cultivation System*, Ithaca, Cornell University Southeast Asia Program, 1994.

FASSEUR, Cornelis, *Kultuurstelsel en Koloniale Baten. De Nederlandse exploitatie van Java, 1840-1860*, thèse, Leyde, 1975.

FAUVELLE-AYMAR, François-Xavier, *L'Invention du Hottentot*, Paris, Publications de la Sorbonne, 2002.

FERNANDES, Valentim, *Description de la côte occidentale d'Afrique (Sénégal au Cap de Monte, archipels)*, trad. Th. Monod, A. Teixeira da Mota et R. Mauny, Centro de Estudos da Guiné, Bissau, 1951.

FERRO, Marc, *Comment on raconte l'histoire aux enfants à travers les âges*, Paris, Payot, 1981.

FILESI, Teobaldo, *China and Africa in the Middle Ages*, Londres, F. Cass, 1972.

FILLIOT, Jean-Michel, *La Traite des esclaves vers les Mascareignes au XVIIIe siècle*, Paris, Orstom, 1974.

FINLEY, Moses I., *Démocratie antique et démocratie moderne*, Paris, Payot, 2003.

FINLEY, Moses I., *Esclavage antique et idéologie moderne*, Paris, Éditions de Minuit, 1981.

FISHER, Allan George Barnard, et FISHER, Humphrey John, *Slavery and Muslim Society in Africa. The Institution in Saharan and Sudanic Africa and the Trans-Saharan Trade*, Londres, C. Hurst and Company, 1970.

FISHER, Humphrey John, « A Muslim William Wilberforce ? The Sokoto Jihâd as Anti-Slavery Crusade : an Enquiry into Historical Causes », dans S. Daget (éd.), *De la traite à l'es-*

clavage, Actes du colloque international sur la traite des Noirs, Nantes, 1985, Nantes/Centre de recherche sur l'histoire du monde atlantique, Paris/Société française d'histoire d'outre-mer, t. II, 1988, p. 537-555.

FLOUD, Roderick C., et McCLOSKEY, Deirdre N. (éd.), *The Economic History of Britain since 1700*, vol. I, Cambridge, Cambridge University Press, 1981.

FOGEL, Robert William, *Without Consent or Contract. The Rise and Fall of American Slavery*, New York, William and Norton, 1989.

FOGEL, Robert William, et ENGERMAN, Stanley L., *Time on the Cross : the Economics of American Negro Slavery*, Boston, Little Brown, 1974.

FOHLEN, Claude, « Une expédition négrière nantaise sous la Restauration », dans *Les Entreprises et leurs réseaux*, Paris, Presses de l'université Paris-Sorbonne, 1999.

FOHLEN, Claude, *Histoire de l'esclavage aux États-Unis*, Paris, Perrin, 1998.

FORSTER, Robert, « Three Slaveholders in the Antilles : Saint-Domingue, Martinique, Jamaica », manuscrit communiqué par l'auteur.

FOX GENOVESE, Elizabeth, et GENOVESE, Eugene D., *Fruits of Merchant Capital. Slavery and Bourgeois Property in the Rise and Expansion of Capitalism*, New York, Oxford University Press, 1983.

GAINOT, Bernard, et DORIGNY, Marcel (éd.), *La Société des amis des Noirs*, Paris, Unesco/Edicef, 1998.

GALENSON, David W., « Economic Aspects of the Growth of Slavery in the Seventeenth Century Chesapeake », dans B. Solow (éd.), *Slavery and the Rise of the Atlantic System*, Cambridge, Cambridge University Press, 1991.

GALENSON, David W., *White Servitude in Colonial America. An Economic Analysis*, Cambridge, Cambridge University Press, 1981.

GAUFRETEAU, Jean de, *Chronique bordelaise*, Bordeaux, t. I, 1877.

GEGGUS, David, « Sexe Ratio and Ethnicity : a Reply to Paul E. Lovejoy », *Journal of African History*, 30, 1989, p. 395-397.

GEMERY, Henry H., et HOGENDORN, Jan S., « La traite des esclaves sur l'Atlantique : essai de modèle économique », dans S. Mintz (éd.), *Esclave = facteur de production*, Paris, Dunod, 1981, p. 18-45.

GENOVESE, Eugene D., et FOX GENOVESE, Elizabeth, *Fruits of Merchant Capital : Slavery and Bourgeois Property in the Rise and Expansion of Capitalism*, New York, Oxford University Press, 1983.

GENOVESE, Eugene D., *From Rebellion to Revolution. Afro-American Slave Revolts in the Making of the Modern World*, Baton Rouge, Louisiana State University Press, 1979.

GENOVESE, Eugene D., et ENGERMAN, Stanley L. (éd.), *Race and Slavery in the Western Hemisphere. Quantitative Studies*, Princeton, Princeton University Press, 1975.

GENOVESE, Eugene D., *Roll, Jordan, Roll. The World the Slaves Made*, New York, Pantheon, 1974.

GERBEAU, Hubert, « Fabulée, fabuleuse, la traite des Noirs à Bourbon au XIXᵉ siècle », dans S. Daget (éd.), *De la traite à l'esclavage*, Actes du colloque international sur la traite des Noirs, Nantes, 1985, Nantes/Centre de recherche sur l'histoire du monde atlantique, Paris/Société française d'histoire d'outre-mer, t. II, 1988, p. 467-486.

GILLET, M. « Résultat de l'enquête ouverte au Congo pour connaître les conditions et les causes de l'esclavage de 2 571 émigrants africains rachetés pour l'émigration » (1863), cité par le capitaine de frégate Souzy dans « L'immigration africaine », *Revue maritime et coloniale*, IX, septembre-décembre 1863.

GOMEZ, M., *Exchanging our Country Marks : The Transformation of African Identities in the Colonial and Antebellum South*, Cambridge, Cambridge University Press, 1998.

GOODY, Jack, « Slavery in Time and Space », dans J. L. Watson (éd.), *Asian and African Systems of Slavery*, Oxford, Basil Blackwell, 1980, p. 16-42.

GRANDPRÉ, Louis-Marie-Joseph Ohier, comte de, *Voyage à la côte occidentale d'Afrique, fait dans les années 1786 et 1787, contenant la description des mœurs, usages, lois, gouvernement et commerce des États du Congo, et un précis de la traite des Noirs, suivi d'un voyage fait au Cap de Bonne-Espérance*, Paris, Dentu, 1801.

GRAY, Richard, et BIRMINGHAM, David (éd.), *Pre-Colonial African Trade. Essays on Trade in Central and Eastern Africa before 1900*, Oxford, Oxford University Press, 1970.

GREEN-PEDERSEN, Svend E., « The Danish Negro Slave Trade : Some New Archival Findings in Particular with Reference to the Danish West Indies », dans S. Daget (éd.), *De la traite à l'esclavage*, Actes du colloque international sur la traite des Noirs, Nantes, 1985, Nantes/Centre de recherche sur l'histoire du monde atlantique, Paris/Société française d'histoire d'outre-mer, t. I, 1988, p. 429-452.

GRÉGOIRE XVI, *In supremo apostolatus fastigio*, décembre 1839.

GREGORY, Joel W., et CORDELL, Dennis (éd.), *African Population and Capitalism : Historical Perspectives*, Madison, University of Wisconsin Press, 1994.

HAINES, R., SHLOMOWITZ, R., KLEIN, H. S., ENGERMAN, Stanley L., « Transoceanic Mortality : the Slave Trade in Comparative Perspective », *The William and Mary Quarterly*, janvier 2001.

HAIR, Paul Edward Hedley, et ANSTEY, Roger (éd.), *Liverpool, the African Slave Trade and Abolition*, Historic Society of Lancashire and Cheshire, « Occasional Series », vol. 2, 1976.

HAIR, Paul Edward Hedley, « The Enslavement of Koelle's Informants », *Journal of African History*, 6, 2, 1965.

HANCOCK, David, *Citizens of the World. London Merchants and the Integration of the British Atlantic Community, 1735-1785*, Cambridge, Cambridge University Press, 1985.

HARMS, Robert, *The Diligent. A Voyage through the Worlds of the Slave Trade*, New York, Basic Books, 2002.

HARMS, Robert, *River of Wealth, River of Sorrow. The Central Zaire Basin in the Era of the Slave Trade and the Ivory Trade, 1500-1891*, New Haven, Yale University Press, 1981.

HAWTHORNE, Walter, « The Production of Slaves Where There Was no State : the Guinea-Bissau Region, 1450-1815 », *Slavery and Abolition*, 2, 1999, p. 97-124.

HAZARD, Paul, *La Crise de la conscience européenne, 1680-1715* (1935), Paris, Gallimard, 1961.

HEERS, Jacques, *Esclaves domestiques au Moyen Âge dans le monde méditerranéen*, Paris, Hachette, 1981.

HEGEL, Georg Wilhelm Friedrich, *La Raison dans l'histoire*, Paris, U.G.E., 10/18, 1979.

HENINGE, David, « Measuring the Immeasurable : the Atlantic Slave Trade, West African Population and the Pyrrhonian Critic », *Journal of African History*, 27, 1986, p. 295-313.

HIGGINBOTHAM JR., Aloyisus Leon, *In the Matter of Color. Race and the American Legal Process : the Colonial Period*, New York, Oxford University Press, 1978.

HIRSCHMAN, Albert O., *Les Passions et les Intérêts*, Paris, Presses universitaires de France, 1980.

HOEFTE, Rosemarijn, *In Place of Slavery. A Social History of British Indian and Javanese Laborers in Suriname*, Florida University Press, 1998.

HOGENDORN, Jan S., « Economic Modelling of Price Differences in the Slave Trade between the Central Sudan and the Coast », *Slavery and Abolition*, décembre 1996, p. 209-222.

HOGENDORN, Jan S., et LOVEJOY, Paul, *Slow Death for Slavery. The Course of Abolition in Northern Nigeria, 1897-1936*, Cambridge, Cambridge University Press, 1993.

HOGENDORN, Jan S., et JOHNSON, Marion, *The Shell Money of the Slave Trade*, Cambridge, Cambridge University Press, 1986.

HOGENDORN, Jan S., et GEMERY, Henry H., « La traite des esclaves sur l'Atlantique : essai de modèle économique », dans S. Mintz (éd.), *Esclave = facteur de production*, Paris, Dunod, 1981, p. 18-45.

HOGENDORN, Jan S., « The Economics of Slave Use on Two "Plantations" in the Zaria Emirate of the Sokoto Caliphate », *International Journal of African Historical Studies*, 10, 3, 1977, p. 369-383.

HOLLIS, Patricia, « Anti-Slavery and British Working-Class Radicalism in the Years of Reform », dans C. Bolt et S. Drescher, *Anti-Slavery, Religion and Reform. Essays in Memory of Roger Anstey*, Folkestone et Hamden, W. Dawson, 1980, p. 297-311.

HUGO, Victor, *Bug-Jargal*, 1826.

HUNWICK, John O., « Black Slaves in the Mediterranean World : Introduction to a Neglected Aspect of the African Diaspora », dans E. Savage (éd.), *The Human Commodity*.

Perspectives on the Trans-Saharan Slave Trade, numéro spécial de *Slavery and Abolition*, 13, 1, avril 1992, p. 5-38.

INIKORI, Joseph E., *Africans and the Industrial Revolution in England. A Study in International Trade and Economic Development*, Cambridge, Cambridge University Press, 2002.

INIKORI, Joseph E., et MAHADI, A., « Population and Capitalist Development in Precolonial West Africa : Kasar Kano in the Nineteenth Century », dans D. Cordell et J. W. Gregory (éd.), *African Population and Capitalism. Historical Perspectives*, Madison, University of Wisconsin Press, 1994, p. 62-73.

INIKORI, Joseph E., et ENGERMAN, Stanley L. (éd.), *The Atlantic Slave Trade. Effects on Economics, Societies and Peoples in Africa, the Americas, and Europe*, Durham, Duke University Press, 1992.

INIKORI, Joseph E., *Forced Migration. The Impact of the Export Slave Trade on African Societies*, Londres, Hutchinson University Library for Africa, 1982.

INIKORI, Joseph E., « The Slave Trade and the Atlantic Economies, 1451-1870 », dans *The African Slave Trade from the Fifteenth to the Nineteenth Century*, Paris, Unesco, 1979.

INIKORI, Joseph E., « The Import of Firearms into West Africa, 1750-1807 : a Quantitative Analysis », *Journal of African History*, 18, 3, 1977, p. 339-368.

JAMES, Cyril Lionel Robert, *The Black Jacobins. Toussaint Louverture and the San Domingo Revolution*, Londres, Allison and Busby, 1980.

JAUCOURT, Louis de, « Égalité naturelle », dans D. Diderot et J.-B. Le Rond d'Alembert, *Encyclopédie, ou Dictionnaire raisonné des sciences, des arts et des métiers* (1751).

JENNINGS, Lawrence C., « Le second mouvement pour l'abolition de l'esclavage colonial français », dans O. Pétré-Grenouilleau, *Traites et esclavages : vieilles questions, nouvelles perspectives ?*, numéro spécial de la *Revue française d'histoire d'outre-mer*, décembre 2002, p. 177-191.

JENNINGS, Lawrence C., *French Anti-Slavery. The Movement for the Abolition of Slavery in France, 1802-1848*, Cambridge, Cambridge University Press, 2000 ; trad. fr. à paraître en 2006 aux Éditions Complexe, Bruxelles.

JENNINGS, Lawrence, et ELTIS, David, « Trade between Western Africa and the Atlantic World in the Pre-Colonial Era », *American Historical Review*, 1988, p. 936-359.

JOHNSON, Douglas H. « Recruitment and Entrapment in Private Slave Armies : the Structure of the Zara'ib in the Southern Sudan », dans E. Savage (éd.), *The Human Commodity. Perspectives on the Trans-Saharan Slave Trade*, numéro spécial de *Slavery and Abolition*, 13, 1, avril 1992, p. 162-173.

JOHNSON, Marion, et HOGENDORN, Jan S., *The Shell Money of the Slave Trade*, Cambridge, Cambridge University Press, 1986.

JORDAN, Winthrop D., *White over Black. American Attitudes toward the Negro 1550-1812*, University of California Press, 1968.

JUHÉ-BEAULATON, Dominique, « La diffusion du maïs sur les côtes de l'Or et des Esclaves aux XVIIᵉ et XVIIIᵉ siècles », *Revue française d'histoire d'outre-mer*, n° 287, 1990, p. 177-198.

JWAIDEH, A., et COX, J. W., « The Black Slaves of Turkish Arabia during the 19th Century », dans W. G. Clarence-Smith (éd.), *The Economics of the Indian Ocean Slave Trade in the Nineteenth Century*, Londres, Frank Cass, 1989, p. 45-59.

KERHERVÉ, Jean (éd.), *Noblesses de Bretagne du Moyen Âge à nos jours*, Rennes, Presses universitaires de Rennes, 1999.

KIELSTRA, Paul Michael, *The Politics of Slave Trade Suppression in Britain and France, 1814-1848. Diplomacy, Morality and Economics*, Londres, MacMillan, 2000.

KLEIN, Herbert S., « The Structure of the Atlantic Slave Trade in the 19th Century : an Assessment », dans O. Pétré-Grenouilleau (éd.), *Traites et esclavages : vieilles questions, nouvelles perspectives ?*, numéro spécial de la *Revue française d'histoire d'outre-mer*, décembre 2002, p. 63-77.

KLEIN, Herbert S., ENGERMAN, Stanley L., HAINES, R., SHLOMOWITZ, R., « Transoceanic Mortality : the Slave Trade in Comparative Perspective », *The William and Mary Quarterly*, janvier 2001.

KLEIN, Herbert S., ELTIS, David, BEHRENDT, Stephen D., RICHARDSON, David, *The Trans-Atlantic Slave Trade. A Data-*

base on *CD-Rom*, Cambridge, Cambridge University Press, 2000.

KLEIN, Herbert S., *The Atlantic Slave Trade*, Cambridge, Cambridge University Press, 1999.

KLEIN, Herbert S., *The Middle Passage*, Princeton University Press, 1978.

KLEIN, Martin A., *Slavery and Colonial Rule in French West Africa*, Cambridge, Cambridge University Press, 1998.

KLEIN, Martin A., « The Impact of the Atlantic Slave Trade on the Societies of Western Sudan », dans J. E. Inikori et S. L. Engerman (éd.), *The Atlantic Slave Trade. Effects on Economics, Societies and Peoples in Africa, the Americas, and Europe*, Durham, Duke University Press, 1992.

KLEIN, Martin A., et ROBERTSON, Claire, *Women and Slavery in Africa*, Madison, University of Wisconsin Press, 1983.

KLOOSTER, Wim, *Illicit Riches. Dutch Trades in the Carribean, 1668-1795*, Leyde, Kitlv Press, 1998.

KOLCHIN, Peter, *American Slavery, 1619-1877*, New York, Hill and Wang, 1993 ; trad. fr. Pap Ndiaye, *Une institution très particulière. L'esclavage aux États-Unis*, Paris, Belin, 1998.

KOPYTOFF, Igor, et MIERS, Suzanne (éd.), *Slavery in Africa. Historical and Anthropological Perspectives*, Madison, University of Wisconsin Press, 1977.

KRANTZ, Frederick (éd.), *History from Below. Studies in Popular Protest and Popular Ideology*, Oxford, Blackwell, 1988.

LACOSTE, Yves, « Géopolitiques internes en Afrique », *Hérodote*, juillet-septembre 1987, p. 3-22.

LAS CASAS, Bartolomé de, *Historia de las Indias*, 1571.

LAW, Robin, et LOVEJOY, Paul (éd.), *The Biography of Mahommah Gardo Baquaqua*, Princeton, Markus Wiener, 2001.

LAW, Robin, « The Transition from the Slave Trade to Legitimate Commerce », *Studies in the World History of Slavery, Abolition and Emancipation*, I, 1996 (revue disponible sur Internet).

LAW, Robin, « An African Response to Abolition : Anglo-Dahomian Negotiations on Ending the Slave Trade, 1838-1877 », *Slavery and Abolition*, décembre 1995, p. 281-310.

LAW, Robin (éd.), *From Slave Trade to Legitimate Commerce.*

The Commercial Transition in Nineteenth-Century West Africa, Cambridge, Cambridge University Press, 1995.

LAW, Robin, *The Horse in West African History*, Oxford, Oxford University Press, 1980.

LAW, Robin, « Royal Monopoly and Private Entreprise in the Atlantic Trade : The Case of Dahomey », *Journal of African History*, 4, 1977, p. 555-577.

LAW, Robin, « Horses, Firearms and Political Power in Pre-Colonial West Africa », *Past and Present*, 72, 1976, p. 112-132.

LAWRENCE, Arnold Walter, *Trade, Castles and Forts of West Africa*, Londres, J. Cape, 1963, et Stanford University, 1964.

LE BOUËDEC, Gérard (éd.), *Pouvoirs et littoraux, XVᵉ-XXᵉ siècle*, Rennes, Presses universitaires de Rennes, 2000.

LECKY, William Edward Hartpole, *A History of European Morals from Augustus to Charlemagne*, Londres, Longmans Green, 1869.

LEGRIS, André, et CÉLIMÈNE, Fred (éd.), *L'Économie de l'esclavage colonial*, Paris, Éditions du Centre national de la recherche scientifique, 2002.

LEVINE, Robert M., SCOTT, Rebecca J., DRESCHER, Seymour, MATTOS DE CASTRO, Hebe Maria, ANDREWS, George Reid, *The Abolition of Slavery and the Aftermath of Emancipation in Brazil*, Durham, Duke University Press, 1988.

LEWICKI, Tadeusz, « Arab Trade in Negro Slaves up to the End of the Sixteenth Century », *Africana Bulletin*, 6, 1967.

LEWIS, A., « An Incendiary Press : British West Indian Newspapers during the Struggle for Abolition », *Slavery and Abolition*, décembre 1995, p. 346-361.

LEWIS, Bernard, *Race and Slavery in the Middle East*, New York, Oxford University Press, 1990 : trad. fr. Rose Saint-James, *Race et esclavage au Proche-Orient*, Paris, Gallimard, 1993.

LINEBAUGH, Peter, et REDIKER, Marcus, *The Many-Headed Hydra. Sailors, Slaves, Commoners, and the Hidden History of the Revolutionary Atlantic*, Boston, Beacon Press, 2000.

LIVINGSTONE, David, *Exploration du Zambèze et de ses affluents, et découverte des lacs Chiroua et Nyassa, 1854-1864*, Paris, Hachette, 1866.

LLOYD, Christopher, *The Navy and the Slave Trade. The Sup-*

pression of the African Slave Trade in the Nineteenth Century, Londres, Longmans, 1949 ; rééd. Londres, Frank Cass, 1969.

LOPEZ, Duarte, et PIGAFETTA, Filippo, *Description du royaume du Congo et des contrées environnantes* (1589), trad. Willy Bal, Paris, Nauwelaerts, 1965.

LOVEJOY, Paul, « Islam, Slavery and Political Transformation in West Africa », dans O. Pétré-Grenouilleau (éd.), *Traites et esclavages : vieilles questions, nouvelles perspectives ?*, numéro spécial de la *Revue française d'histoire d'outre-mer*, décembre 2002, p. 247-282.

LOVEJOY, Paul, et LAW, Robin (éd.), *The Biography of Mahommah Gardo Baquaqua*, Princeton, Markus Wiener, 2001.

LOVEJOY, Paul, *Transformations in Slavery*, Cambridge, Cambridge University Press, 2000.

LOVEJOY, Paul, et RICHARDSON, David, « Trust, Pawnship and Atlantic History : the Institutional Foundations of the Old Calabar Slave Trade », *American Historical Review*, 104, 2, 1999.

LOVEJOY, Paul, « Pawnship », dans S. Drescher, S. L. Engerman (éd.), *A Historical Guide to World Slavery*, Oxford, Oxford University Press, 1998, p. 308-312.

LOVEJOY, Paul, « The African Diaspora : Revisionist Interpretation of Ethnicity, Culture and Religion under Slavery », *Studies in the World History of Slavery, Abolition and Emancipation*, II, 1, 1997 (revue disponible sur Internet).

LOVEJOY, Paul, et HOGENDORN, Jan, *Slow Death for Slavery. The Course of Abolition in Northern Nigeria, 1897-1936*, Cambridge, Cambridge University Press, 1993.

LOVEJOY, Paul, « Miller's Vision of Meillassoux », *International Journal of African Historical Studies*, 24, 1, 1991, p. 133-145.

LOVEJOY, Paul, « The Impact of the Atlantic Slave Trade on Africa : a Review of the Literature », *Journal of African History*, 30, 1989, p. 365-394.

LOVEJOY, Paul, « Commercial Sectors in the Economy of the 19th Century Central Sudan : the Trans-Saharan Trade and the Desert-Side Salt Trade », *African Economic History*, 13, 1984, p. 85-116.

Lovejoy, Paul, *The Ideology of Slavery in Africa*, Beverly Hills, Sage, 1981.

Lynn, Martin, *Commerce and Economic Change in West Africa. The Palm Oil Trade in the Nineteenth Century*, Cambridge, Cambridge University Press, 1997.

M'Bokolo, Elikia, *Afrique noire. Histoire et civilisation*, Paris, Hatier, t. II, 1992.

Madival, Jean, *Archives parlementaires*, 1829.

Magalhaes-Godinho, Victorino, *L'Économie de l'empire portugais aux XVᵉ et XVIᵉ siècles*, Paris, S.E.V.P.E.N., 1969.

Magalhaes-Godinho, Victorino, *L'Économie de l'empire portugais aux XVᵉ et XVIᵉ siècles : l'or et le poivre, route de Guinée et route du Cap*, thèse, Paris, 1958.

Mahadi, A., et Inikori, Joseph E., « Population and Capitalist Development in Precolonial West Africa : Kasar Kano in the Nineteenth Century », dans D. Cordell et J. W. Gregory (éd.), *African Population and Capitalism. Historical Perspectives*, Madison, University of Wisconsin Press, 1994, p. 62-73.

Manning, Patrick (éd.), *Slave Trades, 1500-1800. Globalisation of Forced Labour*, Aldershot, Ashgate, 1996.

Manning, Patrick, *Slavery and African Life. Occidental, Oriental and African Slave Trades*, Cambridge, Cambridge University Press, 1990.

Manning, Patrick « A Demographic Model of African Slavery », *African Demographic History*, Édimbourg, 1981, p. 371-384.

Mannix, Daniel Pratt, et Courley, Malcom, *Black Cargoes. History of the Atlantic Slave Trade, 1518-1565*, New York, Viking Press, 1962.

Marques, João Pedro, « Le Portugal et la traite illégale : une affaire de complaisance », *Cahiers des Anneaux de la Mémoire*, 3, 2001, p. 177-197.

Marques, João Pedro, *Os Sons do Silêncio : o Portugal de Oitocentos e a Abolição do Trafico de Escravos*, Lisbonne, Imprensa de Ciências Sociais, 1999.

Martin, Phyllis M., *The External Trade of the Loango Coast, 1756-1870*, Oxford, Clarendon Press, 1972.

Martin, Phyllis M., « The Trade of Loango in the Seventeenth and Eighteenth Centuries », dans R. Gray et D. Birmingham (éd.), *Pre-Colonial African Trade. Essays on Trade in Central and Eastern Africa before 1900*, Oxford, Oxford University Press, 1970.

MARX, Karl, *Le Capital*, 1867.

MASON, M., « Captive and Client Labour and the Economy of the Emirate, 1857-1901 », *Journal of African History*, 1973, p. 453-471.

MATTOS DE CASTRO, Hebe Maria, ANDREWS, George Reid, LEVINE, Robert M., SCOTT, Rebecca J., DRESCHER, Seymour, *The Abolition of Slavery and the Aftermath of Emancipation in Brazil*, Durham, Duke University Press, 1988.

MAUNY, Raymond, *Tableau géographique de l'Ouest africain au Moyen Âge d'après les sources écrites, la tradition et l'archéologie*, Dakar, Institut français d'Afrique noire, 1961.

MAUSS, Marcel, *Sociologie et anthropologie*, Paris, Presses universitaires de France, 7e éd., 1997.

MAZRUI, Ali, « Le monde noir mérite-t-il des réparations ? », *Afrique 2000*, 15, novembre 1993.

MCCALMAN, Iain, « Anti-Slavery and Ultra-Radicalism in Early Nineteenth Century England : the Case of Robert Wedderburn », dans S. Daget (éd.), *De la traite à l'esclavage*, Actes du colloque international sur la traite des Noirs, Nantes, 1985, Nantes/Centre de recherche sur l'histoire du monde atlantique, Paris/Société française d'histoire d'outre-mer, t. II, 1988, p. 297-314.

MCCANN, James, « Children of the House. Slavery and its Suppression in Lasta, Northern Ethiopia, 1915-1935 », dans S. Miers et R. Robert (éd.), *The End of Slavery in Africa*, Madison, University of Wisconsin Press, 1988, p. 332-361.

MCCLOSKEY, Deirdre N., et FLOUD, Roderick C. (éd.), *The Economic History of Britain since 1700*, Cambridge, Cambridge University Press, 1981.

MCCLOSKEY, Deirdre N., et THOMAS, R. P., « Overseas Trade and Empire, 1700-1860 », dans R. C. Floud et D. N. McCloskey (éd.), *The Economic History of Britain since 1700*, Cambridge, Cambridge University Press, 1981.

MCCUSKER, John, et MORGAN, Kenneth (éd.), *The Early Modern Atlantic Economy*, Cambridge, Cambridge University Press, 2000.

McDougall, Ann, « Discourse and Distortion : Critical Reflections on Studying the Saharan Slave Trade », dans O. Pétré-Grenouilleau, *Traites et esclavages : vieilles questions, nouvelles perspectives ?*, numéro spécial de la *Revue française d'histoire d'outre-mer*, décembre 2002, p. 195-227.

McDougall, Ann, « Salt, Saharans, and the Trans-Saharan Slave Trade : Nineteenth-Century Developments », dans E. Savage (éd.), *The Human Commodity Perspectives on the Trans-Saharian Slave Trade*, numéro spécial de *Slavery and Abolition*, 13, 1, avril 1992, p. 61-88.

Meillassoux, Claude, *Anthropologie de l'esclavage. Le ventre de fer et d'argent*, Paris, Presses universitaires de France, 1986.

Meillassoux, Claude, « Le rôle de l'esclavage dans l'histoire de l'Afrique occidentale », *Anthropologie et société*, Québec, 1978, p. 117-148.

Meillassoux, Claude, *L'Esclavage en Afrique précoloniale*, Paris, Maspero, 1975.

Meillassoux, Claude, *The Development of Indigenous Trade and Markets in West Africa*, Londres, Oxford University Press, 1971.

Menard, Russel R., *Migrants, Servants and Slaves. Unfree Labor in Colonial British America*, Aldershot, Ashgate, 2001.

Melville, Herman, *Moby Dick or the Whale*, 1851.

Mercado, Tomás de, *Summa de Tratos y Contratos de Mercaderes*, Séville, 1527 ; Salamanque, 1569.

Mercier, Louis-Sébastien, *L'An 2440. Rêve s'il en fut jamais*, 1771.

Mettas, Jean, *Répertoire des expéditions négrières françaises au XVIIIe siècle*, Paris, Société française d'histoire d'outre-mer, t. I, 1978 ; t. II, 1984.

Mettas, Jean, « Pour une histoire de la traite des Noirs française : sources et problèmes », *Revue française d'histoire d'outre-mer*, 226-227, 1975, p. 19-46.

Meyer, Jean, Poussou, Jean-Pierre, Buchet, Christian (éd.), *La Puissance maritime*, Paris, Presses de l'université Paris-Sorbonne, 2004.

Meyer, Jean, *L'Armement nantais dans la deuxième moitié du XVIIIe siècle*, Paris, S.E.V.P.E.N., 1969, rééd. École des hautes études en sciences sociales, 1999.

MEYER, Jean, *L'Europe et la conquête du monde*, Paris, Armand Colin, 1996.

MEYER, Jean, « Le commerce négrier nantais, 1774-1792 », *Annales E.S.C.*, 15, 1, 1960, p. 120-129.

MIERS, Suzanne, « Contemporary Forms of Slavery », *Slavery and Abolition*, décembre 1996, p. 238-246.

MIERS, Suzanne, et ROBERT, Richard, *The End of Slavery in Africa*, Madison, University of Wisconsin Press, 1988.

MIERS, Suzanne, et KOPYTOFF, Igor (éd.), *Slavery in Africa. Historical and Anthropological Perspectives*, Madison, University of Wisconsin Press, 1977.

MIERS, Suzanne, *Britain and the Ending of the Slave Trade*, Londres, Longman, 1975.

MIGNOT, Alain, *La Terre et le Pouvoir chez les Guin du Sud-Est Togo*, Paris, Presses de l'université Paris-Sorbonne, 1985.

MILLER, Joseph C., « L'abolition de la traite des esclaves et de l'esclavage : fondements historiques », dans D. Diène (éd.), *La Chaîne et le Lien. Une vision de la traite négrière*, Paris, Unesco, 1998, p. 225-266.

MILLER, Joseph C., « A Marginal Institution on the Margin of the Atlantic System : the Portuguese Southern Atlantic Slave Trade in the Eighteenth Century », dans P. Manning (éd.), *Slave Trades, 1500-1800. Globalisation of Forced Labour*, Aldershot, Ashgate, 1996.

MILLER, Joseph C., *Way of Death. Merchant Capitalism and the Angolan Slave Trade, 1730-1830*, Londres, James Currey, Madison, Wisconsin University Press, 1989.

MILLER, Joseph C., « The World According to Meillassoux : a Challenging but Limited Vision », *The International Journal of African Historical Studies*, 22, 3, 1989, p. 473-495.

MINTZ, Sidney, « Models of Emancipation during the Age of Revolution », *Slavery and Abolition*, août 1996, p. 1-21.

MINTZ, Sidney (éd.), *Esclave = facteur de production*, Paris, Dunod, 1981 (précédemment publié sous forme d'article dans *Journal of African History*, 2, 1974).

MIRABEAU, Honoré-Gabriel Riqueti de, *Les Bières flottantes des négriers. Un discours non prononcé sur l'abolition de la traite des Noirs, novembre 1789-mars 1790*, Saint-Étienne, Publications de l'université de Saint-Étienne, 2000.

MIRZAI, Behnaz, « African Presence in Iran : Identity and its

Reconstruction », *Revue française d'histoire d'outre-mer*, 2, 2002, p. 229-246.

MOITT, Bernard, *Women and Slavery in the French Antilles, 1635-1848*, Bloomington et Indianapolis, Indiana University Press, 2001.

MOLINA, Luis de, *De Justitia et Jure*, Cuenca, 1593.

MONIOT, Henri, et COQUERY-VIDROVITCH, Catherine, *L'Afrique noire de 1800 à nos jours*, Paris, Presses universitaires de France, 1992.

MONRO, D., « The Pacific Islands Labour Trade : Approaches, Methodologies, Debates », *Slavery and Abolition*, 14, 1993.

MONTESQUIEU, Charles Louis de Secondat, baron de La Brède et de, *De l'Esprit des lois*, 1748.

MORGAN, E. S., *American Slavery, American Freedom. The Ordeal of Colonial Virginia*, New York, Norton, 1975.

MORGAN, Kenneth, *Slavery, Atlantic Trade and the British Economy, 1660-1800*, Cambridge, Cambridge University Press, 2000.

MORGAN, Kenneth, et MCCUSKER, John (éd.), *The Early Modern Atlantic Economy*, Cambridge, Cambridge University Press, 2000.

MUDIMBE, V. Y., *The Invention of Africa. Gnosis, Philosophy, and the Order of Knowledge*, Bloomington, Indiana University Press, 1987.

MURRAY, David R., « Capitalism and Slavery in Cuba », *Slavery and Abolition*, décembre 1996, p. 223-237.

MURRAY, David R., *Odious Commerce. Britain, Spain and the Abolition of the Cuban Slave Trade*, Cambridge, Cambridge University Press, 1980.

NECKER, Jacques, *De l'Administration des finances de la France*, Paris, 1784.

NIEBOER, H. J., *Slavery as an Industrial System*, La Haye, M. Nijhoff, 1910.

NORTH, Douglas Cecil, *Institutions, Institutional Change and Economic Performance*, Cambridge, Cambridge University Press, 1990.

NORTH, Douglas Cecil, *The Economic Growth of the United States, 1790-1860*, Englewood Cliffs, Prentice Hall, New Jersey, 1961.

NORTHRUP, David, *Indentured Labour in the Age of Imperialism, 1834-1922*, Cambridge, Cambridge University Press, 1995.

NORTHRUP, David, *Trade without Rulers. Pre-Colonial Economic Development in South Eastern Nigeria*, Oxford, Clarendon Press, 1978.

O'BRIEN, Patrick, « A Critical Review of a Tradition of Meta-Narratives from A. Smith to K. Pomeranz », dans P. C. Emmer et O. Pétré-Grenouilleau (éd.), *A Deus Ex Machina Revisited. Atlantic Colonial Trade and European Economic Development*, Brill Academic Publishers, 2006, p. 5-23.

O'BRIEN, Patrick, et ENGERMAN, Stanley L., « Exports and the Growth of the British Economy from the Glorious Revolution to the Peace of Amiens », dans B. L. Solow (éd.), *Slavery and the Rise of the Atlantic System*, Cambridge, Cambridge University Press, 1991.

O'BRIEN, Patrick, « Agriculture and the Home Market for English Industry, 1660-1820 », *English Historical Review*, 1985, p. 773-800.

O HERMAES, Per, *Slaves, Danes and African Coast Society. The Danish Slave Trade from West Africa and Anglo-Danish Relations on the Eighteenth Century Gold Coast*, Trondheim, Department of History, University of Trondheim, 1998.

OLIVIER DE SARDAN, Jean-Pierre, « L'arc et le cheval », dans J. Bazin et E. Terray, *Guerres de lignage et guerres d'États en Afrique*, Paris, Éditions des Archives contemporaines, 1982.

OLIVIER DE SARDAN, Jean-Pierre, « Captifs ruraux et esclaves impériaux du Shonghay », dans Cl. Meillassoux, *L'Esclavage en Afrique précoloniale*, Paris, Maspero, 1975, p. 99-134.

ORIGO, Iris, *The Merchant of Prato. Francesco di Marco Datini, 1335-1410*, New York, Alfred Knopf, 1957.

PAQUETTE, Robert, DRESCHER, Seymour, ENGERMAN, Stanley L. (éd.), *Slavery*, New York, Oxford University Press, 2001.

PAQUETTE, Robert, et ENGERMAN, Stanley L. (éd.), *The Lesser Antilles in the Age of European Expansion*, Gainesville, University Press of Florida, 1996.

PARES, R., « Merchants and Planters », *Economic History Review*, supplément n° 4, 1960.

PATTERSON, Orlando, *Slavery and Social Death. A Comparative Study*, Cambridge, Harvard University Press, 1982.

PAUL III, *Sublimis Deus*, 1537.

PERROT, Claude-Hélène, *Les Anyi-Ndenye et le pouvoir aux XVIIIᵉ et XIXᵉ siècles*, Paris, Publications de la Sorbonne, Abidjan, CEDA, 1982.

PERROT, Jean-Claude, *Genèse d'une ville moderne. Caen au XVIIIᵉ siècle*, Paris, La Haye, Mouton, 1975.

PERSON, Yves, « Les Mandingues dans l'histoire », *Mélanges offerts à Henri Brunschwig*, Paris, 1982.

PÉTRÉ-GRENOUILLEAU, Olivier (éd.), *Abolitionnisme et société (France, Portugal et Suisse, XVIIIᵉ-XIXᵉ siècle)*, Paris, Karthala, à paraître.

PÉTRÉ-GRENOUILLEAU, Olivier, et EMMER, Pieter Cornelis (éd.), *A Deus Ex Machina Revisited. Atlantic Colonial Trade and European Economic Development, XVIIth-XIXth Centuries*, Brill Academic Publishers, 2006.

PÉTRÉ-GRENOUILLEAU, Olivier, « Colonial Trade and Economic Development in France, Seventeenth-Nineteenth Centuries », dans P. C. Emmer et O. Pétré-Grenouilleau, *A Deus Ex Machina Revisited. Atlantic Colonial Trade and European Economic Development, XVIIth-XIXth Centuries*, Brill Academic Publishers, 2006, p. 225-261.

PÉTRÉ-GRENOUILLEAU, Olivier, « Cultural Systems of Representations, Economic Interests and French Penetration into Black Africa 1780s-1880s », dans O. Pétré-Grenouilleau (éd.), *From Slave Trade to Empire. Europe and the Colonisation of Black Africa (1780s-1880s)*, Londres, Routledge, 2004, p. 157-184.

PÉTRÉ-GRENOUILLEAU, Olivier (éd.), *From Slave Trade to Empire. Europe and the Colonisation of Black Africa, 1780s-1880s*, Londres, Routledge, 2004.

PÉTRÉ-GRENOUILLEAU, Olivier, « Puissances maritimes, puissances coloniales : le rôle des migrations de population vers 1492-1792 », dans Ch. Buchet, J. Meyer, J.-P. Poussou (éd.), *La Puissance maritime*, Paris, Presses de l'université Paris-Sorbonne, 2004, p. 345-372.

PÉTRÉ-GRENOUILLEAU, Olivier, *Les Traites négrières*, « Documentation photographique » n° 8032, Paris, La Documentation française, 2003.

PÉTRÉ-GRENOUILLEAU, Olivier, *Traites et esclavages : vieilles questions, nouvelles perspectives ?*, numéro spécial de la *Revue française d'histoire d'outre-mer*, décembre 2002.

PÉTRÉ-GRENOUILLEAU, Olivier, « Traites et esclavages : vieilles questions, nouvelles perspectives ? », introduction au dossier thématique ainsi intitulé paru dans la *Revue française d'histoire d'outre-mer* en décembre 2002, p. 6-40.

PÉTRÉ-GRENOUILLEAU, Olivier, « Long-Distance Trade and Economic Development in Europe and Black Africa (Mid-Fifteenth Century to Nineteenth Century) : Some Pointers for Further Comparative Studies », *African Economic History*, 29, 2001, p. 163-196.

PÉTRÉ-GRENOUILLEAU, Olivier, « Les négoces atlantiques français. Anatomie d'un capitalisme relationnel », *XVIIIe Siècle*, 2001, p. 33-47.

PÉTRÉ-GRENOUILLEAU, Olivier, « Traite, esclavage et nouvelles servitudes. Vieilles questions et nouvelles perspectives », *Revue française d'histoire d'outre-mer*, 1er semestre 2001, p. 311-327.

PÉTRÉ-GRENOUILLEAU, Olivier, « Pouvoirs, systèmes de représentations et gestion des affaires maritimes : le cas du débat sur la crise de la marine marchande française, vers 1860-1914 », dans G. Le Bouëdec (éd.), *Pouvoirs et littoraux, XVe-XXe siècle*, Rennes, Presses universitaires de Rennes, 2000, p. 409-427.

PÉTRÉ-GRENOUILLEAU, Olivier, « Commémoration Jivaro. Les 150 ans de l'abolition française de l'esclavage », *Le Débat*, no 104, mars-avril 1999, p. 137-148.

PÉTRÉ-GRENOUILLEAU, Olivier, « La noblesse commerçante nantaise (XVIIe-XIXe siècle) : une noblesse ouverte ? », dans J. Kerhervé (éd.), *Noblesses de Bretagne du Moyen Âge à nos jours*, Rennes, Presses universitaires de Rennes, 1999, p. 183-195.

PÉTRÉ-GRENOUILLEAU, Olivier, *Nantes au temps de la traite des Noirs*, Paris, Hachette, 1998.

PÉTRÉ-GRENOUILLEAU, Olivier, *L'Argent de la traite. Milieu négrier, capitalisme et développement : un modèle*, Paris, Aubier, 1997.

PÉTRÉ-GRENOUILLEAU, Olivier, *Les Négoces maritimes français, XVIIe-XXe siècle*, Paris, Belin, 1997.

PÉTRÉ-GRENOUILLEAU, Olivier (éd.), *Moi, Joseph Mosneron, armateur négrier nantais, 1748-1833. Portrait culturel d'une bourgeoisie négociante au siècle des Lumières*, Rennes, Apogée, 1995.

PHILIPS, Ulrich B., « The Origin and Growth of the South Black Belts », *American Historical Review*, 11, 1906, p. 798-816.

PHILLIPS, William D., *Slavery from Roman Times to the Early Transatlantic Trade*, Minneapolis, University of Minnesota Press, 1985.

PIGAFETTA, Filippo, et LOPEZ, Duarte, *Description du royaume du Congo et des contrées environnantes*, trad. W. Bal, Paris, Nauwelaerts, 1965.

POLANYI, Karl, *Dahomey and the Slave Trade*, Seattle, University of Washington Press, 1965.

POPOVIC, Alexandre, *La Révolte des esclaves en Irak aux IIIe et IXe siècles*, Paris, Geuthner, 1976.

POUSSOU, Jean-Pierre, BUCHET, Christian, MEYER, Jean (éd.), *La Puissance maritime*, Paris, Presses de l'université Paris-Sorbonne, 2004.

POSTMA, Johannes, *The Dutch in the Atlantic Slave Trade, 1600-1815*, Cambridge, Cambridge University Press, 1990.

POSTMA, Johannes, « The Dutch Slave Trade. A Quantitative Assessment », *Revue française d'histoire d'outre-mer*, n°s 226-227, 1975, p. 232-244.

PRICE, Jacob M., « Credit in the Slave Trade and Plantation Economy », dans B. Solow, *Slavery and the Rise of the Atlantic System*, Cambridge, Cambridge University Press, 1991.

PRICE, Jacob M., « What Did Merchants Do ? Reflections on British Overseas Trade, 1660-1790 », *Journal of Economic History*, 1989, p. 276-284.

PRUNIER, Gérard, « La traite soudanaise (1825-1885). Structures et périodisation », dans S. Daget (éd.), *De la traite à l'esclavage*, Actes du colloque international sur la traite des Noirs, Nantes, 1985, Nantes/Centre de recherche sur l'histoire du monde atlantique, Paris/Société française d'histoire d'outre-mer, t. II, 1988, p. 521-535.

QUENUM, Alphonse, *Les Églises chrétiennes et la traite atlantique du XVe au XIXe siècle*, Paris, Karthala, 1993.

RAGATZ, Lowell, *The Fall of the Planter Class in the British West Indies*, New York, 1928.

RAMBERT, Gaston, *Histoire du commerce de Marseille. Les colonies*, Paris, Plon, 1959.

RANDLES, William, *L'Ancien Royaume du Congo, des origines à la fin du XIXe siècle*, Paris, Mouton, 1968.

RANDLES, William, *L'Image du Sud-Est africain dans la littérature européenne au XVe siècle*, Lisbonne, 1959.

RAYNAL, Guillaume-Thomas, dit l'abbé, *Histoire philosophique et politique des établissements et du commerce des Européens dans les deux Indes*, 1770.

REBELLO, Fernando, *Opus de Obligationibus Justitiae Religionis et Caritatis*, Lyon, 1608.

REDIKER, Marcus, et LINEBAUGH, Peter, *The Many-Headed Hydra. Sailors, Slaves, Commoners, and the Hidden History of the Revolutionary Atlantic*, Boston, Beacon Press, 2000.

RENAULT, François, « Essai de synthèse sur la traite transsaharienne et orientale des esclaves en Afrique », dans *La Dernière Traite. Fragments d'histoire en hommage à Serge Daget*, éd. H. Gerbeau et E. Saugera, Paris, Société française d'histoire d'outre-mer, 1994, p. 23-44.

RENAULT, François, *La Traite des Noirs au Proche-Orient médiéval. VIIe-XIVe siècle*, Paris, Geuthner, 1989.

RENAULT, François, « Problèmes de recherche sur la traite transsaharienne et orientale en Afrique », dans S. Daget (éd.), *De la traite à l'esclavage*, Actes du colloque international sur la traite des Noirs, Nantes, 1985, Nantes/Centre de recherche sur l'histoire du monde atlantique, Paris/Société française d'histoire d'outre-mer, t. I, 1988, p. 37-53.

RENAULT, François, « The Structures of the Slave Trade in Central Africa in the 19th Century », *Slavery and Abolition*, 3, 1988, p. 145-165.

RENAULT, François, et DAGET, Serge, *Les Traites négrières en Afrique*, Paris, Karthala, 1985.

RENAULT, François, « La traite des esclaves en Libye au XVIIIe siècle », *Journal of African History*, 1982, p. 163-181.

La Révolution française et l'abolition de l'esclavage. Textes et documents, Paris, Éditions d'histoire sociale, 12 vol., 1968.

RICHARDS, W. A., « The Import of Firearms into West Africa in the Eighteenth Century », *Journal of African History*, 21, 1980, p. 43-59.

RICHARDSON, David, « Shipboard Revolts, African Authority, and the Atlantic Slave Trade », *The William and Mary Quarterly*, janvier 2001, p. 69-92.

RICHARDSON, David, KLEIN, Herbert S., ELTIS, David, BEHRENDT, Stephen D., *The Trans-Atlantic Slave Trade. A Database on CD-Rom*, Cambridge, Cambridge University Press, 2000.

RICHARDSON, David, et LOVEJOY, Paul, « Trust, Pawnship and Atlantic History : the Institutional Foundations of the Old Calabar Slave Trade », *American Historical Review*, 104, 2, 1999.

RICHARDSON, David, « Slaves, Sugar and Growth », dans P. Manning (éd.), *Slave Trades, 1500-1800. Globalisation of Forced Labour*, Aldershot, Ashgate, 1996.

RICHARDSON, David, et EVANS, E., « Hunting for Rents : the Economics of Slaving in Pre-Colonial Africa », *Economic History Review*, 4, 1995, p. 665-686.

RICHARDSON, David, « Profits in the Liverpool Slave Trade : the Accounts of William Davenport, 1757-1784 », dans R. Anstey et P. E. H. Hair (éd.), *Liverpool, the African Slave Trade and Abolition*, Historic Society of Lancashire and Cheshire, « Occasional Series », vol. 2, 1976.

RICHARDSON, David, « Profitability in the Bristol-Liverpool Slave Trade », *Revue française d'histoire d'outre-mer*, 226-227, 1975, p. 301-308.

RICKS, Thomas M., « Slaves and Slave Traders in the Persian Gulf, 18th and 19th Centuries : an Assessment », dans P. Manning (éd.), *Slave Trades, 1500-1800. Globalisation of Forced Labour*, Aldershot, Ashgate, 1996.

RINCHON, P. Dieudonné, *Le Trafic négrier. L'organisation commerciale de la traite des Noirs*, Bruxelles, Éditions Atlas, 1938.

ROBERT, Richard, et MIERS, Suzanne, *The End of Slavery in Africa*, Madison, University of Wisconsin Press, 1988.

ROBERTSON, Claire, et KLEIN, Martin, *Women and Slavery in Africa*, Madison, University of Wisconsin Press, 1983.

ROCHMANN, Marie-Christine, *L'Esclave fugitif dans la littérature antillaise*, Paris, Karthala, 2000.

RODNEY, Walter, « Slaves and Society in Western Africa, c. 1445-c. 1700 », *Journal of African History*, 21, 1980.

RODNEY, Walter, *How Europe Underdeveloped Africa*, Londres, Bogle-L'Ouverture Publications, Dar es-Salaam, Tanzania Publishing House, 1972 ; réed. Washington, Howard University Press, 1974.

RODNEY, Walter, *History of the Upper Guinea Coast, 1545 to 1800*, Oxford, Clarendon Press, 1970.

RODNEY, Walter, « African Slavery and Other Forms of Social Oppression on the Upper Guinea Coast in the Context of the Atlantic Slave Trade », *Journal of African History*, 7, 1966, p. 431-443.

Roots of American Racism. Essays on the Colonial Experience, éd. Alden T. Vaughan, New York, Oxford University Press, 1995.

ROSS, D., « The Dahomean Middleman System, 1727-c. 1818 », *Journal of African History*, 28, 1987.

RUBIN, Vera, et TUDEN, Arthur (éd.), *Comparative Perspectives on Slavery in New World Plantation Societies*, Annales de l'Académie des sciences de New York, 1977.

RUETE, Emily, *Mémoires d'une princesse arabe*, Paris, Karthala, 1991.

SALINGER, Sharon Vineberg, *To Serve Well and Faithfully. Labour and Indentured Service in Pennsylvania. 1682-1800*, Cambridge, Cambridge University Press, 1987.

SAUNDERS, K. (éd.), *Indentured Labour in the British Empire, 1834-1920*, Londres, Croom Helm, 1984.

SAVAGE, Elizabeth (éd.), *The Human Commodity. Perspectives on the Trans-Saharan Slave Trade*, numéro spécial de *Slavery and Abolition*, 13, 1, avril 1992.

SCHUMPETER, Joseph Alois, *Business Cycles, a Theorical, Historical and Statistical Analysis of the Capitalist Process*, New York, McGraw-Hill, 1939 ; rééd. 1989.

SCOTT, Rebecca J., DRESCHER, Seymour, MATTOS DE CASTRO, Hebe Maria, ANDREWS, George Reid, LEVINE, Robert M., *The Abolition of Slavery and the Aftermath of Emancipation in Brazil*, Durham, Duke University Press, 1988.

SHAFIQ BEY, Ahmad, *L'Esclavage au point de vue musulman*, 1889.

SHERIDAN, R. B., « The Commercial and Financial Organisation of the British Slave Trade, 1750-1807 », *Economic History Review*, 11, 1958, p. 249-263.

SHLOMOWITZ, R., KLEIN, H. S., ENGERMAN, Stanley L., HAINES, R., « Transoceanic Mortality : the Slave Trade in Comparative Perspective », *The William and Mary Quarterly*, janvier 2001.

SHROETER, Daniel J., « Slave Markets and Slavery in Moroccan Urban Society », dans E. Savage (éd.), *The Human Commodity. Perspectives on the Trans-Saharan Slave Trade*, numéro spécial de *Slavery and Abolition*, 13, 1, avril 1992, p. 185-213.

SHARP, Granville, *The Just Limitation of Slavery in the Laws of God, compared with the unbounded claims of the African Traders and British American Slaveholders*, Londres, 1776.

SMITH, Adam, *Inquiry into the Nature and Causes of the Wealth of Nations*, 1776.

SMITH, Mark M., *Debating Slavery. Economy and Society in the Antebellum American South*, Cambridge, Cambridge University Press, 1998.

SMITH, Woodruff D., et AUSTEN, Ralph A., « Images of Africa and British Slave-Trade Abolition : the Transition to an Imperialist Ideology, 1787-1807 », *African Historical Studies*, II, 1, 1969, p. 69-83.

SNOWDEN, Frank M., *Blacks in Antiquity. Ethiopians in the Greco-Roman Experience*, Cambridge, Cambridge University Press, 1970.

SOKOLOFF, K., et ENGERMAN, Stanley L., « Factors Endowments, Institutions and Differential Paths of Growth among New World Economies », National Bureau of Economic Research, Inc., Historical Paper, 1994.

SOLOW, Barbara Lewis (éd.), *Slavery and the Rise of the Atlantic System*, Cambridge, Cambridge University Press, 1991.

SOLOW, Barbara Lewis, et ENGERMAN, Stanley L. (éd.), *British Capitalism and Caribbean Slavery. The Legacy of Eric Williams*, Cambridge, Cambridge University Press, 1987.

SOLOW, Barbara Lewis, « Caribbean Slavery and British Growth : the Eric William Hypothesis », *Journal of Developmental Economics*, 1985, p. 99-115.

SOMBART, Werner, *Le Bourgeois. Contribution à l'histoire morale et intellectuelle de l'homme économique moderne* (1923), Paris, Payot, 1966.

STEIN, Robert, *The French Sugar Business*, Madison, Wisconsin University Press, 1989.

STEIN, Robert, *The French Slave Trade in the Eighteenth Century. An Old Regime Business*, Madison, Wisconsin University Press, 1979.

STEIN, Robert, « The Profitability of the Nantes Slave Trade, 1783-1792 », *Journal of Economic History*, 1975, p. 779-793.

STELLA, Alessandro, *Histoires d'esclaves dans la péninsule ibérique*, Paris, Éditions de l'École des hautes études en sciences sociales, 2000.

STELLA, Alessandro, et VINCENT, Bernard, « L'esclavage en Espagne à l'époque moderne : acquis et nouvelles orientations », dans *Captius i esclaus a l'Antiguitat i al Mon Modern*, colloque du Groupe international de recherches sur l'esclavage dans l'Antiquité, Naples, 1997, p. 289-300.

SVALESEN, Leif, *Slaveskibet Frederiksborg-og den dansk-norsk slavehandel i 1700-tallet*, Copenhague, Hovedland, 1996.

TEMPERLEY, Howard, *White Dreams, Black Africa : the Antislavery Expedition to the River Niger, 1841-1842*, New Haven, Yale University Press, 1991.

TEMPERLEY, Howard, « Capitalism, Slavery and Ideology », *Past and Present*, 75, 1977, p. 94-118.

TERRAY, Emmanuel, *Une histoire du royaume abron du Gyanam. Des origines à la conquête coloniale*, Paris, Karthala, 1995.

TERRAY, Emmanuel, et BAZIN, Jean (dir.), *Guerres de lignages et guerres d'États en Afrique*, Paris, Éditions des Archives contemporaines, 1982.

THOMAS, Hugh, *The Slave Trade. The History of the Atlantic Slave Trade, 1440-1870*, Londres, Papermac, 1998.

THOMAS, R. P., et MCCLOSKEY, Deirdre N., « Overseas Trade and Empire, 1700-1860 », dans R. C. Floud et D. N. McCloskey (éd.), *The Economic History of Britain since 1700*, Cambridge, Cambridge University Press, vol. I, 1981.

THORNTON, John K., *Warfare in Atlantic Africa, 1500-1800*, Londres, UCL Press, 1999.

THORNTON, John K., « Sexual Demography : the Impact of the Slave Trade on Family Structure », dans P. Manning (éd.), *Slave Trades, 1500-1800. Globalisation of Forced Labour*, Aldershot, Ashgate, 1996.

THORNTON, John K., « "I am the Subject of the King of Congo" : African Political Ideology and the Haitian Revolution », *Journal of World History*, IVe année, 2e vol., 1993, p. 181-214.

THORNTON, John K., *Africa and Africans in the Making of the Atlantic World*, Cambridge, Cambridge University Press, 1992.

THORNTON, John K., « The Slave Trade in Eighteenth Century Angola : Effects of Demographic Structures », *Revue canadienne des études africaines*, vol. 14, 1981, p. 412-427.

TINKER, Hugh, *A New System of Slavery. The Export of Indian Labour Overseas*, Oxford University Press, 1985.

TODOROV, Tzvetan, *Mémoire du mal, tentation du bien*, Paris, Robert Laffont, 2000.

TOLEDANO, Ehud R., *Slavery and Abolition in the Ottoman Middle East*, Seattle, University of Washington Press, 1998.

TOLEDANO, Ehud R., *The Ottoman Slave Trade and its Suppression, 1840-1890*, Princeton, Princeton University Press, 1982.

TOUSSAINT, Auguste, *La Route des îles. Contribution à l'histoire maritime des Mascareignes*, Paris, S.E.V.P.E.N., 1967.

TOYNBEE, Arnold, *L'Histoire*, Paris, Payot, 1986.

La Traite négrière du XVe au XIXe siècle. Histoire générale de l'Afrique, « Études et Documents » n° 2, Paris, Unesco, 1979.

TREMPÉ, Rolande, *Les Mineurs de Carmaux, 1848-1914*, Paris, Éditions ouvrières, 1971.

TRIAUD, J.-L., *La Légende noire de la sanûsiyya. Une confrérie musulmane saharienne sous le regard français, 1840-1930*, Paris, Éditions de la Maison des sciences de l'homme, 1995.

TUDEN, Arthur, et RUBIN, Vera (éd.), *Comparative Perspectives on Slavery in New World Plantation Societies*, Annales de l'Académie des sciences de New York, 1977.

TURLEY, David, *Slavery*, Oxford, Blackwell Publishers, 2000.

VALEY, Valérie, *Traite, commerce et politique dans l'océan Indien d'après les archives de la station navale française*, mémoire de maîtrise, université de Lorient, 1999.

VAN DANTZIG, Albert, *Les Hollandais sur la côte de Guinée à l'époque de l'essor de l'Ashanti et du Dahomey, 1680-1740*, Paris, Société française d'histoire d'outre-mer, 1981.

VANSINA, Jan, *Paths in the Rain Forests*, Madison, University of Wisconsin Press, 1992.

VAUGHAN, Alden T., « The Origins Debate : Slavery and Racism in Seventeenth Century Virginia », dans *Roots of American Racism. Essays on the Colonial Experience*, éd. Alden T. Vaughan, New York, Oxford University Press, 1995.

VERGÈS, Françoise, *Abolir l'esclavage : une utopie coloniale. Les ambiguïtés d'une politique humanitaire*, Paris, Albin Michel, 2001.

VERLEY, Patrick, *L'Échelle du monde*, Paris, Gallimard, « NRF Essais », 1997.

VERLINDEN, Charles, « Esclavage noir en France méridionale et courants de traite en Afrique », *Annales du Midi*, LXXVIII, 1967, p. 335-343.

VERLINDEN, Charles, *Les Origines de la civilisation atlantique*, Neuchâtel, Éditions de la Baconnière, 1966.

VERLINDEN, Charles, *L'Esclavage dans l'Europe médiévale*, t. I : *Péninsule Ibérique, France*, Bruges, De Tempel, 1955 ; t. II : *Italie, colonies italiennes du Levant, Levant latin, Empire byzantin*, Gand, 1977.

VILES, Peter, « The Slaving Interest in the Atlantic Ports, 1763-1789 », *French Historical Studies*, 1972, p. 529-543.

VINCENT, Bernard, et STELLA, Alessandro, « L'esclavage en Espagne à l'époque moderne : acquis et nouvelles orientations », dans *Captius i esclaus a l'Antiguitat i al Mon Modern*, colloque du Groupe international de recherches sur l'esclavage dans l'Antiquité, Naples, 1997, p. 289-300.

VOLTAIRE (François Marie Arouet), *Candide, ou l'optimisme*, 1759.

WALLERSTEIN, Immanuel, *Le Capitalisme historique*, Paris, Maspero, 1985.

WALVIN, James, *Black Ivory. Slavery in the British Empire*, Oxford, Blackwell, 2ᵉ éd., 2001.

WALVIN, James, « The Propaganda of Anti-Slavery », dans J. Walvin (éd.), *Slavery and British Society, 1776-1846*, Londres et Basingstoke, Macmillan, 1982.

WALVIN, James (éd.), *Slavery and British Society, 1776-1846*, Londres et Basingstoke, Macmillan, 1982.

WALVIN, James, « The Impact of Slavery in British Radical Politics, 1787-1838 », dans V. Rubin et A. Tuden (éd.), *Comparative Perspectives on Slavery in New World Plantation Societies*, Annales de l'Académie des sciences de New York, 1977, p. 343-367.

WARD, William Ernest Frank, *The Royal Navy and the Slavers. The Suppression of the Atlantic Slave Trade*, Londres, Allen and Unwin, 1969.

WATSON, J. L. (éd.), *Asian and African Systems of Slavery*, Oxford, Basil Blackwell, 1980.

WEBB, James L. A., *Desert Frontier. Ecological and Economic Change along the Western Sahel, 1600-1850*, Madison, Wisconsin University Press, 1995.

WESLEY, John, *Thoughts Upon Slavery*, Londres, R. Hawes, 1774.

WILKS, Ivor, *Asante in the Nineteenth Century. The Structure and Evolution of a Political Order*, Cambridge, Cambridge University Press, 1975.

WILLIAMS, Eric, *Capitalism and Slavery* (1944), New York, Capricorn, 1966.

WOODMAN, Harold, « The Profitability of Slavery : A Historical Perennial », *Journal of Southern History*, 29, 1963, p. 303-325.

YOUNG, Arthur, *Voyages en France. 1787, 1788, 1789*, éd. Henri Sée, Paris, Armand Colin, 1976.

ZURARA, Gomes Eanes de, *Chronique de Guinée, 1453*, trad. Léon Bourdon, Paris, Chandeigne, 1994.

NOTES

INTRODUCTION

1. La meilleure revue bibliographique des travaux sur l'histoire de la traite et de l'esclavage est celle de Joseph C. Miller. Ne mentionnant que les travaux parus au XXᵉ siècle, l'auteur en recense plus de 14 000 (*Slavery and Slaving in World History. A Bibliography*, Millwood, New York, Kraus International Publishers, 1999). Elle est mise à jour chaque année dans une rubrique de la revue *Slavery and Abolition*.

2. Herbert S. KLEIN. *The Atlantic Slave Trade*, Cambridge, C.U.P., 1999, p. XVII. Cette citation (ainsi que toutes celles extraites d'ouvrages en anglais) est ici librement traduite en français par l'auteur.

3. David Brion DAVIS. « Looking at Slavery from Broader Perspectives », *American Historical Review*, avril 2000, pp. 452-466.

4. La traite par l'Atlantique s'est achevée quelques décennies *avant* le processus ayant véritablement conduit à la colonisation de l'Afrique noire. Ajoutons que durant son existence la traite atlantique n'a guère été liée à des projets de colonisation intérieure, le mouvement abolitionniste lui ayant fourni plus d'arguments que les négriers eux-mêmes. Enfin, les liens entre ces arguments et le processus colonial proprement dit font toujours l'objet de discussions.

5. Elizabeth DONNAN (éd.), *Documents Illustrative of the History of the Slave Trade to America*, Washington, Carnegie Institute, 4 vol., 1930-1935.

6. Je rejoins ici tout à fait H. S. Klein, lorsqu'il écrit : « Bien que la plupart des travaux modernes aient invalidé les perceptions traditionnelles de la traite par l'Atlantique, celles-ci disposent encore d'une énorme force, et elles sont toujours répétées dans les textes standard destinés aux écoles primaires et secondaires. Même au niveau de l'université, de nouveaux modes d'interprétation ont totalement ignoré ou bien exclu cette recherche moderne afin de retourner aux vieux modèles » (*The Atlantic Slave Trade, op. cit.*, préface). L'analyse des événements suscités par les commémorations est à bien des égards révélatrice, et pourrait donner lieu à d'intéressantes recherches. Elle permet de mesurer la force des poncifs, l'écart entre connaissance scientifique, opinion publique, discours politique et discours médiatique, et met ainsi en évidence l'épaisseur du champ de forces contribuant à freiner l'approche objective de la question (sur ce thème, voir notre « Commémoration Jivaro. Les 150 ans de l'abolition française de l'esclavage », *Le Débat*, n° 104, mars-avril 1999, pp. 137-148).

7. Arnold Toynbee, *L'Histoire*, Paris, Payot, 1986, pp. 22-27.

L'ENGRENAGE NÉGRIER

1. Seymour Drescher, *From Slavery to Freedom. Comparative Studies in the Rise and Fall of Atlantic Slavery*, Londres, MacMillan, 1999, p. 332.

2. Moses I. Finley, *Esclavage antique et idéologie moderne*, Paris, Éditions de Minuit, 1981 ; *Démocratie antique et démocratie moderne*, Paris, Payot, 2003.

3. Le terme « traite » était à l'époque moderne un équivalent de celui, actuel, de « commerce ». Il sous-entendait l'existence d'opérations d'achat et de vente. On pouvait ainsi parler de la traite des huiles et des blés, en Europe, ou bien encore de celle de la gomme, au Sénégal. Par « traitant », on désignait non seulement le marchand, mais aussi le bénéficiaire de marchés publics ou de monopoles, bref l'homme brassant des affaires.

4. « L'asservissement du fait de la naissance était naturellement la conséquence de formes antérieures d'esclavage, mais

dans toutes les sociétés où l'institution acquit plus qu'une signification marginale et persista plus que le temps de deux
ou trois générations, la naissance devint la seule source véritablement importante d'esclaves. De la grande majorité des
sociétés à esclaves, on peut très solidement affirmer que la
naissance fut pendant la *plupart* du temps la source de la *plu-*
part des esclaves, (Orlando PATTERSON, *Slavery and Social*
Death : A Comparative Study, Cambridge, Ma., Harvard University Press, 1982, p. 132).

5. Les raisons en sont expliquées p. 230 et note 61.

6. John O. HUNWICK, « Black Slaves in the Mediterranean
World : Introduction to a Neglected Aspect of the African Diaspora », *in* Elizabeth SAVAGE (éd.), *The Human Commodity.*
Perspectives on the Trans-Saharan Slave Trade, numéro spécial
de *Slavery and Abolition*, 13, 1, avril 1992, pp. 5-38, ici p. 8.

7. Jehan DESANGES, « L'Afrique noire et le monde méditerranéen dans l'Antiquité », *Revue française d'histoire d'outre-*
mer (désormais *R.F.H.O.M.*), 228, 1975, pp. 391-414.

8. Le rôle essentiel de cette conquête et de la formation de
l'empire musulman est quasi unanimement reconnu. Patrick
Manning note ainsi : « L'esclavage a existé depuis les temps les
plus reculés dans ce qui devint le cœur du monde musulman,
aussi le Coran et les lois islamiques servirent-ils à limiter les
abus, par des recommandations comme celle consistant à encourager les propriétaires d'esclaves à affranchir les leurs au
moment de leur mort. Mais avec le temps et l'extension de l'islam en de plus lointaines régions, celui-ci semble avoir beaucoup plus fait pour protéger et étendre l'esclavage que
l'inverse » (*Slavery and African Life : Occidental, Oriental and*
African Slave Trades, Cambridge, C.U.P., 1990, p. 28).

9. Bernard LEWIS, *Race et esclavage au Proche-Orient*, Paris,
Gallimard, 1993, p. 25 (1re éd. *Race and Slavery in the Middle*
East, New York, Oxford University Press, 1990).

10. Certains pensent que le *bakt*, ébauché au VIIe siècle de
notre ère et formulé au IXe, aurait pu prendre la suite d'anciennes conventions établies entre l'Égypte byzantine et les
royaumes nubiens.

11. François RENAULT, « Essai de synthèse sur la traite
transsaharienne et orientale des esclaves en Afrique », in *La*
Dernière Traite, Paris, Karthala, 1994, pp. 23-44.

12. Frank M. Snowden. *Blacks in Antiquity. Ethiopians in the Greco-Roman Experience*, Cambridge, C.U.P., 1970.

13. J. Desanges, « L'Afrique noire... », art. cité, p. 411.

14. B. Lewis, *Race et esclavage...*, *op. cit.*, pp. 35, 46. Lewis estime que cette assimilation serait en partie due à un « accroissement des connaissances acquises par les Arabes du fait de la conquête [...]. Les Arabes rencontrèrent des hommes à la peau claire et à la civilisation plus développée, et des hommes à la peau sombre et à la civilisation moins développée » *(sic)*. « Nul doute que devant cette constatation ils aient commencé à associer ces faits » (*ibid.*, pp. 66-67). À cette hypothèse s'en ajoute une autre. Il indique (*ibid.*, p. 70) que des populations pour lesquelles « la fidélité tribale était forte », comme chez les Arabes, étaient peut-être plus facilement préparées à une interprétation ethnique des différences entre groupes humains.

15. « Déjà, au Moyen Âge, il devint courant d'utiliser des mots différents pour désigner les esclaves blancs et les esclaves noirs. » Ces derniers étaient appelés *'abd*. Dans « beaucoup de dialectes arabes, le mot finit par ne plus signifier qu'homme noir, qu'il fût libre ou esclave » (*ibid.*, p. 87).

16. *Ibid.*, pp. 57, 81

17. *Ibid.*, p. 83.

18. « On se pose évidemment la question : pourquoi pareille campagne anti-diffamatoire a-t-elle été jugée nécessaire ? Rien de tel ne nous est parvenu du monde antique, qu'il ait été proche-oriental ou gréco-romain, pour la bonne raison évidente qu'il n'existait pas de pareilles accusations à réfuter » (*ibid.*, p. 55).

19. *Ibid.*, p. 83.

20. *Ibid.*, p. 141.

21. *Ibid.*, p. 86.

22. Voir Benjamin Braude, « The Sons of Noah and the Construction of Ethnic and Geographical Identities in the Medieval and Early Modern Periods », *The William and Mary Quarterly*, 3ᵉ série, vol. LIX, 1, janvier 1997, pp. 103-142. L'auteur y montre dans le détail combien furent nombreuses et fluctuantes les manières d'analyser en Europe l'idée de la malédiction de Cham. Il indique que l'imprimerie contribua à atténuer la diversité des interprétations relatives à cette his-

toire (« elle représente un mouvement de la polyphonie médiévale à la monophonie moderne », *ibid.*, p. 107) en facilitant la diffusion de versions standardisées de la Bible ; une invention qui coïncida avec l'époque de l'« invention » de l'Afrique et des Amériques. B. Braude pointe, dans l'élaboration de la version moderne de la légende, la célèbre *Chronique* de Gomes Eanes de Zurara. Mais, ajoute-t-il, le manuscrit semble avoir disparu du Portugal au XVIe siècle et ne pas avoir été publié avant 1841. Il n'eut donc qu'une faible influence à l'époque moderne. L'auteur conclut qu'aux époques ancienne et médiévale Cham était surtout « un archétype de l'Autre ». « Des associations existaient avec l'esclavage et l'Afrique, mais... elles étaient perçues comme étant mutuellement exclusives. Les images de Cham fournissaient une grande variété de thèmes qui, selon les besoins sociaux, pouvaient être infléchis en n'importe quelles directions » (*ibid.*, p. 133).

23. Dans l'histoire originelle, la faute retombait sur Canaan car les Cananéens étaient les esclaves des Israélites. Ici, il fallait qu'elle retombe sur un autre (Cham, en l'occurrence) pour pouvoir être attribuée aux Africains.

24. D'après J. O. Hunwick, « Black Slaves in the Mediterranean World... », art. cité.

25. B. Lewis, *Race et esclavage...*, *op. cit.*, p. 31.

26. On pourrait, certes, parler de traites atlantiques, mais les Occidentaux déportèrent également des populations d'Afrique de l'Est en direction des îles de l'océan Indien, sans passage par l'Atlantique. Parler de traites européennes serait encore plus inexact, étant donné le rôle joué par les Amériques dans le système négrier et l'importance que certains États, comme le Brésil, prirent directement dans la traite, notamment au XIXe siècle.

27. Fernand Braudel, *Grammaire des civilisations*, Paris, Flammarion, 1993, p. 168.

28. Jusqu'aux années 1470, la plupart des esclaves noirs recensés en Europe par Charles Verlinden sont arrivés par la filière saharienne (« Esclavage noir en France méridionale et courants de traite en Afrique », *Annales du Midi*, LXXVIII, 1967, pp. 335-343). Pour Paul Lovejoy, ce n'est guère avant les deux premières décennies du XVIe siècle que l'Europe com-

mença à s'émanciper de la « Muslim connection » (*Transformations in Slavery*, Cambridge, C.U.P., 2000, pp. 36-41).

29. La *Chronique de Guinée*, de Gomes Eanes de Zurara (trad. L. Bourdon, Paris, Chandeigne, 1994), retrace l'histoire des premiers périples des Portugais en Afrique. Son chapitre VIII est intitulé « Pour quelles raisons les navires n'osaient pas aller au-delà du cap Bojador » : « Une des choses dont on disait qu'elles empêchaient de passer dans ces pays, peut-on y lire, c'étaient les courants forts violents qu'il y avait là, et qui interdisaient à tous navires de naviguer sur ces mers. Vous avez maintenant une claire connaissance de la première erreur, car vous avez vu les navires aller et revenir sans plus de danger qu'en n'importe quelle région des autres mers » (p. 222).

30. Victorino MAGALHAES-GODINHO, *L'Économie de l'empire portugais aux XVᵉ et XVIᵉ siècles : l'or et le poivre, route de Guinée et route du Cap*, thèse, Paris, 1958 ; *L'Économie de l'empire portugais aux XVᵉ et XVIᵉ siècles*, Paris, S.E.V.P.E.N., 1969.

31. G. E. DE ZURARA, *Chronique de Guinée, op. cit.*, p. 222.

32. Valentim FERNANDES, *Description de la côte occidentale d'Afrique*, trad. Th. Monod, A. Teixeira da Mota et R. Mauny, Bissau, 1951, p. 7.

33. Filippo PIGAFETTA, Duarte LOPEZ, *Description du royaume du Congo et des contrées environnantes*, trad. W. Bal, Paris, Nauwelaerts, 1965, p. 19.

34. Voir Yoro K. FALL, *L'Afrique à la naissance de la cartographie moderne, XIV-XVᵉ siècle : les cartes majorquines*, Paris, Karthala, 1982.

35. Jacques HEERS, *Esclaves domestiques au Moyen Âge dans le monde méditerranéen*, Paris, Hachette, 1981, p. 15.

36. De *bogomil*, « ami de Dieu » en bulgare. Hérétiques apparus en Bulgarie au Xᵉ siècle. Leur doctrine se répand au XIIᵉ siècle dans les pays balkaniques et l'Empire byzantin.

37. *Ibid.*, pp. 67, 71.

38. David Brion DAVIS, « Looking at Slavery from Broader Perspectives », *American Historical Review*, avril 2000, pp. 452-466, ici p. 460.

39. Sur la question, on lira avec profit Iris ORIGO, *The Merchant of Prato : Francesco di Marco Datini, 1335-1410*, New York, Alfred Knopf, 1957.

40. J. Heers, *Esclaves domestiques...*, *op. cit.*, pp. 286-287.

41. Voir notamment Bernard Vincent, Alessandro Stella, « L'esclavage en Espagne à l'époque moderne : acquis et nouvelles orientations », in *Captius i esclaus a l'Antiguitat i al Mon Modem*, colloque du G.I.R.E.A. (Groupe international de recherches sur l'esclavage dans l'Antiquité), Naples, 1997, pp. 289-300 ; Alessandro Stella, *Histoires d'esclaves dans la péninsule Ibérique*, Paris, E.H.E.S.S., 2000.

42. *Esclaves domestiques...*, *op. cit.*, p. 180.

43. Ch. Verlinden, « Esclavage noir en France méridionale et courants de traite en Afrique », art. cité ; *L'Esclavage dans l'Europe médiévale*, t. I, *Péninsule Ibérique, France*, Bruges, 1955 ; t. II, *Italie, colonies italiennes du Levant, Levant latin, Empire byzantin*, Gand, 1977 ; *Les Origines de la civilisation atlantique*, Neuchâtel, 1966.

44. William D. Phillips (*Slavery from Roman Times to the Early Transatlantic Trade*, Minneapolis, 1985) oppose, plus que Verlinden, les systèmes de plantation méditerranéen et américain, principalement à cause de l'ampleur de ce dernier. C'est oublier l'importance de l'esclavage rural en Italie romaine, ainsi que la nature de son organisation, que David Turley compare à celle des plantations du Nouveau Monde des XVIIIe et XIXe siècles (*Slavery*, Oxford, Blackwell Publishers, 2000, pp. 96-97). Quelles que soient les différences d'échelle entre les plantations méditerranéennes de l'époque médiévale et celles des Amériques, l'essentiel est de noter ici la continuité de l'institution. Bien qu'évidemment adapté aux conditions du moment, c'est donc bien un système déjà éprouvé qui fut transplanté dans le Nouveau Monde.

45. Luis Felipe de Alencastro, « The Apprenticeship of Colonization », *in* Patrick Manning (éd.), *Slave Trades, 1500-1800. Globalisation of Forced Labour*, Aldershot, Ashgate, 1996, p. 103.

46. Philip Curtin, *The Rise and Fall of the Plantation Complex. Essays in Atlantic History*, Cambridge, C.U.P., 1990 ; 2e éd. 1998.

47. C'est le titre du premier chapitre du livre de James Walvin, *Black Ivory. Slavery in the British Empire*, Oxford, Blackwell, 2001.

48. Sur ces questions, voir Olivier Pétré-Grenouilleau, *Les Négoces maritimes français, XVII-XXe siècle*, Paris, Belin, 1997.

49. P. Manning, *Slavery and African Life...*, *op. cit.*, p. 30.

50. Seymour Drescher, « Jews and New Christians in the Atlantic Slave Trade », *in* Paolo Bernardini (éd.), *Jews and the Expansion of Europe to the West, 1450-1825*, New York, Berghahn Books, 1999. Notons, de manière plus générale, que la tendance à l'exclusivisme dans certains milieux économiques occidentaux, notamment juifs et protestants, est évidente. Mais, en soi naturelle, elle s'inscrit dans le cadre d'un capitalisme relationnel où l'on s'associe de préférence avec des personnes que l'on connaît. Elle n'est donc pas si originale que cela. De plus, ne débouchant pratiquement jamais sur un processus de nature autarcique, cette tendance est contrebalancée par de multiples alliances et relations commerciales avec d'autres milieux.

51. D. Turley, *Slavery, op. cit*, p. 49.

52. La question de la formation des sociétés coloniales n'a pas toujours été assez prise en considération par les historiens de la traite proprement dite. Pourtant, comme le montre Trevor Burnard, structuration des marchés d'esclaves et structuration des sociétés coloniales vont de pair (« Who bought slaves in early America ? Purchasers of slaves from the Royal African Company in Jamaica, 1674-1708 », *Slavery and Abolition*, 2, 1996, pp. 68-92).

53. D. Turley, *Slavery, op. cit.*, p. 27.

54. William Gervase Clarence-Smith « The Dynamics of the African Slave Trade », *Africa*, 64, 2, 1994, p. 276.

55. Russel R. Menard, *Migrants, Servants and Slaves. Unfree Labor in Colonial British America*, Aldershot, Ashgate, 2001, article Ier, p. 33.

56. Evsey D. Domar, « The Causes of Slavery or Serfdom : An Hypothesis », *Journal of Economic History*, 30, 1970, pp. 18-32.

57. « L'esclavage et la servitude ne peuvent exister que chez les peuples aux richesses naturelles ouvertes, tandis que l'on ne trouve le travailleur libre et salarié que chez les peuples aux richesses naturelles fermées » (H. J. Nieboer, *Slavery as an Industrial System*, La Haye, 1910, p. 385).

58. L'Australie commença à se développer grâce au travail des bagnards, mais ce choix initial fut de peu d'influence sur la véritable édification du pays.

59. David Brion DAVIS, *Slavery and Human Progress*, New York, Oxford University Press, 1984. L'auteur parle de choix « pragmatiques », nous nuançons ici quelque peu.

60. Sur la question, voir notamment Noble David COOK, *Born to Die. Disease and New World Conquest, 1492-1650*, Cambridge, C.U.P., 1998.

61. Peter KOLCHIN, *American Slavery, 1619-1877*, New York, Hill and Wang, 1993, p. 14. Il ajoute : « il a toujours été difficile de réduire des hommes en esclavage dans leur pays natal ». L'ouvrage a été traduit en français : *Une institution très particulière. L'esclavage aux États-Unis*, Paris, Belin, 1998. Voir aussi Claude FOHLEN, *Histoire de l'esclavage aux États-Unis* Paris, Perrin, 1998.

62. Luis Felipe DE ALENCASTRO, *Le Commerce des vivants. Traite d'esclaves et pax lusitania dans l'Atlantique Sud*, thèse dactyl., université de Paris-X, 1986, pp. 140, 196. Cette thèse a été publiée en portugais : *O trato dos viventes : formação do Brasil no Atlântico Sud, seculos XVI e XVII*, São Paulo, Companhia das lettras, 2000.

63. L. F. DE ALENCASTRO, « The Apprenticeship of Colonization », art. cité, p. 175.

64. David GALENSON, *White Servitude in Colonial America. An Economic Analysis*, Cambridge, C.U.P., 1981. Michael Laccohee Bush (*Servitude in Modern Times*, Cambridge, Polity Press, 2000) estime à environ 300 000 le nombre de travailleurs sous contrat européens (principalement anglais, irlandais et écossais, mais aussi suisses, français et allemands) à avoir été introduits aux Amériques au cours des XVIIe et XVIIIe siècles (p. 29). Plus généralement, sur la question, voir aussi Hilary M. BECKLES, *White Servitude and Black Slavery in Barbados, 1627-1715*, Knoxville, 1989 ; Sharon Vineberg SALINGER, *To Serve Well and Faithfully : Labour and Indentured Service in Pennsylvania*, Cambridge, 1987.

65. Voir sa contribution à l'ouvrage édité par Barbara SoLOW, *Slavery and the Rise of the Atlantic System*, Cambridge, C.U.P., 1991.

66. M. L. Bush, *Servitude in Modern Times, op. cit.*, p. 57. Cette servitude « constitua également l'un des principaux moyens pour recruter de nouveaux colons ». L'auteur note avec raison qu'à la différence de l'esclavage pour dette, qui était « partie intégrante du système de crédit de nombreuses sociétés traditionnelles non européennes, le travail sous contrat fut au contraire créé par le colonialisme européen afin de fournir le travail migrant » (*ibid.*, p. 39).

67. Faisant venir 80 travailleurs sous contrat en 1680, le planteur de Virginie John Carter reçut un lot de 1 600 hectares (P. Kolchin, *American Slavery, 1619-1877, op. cit.*, p. 15).

68. Gabriel Debien, « Les engagés pour les Antilles, 1634-1715 », *Revue d'histoire des colonies*, 1951.

69. David Eltis, « Europeans and the Risc and Fall of African Slavery in the America : An Interpretation », *American Historical Review*, 98, décembre 1993, pp. 1399-1423.

70. Seymour Drescher, « White Atlantic ? The Choice for African Slave Labor in the Plantation Americas », *in* David Eltis (éd.), *Slavery in the Development of the Americas*, Cambridge, C.U.P., 2004.

71. Sur cette question des stratégies nationales en matière d'utilisation de la main-d'œuvre dans l'Europe moderne, voir Olivier Pétré-Grenouilleau, « Puissances maritimes, puissances coloniales : le rôle des migrations de population, vers 1492-1792 », *in* Christian Buchet, Jean Meyer, Jean-Pierre Poussou (éd.), *La Puissance maritime*, Paris, Presses de l'université Paris-Sorbonne, 2004, pp. 345-372.

72. Sur cette question, voir le chapitre IX (« European Serfdom »), de M. L. Bush, *Servitude in Modern Times, op. cit.*, pp. 117-160.

73. R. R. Menard, *Migrants, Servants and Slaves..., op. cit.*, article III, p. 389.

74. « Parmi les populations de l'Ancien Monde, les Africains avaient l'infortune et l'avantage de vivre dans la région du globe la plus infestée par les maladies. La malaria faisait beaucoup de victimes chez les enfants, mais ceux qui survivaient jusqu'à la maturité étaient quasi immunisés contre la malaria, contre d'autres maladies africaines, et également contre de nombreuses maladies connues en Europe » (P. Manning, *Slavery and African Life..., op. cit.*, p. 31).

75. L. F. DE ALENCASTRO, « The Apprenticeship of Colonization », art. cité, p. 168.

76. S. DRESCHER, « White Atlantic ? The Choice for African Slave Labor in the Plantation Americas », art. cité.

77. Winthrop D. JORDAN, *White over Black. American Attitudes toward the Negro 1550-1812*, University of California Press, 1968. Cette idée a été reprise et développée plus récemment par Alden T. VAUGHAN dans « The Origins Debate : Slavery and Racism in Seventeenth Century Virginia », in *Roots of American Racism. Essays on the Colonial Experience*, New York, Oxford University Press, 1995.

78. Il ne faut pas oublier que, lorsque les Hollandais se sont vraiment insérés dans le système colonial, en prenant pied au Brésil, dans les années 1630, ils ont trouvé des plantations fonctionnant déjà avec de la main-d'œuvre noire.

79. Quelques années plus tard, les Noirs étaient devenus la propriété de leurs maîtres et ils transmettaient la servitude à leurs enfants (L. HIGGINBOTHAM, *In the Matter of Color. Race and the American Legal Process : the Colonial Period*, New York, Oxford University Press, 1978).

80. P. KOLCHIN, *American Slavery, 1619-1877, op. cit.*, p. 23.

81. E. S. MORGAN, *American Slavery, American Freedom. The Ordeal of Colonial Virginia*, New York, Norton, 1975.

82. « La servitude ne peut pas être simplement présentée comme une expression de classe, écrit M. L. Bush. Pour l'esclave, la préoccupation fondamentale était la liberté, non la pauvreté ; pour les maîtres l'objectif fondamental était de posséder non d'exploiter » (*Servitude in Modern Times, op. cit.*, p. 5). C'est certainement vrai pour l'esclave, plus sujet à discussion pour le maître.

83. Le paternalisme à connotation religieuse dont usèrent nombre de colons, dans le monde de la plantation, ne s'opposait pas vraiment à l'autonomie culturelle et religieuse des esclaves, tant que celle-ci ne remettait pas en cause le système. Aussi les « maîtres » n'accordèrent-ils pas toujours beaucoup d'attention à l'éducation religieuse de leurs esclaves.

84. Alphonse QUENUM, *Les Églises chrétiennes et la traite atlantique du XVᵉ au XIXᵉ siècle*, Paris, Karthala, 1993, pp. 24, 52.

85. *Ibid.*, p. 10.

86. Georges Duby, *Les Trois Ordres ou l'Imaginaire du féodalisme*, Paris, Flammarion, 1973.

87. Voir David Brion Davis, *The Problem of Slavery in Western Culture*, Ithaca, New York, Cornell University Press, 1966.

88. Il ne s'agissait certes pas de justifier la traite vers les Amériques, lesquelles n'avaient pas été découvertes, mais celle en direction de São Tomé, des îles de l'Atlantique proches de l'Europe, comme les Açores, et du Portugal. C'est le 18 juin 1452 que la bulle *Dum diversas* fut adressée au roi du Portugal par le pape Nicolas V. Elle autorisait Alphonse V à « attaquer, conquérir et soumettre les Sarrasins païens et autres infidèles ennemis du Christ » en « perpétuelle servitude ». Le 8 janvier 1455, la bulle *Romanus Pontifex* rappelait ces dispositions, valorisant en outre l'action des Portugais, depuis Henri le Navigateur : capture et achat de Noirs, ensuite ramenés au Portugal, où un grand nombre auraient embrassé la foi catholique. S'il y avait encore une ambiguïté en 1452, elle n'était donc plus de mise en 1455. On notera que les deux bulles en question mettent en relation la lutte contre l'islam avec le droit de conquête et de faire des esclaves dans les régions situées au sud du cap Bojador. C'est donc dans un contexte d'affrontement entre chrétienté et islam que l'Église fut amenée à légitimer les premières opérations de traite.

89. Notons, cependant, qu'il ne fut pas le seul de son ordre à proposer l'utilisation d'esclaves noirs, et que ceux-ci n'étaient pas pour lui le seul recours possible (on pourra également utiliser « d'autres esclaves pour l'exploitation des mines »). Plus tard, dans son *Historia de las Indias*, Las Casas critiqua la traite telle qu'elle était pratiquée par les Portugais, la qualifiant d'« injuste », c'est-à-dire de non justifiée au regard des lois divines.

90. A. Quenum, *Les Églises chrétiennes…, op. cit.*, p. 111.

91. « Les Indiens et tout autre peuple qui pourrait être découvert plus tard par les Catholiques, bien que n'étant pas chrétiens, ne peuvent en aucune façon être privés de leur liberté et de leurs possessions. Au contraire, ils peuvent et doivent être autorisés à jouir librement et légalement de leur liberté et de leurs possessions. Ils ne peuvent en aucune manière être asservis ; et s'ils sont ainsi asservis, leur esclavage doit être considéré comme nul et non avenu » (*ibid.*, p. 99).

92. « Au XVIe siècle, ce sont encore les pays catholiques (Portugal et Espagne) qui dominent la traite. Il leur sera de plus en plus interdit de faire des contrats avec des commerçants et des navigateurs protestants pour ne pas exposer les esclavagistes et les esclaves à la contagion de l'hérésie [...]. Il fallait éviter que, par ce canal, les erreurs hérétiques viennent infester les colonies [...]. Il y eut même là un cas de conscience, car les canonistes déclaraient nettement qu'on ne pouvait ni vendre de nègres aux hérétiques [c'est-à-dire aux Réformés] ni en acheter d'eux » (*ibid.*, pp. 96-97).

93. Le 7 octobre 1492, dans sa lettre *Rubicensem*, adressée à l'évêque de la Guinée portugaise, le pape Pie II qualifie l'esclavage des Noirs de grand crime *(magnum scelus)*. Mais l'exemple reste isolé (*ibid.*, p. 79).

94. « Il y avait une tradition dominicaine de discussions des problèmes de l'esclavage et de la traite ; cette tradition oscille entre le scepticisme sur le bien-fondé de certaines pratiques esclavagistes et une tolérance à l'égard d'un état de fait qu'elle avait pourtant du mal à accepter sans réserve. » Les jésuites, qui avaient des missionnaires en Amérique et en Afrique, « eurent aussi d'éminents représentants intéressés par ces débats » (*ibid.*, pp. 107-108).

95. *Ibid.*, p. 123. « Lorsqu'en 1820 la S. C. de la Propagande ne parle plus de *tolérer prudemment* mais dénonce clairement, il faut dire que nous sommes [...] à un moment où il devient plus difficile d'ignorer une réprobation internationale » croissante (*ibid.*, p. 126).

96. Son *Summa de Tratos y Contratos...* est publié à Séville en 1527, puis à Salamanque en 1569.

97. Saint Thomas d'Aquin estime que quatre raisons peuvent justifier la servitude : la condamnation pour un délit grave, la capture dans une guerre juste, la vente d'un individu par lui-même ou par ses parents, la naissance servile.

98. *De Justifia et Jure*, Cuente, 1593.

99. *Opus de Obligationibus Justitiae Religionis et Caritatis*, Lyon, 1608.

100. A. QUENUM, *Les Églises chrétiennes...*, *op. cit.*, p. 168. L'auteur reproduit de larges extraits de ce texte qui fut publié dans le *Dictionnaire des cas de conscience décidés suivant les principes de la morale, les usages de la discipline ecclésiastique*

et des canonistes et la jurisprudence du royaume, par messieurs de Lamet et Fromageau, docteurs de la Maison et Société de Sorbonne, t. I, Paris, J.-B. Coignard Fils, Imprimerie du roi, 1733, à l'article « Esclavage ».

101. C'est particulièrement clair pour Henry H. GEMERY, Jan S. HOGENDORN, « La traite des esclaves sur l'Atlantique : essai de modèle économique », *in* Sidney MINTZ (éd.), *Esclave = facteur de production*, Paris, Dunod, 1981, pp. 18-45 (l'article fut d'abord publié dans le *Journal of African History*, 2, 1974, pp. 223-246). Du côté occidental, c'est l'offre africaine en captifs qui rendit possible la traite, car les nations européennes n'avaient pas les moyens de forcer la main à l'Afrique. Les choses sont plus complexes du côté oriental, du fait des djihads et de prélèvements parfois opérés directement par les négriers.

102. Daniel Pratt MANNIX, Malcom COURLEY, *Black Cargoes. History of the Atlantic Slave Trade, 1518-1565*, New York, Viking Press, 1962 ; John Donnely FAGE, *A History of West Africa*, Cambridge, C.U.P., 1959.

103. David ELTIS, *The Risc of African Slavery in the Americas*, Cambridge, C.U.P., 2000, pp. 224, 226, 229-230. (« Le premier et non intentionnel impact du contact opéré avec les Européens fut de forcer les Africains non membres de l'élite à se penser comme faisant partie d'un plus vaste ensemble africain » (*ibid.*, p. 226). Mêmes remarques chez Patrick Manning, qui écrit que, « ironiquement, l'esclavage aida, à partir de multiples Afrique, à en créer une » (*Slavery and African Life...*, *op. cit.*, p. 25). Plus généralement, selon V. Y. Mudimbe, c'est à partir de ce processus d'action extérieure (par le biais de la traite, de la colonisation et du racisme) et de réaction africaine qu'aurait été « inventée » l'Afrique (*The Invention of Africa*, Bloomington, 1987).

104. Sur la distinction (parfois difficile à établir) entre les deux notions, voir le chapitre VII.

105. Claude MEILLASSOUX, *Anthropologie de l'esclavage. Le ventre de fer et d'argent* Paris, P.U.F., 1986.

106. O. PATTERSON, *Slavery and Social Death...*, *op. cit.*

107. Voir l'ouvrage des anthropologues Paul BOHANNAN, George DALTON (éd.), *Markets in Africa*, Evanston, Northwestern University Press, 1962.

108. Karl POLANYI, *Dahomey and the Slave Trade*, Seattle, University of Washington Press, 1965 ; William RANDLES, *L'Ancien Royaume du Congo, des origines à la fin du XIXᵉ siècle*, Paris, Mouton, 1968.

109. Catherine COQUERY-VIDROVITCH, Henri MONIOT, *L'Afrique noire de 1800 à nos jours*, Paris, P.U.F., 1992.

110. Sur l'importance du « don » dans la logique des formes du pouvoir en Afrique noire, voir Alain MIGNOT, *La Terre et le Pouvoir chez les Guin du Sud-Est Togo*, Paris, Publications de la Sorbonne, 1985. Sur le don en général, voir aussi Marcel MAUSS, *Sociologie et anthropologie*, Paris, P.U.F., 1997 (7ᵉ éd.).

111. Jean BAZIN, Emmanuel TERRAY (dir.), *Guerres de lignage et guerres d'États en Afrique*, Paris, Archives contemporaines, 1982 ; Emmanuel TERRAY, *Une histoire du royaume abron du Gyanam. Des origines à la conquête coloniale*, Paris, Karthala, 1995.

112. Yves PERSON, « Les Mandingues dans l'histoire », *Mélanges offerts à Henri Brunschwig*, Paris, 1982, p. 49. Notons toutefois, à la suite de Jean-Pierre Olivier de Sardan (*in* J. BAZIN, E. TERRAY, *Guerres de lignage et guerres d'États en Afrique*, *op. cit.*), certaines similitudes entre l'« économie prédatrice » de l'aristocratie touarègue et le « mode de production africain ».

113. Catherine COQUERY-VIDROVITCH, *Histoire des villes d'Afrique noire. Des origines à la colonisation*, Paris, Albin Michel, 1993, p. 66.

114. A. G. B. FISHER, H. J. FISHER, *Slavery and Muslim Society in Africa. The Institution in Saharan and Sudanic Africa and the Trans-Saharan Trade*, Londres, C. Hurst and Company, 1970, p. 7. Les auteurs mentionnent qu'Al-Bakri indiquait déjà, au XIᵉ siècle : « dans de nombreux pays habités par les nègres, il était habituel de demander à quelqu'un ayant été volé de choisir entre vendre ou tuer le voleur » (*ibid.*, p. 71). Ils pensent que l'introduction de l'islam, « avec son système de punitions imposées, pour une variété de délits, semble avoir réduit le recours à la vente en esclavage comme peine » (*ibid.*, p. 72). Il serait intéressant de creuser l'idée et de voir en quoi l'introduction de l'islam a éventuellement pu conduire à vraiment limiter l'esclavage pénal, lui

substituant de manière prédominante l'esclavage pour fait de guerre. Au IXe siècle, Ya'qubi note qu'il a entendu dire « que les rois noirs vendaient des Noirs sans prétexte et sans guerre » (cité par B. Lewis, *Race et esclavage..., op. cit.*, p. 80).

115. Cl. Meillassoux, *Anthropologie de l'esclavage..., op. cit.*, p. 51.

116. Walter Rodney, « African Slavery and Other Forms of Social Oppression on the Upper Guinea Coast in the Context of the Atlantic Slave Trade », *Journal of African History*, 7, 1996, pp. 431-443.

117. L'expression haute Guinée (« Upper Guinea »), notait avec raison J. Fage, est habituellement utilisée pour qualifier « un ensemble équivalent à la moitié ouest des pays côtiers d'Afrique occidentale, du Sénégal au cap des Palmes ». Rodney s'est « seulement intéressé en détail au tiers central de la haute Guinée, c'est-à-dire aux pays côtiers entre la Gambie et Cap Monte (une région pour laquelle le meilleur terme est probablement celui de "rivières de Guinée" » (« Slaves and Society in Western Africa, c. 1445-c. 1700 », *Journal of African History*, 21, 1980, pp. 289-310, 292). Cela n'empêcha pas W. Rodney d'étendre ses conclusions à l'ensemble de la haute Guinée, et plus tard, à toute l'Afrique noire.

118. John Donnely Fage, « Traite et esclavage dans le contexte historique de l'Afrique occidentale », *in* S. Mintz (éd.), *Esclave = facteur de production, op. cit.* Cet article fut d'abord publié dans le *Journal of African History*, 3, 1969, pp. 393-404.

119. John Thornton, *Africa and Africans in the Making of the Atlantic World*, Cambridge, C.U.P., 1992, p. 97.

CE QUI NE CHANGE PAS, OU PEU :
LES STRUCTURES DU QUOTIDIEN

1. Cité *in* Hugh Thomas, *The Slave Trade. The History of the Atlantic Slave Trade, 1440-1870*, Londres, Papermac, 1998, p. 68.

2. Voir Jean Boulègue, *Les Luso-Africains de Sénégambie, XVIe-XIXe siècle*, Lisbonne, I.I.C.T., Paris, C.R.A., 1989.

3. David Eltis, « African and European Relations in the

Last Century of Transatlantic Slave Trade », *in* Olivier PÉTRÉ-GRENOUILLEAU (éd.), *From Slave Trade to Empire. Europe and the Colonization of Black Africa, 1780s-1880s*, Londres, Routledge, 2004, pp. 21-46.

4. Communication faite au cours d'un séminaire de recherche à l'université de Lorient, 2002.

5. David BIRMINGHAM, *Trade and Empire in the Atlantic, 1460-1600*, Londres, Routledge, 2000, p. 84.

6. « À l'époque médiévale, note fort justement Patrick Manning, la diffusion de l'islam concerna d'importantes régions de l'Afrique sub-saharienne. Ces régions doivent donc être considérées comme faisant partie du monde musulman et non, comme cela est trop souvent le cas, comme des appendices sans liens avec lui » (*Slavery and African Life : Occidental, Oriental and African Slave Trades*, Cambridge, C.U.P., 1990, p. 29).

7. Paul LOVEJOY, « Islam, Slavery, and Political Transformation in West Africa : Constraints on the Trans-Atlantic Slave Trade », *in* Olivier PÉTRÉ-GRENOUILLEAU (éd.), *Traites et esclavages : vieilles questions, nouvelles perspectives ?*, numéro spécial de *R.F.H.O.M.*, décembre 2002, pp. 247-282.

8. Orlando PATTERSON, *Slavery and Social Death. A Comparative Study*, Cambridge, Mass., Harvard University Press, 1982.

9. Joseph C. MILLER, *Way of Death. Merchant Capitalism and the Angolan Slave Trade, 1730-1830*, Madison, Wisconsin University Press, 1989.

10. Ralph AUSTEN, « The Slave Trade as History and Memory : Confrontations of Slaving Voyages Documents and Communal Traditions », *The William and Mary Quarterly*, janvier 2001, pp. 229-244, ici p. 234.

11. M. GOMEZ, *Exchanging our Country Marks : The Transformation of African Identities in the Colonial and Antebellum South*, Cambridge, C.U.P., 1998, pp. 199-214.

12. Joseph C. MILLER, « The World According to Meillassoux : a Challenging but Limited Vision », *The International Journal of African Historical Studies*, 22, 3, 1989, p. 488.

13. Suzanne MIERS, *Britain and the Ending of the Slave Trade*, Londres, Longman, 1975, p. 142. Voir aussi David RICHARDSON, Paul LOVEJOY, « Trust, Pawnship and Atlantic His-

tory : the Institutional Foundations of the Old Calabar Slave Trade », *American Historical Review*, 104, 2, 1999. Sur cette institution proche de l'esclavage pour dettes, on pourra débuter par la lecture de l'article « Pawnship » de Paul Lovejoy, dans Seymour DRESCHER, Stanley L. ENGERMAN (éd.), *A Historical Guide to World Slavery*, Oxford, Oxford University Press, 1998.

14. M. GILLET, « Résultat de l'enquête ouverte au Congo pour connaître les conditions et les causes de l'esclavage de 2 571 émigrants africains rachetés pour l'émigration », cité par le capitaine Souzy, *Revue maritime et coloniale*, Paris, 1863, p. 100.

15. Hair, qui résume les données fournies par Koelle, n'indique pas la provenance des 11 % restants (P. E. H. HAIR, « The Enslavement of Koelle's Informants », *Journal of African History*, 6, 2, 1965, pp. 193-203.

16. A. G. B. FISHER, H. J. FISHER, *Slavery and Muslim Society in Africa. The Institution in Saharan and Sudanic Africa and the Trans-Saharan Trade*, Londres, C. Hurst, 1970, p. 72. Sur cette question, voir *supra*, p. 102, n. 114.

17. P. MANNING, *Slavery and African Life...*, *op. cit.*, p. 90.

18. Johannes Postma (*The Dutch in the Atlantic Slave Trade, 1600-1815*, Cambridge, C.U.P., 1990) a calculé qu'en moyenne 10 % des captifs traités par les Hollandais avaient été rejetés par les bénéficiaires de l'*asiento*. Les contrats de 1662 et 1668 stipulaient que les enfants de 4-8 ans comptaient pour moitié d'une pièce d'Inde, et ceux de 8-15 ans pour les deux tiers (proportions qui concernèrent les classes d'âge 3-7 ans et 8-12 ans dans les contrats de 1683 et 1699). Le fait qu'*une* « pièce d'Inde » ne corresponde pas forcément à *un* individu doit évidemment être intégré dans les dénombrements d'arrivées de captifs réalisés à partir des contrats d'*asiento*, ainsi que le rappelle justement Wim Klooster (*Illicit Riches. Dutch Trade in the Caribbean*, 1648-1795, Leyde, Kitlv Press, 1998).

19. À propos des Ashanti, il faut lire les travaux d'Igor Wilks, ainsi que Ralph AUSTEN et J. DERRICK : *Middlemen of the Cameroons Rivers. The Duala and their Hinterland c. 1600-c. 1960*, Cambridge, C.U.P., 1999.

20. Florent DOVONOU, « Les formes actuelles de négoce en

Afrique », *in* Hubert Bonin (éd.), *Négoce blanc en Afrique noire*, Paris, Publications de la Société française d'histoire d'outre-mer, 2001, pp. 4-98.

21. Herbert S. Klein, *The Atlantic Slave Trade*, Cambridge, C.U.P., 1999, p. 121.

22. Phyllis M. Martin, *The External Trade of the Loango Coast, 1756-1870*, Oxford, Clarendon Press, 1972.

23. Robin Law, « Royal Monopoly and Private Entreprise in the Atlantic Trade : The Case of Dahomey », *Journal of African History*, 4, 1977, pp. 555-577, ici p. 555.

24. Comme nous le rappelle D. Ross, les tendances au monopole étaient attaquées du dehors, et pas seulement par les ressortissants du Dahomey. « En réaction à la politique dahoméenne vis-à-vis des régions de l'intérieur, note-t-il, les marchands d'esclaves devinrent de plus en plus réticents à vendre leurs captifs aux revendeurs dahoméens. » En conséquence, le Dahomey ne prospéra en tant qu'État courtier que pendant une courte période, entre 1748 et 1778 (D. Ross, « The Dahomean Middleman System, 1727-c. 1818 », *Journal of African History*, 28, 1987, p. 375).

25. R. Law, « Royal Monopoly… », art. cité, pp. 556-557, 561, 567. Les taxes sur les ventes d'esclaves ne sont, néanmoins, pas attestées avant les années 1840, note l'auteur.

26. Walter Hawthorne, « The Production of Slaves Where There Was no State : the Guinea-Bissau Region, 1450-1815 », *Slavery and Abolition*, 2, 1999, pp. 97-124.

27. David Northrup, *Trade without Rulers. Pre-Colonial Economic Development in South Eastern Nigeria*, Oxford, Clarendon Press, 1978, pp. 91-93, 94, 100, 108-109, 111.

28. Martin Klein, « The Impact of the Atlantic Slave Trade on the Societies of Western Sudan », *in* Joseph E. Inikori, Stanley L. Engerman (éd.), *The Atlantic Slave Trade. Effects on Economics, Societies and Peoples in Africa, the Americas, and Europe*, Durham, N. C., 1992, pp. 31-32.

29. « Quelques-uns des esclaves capturés près de la côte ont pu être vendus aux Européens par leurs capteurs. Mais, dans la plupart des cas, expédier les esclaves au marché était la tâche de marchands indépendants et de courtiers. » Les « marchands africains contrôlaient également presque complètement le commerce entre l'intérieur et la côte, et, de con-

cert avec les agents officiels des États, dominaient largement les ventes d'esclaves aux Européens » (E. Evans, D. Richardson, « Hunting for Rents : the Economics of Slaving in Pre-Colonial Africa », *Economic History Review*, 4, 1995, pp. 678-679).

30. Norbert Elias, *La Dynamique de l'Occident* (Paris, Calmann-Lévy, 1976), analyse de la « loi du monopole ».

31. Y. Hakan Erdem, *Slavery in the Ottoman Empire and its Demise, 1800-1909*, New York, St. Martin's Press, 1996.

32. Sur ces questions, voir Teobaldo Filesi, *China and Africa in the Middle Ages*, Londres, F. Cass, 1972. Notons les célèbres expéditions africaines des flottes Ming (1413-1415, 1417-1419, 1421-1422), dirigées par un eunuque musulman du Yunnan du nom de Zheng He.

33. Hubert Deschamps, *Histoire de la traite des noirs de l'Antiquité à nos jours*, Paris, Fayard, 1970, p. 234.

34. Cité par Bernard Lewis, *Race et esclavage au Proche-Orient*, Paris, Gallimard, 1993, p. 237.

35. Ibrahima Baba Kake, in *La Traite négrière du XVe au XIXe siècle. Histoire générale de l'Afrique*, « Études et Documents », n° 2, Paris, Unesco, 1979, p. 179.

36. *Slavery and Muslim Society in Africa...*, *op. cit.*, p. 77.

37. « The Mediterranean Islamic Slave Trade out of Africa : a Tentative Census », *in* Elizabeth Savage (éd.), *The Human Commodity* (numéro spécial de *Slavery and Abolition*), avril 1992, pp. 214-248.

38. Herbert S. Klein, « The Structure of the Atlantic Slave Trade in the 19th Century : an Assessment », *in* O. Pétré-grenouilleau (éd.), *Traites et esclavages : vieilles questions, nouvelles perspectives ?*, *op. cit.*, pp. 63-77, ici p. 74.

39. Sur la question, voir la reconstitution archéologique d'Arnold Walter Lawrence, *Trade, Castles and Forts of West Africa*, Londres, J. Cape, 1963, et Stanford University, 1964. L'un de ces comptoirs fortifiés a fait l'objet d'une étude très précise (installation, relations avec les Africains...) : voir J.-B. Ballong-Wen-Mewuda, *São Jorge da Mina, 1482-1637*, Lisbonne-Paris, E.H.E.S.S., 1993. Voir également Albert Van Dantzig, *Les Hollandais sur la côte de Guinée à l'époque de l'essor de l'Ashanti et du Dahomey, 1680-1740*, Paris, Société française d'histoire d'outre-mer (S.F.H.O.M.), 1981.

40. D. Eltis, « African and European Relations in the Last Century of the Transatlantic Slave Trade », *op. cit.*, p. 37.

41. Les fers venaient d'Espagne, de Suède ou de Prusse, les armes de Birmingham, de Hollande ou du Danemark, les textiles de Bretagne, Normandie, Silésie, Utrecht et Lancashire...

42. Jan S. Hogendorn, Marion Johnson, *The Shell Money of the Slave Trade*, Cambridge, C.U.P., 1986.

43. Archives départementales de Loire-Atlantique, C 881. L'auteur ajoute : « Les nègres sont restés les maîtres du pays, et les Anglais, malgré leur prétendue souveraineté, sont obligés de payer pour traiter les mêmes coutumes et droits que les autres nations qui n'ont point de forts. »

44. D'où la « transition entre le système des forts et la colonisation [...] extraordinairement lente et graduelle » (A. W. Lawrence, *Trade, Castles...*, *op. cit.*, p. 28). Il s'agit d'ailleurs sans doute beaucoup plus d'une rupture que d'une lente transition, puisque seul un contexte international soudainement modifié, au tournant du dernier tiers du XIXe siècle, fit que de vieux forts, parfois bâtis deux siècles auparavant, purent devenir d'éventuels points d'appui d'une politique de pénétration coloniale.

45. Archives de la station navale française dans l'océan Indien, Lorient, 4C3 28. Cité par Valérie Valey, *Traite, commerce et politique dans l'océan Indien d'après les archives de la station navale française*, mémoire de maîtrise, université de Lorient, 1999.

46. À propos des capitaux, voir le chapitre VI.

47. Herbert S. Klein, *The Middle Passage*, Princeton, Princeton University Press, 1978, p. 228. Les ouvrages décrivant les opérations de traite et la traversée de l'Atlantique sont nombreux. On pourra voir, entre autres, James Walvin, *Black Ivory. Slavery in the British Empire*, Oxford, Blackwell, 2e éd. 2001, notamment « Crossing the Atlantic » (pp. 34-51) ; Robert Harms, *The Diligent : a Voyage through the Worlds of the Slave Trade*, New York, Basic Books, 2002.

48. Voir Leif Svalesen, *Slaveskibet Frederiksborg-og den dansk-norsk slavehandel i 1700-tallet*, Copenhague, Hovedland, 1996.

49. En 1545, à Bordeaux, le *Baptiste*, proposé pour une

campagne de traite, avait été auparavant destiné à la pêche à la morue, à Terre-Neuve. Le même navire pouvait donc aller en haute mer, quelle que soit la latitude, ou bien être utilisé au cabotage. Il pouvait contenir aussi bien du poisson et du sucre que des captifs.

50. Tout en respectant certaines limites, car de longs voyages dans les eaux tropicales usaient les coques des navires. Ce qui explique qu'à Londres, entre 1700 et 1769, au moins un quart des négriers étaient des bâtiments n'ayant pas plus de cinq ans. Mais les cas de navires menaçant à tout moment de sombrer n'appartiennent pas qu'au domaine de la légende, comme le montrent les Mémoires d'un armateur négrier (voir Olivier PÉTRÉ-GRENOUILLEAU (éd.), *Moi, Joseph Mosneron, armateur négrier nantais, 1748-1833. Portrait culturel d'une bourgeoisie négociante au siècle des Lumières*, Rennes, Apogée, 1995).

51. Jean BOUDRIOT, *Traite et navire négrier au XVIIIe siècle. L'Aurore*, Paris, 1984 ; *Le Navire négrier au XVIIIe siècle*, Centre de documentation historique de la Marine, 1987 ; « Le navire négrier au XVIIIe siècle », *in* Serge DAGET (éd.), *De la traite à l'esclavage*, Actes du colloque international sur la traite des Noirs, Nantes, 1985, Nantes/C.R.H.M.A., Paris/S.F.H.O.M., 1988, t. II, pp. 159-168.

52. Il était souvent bien supérieur à celui des navires filant en droiture vers les îles (la différence étant de l'ordre de 52 % chez les Anglais, entre 1779 et 1783). À Nantes, selon Jean Meyer, le tonnage moyen d'un négrier passa de 149 à 158, puis 170 tonneaux, entre 1711-1722, 1726-1755 et 1763-1777. La moyenne des négriers bordelais passa de 145 tonneaux (1715-1743) à 271 (1782-1792). Roger Anstey estimait que le tonnage des négriers britanniques oscillait entre 150 et 300 tonneaux. Élevé au temps de la Compagnie des Indes occidentales (410 tonneaux), celui des navires hollandais variait selon la nature des destinations africaines (256 tonneaux pour la haute Guinée avec la Compagnie de Middelburg, 361 pour la « côte d'Angole »), semblant augmenter avec l'éloignement par rapport à la métropole. S'agissait-il, en donnant la possibilité d'embarquer plus de captifs, de compenser le surcoût provoqué par une durée d'expédition plus longue ? Cela semble évident pour les destinations lointaines que consti-

tuent l'est ou le sud de l'Afrique. Quelle que soit la nationalité, le tonnage moyen et le nombre moyen de captifs par navire étaient en effet ici toujours plus importants que ce que l'on avait coutume de voir en Afrique occidentale. Mais en ce qui concerne les autres sites de traite, les variables pouvant intervenir sont trop nombreuses pour que l'on puisse en faire une règle générale.

53. Le nombre d'hommes d'équipage diminua en France à mesure que s'écoulait le siècle. En 1718, le navire nantais le *Victorieux* embarquait 99 hommes pour 250 tonneaux. En 1769, le *Nairac*, de La Rochelle (jaugeant également 250 tonneaux), n'en comptait que 45. En 1782, la *Bonne Société* (300 tonneaux) en avait besoin de seulement 41. Cette évolution (qui n'est pas aussi générale et régulière qu'il y paraît, car les effectifs ne sont pas les mêmes en temps de guerre, de piraterie, ou bien de mers « pacifiées ») ne satisfaisait pas entièrement les milieux du négoce, car afin d'expliquer le coût élevé des armements en France, tous continuèrent à mettre en avant le nombre trop important des matelots et des officiers embarqués, comparativement aux nations maritimes d'Europe du Nord.

54. Sur ces points, voir David ELTIS, *The Rise of African Slavery in the Americas*, Cambridge, C.U.P., 2000, pp. 121, 124-128, 135. « Les navires français, de plus fort tonnage et montés par des équipages plus nombreux [...] ne fournissaient pas les conditions d'un commerce efficace. De plus [...], le différentiel français en matière de taille du navire et de l'équipage persista pendant l'essentiel du XVIIIᵉ siècle » (*ibid.*, p. 126). « Les négriers de l'Amérique anglaise étaient particulièrement petits, légèrement armés, et dépendants de leur vitesse pour le succès du voyage » (*ibid.*, p. 127). « La préférence française et hollandaise pour de plus grands navires reflétait probablement la nature plus spécialisée de leurs commerces négriers. » Le trafic de ces deux nations dépendait en effet des relations établies entre quelques « centres majeurs », sur la côte des Esclaves, comme à Ouidah, ou en Angola, et des marchés spécifiques dans les Caraïbes. Au contraire, « les Anglais traitaient sur toutes les parts de la côte africaine où se vendaient des esclaves et partout dans les Caraïbes. La plupart de ces marchés, des deux côtés de l'Atlan-

tique, n'auraient pas supporté [un plus important commerce maritime] » (*ibid.*, p. 128).

55. Données extraites de Jean METTAS, *Répertoire des expéditions négrières françaises au XVIIIe siècle*, Paris, S.F.H.O.M., 1978 et 1984.

56. Serge DAGET, *La Traite des Noirs*, Rennes, Ouest-France Université, 1990, p. 104. Les Portugais prétendaient pouvoir déceler certaines maladies au goût de la sueur.

57. H. DESCHAMPS, *Histoire de la traite des Noirs...*, *op. cit.*, pp. 121-122.

58. H. S. KLEIN, « The Structure of the Atlantic Slave Trade in the 19th Century... », art. cité, p. 111.

59. H. DESCHAMPS, *Histoire de la traite des Noirs...*, *op. cit.*, pp. 122-123.

60. R. HARMS, *The Diligent. A Voyage through the Worlds of the Slave Trade*, *op. cit.*, p. 253.

61. Olaudah EQUIANO, *The Interesting Narrative of the Life of Olaudah Equiano or Gustavus Vassa, the African* (1789), édité par Paul Edwards, Londres, 1967, p. 25 (trad. fr. : *La Véridique histoire d'Olaudah Equiano, Africain esclave aux Caraïbes, homme libre, par lui-même*, Paris, Éditions caribéennes, 1987).

62. Patrick CHAMOISEAU, *L'Esclave vieil homme et le Molosse*, Paris, Gallimard, 1997, p. 37.

63. À partir des côtes de l'Afrique occidentale, un navire rapide, par temps favorable, pouvait rejoindre la Guadeloupe en 23 jours. D'autres en mettaient 90. Les Hollandais avaient besoin de 71 à 81 jours pour rejoindre les Antilles ; Portugais et Brésiliens d'environ 35, à partir de Luanda, pour aller au Brésil. Calculée à partir d'un échantillon comprenant 5 105 voyages, la durée moyenne de la traversée serait de 66,4 jours (David ELTIS, Stephen D. BEHRENDT, David RICHARDSON, Herbert S. KLEIN, *The Trans-Atlantic Slave Trade. A Database on CD-Rom*, Cambridge, C.U.P., 1999).

64. C'est un fait avéré, dans toutes les traites nationales. Chez les Français, les captifs embarqués sur la Côte-de-l'Or mouraient plus que ceux achetés en Angola. Chez les Hollandais, le taux de mortalité des Africains de haute Guinée (13,9 % sur 125 ans) était supérieur à celui de ceux achetés au Loango. Il serait hasardeux d'en conclure que la mortalité des captifs embarqués dans la région du golfe de Guinée fut

supérieure à celle des captifs partis de l'Afrique centre-occidentale. Mais nombre d'indications éparses conduisent à montrer, là encore, l'importance de modèles régionaux africains qui restent à étudier. Ce qui est sûr, c'est que les taux de mortalité chez les captifs déportés du Mozambique, au XIXe siècle, furent très importants. Ils s'expliquent en partie par la distance parcourue ensuite jusqu'aux Amériques, mais aussi par les conditions d'exercice de cette traite alors assez mal rodée. Globalement, on ne sait pas encore très bien expliquer les différences en matière de mortalité qui ne sont pas toujours liées à la durée du voyage (conjoncture politique, épidémiologique ou agricole, éloignement des zones de capture par rapport à celles de vente... ?).

65. Elles sont rares (155 cas connus au XVIIIe siècle sur plus de 3 000 expéditions françaises, 25 pour les Hollandais en un siècle). Mais sont-elles toutes déclarées, notamment celles éclatant avant le départ de l'Afrique, les plus nombreuses et pratiquement les seules à pouvoir conduire à la libération des captifs ? Selon David Richardson, des révoltes d'esclaves survinrent sur approximativement 10 % des navires négriers et 10 % des esclaves ainsi embarqués auraient été tués lors de ces rébellions (ce qui représenterait 100 000 morts pour la période 1500-1867). La distribution chronologique des révoltes et incidents violents serait la suivante : 1651-1675 : 2,3 % des expéditions négrières ; 1676-1700 : 5 % ; 1701-1725 : 9,3 % ; 1726-1750 : 12,7 % ; 1751-1775 : 18,5 % ; 1776-1800 : 18,7 % ; 1801-1825 : 15,6 % ; 1826-1867 : 17,8 % (« Shipboard Revolts, African Authority, and the Atlantic Slave Trade », *The William and Mary Quarterly*, janvier 2001, pp. 69-92).

66. Rares, également. On en compte 82 sur les négriers partis de Nantes entre 1700 et 1792, soit 5,5 % du total (le double, quand même, des expéditions en droiture vers les îles — c'est-à-dire allant directement vers les Antilles, sans passer par l'Afrique). Ajoutons que les pirates d'Alger ont hanté les eaux de la Méditerranée et de l'Atlantique jusqu'à la première moitié du XVIIIe siècle, tandis que ceux de Salé (Maroc) croisaient le long des côtes du Portugal et de l'Afrique. En arrivant dans les eaux américaines, les négriers pouvaient également tomber sur des forbans, et cela jusqu'au début du XVIIIe siècle, notamment dans les Caraïbes.

67. Selon Herbert Klein, « malgré l'espace très limité laissé aux esclaves à bord des navires, il n'y a de corrélation entre le nombre d'esclaves par tonneau, ou d'esclaves par place disponible, et la mortalité dans aucun trafic, qu'il s'agisse du XVIIIe ou bien du XIXe siècle » (« The Structure of the Atlantic Slave Trade in the 19th Century… », art. cité, p. 69).

68. H. S. Klein, S. L. Engerman, R. Haines et R. Shlomowitz, « Transoceanic Mortality : the Slave Trade in Comparative Perspective », *The William and Mary Quarterly*, janvier 2001, p. 102.

69. Si l'on tient compte des données fournies par le CD-Rom précédemment cité (voir n. 63, p. 168) sur la traite atlantique. On y note en effet que 11 062 000 Noirs furent déportés vers les Amériques et que seuls 9 599 000 atteignirent les rivages du Nouveau Monde. Au total, 1 463 000 esclaves auraient ainsi péri au cours de la traversée de l'Atlantique.

70. Raymond L. Cohn estime que 20 à 40 % des esclaves mouraient au cours de leur transport à marche forcée vers la côte, et que 3 à 10 % disparaissaient en y attendant les navires négriers. On arrive ainsi à un total compris entre 23 et 50 %. Voir l'article « Mortality in Transport », *in* S. Drescher et S. L. Engerman (éd.), *A Historical Guide to World Slavery*, *op. cit.* Très renseignée, l'étude de J. C. Miller sur la traite angolaise *(Way of Death, op. cit.)* conduit à des pertes de l'ordre de 20 % lors du trajet vers la côte et de 10 à 15 % lorsque, parqués dans les barracons, les captifs attendaient l'arrivée des navires négriers (soit 30 à 35 % au total).

71. Pour quelles raisons ? Introduction de mesures sanitaires de base, part prise par des navires au tonnage plus important, réduction du temps de traversée, et donc de l'incidence des épidémies…

72. Roger Anstey, *The Atlantic Slave Trade and British Abolition, 1760-1810*, Londres, MacMillan, 1975.

73. D'après H. S. Klein, S. L. Engerman, R. Haines, R. Shlomowitz, « Transoceanic Mortality… », art. cité, pp. 93-117.

74. Ainsi que le montrent, après une révolte, les principes employés pour effrayer les captifs et leur enlever l'envie de recommencer. On jette à la mer les esclaves déjà blessés, dont la valeur marchande n'est plus aussi intéressante, ou bien

l'on s'amuse à tirer sur eux, et l'on s'acharne sur quelques meneurs bien choisis. Calculée et froidement enregistrée sur le journal de bord, cette violence n'en est que plus cruelle : « Vendredi 28 décembre 1738. À huit heures, nous amarrâmes les nègres [...] auteurs de la révolte, aux quatre membres et couchés sur le ventre dessus le pont, et nous les fîmes fouetter. En outre, nous leur fîmes des scarifications sur les fesses pour mieux leur faire ressentir leurs fautes. Après leur avoir mis les fesses en sang [...] nous leur mîmes de la poudre à tirer, du jus de citron, de la saumure, du piment, tout pilé et brassé ensemble avec une autre drogue que le chirurgien mit, et nous leur en frottâmes les fesses, pour empêcher que la gangrène s'y soit mise et de plus pour que cela leur eût cuit sur leurs fesses, gouvernant toujours au plus près du vent... » (Archives départementales de Loire-Atlantique, B 5004).

75. « La fréquence des changements de législation pour les navires transportant des esclaves (ou des émigrants) confirme qu'une intense surveillance, au niveau législatif, conduisit à améliorer constamment les normes légales [...] dans une quête destinée à maintenir la mortalité sur les vaisseaux britanniques » (H. S. Klein, S. L. Engerman, R. Haines, R. Shlomowitz, « Transoceanic Mortality... », art. cité, p. 104).

76. *Ibid.*, pp. 99, 109. Les auteurs, nuancent par ailleurs cette forte mortalité en ajoutant : « étant donné que seulement un nombre limité de navires souffrit d'une forte mortalité, de nombreux navires négriers connurent des taux de mortalité aussi bas que dans d'autres commerces, mais le taux moyen de mortalité était habituellement supérieur à celui des autres voyages » (*ibid.* p. 100).

77. « Cette similarité [entre la mortalité des esclaves et de l'équipage] suggère qu'il y avait peut-être quelques facteurs déterminants conduisant à la hausse le taux de mortalité durant le voyage, comme les zones climatiques et de maladies et les conditions en Afrique, et pas seulement la nature spécifique du traitement des esclaves à bord » (*ibid.*, p. 105).

FLUX ET REFLUX DES TRAITES NÉGRIÈRES

1. Ann McDougall, « Discourse and Distortion : Critical Reflections on Studying the Saharan Slave Trade », *in* Olivier Pétré-Grenouilleau, *Traites et esclavages : vieilles questions, nouvelles perspectives ?*, numéro spécial de *R.F.H.O.M.* décembre 2002, pp. 195-227.

2. « Pour le moment, écrivait Bernard Lewis, en 1993, l'esclavage en terre d'Islam reste un sujet à la fois obscur et hypersensible, dont la seule mention est souvent ressentie comme le signe d'intentions hostiles » (*Race et esclavage au Proche-Orient*, Paris, Gallimard, 1993, p. 9). Analysant des manuels scolaires du monde entier, Marc Ferro écrivait, en 1981, à propos d'un livre de la classe de quatrième utilisé en Afrique francophone : « La main a tremblé, une fois de plus, dès qu'il s'agit d'évoquer les crimes commis par les Arabes [...] alors que l'inventaire des crimes commis par les Européens occupe, pour sa part, et à juste titre, des pages entières... » (*Comment on raconte l'histoire aux enfants à travers les âges*, Paris, Payot, 1981, p. 47).

3. Emily Ruete, *Mémoires d'une princesse arabe*, Paris, Karthala, 1991, p. 239.

4. « Contrairement à la traite atlantique, écrit Catherine Coquery-Vidrovitch, le trafic transsaharien n'était pas seulement un facteur de déprédation. *Il véhiculait certes autant d'esclaves, sinon davantage, mais aussi des marchandises et des idées* » (*in* Hubert Bonin et Michel Cahen [éd.], *Négoce blanc en Afrique noire. L'évolution du commerce à longue distance en Afrique noire du XVIIIᵉ au XXᵉ siècle*, Paris, S.F.H.O.M., 2001, p. 323). Écrivain et journaliste, Yves Bénot va très loin dans cette direction. Pour lui, à la différence de la traite atlantique, le commerce négrier oriental est « un commerce volontaire et non imposé par la force ». En « contrepartie, l'Afrique reçoit du Maghreb ou de l'Égypte des tissus, des barres de fer, des perles de verre et autres objets de bimbeloterie. En somme, un commerce équilibré » (*sic* !) ; Yves Bénot, *La Modernité de l'esclavage. Essai sur la servitude au cœur du capitalisme*, Paris, La Découverte, 2003, pp. 36, 38.

5. Janet J. Ewald, « Slavery in Africa and the Slave Trades from Africa », *American Historical Review*, avril 1992, p. 467.

6. Ralph AUSTEN, *African Economic History : Internal Deve-lopment and External Dependency*, Londres, James Currey, et Portsmouth, Heinemann, 1987, p. 275. Depuis, sans raison apparente, Ralph Austen est retourné à des estimations plus basses, autour de douze millions, insistant sur le nombre in-férieur d'esclaves ainsi déportés par comparaison avec ceux envoyés aux Amériques. Le total annoncé en 1987 correspond pourtant assez bien à ce que l'on peut obtenir lorsque l'on rapproche entre eux les différents travaux, très solides, pu-bliés par Austen sur le sujet, depuis plusieurs décennies, et que l'on compare ces travaux à ceux, tout aussi solides, de François Renault.

7. Raymond MAUNY, *Tableau géographique de l'Ouest afri-cain au Moyen Âge d'après les sources écrites, la tradition et l'archéologie*, Dakar, Institut français d'Afrique noire, 1961 ; Tadeusz LEWICKI, « Arab Trade in Negro Slaves up to the End of the Sixteenth Century », *Africana Bulletin*, 6, 1967, p. 111.

8. Paul BAIROCH, *Mythes et paradoxes de l'histoire économi-que*, Paris, La Découverte, 1994, p. 203.

9. J'ai d'abord estimé le pourcentage des captifs déportés pour chacune des périodes mentionnées plus haut (51,8 % pour les VII-XIVe siècles, 12,28 % pour les XVe et XVIe, 9,69 % pour le XVIIe, 9,76 % pour le XVIIIe, 16,38 % pour le XIXe siè-cle). Faute de mieux, ces pourcentages m'ont ensuite permis de répartir (au prorata de l'importance de chaque période) le nombre des captifs décédés au cours du transport et de ceux retenus dans les oasis du Sahara (soit, au total, 1 937 000 personnes). Pour le XIXe siècle, j'ai ajouté au total obtenu (1 517 280 captifs) un tout petit peu plus des deux tiers des huit millions d'esclaves exportés à partir des côtes orientales de l'Afrique entre les VIIe et XXe siècles. On arrive ainsi, pour le XIXe siècle, à 4 317 280 personnes.

10. François RENAULT, *La Traite des Noirs au Proche-Orient médiéval, VII-XIVe siècle*, Paris, Geuthner, 1989 ; « Problèmes de recherche sur la traite transsaharienne et orientale en Afrique », *in* Serge DAGET (éd.), *De la traite à l'esclavage*, Actes du colloque international sur la traite des Noirs, Nantes, 1985, Nantes/C.R.H.M.A., Paris/S.F.H.O.M., 1988, t. I, pp. 37-53 ; « Essai de synthèse sur la traite transsaharienne et orien-tale des esclaves en Afrique », in *La Dernière Traite*, Paris,

Karthala, 1994, pp. 23-44 ; « La traite des esclaves en Libye au XVIIIe siècle », *Journal of African History*, 1982, pp. 163-181.

11. Selon les différentes estimations. La marge est importante car c'est en Afrique orientale que le prélèvement semble avoir été le plus important ; or la traite à partir de cette région nous est encore moins connue que la traite transsaharienne. En regroupant les estimations d'Austen et de Renault, on arrive à plus de six millions de personnes.

12. *In* Elizabeth SAVAGE (éd.), *The Human Commodity. Perspectives on the TransSaharan Slave Trade*, numéro spécial de *Slavery and Abolition*, 13, 1, 1992. Un chiffre que Paul Lovejoy estime inférieur à la réalité (« Commercial Sectors in the Economy of the 19th Century Central Sudan : The Trans-Saharan Trade and the Desert-Side Salt Trade », *African Economic History*, 13, 1984, pp. 85-116).

13. « The Dynamics of the African Slave Trade », *Africa*, 64, 2, 1994, p. 277.

14. « Les meilleures estimations portent sur le chiffre annuel de cinq cents durant les années 1880, chute considérable [... qui] s'accentua par la suite » (Serge DAGET, François RENAULT, *Les Traites négrières en Afrique*, Paris, Karthala, 1985, p. 161).

15. *In* Patrick MANNING (éd.), *Slave Trades, 1500-1800. Globalisation of Forced Labour*, Aldershot, Ashgate, 1996, p. 14.

16. Daniel J. SHROETER, « Slave Markets and Slavery in Moroccan Urban Society », *in* E. SAVAGE (éd.), *The Human Commodity. Perspectives on the Trans-Saharan Slave Trade*, *op. cit.*, pp. 185-213, ici pp. 190-193.

17. Selon les estimations d'Austen, 260 000 esclaves auraient été introduits au Maroc entre 1811 et 1895. Si l'on applique la moyenne de Renault (3 500 à 4 000 captifs) aux soixante-neuf premières années (de 1811 à 1880), plus celle de 500 pour les quinze années suivantes, comme il l'indique, on arrive à un total compris entre 249 000 (estimation la plus basse) et 283 000 esclaves (estimation la plus élevée).

18. S. DAGET, F. RENAULT, *Les Traites négrières en Afrique*, *op. cit.*, p. 171.

19. *Ibid.*, p. 178.

20. Gérard PRUNIER, « La traite soudanaise (1825-1885).

Structures et périodisation », *in* S. DAGET (éd.), *De la traite à l'esclavage, op. cit.*, t. II, pp. 521-535.

21. Plus largement, voir, sur ces questions, Janet J. EWALD, *Traders and Slaves : State Formation and Economic. Transformation in the Greater Nile Valley, 1700-1885*, Madison, University of Wisconsin Press, 1990.

22. « En un mot, la grande majorité des esclaves capturés dans le quart nord-est du présent Zaïre demeuraient à l'intérieur de la région [...]. De ce point de vue, le système de domination arabe établi en Afrique centrale était essentiellement organisé comme un système interne [...], les exportations [...] constituaient seulement un surplus » (François RENAULT, « The Structures of the Slave Trade in Central Africa in the 19th Century », *Slavery and Abolition*, 3, 1988, pp. 146-165, ici pp. 150, 158).

23. Phénomène dont les conséquences furent parfois positives pour les esclaves noirs. Parmi ceux qui survivaient à leur capture et à leur transport, certains pouvaient en effet se voir confier des tâches et des postes « précédemment monopolisés par les esclaves blancs » (B. LEWIS, *Race et esclavage..., op. cit.*, p. 116).

24. « L'établissement d'un réseau de transport par vapeurs entre Izmir et Istanbul, d'une part, et d'entrepôts tels que ceux de Hudayda, Djedda, Yanbu, Alexandrie, Tripoli et Benghazi, de l'autre, fut un important facteur de la croissance du volume » des exportations d'esclaves au cours du troisième quart du XIXe siècle (Y. Hakan ERDEM, *Slavery in the Ottoman Empire and its Demise, 1800-1909*, New York, St. Martin's Press, 1996, pp. 56-57).

25. Voir James L. A. WEBB, *Desert Frontier. Ecological and Economic Change along the Western Sahel, 1600-1850*, Madison, Wisconsin University Press, 1995.

26. Ces chiffres, qui peuvent sembler élevés, sont ceux de Catherine Coquery-Vidrovitch, « Le commerce transsaharien au XIXe siècle vu d'Afrique noire », *in* H. BONIN, M. CAHEN (éd.), *Négoce blanc en Afrique noire..., op. cit.*, pp. 323-333, ici p. 326.

27. « Pour résumer, nous commençons juste à explorer les révélations que le "jeu des nombres" peut nous apporter pour l'étude de la société saharienne, et, par extension, pour notre

compréhension du commence transsaharien en esclaves » (A. McDougall, « Salt, Saharans, and the Trans-Saharan Slave Trade : Nineteenth-Century Developments », *in* E. Savage [éd.], *The Human Commodity Perspectives on the Trans-Saharian Slave Trade, op cit.*, pp. 61-88, 77, ici p. 77).

28. Voir J.-L. Triaud, *La Légende noire de la sanûsiyya. Une confrérie musulmane saharienne sous le regard français, 1840-1930*, Paris, Éditions de la Maison des sciences de l'homme, 1995.

29. Gwyn Campbell estime les exportations des Merina à environ 2 000 esclaves par an en 1800, et de 500 jusqu'aux alentours de 1820. Pour les années 1870, les importations auraient été de l'ordre de 6 000 à 10 000 par an pour l'ouest de Madagascar, à partir du Mozambique (« The Adoption of Autarky in Imperial Madagascar, 1820-1835 », *Journal of African History*, 28, 3, 1987, pp. 399-400).

30. David Livingstone, *Exploration du Zambèze et de ses affluents, et découverte des lacs Chiroua et Nyassa, 1854-1864*, Paris, Hachette, 1866.

31. William Gervase Clarence-Smith (éd.), *The Economics of the Indian Ocean Slave Trade in the Nineteenth Century*, Londres, Frank Cass, 1989, p. 3.

32. Philip D. Curtin, *The Atlantic Slave Trade. A Census*, Madison, Wisconsin University Press, 1969.

33. David Eltis, Stephen D. Behrendt, David Richardson et Herbert S. Klein, *The Trans-Atlantic Slave Trade. A Database on CD-Rom*, Cambridge, C.U.P., 2000.

34. Chiffres indiqués lors d'une communication à un séminaire de recherche à l'université de Toronto, Canada.

35. Catherine Coquery-Vidrovitch, « Traite négrière et démographie. Les effets de la traite atlantique : un essai de bilan des acquis actuels de la recherche », *in* S. Daget (éd.), *De la traite à l'esclavage, op. cit.*, t. II, pp. 57-69 ; David Eltis, « The Volume and Structure of the Transatlantic Slave Trade : a Reassessment », *The William and Mary Quarterly*, janvier 2001, pp. 17-46.

36. Svend E. Green-Pedersen, « The Danish Negro Slave Trade : Some New Archival Findings in Particular with Reference to the Danish West Indies », *in* S. Daget (éd.), *De la traite à l'esclave, op. cit.*, t. I, pp. 429-452.

Voir aussi Per O HERMAES, *Slaves, Danes and African Coast Society : the Danish Slave Trade from West Africa and Anglo-Danish Relations on the Eighteenth Century Gold Coast*, Trondheim, Department of History, University of Trondheim, 1998.

37. Sur la question, voir notamment Johannes POSTMA, *The Dutch in the Atlantic Slave Trade, 1600-1815*, Cambridge, C.U.P., 1990, et Pieter C. EMMER, *De Nederlandse slavenhandel, 1500-1850*, Amsterdam, De Arbeiderspers, 2003, seconde édition ; traductions à paraître en anglais et en français, chez Karthala.

38. Voir p. 198, n. 35.

39. Voir *ibid.*

40. *Répertoire des expéditions négrières françaises au XVIIIe siècle*, Paris, S.F.H.O.M., 1978 et 1984.

41. Honfleur a été choisi par la Compagnie du Sénégal pour armer certains de ses navires négriers, au début du siècle, mais il fut ensuite vite éclipsé, et ne se lança vraiment dans la traite qu'après 1763. Grande cité de la région, Rouen arma à la traite par port interposé, généralement Le Havre, parfois Honfleur.

42. Selon P. D. CURTIN, *The Atlantic Slave Trade. A Census*, *op. cit.*

43. L'idée que, tout en étant autonomes, les diverses composantes du monde atlantique s'insérèrent progressivement dans un système intégré est aujourd'hui classique. David Hancock a notamment insisté sur l'imbrication des réseaux marchands (*Citizens of the World. London Merchants and the Integration of the British Atlantic Community*, 1735-1785, Cambridge, C.U.P., 1985). Parmi de très nombreux titres, on pourra voir également John MCCUSKER, Kenneth MORGAN (éd.), *The Early Modern Atlantic Economy*, Cambridge, C.U.P., 2000. Les modalités, les rythmes et les limites de cette progressive intégration demeurent cependant encore à éclaircir.

44. Serge DAGET, *La Répression de la traite des Noirs au XIXe siècle. L'action des croisières françaises sur les côtes occidentales de l'Afrique, 1817-1850*, Paris, Karthala, 1997.

45. David ELTIS, *Economic Growth and the Ending of the Transatlantic Slave Trade*, New York, Oxford University Press, 1987, pp. 97-99.

46. Herbert S. KLEIN, « The Structure of the Atlantic Slave Trade in the 19th Century : an Assessment », *in* Olivier PÉTRÉ-GRENOUILLEAU (éd.), *Traites et esclavages...*, *op. cit.*, p. 75.

47. P. D. CURTIN, *The Atlantic Slave Trade. A Census*, *op. cit.* ; Herbert S. KLEIN, *The Atlantic Slave Trade*, Cambridge, C.U.P., 1999 ; D. ELTIS, « The Volume and Structure of the Transatlantic Slave Trade : a Reassessment », art. cité.

48. Selon les données publiées en 2001 par David Eltis (voir la note précédente).

49. W. G. Clarence-Smith note qu'au Brésil « le commerce fut, jusqu'au XXᵉ siècle, et jusqu'aux plus humbles niveaux, dominé par des immigrants qui se pensaient comme Portugais, épousaient des femmes de la métropole, envoyaient de substantielles sommes d'argent à leurs parents, et retournaient mourir dans leurs villages d'origine ». De plus, « les marins de haute mer étaient notoirement rares au Brésil, et les équipages des négriers brésiliens continuaient encore, au XXᵉ siècle, de provenir du Portugal [...]. Le nombre de navires négriers de l'Atlantique Sud construits au Brésil demeure incertain » (« The Dynamics of the African Slave Trade », art. cité, p. 278). D'autres auteurs, comme de Alencastro, insistent au contraire sur l'affirmation précoce d'une forte communauté d'intérêts brésilienne, émancipée par rapport à l'ancienne métropole.

50. Le Cubain Zulieto utilisa un rapide vapeur, le *Ciceron*, capable de transporter plus de mille esclaves.

51. Sur la traite illégale française, il faut signaler deux travaux incontournables, réalisés par celui qui en fut le grand spécialiste, Serge DAGET : *Répertoire des expéditions négrières françaises à la traite illégale, 1814-1850*, Nantes, C.R.H.M.A., 1988 ; *Les Croisières françaises de répression de la traite des Noirs sur les côtes occidentales de l'Afrique, 1817-1850*, thèse d'État, université de Paris-I, 1987, publiée en 1998, par Karthala, à Paris.

52. Jean Michel FILLIOT, *La Traite des esclaves vers les Mascareignes au XVIIIᵉ siècle*, Paris, Orstom, 1974.

53. Hubert GERBEAU, « Fabulée, fabuleuse, la traite des Noirs à Bourbon au XIXᵉ siècle », *in* S. DAGET (éd.), *De la traite à l'esclavage, op. cit.*, t. II, pp. 467-486.

54. P. MANNING, *Slave Trades, 1500-1800...*, *op. cit.*, p. XXVI. Sur les traites internes à partir du XIXe siècle, on pourra entre autres consulter D. D. CORDELL, *Dar al-Kuti and the Last Years of the Trans-Saharan Slave Trade*, Madison, University of Wisconsin Press, 1985 ; M. MASON, « Captive and Client Labour and the Economy of the Emirate, 1857-1901 », *Journal of African History*, 1973, pp. 453-471.

55. Patrick MANNING, *Slavery and African Life : Occidental, Oriental and African Slave Trades*, Cambridge, C.U.P., 1990, pp. 92, 140-147.

56. F. RENAULT, « The Structures of the Slave Trade Central Africa in the 19th Century », art. cité, p. 158.

57. Henry A. GEMERY, Jan S. HOGENDORN, « La traite des esclaves sur l'Atlantique : essai de modèle économique », *in* Sidney W. MINTZ, *Esclave = facteur de production*, Paris, Dunod, 1981, pp. 18-45.

58. Une estimation correcte, écrit Lovejoy, reviendrait à ceci : « Les négriers atteignirent rarement le but désiré de deux hommes pour une femme au XVIIe siècle ; ils continuèrent à éprouver des difficultés en Afrique occidentale, mais non dans l'Afrique centre-occidentale, au XVIIIe siècle ; ils touchèrent facilement au but en Afrique centre-occidentale, et également souvent en Afrique occidentale, au cours du XIXe siècle » ; époque à laquelle « le ratio homme/femme tendait à augmenter dans toutes les régions » (« The Impact of the Atlantic Slave Trade on Africa : a Review of the Literature », *Journal of African History*, 30, 1989, pp. 365-394, ici pp. 381, 383).

59. Daniel Pratt MANNIX, *Black Cargoes : History of the Atlantic Slave Trade, 1518-1565*, New York, Viking Press, 1962.

60. Sur cette question, voir le chapitre V, et les passages consacrés à cet aspect par Seymour Drescher dans *The Mighty Experiment*, New York, Oxford University Press, 2002.

61. « Pour les contemporains, la croissance négative des populations d'esclaves résidentes semblait due à une forte mortalité. Un mythe populaire se développa donc, à propos d'une forte mortalité causée par l'adaptation des esclaves au climat, à l'environnement épidémique et aux régimes (alimentaires) du Nouveau Monde. Bien que peu de chiffres consistants existent à propos de ces morts lors de la pre-

mière ou de la seconde année, il a été parfois estimé que 25 % des Africains mouraient durant leurs premiers mois aux Amériques. » En fait, « aucun esclave américain, dans aucune société esclavagiste », n'expérimenta la fameuse « moyenne de vie de sept ans » à laquelle la littérature contemporaine fit constamment allusion, aux XVIIIe et XIXe siècles, dans toutes les langues. Les observateurs ne surent pas reconnaître que « l'âge et le rapport inégal entre les sexes de ces Africains constituaient le facteur déterminant de la croissance négative de la force de travail servile [...]. Toutes les études récentes suggèrent à la fois un taux d'accroissement positif pour les populations d'esclaves nées sur place, et une espérance de vie », proche de 25 à 30 ans, « bien supérieure à celle du fameux "sept ans de travail" ». Lorsque les arrivées nouvelles d'Africains déportés par la traite « cessèrent d'influencer la répartition par sexe et par âge de la population résidente, il devint possible pour la population esclave de commencer à augmenter par croît naturel » (H. S. KLEIN, *The Atlantic Slave Trade, op. cit.*, pp. 172-173, 170). Le phénomène est bien connu pour les États-Unis où, dès le XVIIIe siècle, les naissances furent plus nombreuses que les décès parmi les esclaves (si le phénomène est clair, les explications le sont moins : autosuffisance alimentaire du pays permettant une meilleure alimentation des esclaves, absence des maladies tropicales que l'on trouve aux Antilles et au Brésil, culture du tabac et du coton plutôt que de la canne à sucre qui impose de plus dures conditions de travail, plus grand nombre de femmes qu'aux Antilles et au Brésil, taux de fécondité plus élevé de ces femmes). À partir de 1807, date de l'interdiction d'importer de nouveaux esclaves, leur prix augmenta et il devint rentable d'encourager les naissances. Aussi la population servile des États-Unis augmenta-t-elle d'environ 2 % par an au cours de la première moitié du XIXe siècle. C'est également assez tôt, dès la fin du XVIIIe siècle, que la population servile de la région du Minas Gerais, au Brésil, commença à croître naturellement (voir Laird W. BERGAD, *Slavery and the Demographic and Economic History of Minas Gerais, Brazil, 1720-1888*, Cambridge, C.U.P., 1999). Dans un livre de mélanges (*Migrants, Servants and Slaves. Unfree Labor in Colonial British America*, Aldershot, Ashgate, 2001), Menard montre que c'est entre 1730 et 1755 que l'équilibre entre les sexes fut atteint chez les esclaves du Maryland. Dès lors, l'augmentation naturelle de la population devenait possible, tout comme le fait, pour les captifs, d'approcher une « vie de famille plus proche de la normale ». « Il est ironique, ajoute-t-il, [de constater] que c'est au moment où la loi de l'esclavage se durcissait, que le racisme blanc se faisait plus profond, et que l'identification des Noirs avec la servitude s'incrustait fermement, que les processus démographiques [...] de la population africaine dans la région de la Chesapeake rendirent l'esclavage plus tolérable et les esclaves plus à même de supporter leur oppression » (article IV, p. 54). Dans un autre article, Menard indique que cet aspect, avec d'autres (« la diminution du taux de morbidité et de mortalité, et l'âge au mariage plus bas des femmes nées sur place »), « a pu être presque universel » dans le monde de la plantation (article V, p. 105). Dans certains cas, toutefois, comme en Caroline du Sud (article VIII), des conditions de travail particulièrement dures (production de riz) pouvaient annuler en partie les effets positifs de ces tendances générales sur le niveau de reproduction des populations d'esclaves. Ici, note Menard, « les niveaux de reproduction [...] demeurèrent bas, trois à quatre fois inférieurs à ceux enregistrés à la même époque le long de la côte du tabac » (article VIII, p. 302). Les choses sont donc loin d'être aussi simples qu'on l'imagine parfois. Par ailleurs, comme l'a également indiqué Robert William Fogel (*Without Consent or Contract. The Rise and Fall of American Slavery*, New York, William and Norton Company, 1989), la longueur des journées de travail n'était pas, dans nombre d'exploitations, contradictoire avec la multiplication des pauses, facteur d'accroissement de la productivité du travail. La cruauté des châtiments infligés aux esclaves se rebellant d'une manière ou d'une autre et l'inhumanité évidente de tout système esclavagiste ne doivent pas faire oublier que les planteurs n'avaient aucun intérêt à ce que leur attitude induise une surmortalité au sein de leur force de travail. D'où la part croissante du nombre des personnes non directement productives — enfants et personnes âgées.

62. Les données chiffrées relatives à ces évolutions figurent

dans H. S. Klein, « The Structure of the Atlantic Slave Trade in the 19th Century : an Assessment », art. cité.

63. David Heninge, « Measuring the Immeasurable : the Atlantic Slave Trade, West African Population and the Pyrrhonian Critic », *Journal of African History*, 27, 1986, pp. 295-313.

64. Jan Hogendorn a étudié les prix des esclaves au cœur de l'Afrique occidentale. Il en a conclu qu'il pouvait être de 200 à 600 % plus élevé sur la côte qu'à l'intérieur. Mais les dépenses dues au transport des captifs de l'intérieur vers la côte (nourriture, équipement, encadrement, taxes, monopoles, profits retirés par les différents intermédiaires, mortalité) font que, malgré ce fort différentiel, il n'était guère rentable, en temps normal, d'écouler vers la côte des hommes capturés assez loin à l'intérieur (« Economic Modelling of Price Differences in the Slave Trade between the Central Sudan and the Coast », *Slavery and Abolition*, décembre 1996, pp. 209-222).

65. Paul Lovejoy, « Islam, Slavery and Political Transformation in West Africa : Constraints on the Trans-Atlantic Slave Trade », *in* O. Pétré-Grenouilleau (éd.), *Traites et esclavages...*, *op. cit.*

66. P. Lovejoy, « Islam, Slavery and Political Transformation in West Africa... », art. cité, p. 15. Ce qui fait l'objet de débats. Pour Manning, par exemple, il faut attendre les années 1850 pour que « les prix occidentaux et orientaux des esclaves cessent de gouverner le prix des esclaves en Afrique » (*Slavery and African Life...*, *op. cit.*, p. 105). D'autres encore pensent que les prix des esclaves interféraient relativement peu d'une traite sur l'autre.

67. W. G. Clarence-Smith, *The Economics of the Indian Ocean Slave Trade in the Nineteenth Century*, *op. cit.*, p. 11.

68. P. Manning, *Slavery and African Life...*, *op. cit.*, p. 99.

69. D. Eltis, « The Volume and Structure of the Transatlantic Slave Trade : a Reassessment », art. cité, pp. 33-35.

LES SOURCES DU MOUVEMENT ABOLITIONNISTE

1. David Brion Davis, *The Problem of Slavery in Western Culture*, Ithaca, New York, Cornell University Press, 1966 ; *The Problem of Slavery in the Age of Revolution, 1770-1823*,

Ithaca, New York, 1975 ; *Slavery and Human Progress*, New York, Oxford University Press, 1984.

2. David ELTIS, *The Rise of African Slavery in the Americas*, Cambridge, C.U.P., 2000, pp. 84, 7, 60.

3. *Ibid.*, p. 273.

4. Édouard BIOT, *De l'abolition de l'esclavage ancien en Occident*, Paris, 1840. La doctrine primitive est celle énoncée par saint Paul dans son Épître aux Galates (III, 28) : « Il n'y a plus ici ni Juifs ni Grecs, il n'y a plus ni esclaves ni libres, il n'y a plus ni homme ni femme, mais tous sont en Jésus-Christ. » En se référant à cet esprit du christianisme originel Hegel pouvait soutenir, dans son cours, en 1830-1831, que « ce sont les nations germaniques qui, les premières, sont arrivées, par le christianisme, à la conscience que l'homme en tant qu'homme était libre ». Cette conscience, insiste-t-il, « est apparue d'abord dans la religion » (Friedrich HEGEL, *La Raison dans l'histoire*, Paris, U.G.E., 10/18, 1979, p. 83).

5. Malgré leur origine (côtes de Barbarie) et la manière dont ils sont qualifiés (« mores »), il ne semble pas y avoir ambiguïté à propos des captifs, qui étaient sans aucun doute noirs : « un certain marchand normand ayant acheté à la côte de Barbarie plusieurs esclaves, qu'on appelle à Bordeaux mores parce qu'ils sont tous de couleur noire par leurs visages et leur corps, bien qu'ils aient le dedans des mains fort blanches... » (Jean DE GAUFRETEAU, *Chronique bordelaise*, Bordeaux, 1877, t. 1, pp. 158-159).

6. Wim KLOOSTER, *Illicit Riches. Dutch Trade in the Caribbean, 1668-1795*, Leyde, Kitlv Press, 1998, p. 105. D'autres cas de ce genre ont sans doute existé. Il serait très certainement utile de les répertorier, afin de mieux cerner la chronologie et la géographie du retournement de l'attitude en Europe en matière de traite négrière

7. William RANDLES, *L'Image du Sud-Est africain dans la littérature européenne au XVe siècle*, Lisbonne, 1959.

8. Paul HAZARD, *La Crise de la conscience européenne, 1680-1715* (1935), Paris, Gallimard, 1961.

9. Notons qu'au XVIIIe siècle le baptême des captifs embarqués rapportait au clergé portugais entre 300 et 500 réis par adulte, et 50 à 100 par enfant ou nourrisson. En France, depuis 1717, tout vaisseau au long cours monté par plus de

quarante hommes d'équipage (trente auparavant) devait avoir un aumônier à son bord. Dans le cas de la traite, cette ordonnance ne fut guère respectée. D'une part, parce que les armateurs ne souhaitaient pas nourrir des bouches inutiles et, d'autre part, parce que les seuls candidats étaient principalement des membres du clergé de bien mauvaise réputation, peu propres à jouer un rôle convenable à bord des négriers. Parti comme aumônier à Gorée, en 1763, l'abbé français Demanet y fondit en 1772 une société au capital de 400 000 livres tournois pour le commerce sur les côtes et dans l'intérieur de l'Afrique.

10. Yves BÉNOT, *La Révolution française et la fin des colonies*, Paris, Maspero, Paris, 1987.

11. Jean BELLON DE SAINT-QUENTIN, *Dissertation sur la traite et le commerce des nègres*, Paris, 1764.

12. « [...] la religion elle-même nous montre qu'elle désapprouve et maudit ce commerce ignoble par lequel les Africains sont exploités et vendus comme s'ils n'étaient pas des hommes mais tout simplement des animaux. Ils sont voués à une vie bien misérable par des travaux très durs qui les épuisent jusqu'à la mort. C'est pourquoi tout le monde reconnaît avec raison que parmi les plus grands biens que cette sainte religion a apportés au monde, il y a pour une large part que la condition d'esclavage a été supprimée ou sa pratique adoucie. » Le pape indique également, dans la même lettre : « Et nous interdisons à tout ecclésiastique ou laïc d'oser soutenir comme permis, sous quelque prétexte que ce soit, ce commerce des Noirs ou de prêcher ou d'enseigner en public ou en particulier, de manière ou d'autre, quelque chose de contraire à cette lettre apostolique » (cité par Alphonse QUENUM, *Les Églises chrétiennes et la traite atlantique du XVᵉ au XIXᵉ siècle*, Paris, Karthala, 1993, pp. 237, 235-236). Mentionnons également la lettre adressée par Pie VII au roi du Portugal, en 1823, dans laquelle il exprime le désir que « tout se fasse pour que toutes les sanctions et peines légales soient utilisées de façon opportune pour extirper radicalement l'esclavage » de l'empire portugais, « pour le plus grand bien de la religion et du genre humain » (*ibid.*, p. 238).

13. Serge Daget aimait à dire que la papauté avait agi sous la pression du gouvernement britannique, ce que conteste en partie Alphonse Quenum (voir *ibid.*, pp. 236-239).

14. Seymour DRESCHER, « Abolitionist Expectations : Britain », *Slavery and Abolition*, août 2000, pp. 41-66, ici p. 41.

15. « Ce qui rapprocha l'émancipation des serfs d'Europe de celle des Juifs et des Indiens de l'Amérique espagnole fut, dans une large mesure, une impulsion libérale destinée à rompre les anciens ordres collectifs qui étaient en conflit avec les conceptions modernes de l'économie et de l'État. Superficiellement, la rhétorique des abolitionnistes américains apparaît tout à fait similaire ; elle parlait, elle aussi, d'émanciper les peuples des vestiges du passé. » Mais l'esclavage était en réalité une institution solide, efficace et rentable. « Aussi, loin d'attaquer une relique dépassée de la barbarie, les abolitionnistes eurent-ils à faire face à la tâche plus décourageante » qui consistait à « défier une institution hautement efficace, profitable, et, en ce sens, moderne » (Sidney MINTZ, « Models of Emancipation during the Age of Revolution », *Slavery and Abolition*, août 1996, pp. 1-21, ici p. 16).

16. Lawrence C. JENNINGS, *French Anti-Slavery. The Movement for the Abolition of Slavery in France, 1802-1848*, Cambridge, C.U.P., 2000.

17. Représentation des négociants de Bahia, in *O Investigador Portuguez em Inglaterra*, mai 1813, pp. 370-371 ; cité par João Pedro MARQUES, « Le Portugal et la traite illégale : une affaire de complaisance », *Cahiers des Anneaux de la Mémoire*, 3, 2001, pp. 177-197.

18. Sur cette question, voir David Brion DAVIS, « The Emergence of Immediatism in British and American Anti-Slavery Thought », *The Mississippi Valley Historical Review*, 49, 2, 1962.

19. Je remercie François-Xavier Fauvelle-Aymar, auteur d'un beau livre sur *L'Invention du Hottentot* (Paris, Publications de la Sorbonne, 2002), de m'avoir indiqué cette idée.

20. C'est en 1676 que, sous l'influence des quakers, l'Assemblée de la colonie du Rhode Island vota le principe selon lequel aucun Indien de la colonie ne pouvait être réduit en servitude. En Pennsylvanie, l'esclavage ne fut officiellement condamné qu'en 1758, lors du *Yearly Meeting*. Entre ces deux dates, de nombreux événements contribuèrent à émailler les relations entre les quakers et l'abolitionnisme.

21. Cependant, la Caroline du Sud rouvrit ses ports à la traite en 1803, et cela jusqu'en 1808, date d'application de l'interdiction de la traite sur le plan national.

22. David Eltis, *Economic Growth and the Ending of the Transatlantic Slave Trade*, New York, Oxford University Press, 1987, p. 207.

23. Le mouvement du « Grand Réveil » se répandit d'Angleterre aux colonies américaines du Nord et du Centre, entre 1740 et 1760, puis à celles du Sud. Fondé sur le réveil de la foi et sur l'examen individuel de la Bible, il mit en avant le principe de l'égalité spirituelle entre tous les hommes. Néanmoins, loin d'être uniforme, le mouvement ne conduisit pas toujours à s'engager en faveur de l'abolitionnisme.

24. Roger Anstey, *The Atlantic Slave Trade and British Abolition, 1760-1810*, Londres, MacMillan, 1975.

25. Hubert Deschamps, *Histoire de la traite des Noirs, de l'Antiquité à nos jours*, Paris, Fayard, 1970, p. 164.

26. Jean Ehrard, « L'esclavage devant la conscience nationale des Lumières françaises : indifférence, gêne, révolte », *in* M. Dorigny (éd.), *Les Abolitions de l'esclavage*, Paris, Presses universitaires de Vincennes, Unesco, 1995, pp. 143-152.

27. Jean Meyer, *L'Europe et la conquête du monde*, Paris, Armand Colin, 1996, p. 308.

28. « Ô débonnaire Jésus, eussiez-vous prévu qu'on ferait servir vos douces maximes à la justification de tant d'horreur ! Si la religion chrétienne autorisait ainsi l'avarice des empires, il faudrait en proscrire à jamais les dogmes sanguinaires. Qu'elle rentre dans le néant ou qu'à la face de l'univers, elle désavoue les atrocités dont elle a la charge » ; Gabriel Esquer (présenté par), *L'Anticolonialisme au XVIIIe siècle. L'Abbé Raynal*, Paris, 1951, p. 235.

29. Y. Bénot, *La Révolution française et la fin des colonies, op. cit.*

30. Mirabeau, *Les Bières flottantes des négriers. Un discours non prononcé sur l'abolition de la traite des Noirs*, Saint-Étienne, Publications de l'université de Saint-Étienne, 2000. De nombreux textes contemporains sur la traite ont été réédités dans : *La Révolution française et l'abolition de l'esclavage. Textes et documents*, Paris, Éditions d'histoire sociale, 1968, 12 vol.

31. Gabriel Debien, *Les Colons de Saint-Domingue et la Révolution. Essai sur le club Massiac*, Paris, A. Colin, 1953.

32. La question des liens entre l'idéologie révolutionnaire et les révoltes d'esclaves est analysée dans le chapitre suivant.

33. H. Deschamps, *Histoire de la traite des Noirs...*, *op. cit.*, p. 177.

34. Vingt-trois négriers partent de Bordeaux. Suivent Nantes (12), Le Havre (10), Lorient (5), Marseille et Bayonne (4 chacun), Dunkerque, Cherbourg et Honfleur (2 chacun), Dieppe, Saint-Malo, Morlaix et Vannes (1 chacun). Les informations disponibles à propos d'un échantillon de vingt-trois bâtiments font état de 6 784 noirs embarqués. Par extrapolation, l'ensemble des négriers a pu transporter environ 20 000 captifs. Aux navires métropolitains doivent également être ajoutés ceux armés dans les colonies, notamment à partir des Mascareignes vers le Mozambique ; plusieurs dizaines d'expéditions jusqu'en 1810 selon Auguste Toussaint *(La Route des îles. Contribution à l'histoire maritime des Mascareignes*, Paris, S.E.V.P.E.N., 1967).

35. Cité par Gaston Rambert, *Histoire du commerce de Marseille. Les colonies*, Paris, Plon, 1959, pp. 174-175.

36. En 1781, le capitaine du *Zong* avait fait jeter à la mer 132 Noirs malades pour éviter la contagion. Deux ans après, le cas était porté en justice à Londres, pour déterminer qui, des propriétaires ou des assureurs, devait assumer la perte. Malgré les efforts de Sharp, Mansfield, le *Lord Chief Justice*, conclut que, « si choquant que ce fût, le cas des esclaves était exactement assimilable à celui des chevaux ».

37. Seymour Drescher, *From Slavery to Freedom. Comparative Studies in the Rise and Fall of Atlantic Slavery*, Londres, MacMillan, 1999, p. 221.

38. De manière un peu dommageable, les problématiques mises au point à propos des facteurs de l'abolitionnisme anglais ont été relativement peu appliquées à l'Europe continentale, à l'exception peut-être du cas hollandais. Sur cette question, voir Olivier Pétré-Grenouilleau (éd.), *Abolitionnisme et société (France, Portugal et Suisse XVIIIe-XIXe siècle)*, Paris, Karthala, à paraître en 2006.

39. W. E. H. Lecky, *A History of European Morals from Augustus to Charlemagne*, Londres, Longmans Green, 1869, t. I, p. 161.

40. H. DESCHAMPS, *Histoire de la traite des Noirs…*, *op. cit.*, p. 155.

41. Les thèses d'Eric Williams ont suscité des débats sans fin. Pour en comprendre la genèse on pourra lire les pages 29-35 de Kenneth MORGAN, *Slavery, Atlantic Trade and the British Economy, 1660-1800*, Cambridge, C.U.P., 2000. Sur l'importance et la portée des débats suscités, voir les chapitres XII et XIII de S. DRESCHER, *From Slavery to Freedom…*, *op. cit.*

42. S. DRESCHER, *From Slavery to Freedom…*, *op. cit.*, p. 214.

43. *Ibid.*, pp. 391, 110. C'est nous qui soulignons.

44. À cette époque, « le capitalisme n'était pas perçu comme un "système" dans le sens où l'esclavage et le féodalisme pouvaient l'être. Il était plutôt une émancipation par rapport aux contraintes traditionnelles, une libération des énergies […]. Pour les hommes dont les yeux étaient tournés vers cette vision utopique […] l'esclavage apparaissait comme un anachronisme » (Howard TEMPERLEY, « Capitalism, Slavery and Ideology », *Past and Present*, 75, 1977, pp. 94-118, ici pp. 117-118).

45. *In* Thomas BENDER (éd.), *The Antislavery Debate : Capitalism and Abolitionism in Historical Interpretation*, Berkeley, University of California Press, 1992, pp. 117, 182.

46. Seymour DRESCHER, « Review Essay. *The Antislavery Debate* », *History and Theory*, 32, 1993, pp. 311-329, ici pp. 322-323, 326.

47. A. QUENUM, *Les Églises chrétiennes…*, *op. cit.*, p. 207.

48. « Je suis bien loin d'éprouver un sentiment particulier à l'égard des nègres, mais étant donné que je pense être tenu de les considérer comme des hommes, je suis également tenu de faire tout ce que je peux pour empêcher qu'ils ne soient traités comme des bêtes par nos compatriotes au comportement non chrétien » (*The Just Limitation of Slavery in the Laws of God…*, Londres, 1776, appendice 3, lettre de Jacob Bryant). Dans le même esprit, on lira avec profit *The History of the Rise. Progress and Accomplishment of the Abolition of the African Slave Trade by the British Parliament*, de Thomas CLARKSON, Londres, 1808 ; Londres, Frank Cass, 1968. Rien, à ce sujet, ne remplace en effet le témoignage des contemporains, acteurs du mouvement abolitionniste.

49. Françoise VERGÈS, *Abolir l'esclavage : une utopie colo-*

niale. Les ambiguïtés d'une politique humanitaire, Paris, Albin Michel, 2001, p. 16. Voir également Tzvetan TODOROV, *Mémoire du mal, tentation du bien*, Paris, Robert Laffont, 2000.

50. Albert O. HIRSCHMAN, *Les Passions et les Intérêts*, Paris, P.U.F., 1980.

51. Article « Moral Issues », *in* Seymour DRESCHER et Stanley ENGERMAN, *A Historical Guide to World Slavery*, Oxford, Oxford University Press, 1998, p. 287.

52. S. DRESCHER, *From Slavery to Freedom...*, *op. cit.*, pp. 15, 221. Sur la mécanique abolitionniste, on y lira avec profit deux de ses études : celle sur la mobilisation sociale et l'Église en France et en Angleterre (pp. 35-56), et celle relative aux conséquences de l'affaire John Brown sur l'abolitionnisme européen (pp. 255-270).

53. S. DRESCHER a raison d'écrire que « l'essor de l'anti-esclavagisme et les changements systémiques métropolitains en matière de travail, autour de 1750, ne peuvent être vraiment corrélés. Les preuves d'une continuité des attitudes envers les formes légales de coercition dans le travail, en métropole, vont à l'encontre de l'idée d'un lien de causalité directe entre les relations capitalistes légales chez les Européens et les attitudes envers la propriété des esclaves africains » *(The Mighty Experiment*, New York, Oxford University Press, 2002, p. 13). Le renforcement des contraintes dans l'Angleterre en voie d'industrialisation a pu contribuer à ce que les Britanniques soient sensibles à l'âpreté avec laquelle les esclaves étaient exploités dans les colonies, au moins dans un premier temps. Dans un second temps, à un moment où les conditions du travail industriel s'aggravaient véritablement, en Grande-Bretagne, les projets d'amélioration du sort des esclaves ont parfois été mal vus par des ouvriers préférant que l'on s'occupe d'eux en priorité (voir *ibid.*, pp. 161-162).

54. Joseph C. MILLER, « L'abolition de la traite des esclaves et de l'esclavage : fondements historiques », *in* Doudou DIÈNE (éd.), *La Chaîne et le Lien. Une vision de la traite négrière*, Paris, Unesco, 1998, pp. 225-266, ici pp. 240-241. Inversement, écrit-il, « la libération des énergies politiques des Français dans leurs institutions nationales », sous la Révolution, « fit que l'abolitionnisme ne se chargea pas d'exprimer les tensions sociales » et politiques « comme ce fut le cas en Angleterre ».

55. James WALVIN, « The Impact of Slavery in British Radical Politics, 1787-1838 », *in* Vera RUBIN et Arthur TUDEN (éd.), *Comparative Perspectives on Slavery in New World Plantation Societies*, Annales de l'Académie des sciences de New York, 1977, pp. 343-367. Voir aussi, du même auteur, « The Propaganda of Anti-Slavery », *in* J. WALVIN (éd.), *Slavery and British Society, 1776-1846*, Londres et Basingstoke, 1982. Cette thèse est nuancée par Patricia Hollis qui indique que, malgré une sympathie initiale, la plupart des radicaux se positionnèrent ensuite, au début du XIXᵉ siècle, contre le mouvement abolitionniste (« Anti-Slavery and British Working-Class Radicalism in the Years of Reform », *in* Catherine BOLT et Seymour DRESCHER, *Anti-Slavery, Religion and Reform : Essays in Memory of Roger Anstey*, Folkestone et Hamden, 1980, pp. 297-311). Sur la question, voir aussi Iain McCALMAN, « Anti-Slavery and Ultra-Radicalism in Early Nineteenth Century England : the Case of Robert Wedderburn », *in* Serge DAGET (éd.), *De la traite à l'esclavage*, Actes du colloque international sur la traite des Noirs, Nantes, 1985, Nantes / C.R.H.M.A., Paris / S.F.H.O.M., 1988, t. II, pp. 297-314.

56. S. DRESCHER, *The Mighty Experiment, op. cit.*, p. 143.

57. Seymour DRESCHER, « Paradigms Tossed : Capitalism and the Political Sources of Abolition », *in* Barbara Lewis SOLOW et Stanley L. ENGERMAN (éd.), *British Capitalism and Caribbean Slavery : the Legacy of Eric Williams*, Cambridge, C.U.P., 1987, pp. 191-208, ici p. 195.

58. S. DRESCHER, *From Slavery to Freedom..., op. cit.*, p. 22.

59. À titre de comparaison onze mille Français seulement, sur trente-cinq millions d'habitants, signèrent des pétitions en faveur de l'abolition de l'esclavage en 1848, alors que la pétition publique pour l'abaissement du cens électoral à 100 francs avait suscité l'adhésion de deux cent mille personnes.

LA « MACHINE » ABOLITIONNISTE

1. Yves BÉNOT, *La Modernité de l'esclavage. Essai sur la servitude au cœur du capitalisme*, Paris, La Découverte, 2003, p. 13.

2. *The History of the Rise..., op. cit.*

3. Marcel DORIGNY et Bernard GAINOT (éd.), *La Société des amis des Noirs*, Paris, Unesco/Edicef, 1998 : publication annotée du registre des délibérations de la première Société (1788-1790) et des « notes de séances » des suivantes (1797-1799). On y remarque ce fort caractère, élitiste et politique, qui demeura une constante du mouvement abolitionniste français jusqu'en 1848. Une autre tendance est ici confirmée : le caractère internationaliste de ce mouvement (très nette influence anglaise tout d'abord, puis relais américain et scandinave après 1792, et à nouveau liens avec l'Angleterre sous la Restauration).

4. Sur un sujet longtemps laissé de côté par la réflexion économique contemporaine, on pourra voir Fred CÉLIMÈNE et André LEGRIS (éd.), *L'Économie de l'esclavage colonial*, Paris, Éditions du C.N.R.S., 2002.

5. Dans son « People and Parliament : the Rhetoric of the British Slave Trade » *(Journal of Interdisciplinary History*, printemps 1990, pp. 561-580), Drescher note que, d'un point de vue quantitatif, les arguments moraux furent presque toujours deux fois plus utilisés par les abolitionnistes anglais que les arguments économiques. Allant dans son sens, on pourrait ajouter que choisir de présenter comme « légitime » (et non pas seulement comme licite) un nouveau commerce avec l'Afrique noire révèle qu'une dimension morale est attachée à un argument apparemment uniquement économique. Il me semble néanmoins important de noter que, prônant de fait l'émergence d'une sorte d'économie morale, les abolitionnistes n'établissaient pas toujours de rigoureuses frontières entre les deux termes. À trop les opposer, l'historien d'aujourd'hui sous-estime ainsi peut-être l'une des dimensions du phénomène abolitionniste.

6. Olaudah EQUIANO, *La Véridique Histoire d'Olaudah Equiano, Africain esclave aux Caraïbes, homme libre, par lui-même* (1789), Paris, Éditions caribéennes, 1987, pp. 150-151.

7. K. G. DAVIES estime que 50 000 marins britanniques seraient morts à la traite, entre 1690 et 1807 (« The Leaving and the Dead : White Mortality in West Africa », *in* Stanley L. ENGERMAN et Eugene D. GENOVESE [éd.], *Race and Slavery in the Western Hemisphere : Quantitative Studies*, Princeton University Press, 1998).

8. Voir notamment A. LEWIS, *An Incendiary Press :* « British West Indian Newspapers during the Struggle for Abolition », *Slavery and Abolition*, décembre 1995, pp. 346-361. Il arrive à la conclusion suivante : « Les journaux des Indes occidentales [...] aidèrent involontairement à alimenter le mécontentement des esclaves [... et] finalement poussèrent à l'abolition de l'esclavage » (*ibid.*, p. 359).

9. S. DRESCHER, *The Mighty Experiment...*, *op. cit.*, p. 236.

10. À cet égard, le négrier malouin Louis Ohier de Grandpré fait réellement figure d'exception lorsqu'il prône l'établissement de comptoirs commerciaux en Afrique afin d'obtenir, par l'échange, « les mêmes denrées que dans nos Antilles » (*Voyage à la côte occidentale d'Afrique fait dans les années 1786 et 1787...*, Paris, Dentu, 1801).

11. Pierre BOULLE, « In Defense of Slavery : Eighteenth-Century Opposition to Abolition and the Origins of a Racist Ideology in France », *in* Frederick KRANTZ (éd.), *History from Below : Studies in Popular Protest and Popular Ideology*, Oxford, Blackwell, 1988, pp. 220-246, ici p. 244.

12. C'est après le célèbre procès de l'esclave maltraité James Somersett que le planteur Edward Long établit le raisonnement le plus raciste d'avant l'ère abolitionniste destiné à défendre l'esclavage, note S. Drescher (« The Ending of the Slave Trade and the Evolution of European Scientific Racism », *Social Science History*, 3, 1990, pp. 415-450).

13. Gérard Mellier, maire de Nantes entre 1720 et 1729, n'allait-il pas dire, à un moment où la traite n'était guère contestée, que la « Négritie » est une contrée si prolifique que ses habitants ne pourraient subsister s'ils n'étaient pas, chaque année, déchargés par la traite d'une partie de ceux qui l'habitent.

14. Sur ces questions, voir Christopher LLOYD, *The Navy and the Slave Trade. The Suppression of the African Slave Trade in the Nineteenth Century*, Londres, Longmans, 1949 ; rééd. Londres, Frank Cass, 1969 ; W. E. F. WARD, *The Royal Navy and the Slavers : the Suppression of the Atlantic Slave Trade*, Londres, Allen et Unwin, 1969

15. Voir Howard TEMPERLEY, *White Dreams, Black Africa : the Antislavery Expedition to the River Niger, 1841-1842*, New Haven, Yale University Press, 1991.

16. En guise de comparaison, indique Drescher, l'aide au développement consentie par l'O.C.D.E., entre 1975 et 1996, ne coûta aux pays membres que 0,33 % de leurs revenus nationaux *(The Mighty Experiment, op. cit.*, p. 232).

17. S. DRESCHER, *The Mighty Experiment, op. cit.*

18. Cité par Paul Michael KIELSTRA, *The Politics of Slave Trade Suppression in Britain and France, 1814-1848. Diplomacy, Morality and Economics*, Londres, MacMillan, 2000, p. 184.

19. Seymour DRESCHER, Stanley ENGERMAN, Robert PAQUETTE (éd.), *Slavery*, New York, Oxford University Press, 2001, p. 437.

20. Archives de la station navale française de l'océan Indien, Lorient, 4C³ 6,96, 13 août 1869.

21. À quelques exceptions près, écrit Howard Temperley, ce ne sont pas les forces économiques — la main invisible d'Adam Smith — qui mirent un terme à l'esclavage dans le Nouveau Monde, « mais les interventions de l'État » (Howard TEMPERLEY, « Capitalism, Slavery and Ideology », *Past and Present*, 75, 1977, pp. 94-118, ici p. 96).

22. P. M. KIELSTRA, *The Politics of Slave Trade Suppression in Britain and France..., op. cit.*, p. 1.

23. « Parce qu'il fut souvent impossible de distinguer entre une politique destinée à supprimer la traite et une autre destinée à étendre les intérêts commerciaux, stratégiques ou politiques de l'Angleterre, écrit Suzanne Miers, la traite fut un délicat élément dans les relations internationales » *(Britain and the Ending of the Slave Trade*, Londres, Longmans, 1975, p. 33).

24. W. E. B. Dubois, *The Suppression of the African Slave Trade, 1638-1870*, New York, Longmans Green, 1896 ; nouvelle édition, Baton Rouge, J. H. Franklin, 1969.

25. 559 800 esclaves entre 1451 et 1860, selon Herbert S. KLEIN, *The Atlantic Slave Trade*, Cambridge, C.U.P., 1999, p. 211.

26. Sous la monarchie de Juillet, l'abolitionnisme français regroupe de nombreux protestants, mais sans exclusivisme. On y trouve des hommes de « gauche » comme Ledru-Rollin et Béranger, du « centre » comme Lamartine et Tocqueville, des modérés, orléanistes, comme Barrot et La Fayette, ainsi

que l'ultramontain Montalembert. Politiquement et socialement très conservatrice, la bourgeoisie rurale de Picardie
combat la traite et l'esclavage pour des raisons très particulières, principalement parce qu'elle espère faire ainsi le jeu
du lobby betteravier au détriment du sucre colonial. Auparavant, quelques voix s'étaient élevées, autour de Mme de Staël,
disparue en 1817, grande admiratrice de Wilberforce. Celles,
notamment, de son fils Auguste, de son gendre Victor de Broglie et de son ancien amant Benjamin Constant. La première
réunion de la Société de la morale chrétienne se tint en décembre 1821. Deux ans plus tard, elle était composée de 223
membres.

27. David R. MURRAY, *Odious Commerce : Britain, Spain
and the Abolition of the Cuban Slave Trade*, Cambridge,
C.U.P., 1980.

28. Notons néanmoins que le prix du sucre augmenta
avant la fin de la traite hispano-cubaine.

29. David ELTIS, *Economic Growth and the Ending of the
Transatlantic Slave Trade*, New York, Oxford University Press,
1987.

30. Sur le sujet, voir David R. MURRAY, « Capitalism and
Slavery in Cuba », *Slavery and Abolition*, décembre 1996, pp.
223-237.

31. João Pedro MARQUES, *Os Sons do Silêncio : o Portugal
de Oitocentos e a Abolição do Trafico de Escravos*, Lisbonne,
Imprensa de Ciências Sociais, 1999. Les lignes suivantes doivent beaucoup à cette étude.

32. William Gervase CLARENCE-SMITH, *The Third Portuguese
Empire, 1825-1975. A Study in Economic Imperialism*, Manchester University Press, 1985, p. 53. Faire des négriers les
seuls capitalistes du pays est sans doute exagéré, mais cette
image reflète l'influence qu'ils pouvaient y exercer.

33. Leslie BETHELL, *Abolition of the Brazilian Slave Trade*,
Cambridge, C.U.P., 1970, p. 314.

34. Luis Felipe DE ALENCASTRO, *Le Commerce des vivants.
Traite d'esclaves et pax lusitania dans l'Atlantique Sud*, thèse,
université Paris-X, 1986.

35. Laird W. BERGAD, *Slavery and the Demographic and
Economic History of Minas Gerais, Brazil, 1720-1888*, Cambridge, C.U.P., 1999.

36. Pieter C. EMMER, *The Dutch in the Atlantic Economy, 1580-1880*, Aldershot, Ashgate, 1998, pp. 128, 127. En revanche, les Néerlandais furent ensuite bouleversés par les révélations de Max Havelaar sur les cultures forcées à Java. L'opinion publique joua un rôle important dans les réformes entreprises en 1870.

37. C. LLOYD, *The Navy and the Slave Trade...*, *op. cit.*, chap. VII, « False Dawn ». Sur les modalités pratiques de la répression anglaise, ce classique demeure toujours utile.

38. Serge DAGET, *La Répression de la traite des Noirs au XIXᵉ siècle*, Paris, Karthala, 1997 ; D. ELTIS, *Economic Growth and the Ending of the Transatlantic Slave Trade, op. cit.*

39. Françoise VERGÈS, *Abolir l'esclavage : une utopie coloniale. Les ambiguïtés d'une politique humanitaire*, Paris, Albin Michel, 2001, p. 14.

40. En 1831, les esclaves de la Couronne étaient affranchis et, le 8 août 1833, le Parlement décidait l'abolition générale de l'esclavage : 780 000 captifs devenaient « libérables » dans un délai de cinq à sept ans, selon leur statut. C'était la période dite de l'apprentissage *(apprenticeship)*. Les esclaves durent accepter de donner les trois quarts de leur temps à leur ancien maître, contre leur nourriture et leur habillement ; le dernier quart étant consacré au travail sur leurs propres lopins de terre. Les propriétaires étaient indemnisés. Ils reçurent vingt millions de livres sterling, somme énorme équivalant à peu près à la moitié du budget annuel de la nation. Un prix payé par les contribuables, qui, en outre, durent faire face à l'augmentation du prix du sucre.

41. L. F. DE ALENCASTRO, *Le Commerce des vivants...*, thèse citée, p. 500.

42. Voir Rebecca J. SCOTT, Seymour DRESCHER, Hebe Maria MATTOS DE CASTRO, George Reid ANDREWS, Robert M. LEVINE, *The Abolition of Slavery and the Aftermath of Emancipation in Brazil*, Durham, Duke University Press, 1988.

43. Stanley ENGERMAN, « Contract Labour in Sugar and Technology in the Nineteenth Century », *Journal of Economic History*, 43, 1983 ; David NORTHRUP, *Indentured Labour in the Age of Imperialism, 1834-1922*, Cambridge, C.U.P., 1995 ; D. MONRO, « The Pacific Islands Labour Trade : Approaches, Methodologies, Debates », *Slavery and Abolition*, 14, 1993 ;

K. Saunders (éd.), *Indentured Labour in the British Empire, 1834-1920*, Londres, Croom Helm, 1984.

44. Cornelis Fasseur, *Kultuurstelsel en Koloniale Baten. De Nederlandse exploitatie van Java, 1840-1860*, thèse, Leyde, 1975. Voir aussi, du même auteur : *The Politics of Colonial Exploitation : Java, the Dutch and the Cultivation System*, Ithaca, Cornell University Southeast Asia Program, 1994.

45. Pieter C. Emmer, « Mythe et réalité : la migration des Indiens dans la Caraïbe de 1839 à 1917 », *in* Olivier Pétré-Greouilleau (éd.), *Traites et esclavages : vieilles questions, nouvelles perspectives ?*, numéro spécial de *R.F.H.O.M.*, décembre 2002, pp. 111-129.

46. Hugh Tinker, *A New System of Slavery. The Export of Indian Labour Overseas*, Oxford University Press, 1985 ; Rosemarijn Hoefte, *In Place of Slavery. A Social History of British Indian and Javanese Laborers in Suriname*, Florida University Press, 1998.

47. Pieter C. Emmer (éd.), *Colonialism and Migration. Indentured Labour before and after Slavery*, Dordrecht, 1986 ; « Mythe et réalité : la migration des Indiens dans la Caraïbe de 1839 à 1917 », art. cité.

48. Claude Meillassoux, *Anthropologie de l'esclavage. Le ventre de fer et d'argent*, Paris, P.U.F., 1986.

49. William Gervase Clarence-Smith, *Cocoa Pioneer Fronts Since 1800 : the Role of Smallholders. Planters and Merchants*, Londres, Routledge, 1996.

50. Les rapports entre travail forcé et esclavage dans l'Afrique coloniale sont particulièrement complexes. Dans les faits, certaines situations n'étaient pas meilleures que celles liées au statut d'esclave. Parmi les très nombreux travaux suscités par la question, notons le récent Martin Klein, *Slavery and Colonial Rule in French West Africa*, Cambridge, C.U.P., 1998.

51. F. Vergès, *Abolir l'esclavage : une utopie coloniale...*, *op. cit.*

52. C'est le cas au Brésil, par exemple, où les populations urbaines, contrairement à celles des campagnes dominées par les planteurs, sont plus rapidement favorables à l'abolition de la traite et de l'esclavage. Et pas seulement à cause de la peur un peu fantasmagorique des épidémies pouvant se diffuser à partir des ports, du fait de l'importation d'esclaves.

53. David ELTIS, *The Rise of African Slavery in the Americas*, Cambridge, C.U.P., 2000, pp. 4-5.

54. Ralph A. AUSTEN, « The Slave Trade as History and Memory : Confrontations of Slaving Voyage Documents and Communal Traditions », *The William and Mary Quarterly*, janvier 2001, p. 239.

55. Patrick MANNING, *Slavery and African Life : Occidental, Oriental and African Slave Trades*, Cambridge, C.U.P., 1990, p. 93.

56. P. LOVEJOY, « The African Diaspora : Revisionist Interpretations of Ethnicity, Culture and Religion under Slavery », *Studies in the World History of Slavery, Abolition and Emancipation*, II, 1, 1997, p. 13 (revue disponible sur Internet).

57. Dans le même esprit, voir les Mémoires d'Emily RUETE, princesse de Zanzibar, *Mémoires d'une princesse arabe*, Paris, Karthala, 1991.

58. Ehud R. TOLEDANO, *The Ottoman Slave Trade and its Suppression, 1840-1890*, Princeton, Princeton University Press, 1982, pp. 272, 273, 91. Y. H. Erdem ajoute qu'« il n'y eut pas de mouvement organisé pour l'abolition dans l'Empire, pas de tracts abolitionnistes popularisant le sujet, faisant pénétrer dans les foyers les souffrances — réelles ou imaginées — des esclaves. Aujourd'hui, dans la Turquie moderne, l'abolition de l'esclavage [...] ne fait pas partie des programmes scolaires. Il n'y a pas non plus de date spécifique d'abolition [...] qui pourrait être utilisée comme point de départ (visible) pour une telle étude » *(Slavery in the Ottoman Empire and its Demise, 1800-1909*, New York, St. Martin's Press, 1996, p. XIX).

59. Je le remercie de m'avoir permis de consulter certains passages de ce livre en cours.

60. Certains, non tous. Les Druzes, ainsi, semblent avoir aboli l'esclavage au XIᵉ siècle de l'ère chrétienne, longtemps avant toute possible influence provenant de l'Europe. De même, l'abolition imposée par Ahmad Bey, en Tunisie, en 1846, a été une source de honte pour les libéraux français qui n'ont pu faire appliquer cette mesure en Algérie que deux ans plus tard.

61. N'oublions pas la défense de l'esclavage par les « littéralistes » et leurs appels à re-légaliser l'institution qui devien-

nent plus insistants depuis les années 1970, au Pakistan, en Afghanistan, en Arabie Saoudite, au Soudan ou encore en Mauritanie.

62. Sur cette révolte, voir Alexandre POPOVIC, *La Révolte des esclaves en Irak aux IIIe et IXe siècles*, Paris, Geuthner, 1976.

63. Voir, par exemple, Humphrey John FISHER, « A Muslim William Wilberforce ? The Sokoto Jihâd as Anti-Slavery Crusade : an Enquiry into Historical Causes », *in* Serge DAGET (éd.). *De la traite à l'esclavage*, Actes du colloque international sur la traite des Noirs, Nantes, 1985, Nantes / C.R.H.M.A., Paris / S.F.H.O.M., 1988, t. II, pp. 537-555.

64. Le navire partit de La Havane en 1839, pour un autre port de Cuba, Principe, où une cinquantaine d'esclaves devaient être conduits dans une plantation (aussi l'exemple, abondamment cité, n'est-il pas forcément représentatif de la fameuse traversée de l'Atlantique). Les esclaves révoltés contraignirent l'équipage à se diriger vers l'Afrique, mais cap fut mis vers le nord. Le navire longea les côtes américaines, pendant soixante-trois jours, tandis que la faim et la soif faisaient des ravages. En août, il était arraisonné à Long Island, et les mutins emprisonnés. Il s'ensuivit un fameux procès. Après un plaidoyer de plus de huit heures de John Quincy Adams (qui fut président des États-Unis entre 1825 et 1829), la Société abolitionniste américaine obtint la libération des esclaves qui purent regagner leur pays.

65. D. ELTIS, *The Rise of African Slavery in the Americas, op. cit.*, p. 160. Un million selon les dernières estimations de David RICHARDSON, « Shipboard Revolts, African Authority, and the Atlantic Slave Trade », *The William and Mary Quarterly*, janvier 2001, pp. 69-92.

66. Cette manière, très sombre, d'analyser le discours aristotélicien, est la plus fréquente. Pour une vision moins critique, voir Arnaud BERTHOUD, *Essais de philosophie économique*, Lille, Presses universitaires du Septentrion, 2002, pp. 74-79.

67. P. LOVEJOY, « The African Diaspora », art. cité, p. 10.

68. *Ibid.*, pp. 11-12.

69. Cyril Lionel Robert JAMES, *The Black Jacobins : Toussaint Louverture and the San Domingo Revolution*, Londres,

Allison and Busby, 1980 ; Eugene D. GENOVESE, *From Rebellion to Revolution : Afro-American Slave Revolts in the Making of the Modern World*, Baton Rouge, Louisiana State University Press, 1979.

70. Une variante de cette interprétation classique a été ensuite relancée par Robin BLACKBURN (*The Overthrow of Colonial Slavery, 1776-1848*, Londres, Verso, 1988). L'idée est celle d'une alliance entre les esclaves des colonies et les révolutionnaires ou radicaux européens, notamment français, entre 1793 et 1802. Au modèle d'émancipation à l'anglaise, orchestré par des mouvements abolitionnistes bien organisés, s'opposerait ainsi un modèle plus « révolutionnaire » pour les colonies d'Europe continentale. Les liens entre révoltes serviles et radicalisme européen ont également été pointés à propos de l'Espagne et de ses colonies antillaises (Cuba et Porto Rico), entre 1868 et 1874, les leaders de la première République (1873-1874) ayant songé à y restaurer l'hégémonie espagnole en y abolissant l'esclavage (ce qui devint effectif, en 1873, à Porto Rico). Séduisante, l'idée demande sans doute à être mieux étayée. Il en va de même de celle développée par Peter LINEBAUGH et Marcus REDIKER (*The Many-Headed Hydra : Sailors, Slaves, Commoners, and the Hidden History of the Revolutionary Atlantic*, Boston, 2000). Selon ces deux auteurs, un mouvement d'allure révolutionnaire aurait regroupé tous les exploités, déshérités et exclus de l'espace colonial atlantique. Mais on reste parfois perplexe à la lecture des arguments avancés.

71. John K. THORNTON, « "I am the Subject of the King of Congo" : African Political Ideology and the Haitian Revolution », *Journal of World History*, 4e année, 2e vol., 1993, pp. 181-214.

72. P. LOVEJOY, « The African Diaspora... », art. cité, p. 13.

73. Voir Marie-Christine ROCHMANN, *L'Esclave fugitif dans la littérature antillaise*, Paris, Karthala, 2000.

74. Patrick CHAMOISEAU, *L'Esclave vieil homme et le Molosse*, Paris, Gallimard, 1997.

75. Voir, par exemple, Bernard MOITT, *Women and Slavery in the French Antilles, 1635-1848*, Bloomington et Indianapolis, 2001.

76. Parmi les derniers témoignages de ce type à avoir été publiés, voir Robin LAW et Paul LOVEJOY (éd.), *The Biography*

of Mahommah Gardo Baquaqua, Princeton, Markus Wiener, 2001.

77. Eugene D. GENOVESE, *Roll, Jordan, Roll. The World the Slaves Made*, New York, 1974, pp. 6-7. La problématique du « jeu » dans le système n'a jamais été étendue au phénomène de la traversée de l'Atlantique. Il pourrait être intéressant de s'y atteler.

78. David Brion DAVIS, « Looking at Slavery from Broader Perspectives », *American Historical Review*, avril 2000, p. 465.

79. À ce sujet, voir l'article très éclairant de Richard B. ALLEN, « Maroonage and its Legacy in Mauritius and in the Colonial Plantation World », *in* O. PÉTRÉ-GRENOUILLEAU (éd.), *Traites et esclavages...*, op. cit., pp. 131-152.

80. Wim KLOOSTER, *Illicit Riches. Dutch Trades in the Carribean, 1668-1795*, Leyde, Kitlv Press, 1998.

81. Voir son article « Le second mouvement pour l'abolition de l'esclavage colonial français », *in* O. PÉTRÉ-GRENOUILLEAU (éd.), *Traites et esclavages...*, op. cit., pp. 177-191, et également son *French Anti-Slavery. The Movement for the Abolition of Slavery in France, 1802-1848*, Cambridge, C.U.P., 2000.

82. David ELTIS, « The African Role in the Ending of the Transatlantic Slave Trade », *in* S. DAGET (éd.), *De la traite à l'esclavage*, op. cit., t. II, pp. 503-520.

83. E. TOLEDANO, *The Ottoman Slave Trade*, op. cit., pp. 133, 11, 283.

84. Y. H. ERDEM, *Slavery in the Ottoman Empire and its Demise*, op. cit., p. 94.

85. Voir, entre autres, Robin LAW, « An African Response to Abolition : Anglo-Dahomian Negotiations on Ending the Slave Trade, 1838-1877 », *Slavery and Abolition*, décembre 1995, pp. 281-310.

86. Joseph C. MILLER, « L'abolition de la traite des esclaves et de l'esclavage : fondements historiques », *in* D. DIÈNE (éd.), *La Chaîne et le Lien. Une vision de la traite négrière*, Paris, Unesco, 1998, p. 259.

87. R. A. AUSTEN et W. D. SMITH, « Images of Africa and British Slave-Trade Abolition : the Transition to an Imperialist Ideology, 1787-1807 », *African Historical Studies*, H, 1, 1969, pp. 69-83.

88. Olivier PÉTRÉ-GRENOUILLEAU, « Cultural Systems of Representations, Economic Interests and French Penetration into Black Africa 1780s-1880s », *in* O. PÉTRÉ-GRENOUILLEAU (éd.), *From Slave Trade to Empire. Europe and the Colonisation of Black Africa (1780s-1880s)*, Londres, Routledge, 2004, pp. 157-184.

89. R. A. AUSTEN et W. D. SMITH, « Images of Africa and British Slave-Trade Abolition... », art. cité, p. 81.

90. Notons que la thèse d'une Afrique noire sur le déclin, traversée par la crise, est loin de faire l'unanimité. Elle est, par exemple, contestée par Elikia M'Bokolo *(Afrique noire. Histoire et civilisation*, t. II, Paris, Hatier, 1992).

LA TRAITE DANS L'HISTOIRE DE L'OCCIDENT

1. Cela renvoie à un problème plus général, noté dès l'introduction de cet ouvrage : celui du trop grand isolement de l'histoire des traites négrières par rapport aux autres domaines de la recherche historique.

2. Eric WILLIAMS, *Capitalism and Slavery*, New York, Capricorn, 1966 (1re éd. 1944).

3. Johannes POSTMA, « The Dutch Slave Trade. A Quantitative Assessment », *R.F.H.O.M.*, n°s 226-227, 1975. pp. 232-244, et *The Dutch in the Atlantic Slave Trade, 1600-1815*, Cambridge, C.U.P., 1990 ; Jean MEYER, « Le commerce négrier nantais, 1774-1792 », *Annales E.S.C.*, 15, 1, 1960, pp. 120-129, et *L'Armement nantais dans la deuxième moitié du XVIIIe siècle*, Paris, S.E.V.P.E.N., 1969, rééd. E.H.E.S.S., 1999 ; David RICHARDSON, « Profits in the Liverpool Slave Trade : the Accounts of William Davenport, 1757-1784 », *in* R. ANSTEY et P. H. HAIR (éd.), *Liverpool, the African Slave Trade and Abolition*, Historic Society of Lancashire and Cheshire, « Occasional Series », vol. 2, 1976 ; Roger ANSTEY, « The Volume and Profitability of the British Slave Trade, 1761-1807 », *in* Stanley ENGERMAN et Eugene D. GENOVESE (éd.), *Race and Slavery in the Western Hemisphere : Quantitative Studies*, Princeton, Princeton University Press, 1975 ; Stephen D. BEHRENDT, *The British Slave Trade, 1785-1807 : Volume, Profitability and Mortality*, thèse, University of Wisconsin, 1993.

4. Stephen D. BEHRENDT, « Markets, Transaction Cycles and Profits : Merchant Decision Making in the British Slave Trade », *New Perspectives on the Transatlantic Slave Trade*, numéro spécial de *The William and Mary Quarterly*, IIIe série, vol. LVII, janvier 2001, pp. 171-202, ici p. 201.

5. Il incita les colons anglais à mieux prendre en considération leurs dettes. Il en allait autrement pour les colonies françaises et portugaises, où la législation défendait plus nettement les planteurs. Seule la plantation *entière* (avec ses machines, ses esclaves...) pouvait être mise en vente afin de couvrir une dette estimée à la même valeur. Pour les sommes inférieures, les créditeurs devaient donc attendre.

6. En France, ce qui attira un peu plus le capital non portuaire à la traite (et notamment le capital parisien), ce furent les primes attribuées par l'État, à partir des années 1784-1786.

7. R. PARES, « Merchants and Planters », *Economic History Review*, supplément n° 4, 1960.

8. La tendance moderne consistant en une spécialisation accrue des activités marchandes s'est opérée plus rapidement en Angleterre qu'en France (dès le XVIIIe siècle dans le premier cas, pas avant le XIXe dans le second) : Patrick VERLEY, *L'Échelle du monde*, Paris, Gallimard, 1997.

9. Sur cette question, voir notamment Jacob M. PRICE, « What Did Merchants Do ? Reflections on British Overseas Trade, 1660-1790 », *Journal of Economic History*, 1989, pp. 276-284, et du même auteur : « Credit in the Slave Trade and Plantation Economy », *in* Barbara SOLOW, *Slavery and the Rise of the Atlantic System*, Cambridge, C.U.P., 1991. Dans le cas français, le rôle du capitaine apparaît clairement à la lecture des Mémoires de l'armateur Joseph Mosneron-Dupin : Olivier PÉTRÉ-GRENOUILLEAU (éd.). *Moi, Joseph Mosneron, armateur négrier nantais, 1748-1833. Portrait culturel d'une bourgeoisie négociante au siècle des Lumières*, Rennes, Apogée, 1995.

10. R. B. SHERIDAN, « The Commercial and Financial Organisation of the British Slave Trade, 1750-1807 », *Economic History Review*, 11, 1958, pp. 249-263.

11. Voir n. 3, p. 386.

12. Peter VILES, « The Slaving Interest in the Atlantic Ports, 1763-1789 », *French Historical Studies*, 1972, pp. 529-543.

13. « Ce sont les voyages en droiture qui donnent les meilleurs résultats » (J. MEYER, *L'Armement nantais, op. cit.*, p. 224). Voir aussi Jean METTAS, « Pour une histoire de la traite des Noirs française : sources et problèmes », *R.F.H.O.M.*, 226-227, 1975, pp. 19-46.

14. Voir ci-dessous, n. 16.

15. Kenneth MORGAN, *Slavery, Atlantic Trade and British Economy, 1660-1800*, Cambridge, C.U.P., 2000, pp. 95, 41, 43-44.

16. Guillaume DAUDIN, « Comment calculer les profits de la traite ? », *in* Olivier PÉTRÉ-GRENOUILLEAU (éd.), *Traites et esclavages : vieilles questions, nouvelles perspectives ?*, numéro spécial de *R.F.H.O.M.*, décembre 2002, pp. 43-62.

17. Robert STEIN, *The French Slave Trade in the Eighteenth Century. An Old Regime Business*, Madison, Wisconsin University Press, 1979. Voir aussi, du même auteur : « The Profitability of the Nantes Slave Trade, 1783-1792 », *Journal of Economic History*, 1975, pp. 779-793.

18. *Mémoire du commerce de Nantes*, 24 février 1767, Archives départementales de Loire-Atlantique, C 882.

19. Pour une plongée au cœur de ce capitalisme aventureux, au cours du XVIIIᵉ siècle, voir O. PÉTRÉ-GRENOUILLEAU (éd.), *Moi, Joseph Mosneron..., op. cit.* En 1826, un négrier nantais, Alexandre Sallier-Dupin, écrit à son frère : « il faut hasarder, avoir du courage et se dire : si je réussis tant mieux, si j'échoue tant pis. Dans ce cas, il faudra se retourner d'un autre côté » (archives privées).

20. *The Rise and Fall of the Plantation Complex. Essays in Atlantic History*, Cambridge, C.U.P., 1998.

21. Sur le rôle de ces assurances au temps de la traite illégale, voir Claude FOHLEN, « Une expédition négrière nantaise sous la Restauration », in *Les Entreprises et leurs réseaux*, Paris, Presses de la Sorbonne, 1999. Notons que les assurances semblent souvent n'avoir été payées qu'au retour (au moins en France), comme l'indiquent de nombreux papiers privés. Il faudrait donc retirer leur montant des bénéfices et non l'ajouter à l'investissement, ce qui change le taux de profit.

22. Au moins 200 à 300 000 livres tournois. C'est, note Jean-Michel DEVEAU (*La Traite rochelaise*, Paris, Karthala, 1990), le prix de l'hôtel particulier acheté par Mme de Sabran, rue Saint-Honoré, en 1777.

23. Roger Anstey (*The Atlantic Slave Trade and British Abolition, 1760-1810*, Londres, MacMillan, 1975) compare les mise-hors moyennes (assez similaires) des négriers anglais (8 534 livres) et hollandais (8 857 livres) de la fin du XVIIIe siècle. Un calcul effectué à partir de 95 négriers nantais (1763-1793) permet d'aboutir à une moyenne comparable, quoiqu'un peu supérieure (9 825 livres). Selon une estimation de la Chambre de commerce de La Rochelle, la mise-hors moyenne serait de 9 700 livres en 1761. J. Meyer(*L'Armement nantais, op. cit.*) montre qu'entre 1763 et 1777 le coût moyen d'un tonneau est de 161 livres tournois pour un navire filant en droiture vers les îles et de 977 pour un négrier. Des sondages indiquent qu'il faut compter entre 600 et 700 livres tournois dans le Bordeaux de la première moitié du XVIIIe siècle, entre 900 et 1 100 à Nantes ou Saint-Malo au cours de la seconde moitié du siècle.

24. Sur ce concept, voir Olivier Pétré-Grenouilleau, « Les négoces atlantiques français. Anatomie d'un capitalisme relationnel », *XVIIIe Siècle*, 2001.

25. Pour plus d'informations sur ce sujet, voir Olivier Pétré-Grenouilleau, « La noblesse commerçante nantaise (XVII-XIXe siècle) : une noblesse ouverte ? », *in* Jean Kerhervé (éd.), *Noblesses de Bretagne, du Moyen Âge à nos jours*, Rennes, Presses universitaires de Rennes, 1999, pp. 183-195.

26. Olivier Pétré-Grenouilleau, *Nantes au temps de la traite des Noirs*, Paris, Hachette, 1998.

27. Dieudonné Rinchon, *Le Trafic négrier*, Bruxelles, 1938, p. 134.

28. R. Stein, *The French Slave Trade in the Eighteenth Century...*, *op. cit.* ; David Richardson, « Profitability in the Bristol-Liverpool Slave Trade », *R.F.H.O.M.*, 226-227, 1975, pp. 301-308.

29. Luis Felipe de Alencastro, « La traite négrière et l'unité nationale brésilienne », *R.F.H.O.M.*, 244-245, 1979, pp. 395-419.

30. E. Williams, *Capitalism and Slavery, op. cit.*, pp. 51-53. On notera que l'auteur regroupe traite *et* commerce colonial et qu'il ne fait de ce binôme que *l'un* des principaux facteurs de l'accumulation du capital

31. Joseph E. Inikori, *Africans and the Industrial Revolu-*

tion in England. A Study in International Trade and Economic Development, Cambridge, C.U.P., 2002. Il s'agit d'une somme rassemblant les éléments traditionnellement employés pour soutenir cette théorie

32. François CROUZET (éd.), *Capital Formation in the Industrial Revolution*, Londres, Methuen, 1972.

33. Voir respectivement Stanley L. ENGERMAN, « The Slave Trade and British Capital Formation in the Eighteenth Century : A Comment on the William Thesis », *Business History Review*, 1972, pp. 430-433, et R. ANSTEY, « The Volume and Profitability of the British Slave Trade, 1761-1807 », art. cité.

34. Voir les travaux de Patrick O'Brien sur l'importance du marché national anglais et sur la place tardive des exportations dans la croissance : « Agriculture and the Home Market for English Industry, 1660-1820 », *English Historical Review*, 1985, pp. 773-800.

35. Fernand BRAUDEL, *La Dynamique du capitalisme*, Paris, Flammarion, 1985, p. 114. Ajoutons que nombre d'expériences malheureuses, dans les pays aujourd'hui en voie de développement, ont montré que la croissance d'une activité particulière, même spectaculaire, ne suffisait pas nécessairement à générer un développement réel et durable. Il n'y a donc pas, en la matière, de recette miracle.

36. Dans son *Slavery, Atlantic Trade and the British Economy, 1660-1800 (op. cit.)*, K. MORGAN consacre un chapitre (pp. 84-93) à l'échelle des ports anglais. C'est un effort qui mérite d'être salué.

37. Ce chiffre tient compte des expéditions négrières entreprises sous le Consulat, en 1802, ainsi que d'un certain nombre d'expéditions au temps de la traite illégale qui ne sont pas comptabilisées dans la base de données *The Trans-Atlantic Slave Trade. A Database on CD-Rom*, publiée à Cambridge en 1999 (1 684 voyages nantais recensés).

38. Olivier PÉTRÉ-GRENOUILLEAU, *L'Argent de la traite. Milieu négrier, capitalisme et développement : un modèle*, Paris, Aubier, 1997.

39. « Malgré la richesse créée par le sucre et les esclaves, écrit K. Morgan, la contribution des profits de la plantation à l'investissement industriel n'est pas claire. » Deux cas, seulement, méritent d'être cités. Celui des Pennant, qui investirent

dans des carrières d'ardoise dans le nord du pays de Galles, et celui des Fuller, qui « mirent une partie de leur capital » dans une usine sidérurgique et des fonderies de fusils dans le Sussex. « Dans les autres cas, le lien entre les profits du planteur et l'investissement industriel fut ténu [...]. Les attraits de la terre, des fonds d'État, des rentes et de la consommation ostentatoire semblent avoir été de plus importantes priorités, pour les planteurs des Indes occidentales, que les investissements industriels » *(Slavery, Atlantic Trade and the British Economy, 1660-1800, op. cit.,* pp. 53-54).

40. Pierre BOULLE, « Slave Trade, Commercial Organization and Industrial Growth in Eighteenth Century Nantes », *R.F.H.O.M.*, 214, 1972, pp. 70-112 ; « Marchandises de traite et développement industriel dans la France et l'Angleterre du XVIIIᵉ siècle », *R.F.H.O.M.*, 226-227, 1975, pp. 309-330.

41. Selon David ELTIS, 1 905 200 captifs ont été embarqués en Afrique entre 1751 et 1775 (« The Volume and Structure of the Transatlantic Slave Trade : a Reassessment », *The William and Mary Quarterly*, janvier 2001). Cela donne une moyenne de 76 208 captifs par an.

42. Voir Laird W. BERGAD, *Slavery and the Demographic and Economic History of Minas Gerais, Brazil, 1720-1788*, Cambridge, C.U.P., 1999. « La population esclave du Minas Gerais, écrit l'auteur, était principalement formée par reproduction naturelle au sein même de la province » (p. 112). « Vers le milieu des années 1790, le Minas Gerais comptait plus d'esclaves nés au Brésil que d'esclaves nés en Afrique » et la part des premiers « augmenta continuellement, même lorsque la traite en direction du Brésil fut la plus active, avant la fin du trafic d'esclaves, au début des années 1850 » (p. 218).

43. Il est normal, et récurrent dans l'histoire, de voir les membres d'une profession donnée exagérer de manière éhontée l'importance de leur activité, afin d'obtenir des avantages ou des protections de la part de l'État. David Eltis nous en donne un exemple : « En 1670, dans un pamphlet demandant la réduction des droits de douane sur le sucre, un auteur écrivit que, sans le commerce avec les plantations, "cette nation aurait totalement sombré". Les établissements aux Amériques n'auraient alors pas pu produire, au total, plus de 0,5 %

du produit national anglais » (David ELTIS, *The Rise of African Slavery in the Americas*, Cambridge, C.U.P., 2000, p. 263).

44. La première renvoie aux facteurs stimulant l'allocation de ressources utile aux phénomènes de croissance à court terme. La seconde concerne ceux capables d'induire un développement des forces productives et de tout l'environnement social et institutionnel indispensable à un développement autonome et durable (Douglas C. NORTH, *Institutions, Institutional Change and Economic Performance*, Cambridge, C.U.P., 1990).

45. Pieter C. EMMER et Olivier PÉTRÉ-GRENOUILLEAU (éd.), *A Deus Ex Machina Revisited. Atlantic Colonial Trade and European Economic Development, XVIIth-XIXth Centuries*, Boston, Brill, 2006.

46. D. ELTIS, *The Rise of African Slavery in the Americas, op. cit.*, p. 265.

47. Des armateurs d'une nation peuvent prospérer en transportant des marchandises achetées à l'étranger, ou bien en jouant un rôle d'intermédiaire dans un commerce se faisant sur des navires battant un autre pavillon, sans même parler de la contrebande. Ces exemples sont loin d'être anecdotiques à propos d'un négoce maritime fortement cosmopolite. Ils permettent de mesurer les limites de certaines statistiques officielles. De ce fait, un pavillon national peut être jugé en crise sans que cela se traduise par la ruine de ses armateurs, ou inversement. Pour prendre conscience de ce phénomène, on peut voir Olivier PÉTRÉ-GRENOUILLEAU, « Pouvoirs, systèmes de représentations et gestion des affaires maritimes : le cas du débat sur la crise de la marine marchande française, vers 1860-1914 », *in* Gérard LE BOUËDEC (éd.), *Pouvoirs et littoraux, XVᵉ-XXᵉ siècle*, Rennes, Presses universitaires de Rennes, 2000, pp. 409-427.

48. Les Indes occidentales absorbent seulement 5 % des exportations de l'Angleterre en 1700-1701 et 1750-1751. Il faut attendre 1772-1773 pour que leur part augmente de manière significative (12 %), et 1797-1798 pour qu'elles jouent véritablement un rôle important (25 %). Il en va de même pour la rubrique « Amérique du Nord » : 6-7 % jusqu'en 1730-1731, 11 % au milieu du siècle, 26 % en 1772-1773, 32 % ensuite (K. MORGAN, *Slavery, Atlantic Trade and the British Economy, 1660-1800, op. cit.*, p. 19).

49. Patrick O'BRIEN et Stanley L. ENGERMAN, « Exports and the Growth of the British Economy from the Glorious Revolution to the Peace of Amiens », *in* B. L. SOLOW (éd.), *Slavery and the Rise of the Atlantic System, op. cit.* ; R. P. THOMAS et D. N. MCCLOSKEY, « Overseas Trade and Empire, 1700-1860 », *in* R. C. FLOUD et D. N. MCCLOSKEY (éd.), *The Economic History of Britain since 1700*, vol. I, Cambridge, C.U.P., 1981.

50. D. ELTIS, *The Rise of African Slavery in the Americas, op. cit.*, p. 269.

51. Dans « Caribbean Slavery and British Growth : the Eric William Hypothesis », *Journal of Developmental Economics*, 1985, pp. 99-115.

52. D. ELTIS, *The Rise of African Slavery…, op. cit.*, p. 271.

53. *Ibid.*, pp. 266-267.

54. David RICHARDSON, « Slaves, Sugar and Growth », *in* Patrick MANNING (éd.), *Slave Trades, 1500-1800. Globalisation of Forced Labour*, Aldershot, Ashgate, 1996, pp. 332-333. C'est également, avec d'autres termes, ce qu'écrit K. Morgan : « il serait préférable d'analyser la croissance de la demande agrégée », à l'époque des débuts de l'industrialisation en Angleterre, comme le produit « d'une combinaison de facteurs internes et externes », au lieu de « recourir à la traditionnelle distinction entre demande interne et externe comme facteur déclencheur de développement économique » (John MCCUSKER et Kenneth MORGAN, éd., *The Early Modern Atlantic Economy*, Cambridge, C.U.P., 2000, p. 62).

55. « Marchandises de traite et développement industriel… », art. cité.

56. Voir l'article de F. CROUZET *in* P. EMMER et O. PÉTRÉ-GRENOUILLEAU, *A Deus Ex Machina Revisited…, op. cit.*

57. C'est du côté de la révolution capitaliste agraire, et non du côté de la révolution industrielle, pense Green-Pedersen, qu'il faudrait peut-être rechercher l'emploi des profits réalisés dans le commerce colonial. Sur le cas du Danemark, voir l'article de Dan ANDERSEN, *in* P. EMMER et O. PÉTRÉ-GRENOUILLEAU, *A Deus Ex Machina Revisited…, op. cit.*

58. Sur la filière sucre, voir Robert STEIN, *The French Sugar Business*, Madison, Wisconsin University Press, 1989.

59. Arthur YOUNG, *Voyages en France*, Paris, 1976, p. 917.

60. David Brion Davis, « Looking at Slavery from Broader Perspectives », *American Historical Review*, avril 2000, p. 460.

61. Immanuel Wallerstein, *Le Capitalisme historique*, Paris, Maspéro, 1985, pp. 15-16.

62. Joseph Alois Schumpeter, *Business Cycles, a Theorical, Historical and Statistical Analysis of the Capitalist Process*, New York, McGraw-Hill Book, 1939 (rééd. 1989) ; Werner Sombart, *Le Bourgeois. Contribution à l'histoire morale et intellectuelle de l'homme économique moderne*, Paris, Payot, 1966 (1ʳᵉ éd. 1923).

63. Londres, Verso, 1997. Les perspectives sont en effet faussées dès le départ par une démarche un peu dogmatique, entièrement rivée à la doctrine marxiste qu'elles semblent avoir pour objectif de réifier. Au-delà même de la notion aujourd'hui relativement dépassée d'« accumulation primitive », l'auteur est conduit à additionner des choses différentes comme le commerce avec l'Afrique et celui vers les treize colonies d'Amérique. Les chiffres auxquels on aboutit sont mathématiquement exacts, mais on se trompe évidemment beaucoup sur le rôle véritablement joué par chacun des éléments ainsi juxtaposés.

64. Voir p. 408. n. 31.

65. K. Morgan, *Slavery, Atlantic Trade and the British Economy, 1660-1800, op. cit.*, pp. 75-84. Ces idées sont également développées dans le très intéressant recueil d'articles de J. McCusker et K. Morgan (éd.), *The Early Modern Atlantic Economy, op. cit.*

66. Et non « précéda », c'est nous qui soulignons.

67. K. Morgan, *Slavery, Atlantic Trade and the British Economy, 1660-1800, op. cit.*, p. 74. Il ajoute que les assurances maritimes et le commerce international se renforçaient mutuellement *(ibid.*, p. 76).

68. Olivier Pétré-Grenouilleau, *Les Négoces maritimes français, XVIIᵉ-XIXᵉ siècle* (Paris, Belin, 1997), pp. 54-73.

69. D. Eltis, *The Rise of African Slavery in the Americas, op. cit.*, p. 30.

70. Sur tous les points abordés dans ce paragraphe, voir O. Pétré-Grenouilleau, « Colonial Trade and Economic Development in France, Seventeenth-Nineteenth Centuries », *in* P. Emmer, O. Pétré-Grenouilleau, *A Deus Ex Machina Revisited…, op. cit.*

71. Depuis le tout début des aventures portugaises sur l'Atlantique, écrit-il, le commerce des esclaves fut souvent perçu comme une « cible », une opportunité pour des marchands de Lisbonne par ailleurs « incapables de tenir la compétition avec les principaux groupes de négociants de la ville ». « La position périphérique », d'un point de vue économique, de la plupart des ports de traite d'Europe et des Amériques « suggère que les Portugais ne furent pas les seuls négriers qui allèrent en Afrique pour cause de faiblesse plutôt que de force ». Et, plus loin : « Pour Cain et Hopkins, qui passent en revue la *longue durée* de l'expansion impériale britannique », celle-ci fut, « depuis la moitié du XVIIIe siècle jusqu'à la Première Guerre mondiale, à maintes reprises initiée par des groupes perdant en métropole » (Joseph C. MILLER, « A Marginal Institution on the Margin of the Atlantic System : the Portuguese Southern Atlantic Slave Trade in the Eighteenth Century », *in* P. MANNING (éd.), *Slave Trades, 1500-1800..., op. cit.*, pp. 219, 242). Maintenant, on peut considérer que ce phénomène a pu avoir eu deux conséquences. Il a pu permettre à ces groupes de se maintenir, ce qui est positif, pour eux. À une autre échelle, ce maintien a pu freiner un processus nécessaire de modernisation et d'adaptation à la concurrence internationale.

72. Norbert ELIAS, *La Civilisation des mœurs*, Paris, Calmann-Lévy, 1973. N. Elias applique ce processus à la société européenne et aux pouvoirs s'exerçant sur elle. Il serait intéressant de l'étendre également à l'économie.

73. « De grandissantes facilités afin de financer la croissance permettaient de commercer à crédit en Afrique et de vendre des esclaves en Amérique des mois et des années avant leur paiement en Europe » (J. C. MILLER, « A Marginal Institution... », art. cité, p. 237).

74. « L'esclavage brésilien, en tant que système de travail ainsi que dans ses aspects commerciaux, présentait [...] l'avantage d'un faible coût de maintenance en termes de liquidités. » Les plantations brésiliennes produisaient directement la nourriture dont elles avaient besoin, ou bien l'achetaient par le biais d'un échange direct de services ou d'articles américains obtenus sans que des espèces monétaires ne circulent. De ce fait, « elles ne requéraient que de mo-

destes engagements de liquidités, à la portée même d'un homme au bord de la banqueroute », pour produire du sucre ou d'autres produits « valant du liquide » (*ibid.*, p. 239).

75. *Ibid.*, p. 243.

76. Voir P. EMMER et O. PÉTRÉ-GRENOUILLEAU (éd.), *A Deus Ex Machina Revisited...*, *op. cit.*, introduction et dernière partie.

77. D'après D. ELTIS, « The Volume and Structure of the Transatlantic Slave Trade : a Reassessment », art. cité.

78. Robert William FOGEL, *Without Consent or Contract : the Rise and Fall of American Slavery*, New York, William and Norton Company, 1989.

79. W. KLOOSTER (*Illicit Riches. Dutch Trades in the Caribbean, 1648-1795*, Leyde, Kitlv Press, 1998) montre ainsi que la contrebande liant le Venezuela à l'île de Curaçao profite à une population très variée, composée de marchands, de personnes tirant avantage de l'absentéisme des colons pour détourner une partie des récoltes ou bien encore d'esclaves travaillant sur leurs propres lopins et allant vendre des marchandises de plantation en plantation.

80. Voir aussi *supra*, chapitre I, pp. 55-68.

81. Seymour DRESCHER, *Econocide. British Slavery in the Era of Abolition*, Pittsburgh, Pittsburgh University Press, 1977, et *The Mighty Experiment*, New York, Oxford University Press, 2002 ; Robert William FOGEL et Stanley L. ENGERMAN, *Time on the Cross : the Economics of American Negro Slavery*, Boston, Little Brown, 1974 ; R. W. FOGEL, *Without Consent or Contract...*, *op. cit.*

82. R. W. FOGEL, *Without Consent or Contract...*, *op. cit.*, p. 25.

83. « Notre société commerciale et industrielle a sa plaie comme toutes les autres sociétés ; cette plaie, ce sont les ouvriers. Point de fabrique sans ouvriers, et avec une population d'ouvriers toujours croissante et toujours nécessiteuse, point de repos pour la société [...]. Chaque fabricant vit dans sa fabrique comme des planteurs des colonies au milieu des esclaves, un contre cent [...]. Les barbares qui menacent la société ne sont point dans le Caucase ni dans les steppes de la Tartarie : ils sont dans les faubourgs de nos villes manufacturières », *Journal des débats*, 8 décembre 1831. Cette déclaration

à l'Assemblée intervient après le déclenchement de la première grande révolte ouvrière en France, celle des canuts de Lyon.

84. Entre autres, parmi de multiples exemples, voir Rolande Trempé, *Les Mineurs de Carmaux, 1848-1914*, Paris, Éditions ouvrières, 1971.

85. David Turley, *Slavery*, Oxford, Blackwell Publishers, 2000, pp. 96-97.

86. « Logique » ou « logiques » ? Trop peu d'études ont été consacrées aux planteurs eux-mêmes et à leurs mentalités. Or elles seraient bien utiles pour essayer de mieux cerner la nature de leurs logiques économiques. Sur cette question voir Robert Forster, « Three Slaveholders in the Antilles : Saint-Domingue, Martinique, Jamaica », *Journal of Caribbean History*, 2002, pp. 1-32.

87. R. W. Fogel, *Without Consent or Contract...*, *op. cit.*, p. 29.

88. P. D. Curtin, *The Rise and Fall of the Plantation Complex...*, *op. cit.*

89. Elizabeth Fox-Genovese et Eugene D. Genovese, *Fruits of Merchant Capital : Slavery and Bourgeois Property in the Rise and Expansion of Capitalism*, New York, Oxford University Press, 1983, p. 5.

90. Dans le premier chapitre, on a fait état d'un débat apparemment semblable mais aux implications différentes : le choix de la main-d'œuvre africaine était-il, du point de vue de l'Europe, la meilleure solution économique pour la mise en valeur du Nouveau Monde ?

91. L'auteur ajoute que « l'esclavage ne fut pas essentiel au développement de la production primaire dans les Amériques » et qu'il « a même pu ralentir le développement économique de ces régions, sur la longue durée » (« The Dynamics of the African Slave Trade », *Africa*, 64, 2, 1994, p. 286). Dans un même ordre d'idée, S. Engerman et K. Sokoloff indiquent que l'esclavage permit dans une certaine mesure d'impulser la mise en valeur de l'Amérique, mais que le système n'était guère favorable à l'adoption du progrès technologique et que, de ce fait, sur la longue durée, il fut sans doute dommageable à son économie (« Factors Endowments, Institutions and Differential Paths of Growth among New World Economies », *National Bureau of Economic Research Inc.*, Historical Paper,

1994). Il faut donc sans aucun doute distinguer deux choses : la phase de démarrage d'une économie de plantation efficace (après que ses fondements ont été mis en place par les engagés blancs) ; la question des effets induits par l'essor de ce type d'économie. La première fut indéniablement favorisée par l'esclavage. La seconde est plus controversée.

92. Citée p. 72, n. 62. Voir également les judicieuses remarques de J. C. MILLER, « A Marginal Institution... », art. cité, pp. 216-227.

93. Ces revenus provenaient des droits frappant les exportations à partir des sites africains, des droits d'entrée dans les ports brésiliens, ainsi que de multiples taxes incluses dans le prix des esclaves. « Vers 1630, un esclave conduit au Brésil était accablé de tributs correspondant à 20 % de son prix, et vers l'Amérique espagnole de taxes correspondant à 66 % de son prix en Angola. Après 1714, le transport intérieur des esclaves vers les régions minières brésiliennes fut également fiscalisé, et, en 1809, une taxe de 5 % fut levée sur l'achat d'esclaves à travers le territoire brésilien » (Luis Felipe DE ALENCASTRO, « The Apprenticeship of Colonization », *in* P. MANNING [éd.], *Slave Trades, 1500-1800, op. cit.*, p. 172).

94. William Gervase CLARENCE-SMITH, « La traite portugaise et espagnole en Afrique au XIXe siècle », *in* Serge DAGET (éd.), *De la traite à l'esclavage*, Actes du colloque international sur la traite des Noirs, Nantes, 1985, Nantes/C.R.H.M.A., Paris/S.F.H.O.M., 1988, t. II, pp. 425-434. Selon L. A. Alverey, l'essor de la traite cubaine, au XIXe siècle, aurait joué un rôle non négligeable dans la formation du capital industriel en Espagne (« Comercio exterior y formación de capital financiero : el tráfico de negros hispano-cubano, 1821-1868 », *Anuario de Estudios Americanos*. 51, 1994, pp. 75-92).

95. Sur ce point, ainsi que sur la situation du monde insulaire, une solide vue d'ensemble est fournie par Herbert S. KLEIN, *The Middle Passage*, Princeton University Press, 1978. Voir également Stanley ENGERMAN et Robert L. PAQUETTE (éd.), *The Lesser Antilles in the Age of European Expansion*, Gainesville, 1996.

96. Dans sa thèse, *Le Commerce des vivants. Traite d'esclaves et pax lusitania dans l'Atlantique Sud, op. cit.*

97. R.W. FOGEL et S. L. ENGERMAN, *Time on the Cross..., op.*

cit. Mark M. SMITH, *Debating Slavery. Economy and Society in the Antebellum American South*, Cambridge, C.U.P., 1998. Il s'inspire de la distinction opérée notamment par Harold Woodman, entre l'esclavage perçu comme un commerce et l'esclavage appréhendé comme un système (« The Profitability of Slavery : A Historical Perennial », *Journal of Southern History*, 29, 1963, pp. 303-325). Sur cette distinction, voir aussi Ulrich B. PHILIPS, « The Origin and Growth of the South Black Belts », *American Historical Review*, 11, 1906, pp. 798-816.

98. Sidney MINTZ (éd.), *Esclave = facteur de production*, Paris, Dunod, 1981, p. 197.

99. Peter KOLCHIN, *American Slavery, 1619-1877*, New York, Hill and Wang, 1993, p. 170.

100. Joseph E. INIKORI, « The Slave Trade and the Atlantic Economies, 1451-1870 », in *The African Slave Trade from the Fifteenth to the Nineteenth Century* (collectif), Paris, Unesco, 1979.

101. Il est vrai, selon P. Kolchin *(American Slavery, 1619-1877, op. cit.)*, que c'est surtout dans le Sud que l'agriculture commerciale apparut d'abord et qu'elle y fut la plus puissante. Mais ·il est également vrai que, pouvant contribuer à ouvrir de nouveaux horizons et à reformuler certains questionnements, l'histoire contre-factuelle ne peut que difficilement cautionner ce qui ne reste, finalement, que des hypothèses de travail.

102. Il est notamment vrai que, les questions de rentabilité mises à part, la plupart des historiens sont aujourd'hui d'accord sur l'idée selon laquelle le système de la plantation était central pour l'économie et l'« identité sociale » du Vieux Sud. Mais Smith est sans doute trop optimiste.

LA TRAITE DANS L'HISTOIRE DE L'AFRIQUE ET DU MONDE MUSULMAN

1. David ELTIS, « The Volume and Structure of the Transatlantic Slave Trade : a Reassessment », *The William and Mary Quarterly*, janvier 2001.

2. Ce chiffre, comme les précédents, a été calculé à partir des données publiées par Eltis en 2001 (voir art. cité. p. 454, n. 1).

3. D'après Dennis CORDELL, « Population and Demographic Dynamics in Sub-Saharan Africa in the Second Millenium », article inédit présenté au cours d'un séminaire sur l'histoire de la population mondiale, à Florence, en juin 2001. Nous remercions D. Cordell de nous avoir communiqué cet article. Dans le détail : Afrique occidentale 25,8 millions d'habitants, Afrique centrale 10,3, Afrique australe 3,5, Afrique orientale 32,7.

4. Dans son article « Traite et esclavage dans le contexte historique de l'Afrique occidentale » paru en 1969 dans le *Journal of African History* et repris en 1981 dans Sidney MINTZ, *Esclave = facteur de production*, *op. cit.*

5. Ce que confirment les données publiées par Eltis en 2001. Au plus haut niveau de son activité négrière, entre 1751 et 1775, la région de la Côte-de-l'Or n'exporta que 264 100 captifs, soit en moyenne 10 560 par an.

6. Joseph MILLER, *Way of Death. Merchant Capitalism and the Angolan Slave Trade, 1730-1830*, Londres, James Currey, 1989 ; Philip CURTIN, *The Rise and Fall of the Plantation Complex. Essays in Atlantic History*, Cambridge, C.U.P., 1998, p. 128 ; David GEGGUS, « Sexe Ratio and Ethnicity : a Reply to Paul E. Lovejoy », *Journal of African History*, 30, 1989, pp. 395-397, ici p. 397 ; Patrick MANNING, *Slavery and African Life : Occidental, Oriental and African Slave Trades*, Cambridge, C.U.P., 1990, p. 136 ; Paul LOVEJOY, « Islam, Slavery and Political Transformation », *in* Olivier PÉTRÉ-GRE-NOUILLEAU (éd.), *Traites et esclavages : vieilles questions, nouvelles perspectives ?*, numéro spécial de *R.F.H.O.M.*, décembre 2002, p. 260.

7. « Sur la base de mes données, il apparaît que 95 % des esclaves du Soudan central (Afrique occidentale) qui furent déportés aux Amériques dans la première moitié du XIXᵉ siècle étaient de jeunes adultes, mâles ; la plupart étaient dotés d'une expérience militaire et, de fait, étaient prisonniers de guerre [...]. À partir de ces relevés, le djihad de Ousman dan Fodio apparaît comme le facteur principal de l'exportation des esclaves vers les Amériques » (Paul LOVEJOY, « The Afri-

can Diaspora : Revisionist Interpretation of Ethnicity, Culture and Religion under Slavery », *Studies in the World History of Slavery, Abolition and Emancipation*, II, 1, 1997 ; revue disponible sur Internet).

8. David RICHARDSON, « Shipboard Revolts, African Authority, and the Atlantic Slave Trade », *The William and Mary Quarterly*, janvier 2001 ; Walter RODNEY, *History of the Upper Guinea Coast, 1545 to 1800*, Oxford, Clarendon Press, 1970 ; Boubacar BARRY, *Senegambia and the Atlantic Slave Trade*, Cambridge, C.U.P., 1998.

9. P. MANNING, *Slavery and African Life...*, *op. cit.*, p. 55. « L'exception à cette conclusion [...] vient avec les grands harems de centaines de femmes », mais « ce facteur fut de peu d'importance dans l'ensemble » *(ibid.*, p. 56). Même remarque chez Thornton : « Du fait de l'institution établie de la polygamie, un nombre de femmes très peu réduit était à même de contrebalancer une partie des pertes de la traite par la poursuite de la reproduction » (« Sexual Demography : The Impact of the Slave Trade on Family Structure », *in* Patrick MANNING [éd.], *Slave Trades, 1500-1800. Globalization of Forced Labour*, Aldershot, Ashgate, 1996, p. 133).

10. *Way of Death...*, *op. cit.*

11. D'après Philip CURTIN, *Africa Remembered : Narratives of West Africans from the Era of the Slave Trade*, Madison, Wisconsin University Press, 1967, pp. 60-98, 199-216.

12. « Si l'on estime qu'un départ effectif d'esclave représentait au moins deux et peut-être cinq disparitions réelles » (Catherine COQUERY-VIDROVITCH, *Afrique noire, permanences et ruptures*, Paris, L'Harmattan, 1985, p. 35).

13. Hubert DESCHAMPS, *Histoire de la traite des Noirs, de l'Antiquité à nos jours*, Paris, Fayard, 1970, pp. 308-309.

14. On trouvera une description saisissante de cette marche vers la côte dans J. MILLER, *Way of Death...*, *op. cit.*, pp. 3-39.

15. P. MANNING, *Slavery and African Life...*, *op. cit.*, p. 58. Plus généralement, Manning estime que pour environ neuf millions de captifs débarqués dans le Nouveau Monde, vingt et un ont été capturés en Afrique (parmi lesquels sept millions seraient devenus esclaves en Afrique même, tandis que cinq millions seraient morts dans l'année suivant leur capture).

16. En 1982, Joseph INIKORI(*Forced Migration : the Impact of the Export Slave Trade on African Societies*, Londres, Hutchinson University Library for Africa, 1982) estimait la ponction exercée par la traite atlantique à 112 millions de personnes. Il tenait compte, dans ce total, des conséquences des diverses calamités naturelles.

17. « De telles augmentations de naissances [...] semblent résulter moins de décisions conscientes afin de remplacer les enfants perdus que de la fin de l'aménorrhée post-partum. En fait, la menstruation de la mère reprend dès que son enfant meurt et que l'allaitement s'achève, et elle peut être de nouveau enceinte. Ce type de remplacement des enfants perdus ne peut, de ce fait, s'appliquer aux enfants plus âgés réduits en esclavage. Continuer à allaiter les enfants jusqu'à un âge avancé semble ainsi avoir été pour les femmes le principal moyen de réduire la fertilité » (P. MANNING, *Slavery and African Life...*, *op. cit.*, p. 55).

18. Ce qui n'est pas sûr, et n'était en tout cas pas l'avis de François Renault, qui notait que les expéditions de traite dans l'Afrique centrale du XIXe siècle furent la cause d'une « dépopulation » s'expliquant par « la perte de vies humaines et la famine » provoquées « par la destruction et le pillage des greniers et les réductions en esclavage » (« The Structures of the Slave Trade in Central Africa in the 19th Century », *Slavery and Abolition*, 3, 1988, pp. 146-165, ici p. 150 [ce numéro spécial de *Slavery and Abolition* a ensuite fait l'objet d'un livre : William Gervase CLARENCE-SMITH, *The Economics of the Indian Ocean Slave Trade in the Nineteenth Century*, Londres, Frank Cass, 1989]).

19. *Slavery and African Life...*, *op. cit.*, p. 82. Notons que s'arrêter au milieu du XIXe siècle conduit à ne pas prendre en considération la période sans doute la plus intensive de toute l'histoire de la traite négrière dans les régions de l'Afrique orientale. Commentant les simulations informatiques de Manning, François Renault notait par ailleurs certaines erreurs. Dans le cas de la Tanzanie, le graphique de Manning « montre une chute de population concomitante à de grosses exportations d'esclaves. En fait, dans la Tanzanie continentale, les prises se réduisaient à quelques kidnappings. Ce territoire était une zone de transit d'esclaves, non de rafles : on

ne voit donc pas comment la traite aurait pu causer une chute démographique [...]. L'auteur, en revanche, n'évoque pas les régions [...] s'étendant du lac Nyassa au lac Tanganyika méridional, où s'opérèrent des razzias considérables » *(R.F.H.O.M.*, 292, 1991, pp. 414-415).

20. P. Manning, *Slavery and African Life...*, *op. cit.*, pp. 84, 85.

21. Voir notamment son *Forced Migration...*, *op. cit.*

22. D. Cordell, « Population and Demographic Dynamics in Sub-Saharian Africa in the Second Millenium », art. cité (inédit ; quelques graphiques, réalisés à partir de ses données, ont été édités dans Olivier Pétré-Grenouilleau, *Les Traites négrières*, « Documentation photographique », n° 8032, Paris, La Documentation française, 2003, pp. 56-57).

23. Rappelons ici que l'ancien régime démographique se caractérise par un fort taux de natalité et de mortalité, et donc un faible et lent accroissement naturel. Le régime dit « moderne » correspond à un faible taux de natalité et de mortalité, et donc à un accroissement naturel également faible et lent. Entre les deux systèmes figure ce que l'on appelle la transition démographique, lorsque le taux de mortalité diminue alors que le taux de natalité continue à être fort. L'accroissement naturel est donc important et rapide. Toutes les régions du globe sont passées ou vont passer par ces trois phases successives.

24. Étudiant les recensements angolais des années 1770, Thornton arrive à une première conclusion : le nombre des hommes adultes serait globalement inférieur de moitié à celui des femmes adultes. En second lieu, il indique que ces femmes nombreuses auraient eu assez d'enfants pour que la population angolaise continue d'augmenter, malgré une traite intensive (« The Slave Trade in Eighteenth Century Angola : Effects of Demographic Structures », *Revue canadienne des études africaines*, 1981, vol. 14, pp. 412-427).

25. John Thornton, « Sexual Demography : the Impact of the Slave Trade on Family Structure », *in* P. Manning (éd.), *Slave Trades, 1500-1800...*, *op. cit.*, pp. 134-135.

26. Claude Meillassoux, *Women and Slavery in Africa*, Madison, Robertson and Klein, 1983 ; Robert Harms, *River of Wealth, River of Sorrow : the Central Zaire Basin in the Era of*

the Slave Trade and the Ivory Trade, 1500-1891, New Haven, Yale University Press, 1981.

27. « Pour l'Afrique, nous présumons que la fertilité des esclaves a pu être plus basse que celle des personnes libres, mais nous n'avons pas de preuves que l'effet fut important » *(Slavery and African Life..., op. cit.,* p. 58).

28. Walter RODNEY, « African Slavery and Other Forms of Social Oppression on the Upper Guinea Coast in the Context of the Atlantic Slave Trade », *Journal of African History*, 7, 1966, pp. 431-443.

29. William Gervase CLARENCE-SMITH, « The Dynamics of the African Slave Trade », *Africa*, 64, 2, 1994, p. 282.

30. Le fossé entre l'Europe et l'Afrique noire augmenta ainsi considérablement au cours du XVIIIe siècle, le ratio passant de 1,6 à 2,2. Mais nous comparons ainsi le continent européen dans son ensemble avec la seule partie subsaharienne de l'Afrique. Ajoutons que, en Europe, à part l'Angleterre et les Pays-Bas, les pays connaissant le plus important accroissement de leur population sont alors les États de l'Est, les moins avancés d'un point de vue économique. Quant aux populations de la France et de l'Espagne, elles n'augmentèrent que très lentement au cours du siècle.

31. Commentaires de Fernand BRAUDEL *(Civilisation matérielle économie et capitalisme, XVe-XVIIIe siècle*, Paris, Le Livre de poche, coll. « Références » [1re éd. Paris, Armand Colin, 1979], p. 407) à propos du livre de Jean-Claude PERROT, *Genèse d'une ville moderne. Caen au XVIIIe siècle*, Paris, La Haye, Mouton, 1975.

32. Ester BOSERUP, *Population and Technological Change : a Study of Long-Term Trends*, Chicago, University of Wisconsin Press, 1981. Cette théorie a été utilisée par A. Mahadi et J. Inikori afin d'indiquer que le sous-peuplement de l'Ouest africain sapa sa croissance économique (« Population and Capitalist Development in Precolonial West Africa : Kasar Kano in the Nineteenth Century », *in* Dennis CORDELL et Joel W. GREGORY (éd.), *African Population and Capitalism : Historical Perspectives*, Madison, University of Wisconsin Press, 1994, pp. 62-73).

33. Pour une revue des nombreuses sources possibles du développement économique sur lesquelles les historiens ont

insisté, voir Patrick O'Brien, « A Critical Review of a Tradition of Meta-Narratives from A. Smith to K. Pomeranz », *in* Pieter Emmer et Olivier Pétré-Grenouilleau, *A Deus Ex Machina Revisited..., op. cit.*

34. Patrick Manning, « A Demographic Model of African Slavery », *African Demographic History*, Édimbourg, 1981, pp. 371-384.

35. « Un tel travail fut comme d'habitude théorique, sans connecter le modèle avec une quelconque guerre réelle, même à titre d'exemple ou de source d'information », écrit John Thornton (*Warfare in Atlantic Africa, 1500-1800*, Londres, UCL Press, 1999).

36. Certaines remarques de Miller vont dans ce sens, notamment lorsqu'il indique que l'impact démographique le plus important de la traite survint dans les régions frontalières, mais qu'une fois passées sous la domination des États négriers ces régions eurent tendance à retrouver une croissance démographique (*Way of Death..., op. cit.*).

37. La charrue a gagné l'Éthiopie, et elle n'était pas inconnue en Afrique occidentale. Comme l'indique Bouda Etemad, la non-utilisation de la charrue s'explique par son inadaptation : « dans la zone de savane, elle accélère l'érosion des sols. En zone forestière, la mouche tsé-tsé décime les animaux de trait. Partout, son coût d'acquisition est souvent supérieur aux gains attendus » (*De l'utilité des empires, op. cit.*).

38. D'autres facteurs ont évidemment pu jouer. Jan Vansina (*Paths in the Rain Forests*, Madison, University of Wisconsin Press, 1992) indique, par exemple, que les habitants des forêts équatoriales auraient eu tendance à restreindre les mariages afin de continuer à vivre dans les zones à faible densité démographique.

39. À ce sujet, voir le cas analysé par Claude Hélène Perrot, *Les Anyi-Ndenye et le pouvoir aux XVIIIᵉ et XIXᵉ siècles*, Paris, Publications de la Sorbonne, Abidjan, CEDA, 1982.

40. Sur la question, voir Robin Law, *The Horse in West African History*, Oxford, Oxford University Press, 1980, et « Horses, Firearms and Political Power in Pre-Colonial West Africa », *Past and Present*, 72, 1976, pp. 112-132.

41. Kwame Yeboa Daaku, *Trade and Politics on the Gold Coast, 1600-1720*, Oxford, Oxford University Press, 1971 ;

Emmanuel TERRAY, *Une histoire du royaume abron du Gyanam. Des origines à la conquête coloniale*, Paris, Karthala, 1995.

42. Voir notamment Jean BAZIN et Emmanuel TERRAY, *Guerres de lignages et guerres d'États en Afrique*, Paris, Archives contemporaines, 1982.

43. Philip D. CURTIN, *Economic Change in Precolonial Africa : Senegambia in the Era of the Slave Trade*, Madison, University of Wisconsin Press, 1975.

44. John THORNTON, *Africa and Africans in the Making of the Atlantic World*, Cambridge, C.U.P., 1992, p. 125.

45. J. THORNTON, *Warfare in Atlantic Africa, 1500-1800, op. cit.*, pp. 150, 2, 15, 8.

46. Ce qui explique le choix de l'espace étudié (l'Afrique atlantique est celle qui fut directement en contact avec les négriers blancs) et le titre du dernier chapitre, lequel apparaît comme l'aboutissement logique des premiers : « War, Slavery and Revolt : African Slaves and Soldiers in the Atlantic World ».

47. *Warfare in Atlantic Africa, 1500-1800, op. cit.*, p. 139.

48. *Ibid.*, pp. 150-151 (c'est nous qui soulignons).

49. Joseph E. INIKORI, « The Import of Firearms into West Africa, 1750-1807 : a Quantitative Analysis », *Journal of African History*, 18, 3, 1977, pp. 339-368 ; W.A. RICHARDS, « The Import of Firearms into West Africa in the Eighteenth Century », *Journal of African History*, 21, 1980, pp. 43-59.

50. Voir les développements consacrés au commerce des armes à feu en Afrique noire, in *Journal of African History*, XII, 2, 1971, pp. 170-338, et XII, 4, 1971, pp. 517-577.

51. David ELTIS, Lawrence JENNINGS, « Trade between Western Africa and the Atlantic World in the Pre-Colonial Era », *American Historical Review*, 1988, pp. 936-959, ici p. 954.

52. Catherine COQUERY-VIDROVITCH et Henri MONIOT, *L'Afrique noire de 1800 à nos jours*, Paris, P.U.F., 1992, p. 327.

53. Sur le rôle et l'importance du rhum, on lira avec profit *Enslaving Spirits : the Portuguese-Brazilian Alcohol Trade at Luanda and its Hinterland, c. 1550-1830*, Leyde et Boston, Brill Academic, 2004.

54. Analysant la région de la Guinée-Bissau, Hawthorne note que l'importation de fer y était, pour les sociétés « sans État », de la plus haute importance. Elles pouvaient forger

des outils nécessaires à la production agricole et des armes. Pour l'auteur, c'est afin de se procurer du fer, rare dans la région, que certaines populations auraient été tentées de fournir plus d'esclaves aux négriers occidentaux (W. Hawthorne, « The Production of Slaves Where There Was no State : the Guinea-Bissau Region, 1450-1815 », *Slavery and Abolition*, 2, 1999, pp. 97-124).

55. Paul Lovejoy, *Transformations in Slavery*, Cambridge, C.U.P., 2000, p. 110.

56. Dans le même ordre d'idées, oubliant que l'Afrique du Nord organisa la traite et n'en fut pas la victime, Ali Mazrui indique que, « n'ayant pas été décimée par la traite », elle ne pourrait prétendre qu'à des réparations inférieures à celles des actuels pays d'Afrique noire (« Le monde noir mérite-t-il des réparations ? », *Afrique 2000*, 15, novembre 1993, p. 101).

57. P. Manning, *Slavery and African Life…, op. cit.*, p. 100.

58. Sur la question, voir Jan S. Hogendorn et Marion Johnson, *The Shell Money of the Slave Trade*, Cambridge, C.U.P., 1986, ainsi que la thèse de doctorat d'État (inédite) de l'historien béninois Félix Iroko.

59. P. Manning, *Slavery and African Life…, op. cit.*, p. 101.

60. *Slavery and African Life…, op. cit.*, p. 101.

61. Certains de ces hommes du commun pouvaient vendre un ou deux esclaves pour leur propre compte, d'autres achetaient des produits d'importation avec ce qu'ils avaient acquis par ailleurs *(ibid.)*.

62. Le cas de la Côte-de-l'Or, développé par P. Manning, ne va pas sans rappeler celui de l'Espagne dont l'économie ne se développa guère aux XVIe et XVIIe siècles, malgré des arrivées massives de métaux précieux en provenance des Amériques. À partir du XVe siècle, écrit-il, la Côte-de-l'Or a été le principal centre d'intérêt des Européens en Afrique, du fait de l'importance de ses mines d'or. « Aussi tard qu'en 1700, les exportations d'or de cette région surpassaient [encore], en valeur, celles de l'ensemble du commerce atlantique en esclaves. » Mais, vers 1730, la Côte-de-l'Or exportait des esclaves et importait de l'or. « Les esclaves qui exploitaient auparavant l'or étaient dorénavant vendus à l'étranger, l'extraction aurifère déclina, du fait que sa rentabilité était dépassée par celle du

commerce en esclaves, et la source de profit devint extérieure plutôt qu'interne » *(ibid.*, p. 133).

63. Dominique JUHÉ-BEAULATON, « La diffusion du maïs sur les côtes de l'Or et des Esclaves aux XVIIᵉ et XVIIIᵉ siècles », *R.F.H.O.M.*, 1990, pp. 177-198.

64. E. TERRAY, *Une histoire du royaume abron du Gyanam...*, *op. cit.*

65. D. ELTIS et L. JENNINGS, « Trade between Western Africa and the Atlantic World in the Pre-Colonial Era », art. cité, p. 957. Les auteurs notent que les produits importés purent avoir un impact non négligeable dans certaines « enclaves commerçantes », ainsi que dans la Sénégambie étudiée par Curtin, mais ils ajoutent qu'une révision à la hausse du degré de réceptivité de la Sénégambie (ou de n'importe quelle autre région) aux produits occidentaux « signifierait qu'en termes quantitatifs le reste de l'Afrique occidentale aurait été très peu affecté par le commerce outre-mer » *(ibid.*, pp. 958-959).

66. Claude MEILLASSOUX, *L'Esclavage en Afrique précoloniale*, Paris, Maspero, 1975, et *Anthropologie de l'esclavage. Le ventre de fer et d'argent*, Paris, P.U.F., 1986 ; C. COQUERY-VIDROVITCH et H. MONIOT, *L'Afrique noire de 1800 à nos jours*, *op. cit.*

67. Phyllis M. MARTIN, « The Trade of Loango in the Seventeenth and Eighteenth Centuries », *in* Richard GRAY et David BIRMINGHAM (éd.), *Pre-Colonial African Trade. Essays on Trade in Central and Eastern Africa before 1900*, Oxford, Oxford University Press, 1970, p. 140.

68. David NORTHRUP, *Trade without Rulers. Pre-Colonial Economic Development in South Eastern Nigeria*, Oxford, Clarendon Press, 1978, p. 225.

69. Olivier PÉTRÉ-GRENOUILLEAU, « Long-Distance Trade and Economic Development in Europe and Black Africa (Mid-Fifteenth Century to Nineteenth Century) : Some Pointers for Further Comparative Studies », *African Economic History*, 29, 2001, pp. 163-196.

70. Ces phases sont celles de « l'échange immédiat » (lorsque le commerce à longue distance se justifie par le désir d'acquérir des produits spécifiques, nécessaires, sans référence à la rentabilité même de l'échange), de l'échange mo-

tivé par le profit (qui se caractérise par un échange de « valeurs » et non par la recherche d'une utilité particulière), et enfin du moment où le profit manufacturier devient un caractère du commerce (les produits acquis sont utilisés dans la production de marchandises exportées, les profits réalisés servant à entretenir le système). D'après Claude MEILLASSOUX, *The Development of Indigenous Trade and Markets in West Africa*, Londres, Oxford University Press, 1971, pp. 68-69.

71. Voir notamment E. EVANS et D. RICHARDSON, « Hunting for Rents : the Economics of Slaving in Pre-Colonial Africa », *Economic History Review*, 4, 1995, pp. 665-686, ici pp. 682-684.

72. P. CURTIN, *Economic Change in Precolonial Africa : Senegambia in the Era of Slave Trade, op. cit. ; The Rise and Fall of the Plantation Complex…, op. cit.*

73. D. ELTIS et L. JENNINGS, « Trade between Western Africa and the Atlantic World in the Pre-Colonial Era », art. cité, pp. 947, 949, 952.

74. P. LOVEJOY, « The Impact of the Atlantic Slave Trade on Africa : A Review of the Literature », *Journal of African History*, 30, 1989, pp. 365-394, ici p. 392. Voir aussi P. MANNING, *Slavery and African Life…, op. cit. ;* Martin KLEIN, *Slavery and Colonial Ride in French West Africa*, Cambridge, C.U.P., 1998 ; Jan HOGENDORN et Paul LOVEJOY, *Slow Death for Slavery. The Course of Abolition in Northern Nigeria, 1897-1936*, Cambridge, C.U.P., 1993.

75. Paul LOVEJOY, « Miller's Vision of Meillassoux », *International Journal of African Historical Studies*, 24, 1, 1991, pp. 133-145, ici p. 143.

76. La « thèse transformiste » (la sienne), écrit Lovejoy, revient à soutenir que « la traite externe, notamment le secteur atlantique mais également le marché islamique, modela esclavage et société en Afrique, et que les facteurs internes conduisirent à intensifier l'esclavage lorsque le marché externe se contracta » (« The Impact of the Atlantic Slave Trade on Africa… », art. cité, p. 390).

77. « La traite africaine existait à une petite échelle depuis les temps anciens, mais elle se développa en réponse aux traites orientales, et surtout occidentales. » « Quoique largement répandu », l'esclavage fut loin de dominer la vie quotidienne

de l'Africain moyen (P. Manning, *Slavery and African Life...*, *op. cit.*, pp. 12, 126).

78. Igor Kopytoff et Suzanne Miers (éd.), *Slavery in Africa : Historical and Anthropological Perspectives*, Madison, University of Wisconsin Press, 1977.

79. P. Lovejoy « Miller's Vision of Meillassoux », art. cité, pp. 133, 138.

80. Frederick Cooper, « The Problem of Slavery in African Studies », *Journal of African History*, 20, 1, 1979, pp. 103-125, ici p. 104.

81. *Servitude in Modern Times*, Cambridge, Polity Press, 2000.

82. Les conceptions héritées des XVIIIe et XIXe siècles reviennent à supposer que « l'impuissance à laquelle les esclaves étaient réduits les rendait inévitablement victimes de flagrants mauvais traitements » (*ibid.*, p. IX). « Deux concepts clés entravent une compréhension réaliste de la servitude. Originellement créés par les abolitionnistes, ils furent adoptés par les chercheurs pour une variété de raisons non scientifiques. L'un assimile la servitude à l'exploitation extrême, l'autre la regarde comme équivalente à la mort sociale. » Or, « comparé aux travailleurs libres, l'esclave était souvent aisé ». Pour Bush, ce qui les distinguait n'était pas la « misère noire », mais l'existence de « restrictions légales » (*ibid.*, p. 238).

83. « De nombreux africanistes hésitent à utiliser le terme « esclavage » de peur de faire apparaître l'ensemble des traits qui lui sont habituellement associés. Leur conception de l'esclave américain est qu'il n'était rien de plus que le bien de son maître », écrit F. Cooper (« The Problem of Slavery in African Studies », art. cité, p. 106), ce qui revient à oublier les codes esclavagistes, les intérêts de l'Église, des pouvoirs coloniaux et des planteurs, qui furent obligés de lâcher du lest, ainsi que les accommodements au système acquis par la résistance des esclaves (voir le chapitre V).

84. Janet J. Ewald, « Slavery in Africa and the Slave Trades from Africa », *American Historical Review*, avril 1992, pp. 465-485, ici p. 475.

85. On serait tenté, à la suite d'Alfredo Margarido (*R.F.H.O.M.*, 226-227, 1975, p. 351), de se demander si l'inté-

gration progressive de certains esclaves dans le système de la parenté n'a pas eu également le même objectif, à savoir celui de « décomposer » l'unité des esclaves, d'éviter qu'ils ne constituent une classe plus difficilement contrôlable. D'ailleurs, la mémoire sociale retenait leur origine servile, même une fois intégrés dans la parenté. Il ne faut donc pas confondre le statut légal de l'esclave et ses conditions concrètes de vie.

86. Sur ce point, voir Paul LOVEJOY, *The Ideology of Slavery in Africa*, Beverly Hills, 1981.

87. « Une fois arrivés au terme du voyage, les esclaves sont généralement bien traités sous tous les rapports. S'ils doivent travailler sans salaire pour leurs maîtres, ils sont dans tous les cas à l'abri de tous les besoins », écrivait au XIXe siècle Emily Ruete, princesse de Zanzibar *(Mémoires d'une princesse arabe*, Paris, Karthala, 1991, p. 239). Le 11 juillet 1829, en France, à la Chambre des députés, Benjamin Constant s'élevait contre les négriers. Le député de Savenay et négrier nantais Étienne-Joseph Formon lui répondait : « Je n'ai pas insulté la France en disant que les esclaves de nos colonies étaient plus heureux dans leur existence animale que le sont la plupart des paysans de France. Pendant dix à douze ans que j'ai habité les colonies, jamais je n'ai vu un mendiant » (Jean MADIVAL, *Archives parlementaires*, 1829, pp. 266-269).

88. F. COOPER, « The Problem of Slavery in African Studies », art. cité, p. 105.

89. « Dans de nombreux cas, écrit Suzanne Miers, ces formes contemporaines [d'esclavage] sont plus cruelles » que celles qui correspondaient, dans certaines régions, à l'esclavage marchand. « À la différence des esclaves », qui constituaient un vrai capital et « dont on s'occupait dans la jeunesse, la maladie et la vieillesse, l'esclave moderne peut être acquis avec une mise en capital minime », on le garde seulement « lorsqu'il est capable de travailler », et il peut être abandonné lorsque cela n'est plus le cas (« Contemporary Forms of Slavery », *Slavery and Abolition*, décembre 1996, pp. 238-246, ici p. 246).

90. P. LOVEJOY, *Transformations in Slavery, op. cit.*, p. 10.

91. Dans son *Slavery* (Oxford, Blackwell Publishers, 2000, p. 63), David Turley opère une distinction entre les « sociétés avec esclaves » et les « sociétés esclavagistes ». Dans les pre-

mières, dit-il, les captifs sont attachés à la « maison », à la famille ou au lignage. Il s'agit d'un « esclavage à petite échelle », qui se reproduit et est maintenu de manière plus ou moins informelle, sans qu'un « système organisé » soit pour cela nécessaire. La transition avec le second cas de figure s'opérerait au moment où l'esclavage deviendrait une institution *significative* sans pour autant atteindre « une position *dominante* en matière de production ».

92. « Je ne pense pas », écrit Jack Goody, que la différence entre esclavage marchand et esclavage domestique « puisse être convenablement décrite [...] surtout si la première expression implique un service domestique ou un rôle périphérique ; des esclaves au foyer, des esclaves domestiques, peuvent clairement être au cœur de l'économie lorsque la production est en grande partie une affaire domestique [...]. Placé en opposition à l'expression esclavage marchand, le terme domestique suggère une institution d'importance mineure, alors que la contribution de ce type d'esclavage à l'économie des États africains fut souvent considérable » (« Slavery in Time and Space », *in* J. L. WATSON [éd.], *Asian and African Systems of Slavery*, Oxford, Basil Blackwell, 1980, pp. 16-42, ici pp. 28, 37).

93. « L'interaction entre la traite externe et l'institution [esclavagiste] indigène, écrit Paul Lovejoy, fut une relation dialectique. » « Toutes deux évoluèrent dans le temps, et l'influence de ces changements s'écoula dans les deux directions, produisant constamment une situation nouvelle dans les deux sphères » (*Transformations in Slavery*, op. cit., p 273).

94. Ce qui implique néanmoins un coût non pris en compte par Meillassoux, comme l'indique Miller, celui de la formation de l'esclave nouvellement introduit aux tâches qui lui sont confiées (Joseph Miller, « The World According to Meillassoux : a Challenging but Limited Vision », *The International Journal of African Historical Studies*, 22, 3, 1989, pp. 473-495).

95. J. D. FAGE, « Slaves and Society in Western Africa c. 1445-c. 1700 », *Journal of African History*, 21, 1980, pp. 289-290.

96. Sur cette question, outre *Transformations in Slavery*, de P. LOVEJOY, voir Cl. MEILLASSOUX, *L'Esclavage en Afrique pré-*

coloniale, op. cit. ; P. Lovejoy, *The Ideology of Slavery in Africa, op. cit.* ; Claire Robertson et Martin Klein, *Women and Slavery in Africa*, Madison, 1983 ; Suzanne Miers et Richard Robert,*The End of Slavery in Africa*, Madison, University of Wisconsin Press, 1988.

97. On remarquera, à nouveau, la manière ambiguë dont le terme « domestique » est souvent utilisé par les africanistes. En effet, parler d'administrateurs et de soldats (et même de concubines), c'est dépasser l'échelle du simple foyer familial auquel le terme « domestique » nous renvoie naturellement, pour toucher à celle des élites et des pouvoirs institués.

98. P. Lovejoy, *Transformations in Slavery, op. cit.*, pp. 24, 28.

99. F. Cooper, « The Problem of Slavery in African Studies », art. cité, p. 117.

100. « En de nombreux endroits, il y eut croissance du marché intérieur » sans qu'existent « de liens puissants avec le marché extérieur et son effondrement » *(Transformations in Slavery, op. cit.)*. Dans « Islam, Slavery and Political Transformation » (art. cité, p. 270), Lovejoy note également : « il y a des raisons de penser que le marché interne d'esclaves fut un facteur important, et peut-être même le facteur dominant dans la détermination du prix des esclaves ».

101. *Ibid.*, p. 261.

102. Ce qui pose d'ailleurs un problème important sur le plan théorique : est-ce l'esclavage qui contribua à favoriser l'essor d'une économie marchande ou est-ce ce dernier qui favorisa une utilisation particulière du travail des esclaves ? La plupart des études consacrées à la question se focalisent sur la notion de mode de production esclavagiste, et n'interrogent qu'assez peu les mutations de l'économie africaine, comme si l'ensemble de la société et de l'économie était soluble dans l'institution esclavagiste.

103. « Si les esclaves étaient trop fortement opprimés, ils se révoltaient ; si le régime devenait trop libéral, les esclaves devenaient des serfs plus que des esclaves » (P. Manning, *Slavery and African Life…, op. cit.*, p. 146). Manning semble penser que ce type d'évolution conduisait à transformer les esclaves en serfs ; ce qui n'était pas le cas, à moins de considérer ainsi les esclaves des Amériques. Indirectement, le fait

de présenter comme « libéral » ce nouveau statut des esclaves nous en dit long sur la prétendue « douceur » des formes d'esclavage antérieures à l'extension du « mode de production esclavagiste en Afrique noire ».

104. Jean-Pierre OLIVIER DE SARDAN, « Captifs ruraux et esclaves impériaux du Shonghay », *in* Cl. MEILLASSOUX, *L'Esclavage en Afrique précoloniale, op. cit.*, pp. 99-134.

105. P. LOVEJOY, « Islam, Slavery, and Political Transformation in West Africa », art. cité, pp. 247-282.

106. J. BAZIN et E. TERRAY, *Guerres de lignages et guerres d'États en Afrique, op. cit.*, p. 399.

107. En Afrique précoloniale, les dénominations ethniques ne correspondaient ni à des « tribus », ni à des groupes raciaux, ni à des équivalents primitifs de la nation. Plus liées à des rapports de type politique, elles s'appliquaient généralement soit aux sujets d'un État, soit aux populations non intégrées mais situées dans leur périphérie immédiate. Les Bambara tiraient ainsi leur nom (qui veut dire « païen ») de leur proximité avec les États musulmans du Mali.

108. L'accentuation des clivages, au cours du XIXe siècle, puis la colonisation ont freiné un processus qui *aurait pu* évoluer dans ce sens. Ce qui est sûr, c'est que ces oppositions et ces contentieux interethniques jouent aujourd'hui un rôle important dans l'instabilité de l'Afrique. Mettant à mal la légitimité de l'État, ils ne lui permettent pas toujours de mener à bien les politiques de développement qui, ailleurs dans le monde, se sont dans l'histoire souvent nourries de la force de l'État-nation. « Dans bon nombre d'États africains, écrit le géographe Yves Lacoste, ce sont les anciennes ethnies négrières qui, de fait, exercent encore aujourd'hui le pouvoir », et cela en raison de leur poids démographique, de leur localisation littorale (qui a bénéficié de l'essor de l'économie coloniale et postcoloniale), ou bien encore de leur ralliement aux colonisateurs qui se sont appuyés sur elles (cas des Ashantis au Ghana, ou des Yorubas au Nigeria). « Il ne fait aucun doute, ajoute l'auteur, que ce type d'analyse de la géopolitique interne des États d'Afrique tropicale en fonction des contentieux ethniques hérités de la traite (et de l'évolution de ces contentieux au XXe siècle) sera récusé par la plupart des intellectuels et hommes politiques africains. Mais il faut tenir

compte que bon nombre d'entre eux sont justement issus de ces ethnies puissantes qui ont été à la base des appareils négriers du XIXᵉ siècle [...]. Il est évidemment plus facile de prôner l'unité des Noirs et de rappeler seulement les atrocités des négriers européens (on reste discret sur le rôle des négriers arabes), plutôt que d'admettre le rôle des appareils négriers africains » (« Géopolitiques internes en Afrique », *Hérodote*, juillet-septembre 1987, pp. 3-22).

109. Voir p. 456, n. 4.

110. Sur la question, voir notamment Robin LAW (éd.), *From Slave Trade to Legitimate Commerce. The Commercial Transition in Nineteenth-Century West Africa*, Cambridge, C.U.P., 1995. Dans un ouvrage consacré principalement aux relations entre la Grande-Bretagne et le Nigeria *(Commerce and Economic Change in West Africa : the Palm Oil Trade in the Nineteenth Century*, Cambridge, C.U.P., 1997), Martin Lynn insiste sur le fait que l'avènement du commerce légal ne provoqua guère de changements. Jusqu'aux années 1860, les oligarchies africaines conservèrent jalousement leurs avantages, leurs monnaies et leurs monopoles, empêchant ainsi toute pénétration européenne vers l'intérieur.

111. Sur tous les problèmes relatifs à la question de la signification et des conséquences de l'essor du commerce légitime, on lira avec profit l'article très synthétique de Robin LAW, « The Transition from the Slave Trade to Legitimate Commerce », *Studies in the World History of Slavery, Abolition and Emancipation*, I, 1996 (revue disponible sur Internet).

112. Ivor WILKS, *Asante in the nineteenth Century : the Structure and Evolution of a Political Order*, Cambridge, C.U.P., 1975.

113. « Le pouvoir marchand [est] partout, en filigrane, au revers du pouvoir des aristocraties guerrières, prêt éventuellement à s'y substituer » (Claude MEILLASSOUX, « Le rôle de l'esclavage dans l'histoire de l'Afrique occidentale », *Anthropologie et société*, Québec, 1978, pp. 117-148).

114. Voir Catherine AUBIN, « Croissance économique et violence dans la zone soudanaise, XVIᵉ-XIXᵉ siècle », *in* J. BAZIN et E. TERRAY, *Guerres de lignages et guerres d'États en Afrique*, *op. cit.*, pp. 423-496.

115. C. COQUERY-VIDROVITCH, *Afrique noire, permanences et ruptures, op. cit.*, p. 110.

116. *Ibid.*

117. *In* J. BAZIN et E. TERRAY. *Guerres de lignages et guerres d'États en Afrique, op. cit.*

118. *Ibid.*, p. 31.

119. *Slavery and Social Death : a Comparative Study*, Cambridge, Mass., Harvard University Press, 1982.

120. Ehud R. TOLEDANO, *The Ottoman Slave Trade and its Suppression, 1840-1890*, Princeton, Princeton University Press, 1982. Voir aussi, du même auteur, *Slavery and Abolition in the Ottoman Middle East*, Seattle, University of Washington Press, 1998

121. Bernard LEWIS, *Race et esclavage au Proche-Orient*, Paris, Gallimard, 1993, p. 27.

122. H. DESCHAMPS, *Histoire de la traite des Noirs, op. cit.*, p. 22.

123. Ralph AUSTEN, « How Unique Is the New World Plantation ? Estate Agriculture in Three Slave Economic », *in* S. DAGET (éd.), *De la traite à l'esclavage, op. cit.*, t. I, pp. 55-73. Voir aussi Jan HOGENDORN, « The Economics of Slave Use on Two "Plantations" in the Zaria Emirate of the Sokoto Caliphate », *International Journal of African Historical Studies*, 10, 3, 1977, pp. 369-383.

124. F. RENAULT, « The Structures of the Slave Trade in Central Africa in the 19th Century », art. cité, pp. 146-165.

125. W. G. CLARENCE-SMITH (éd.), *The Economics of the Indian Ocean Slave Trade..., op. cit.*, p. 4. Sur ce sujet, voir aussi Frederick COOPER, *Plantation Slavery on the East Coast of Africa*, New Haven, 1977.

126. Ralph A. AUSTEN, « The 19th Century Islamic Slave Trade from East Africa : a Tentative Census », *in* W. G. CLARENCE-SMITH (éd.), *The Economics of the Indian Ocean Slave Trade in the Nineteenth Century, op. cit.*, p. 39.

127. *Slavery and African Life..., op. cit.*, p. 138.

128. Y. Hakan ERDEM, *Slavery in the Ottoman Empire and its Demise, 1800-1900*, Londres, MacMillan, 1996.

129. Pour le premier cas, voir James McCANN, « Children of the House. Slavery and its Suppression in Lasta, Northern Ethiopia, 1915-1935 », *in* S. MIERS et R. ROBERTS (éd.), *The

End of Slavery in Africa, op. cit., pp. 332-361. Pour le second, voir A. JWAIDEH et J. W. COX, « The Black Slaves of Turkish Arabia during the 19th Century », *in* W. G. CLARENCE-SMITH (éd.), *The Economics of the Indian Ocean Slave Trade in the Nineteenth Century, op. cit.*, pp. 45-59.

130. E Terray, *Une histoire du royaume abron du Gyanam..., op. cit.*

131. B. LEWIS, *Race et esclavage au Proche-Orient, op. cit.* pp. 125-126. Voir aussi P. MANNING, *Slavery and African Life..., op. cit.*

132. Behnaz MIRZAI, « African Presence in Iran : Identity and its Reconstruction », *R.F.H.O.M.*, 2, 2002, pp. 229-246.

133. H. DESCHAMPS, *Histoire de la traite des Noirs, op. cit.*, p. 314.

134. Un renouveau que Douglas H. Johnson a décrit comme étant « à la fois une stratégie de guerre et une tactique de mobilisation du travail sur une large échelle pour les programmes agricoles » dont dépend le pays (« Recruitment and Entrapment in Private Slave Armies : the Structure of the Zara'ib in the Southern Sudan », *in* Elizabeth SAVAGE [éd.], *The Human Commodity. Perspectives on the Trans-Saharan Slave Trade*, numéro spécial de *Slavery and Abolition*, 13, 1, avril 1992, pp. 162-173).

135. Entre autres exemples, voir l'article de Thomas M. RICKS, « Slaves and Slave Traders in the Persian Gulf, 18th and 19th Centuries : an Assessment », *in* P. MANNING (éd.), *Slave Trades, 1500-1800..., op. cit.*, pp. 278 et suiv. On y voit comment les esclaves noirs comblèrent immédiatement la pénurie de main-d'œuvre des régions du golfe Persique au cours des XVIIIe et XIXe siècles.

136. Janet J. EWALD, « Slavery in Africa and the Slave Trades from Africa », art. cité, p. 478 (c'est nous qui soulignons).

CONCLUSION

1. Freeman DYSON, « The Scientist as Rebel », *New York Review of Books*, 25 mai 1995, p. 32.

2. « Dans la traite des esclaves, on peut distinguer le commerce interrégional (par exemple la vente d'Africains aux

Amériques ou dans le golfe Persique), le commerce régional (ainsi la vente d'Indiens aux Amériques ou d'Africains en Afrique) et le commerce local dans lequel les esclaves parcouraient de courtes distances » (P. MANNING [éd.], *Slave Trades, 1500-1800...*, *op. cit.*, introduction, p. XVII).

3. Ce point est développé *in* Olivier PÉTRÉ-GRENOUILLEAU, « Traite, esclavage et nouvelles servitudes. Vieilles questions et nouvelles perspectives », *R.F.H.O.M.*, 1ᵉʳ semestre 2001, pp. 311-327.

4. Sur cette question, voir O. PÉTRÉ-GRENOUILLEAU, « Traites et esclavages : vieilles questions, nouvelles perspectives ? », introduction au dossier thématique ainsi intitulé paru dans *R.F.H.O.M.*, en décembre 2002, pp. 6-40.

INDEX

---

* Établi par Benoît Farcy.

Table 731

TROISIÈME PARTIE

LA TRAITE DANS L'HISTOIRE MONDIALE

Table 733

Composition Nord Compo
Impression Bussière
à Saint-Amand (Cher),
le 28 novembre 2006.
Dépôt légal : novembre 2006.
1ᵉʳ dépôt légal dans la collection : novembre 2006.
Numéro d'imprimeur : 064187/1.
ISBN 2-07-033902-5./Imprimé en France.